HISTOIRE
DE LA
NOUVELLE-FRANCE

IX

La guerre de la conquête
1754 - 1760

DU MÊME AUTEUR

Iberville le Conquérant. Montréal, Société des Editions Pascal, 1944. 418 pages. *(Epuisé)*

La Civilisation de la Nouvelle-France. Montréal, Société des Editions Pascal, 1944. 288 pages. *(Epuisé)*

François Bigot, administrateur français. Montréal, les Etudes de l'Institut d'histoire de l'Amérique française, 1948. 2 vol., 442 et 416 pages.

Le Grand Marquis : Pierre de Rigaud de Vaudreuil et la Louisiane. Montréal, Editions Fides, 1952. 483 pages.

La Société canadienne sous le régime français. Ottawa, La Société historique du Canada, brochure historique No 3, 1954. 16 pages. (Traduction anglaise : *Canadian Society in the French Regime*.)

GUY FRÉGAULT, Ph. D.

de l'Académie canadienne-française

HISTOIRE DE LA NOUVELLE-FRANCE

IX

La guerre de la conquête

1754 - 1760

MONTRÉAL   **FIDES**   PARIS

L'HISTOIRE DE LA NOUVELLE-FRANCE
EST PUBLIÉE SOUS LA DIRECTION
de
MARCEL TRUDEL

© *Guy Frégault, Ottawa 1955.*
© *Guy Frégault, Washington 1955.*

INTRODUCTION

L A guerre qui amena en 1760 la capitulation du Canada et, trois ans plus tard, sa cession à la Grande-Bretagne constitue le fait le plus important de notre histoire. Lorsqu'elle avait éclaté, deux Amériques étaient en présence, l'une française et l'autre britannique. Quand elle prit fin, la première avait disparu en conséquence de la défaite du Canada. Il en résulta infiniment plus que l'élargissement de la zone colorée en rouge sur la carte du nouveau continent. Il s'ensuivit, d'une part, un cataclysme dont on n'a pas, semble-t-il, mesuré toute la signification et, de l'autre, une renaissance dont on ne peut considérer qu'avec saisissement les formidables répercussions.

La conquête du Canada marque la seconde naissance de l'Amérique britannique. En 1763, celle-ci est un jeune géant. Vingt ans encore, et elle changera de nom en se faisant une place parmi les nations. Son nouveau nom, toutefois, ne lui donnera pas une origine nouvelle. Création britannique, les Etats-Unis d'Amérique resteront une puissance essentiellement britannique. Il y aura désormais deux Angleterres : celle dont le centre se situe au nord de l'Europe et celle qui va grandir au point de s'identifier plus ou moins au Nouveau Monde. Quand la première, limitée par sa géographie, — cette même géographie à laquelle elle doit sa fortune, — deviendra trop petite pour porter seule son hégémonie, la seconde, après une croissance invraisemblable, prendra sur ses épaules qu'aucun grand revers n'a jamais courbées sa part, la plus lourde, de la suprématie mondiale.

Tout cela sera possible parce que, dans le troisième quart du XVIIIe siècle, la question américaine aura été définitivement réglée. Cent ans auparavant, au moment où Louis XIV s'élève et où l'Angleterre achève, avec la restauration, une première expérience révolutionnaire, l'histoire du Nouveau Monde pourrait encore s'engager dans une voie toute différente de celle qu'elle suivra; à cette époque, la France serait capable, si elle en connaissait le prix, d'instaurer sa domination en Amérique. Mais elle va se laisser dépasser irrémédiablement. En 1760, elle ne saurait plus jamais remonter la pente : ses dernières garnisons se rembarquent désarmées; la Nouvelle-France fait place à une nouvelle Angleterre. Alors que le monde britannique ajoute à sa base territoriale d'Europe un immense champ d'accomplissement en Amérique, le monde français, amputé de son aile américaine, se confine dans ses espaces européens, trop restreints pour lui assurer les déploiements qu'exige désormais la réelle grandeur.

Au point de départ du triomphe anglais, se place donc un succès de colonisation. Si la civilisation britannique s'est donné une prépondérance durable, c'est que l'Angleterre a commencé par créer en Amérique des sociétés à son image, sinon à sa ressemblance exacte. Mais la France n'en avait-elle pas fait de même ? La France en avait fait de même, sans toutefois en faire autant. De là, le drame du Canada. Entre celui-ci et les colonies anglaises, la grande différence, nous l'avons établie ailleurs, [1] n'en fut pas une de nature, mais de masse. Les éléments fondamentaux d'une province américaine de l'Angleterre se retrouvent tous au Canada, mais en plus petit. Rien ne ressemble plus à une société britannique d'Amérique qu'une société française du même continent. Issue de soucis et d'efforts analogues, chacune apparaît comme une pyramide d'intérêts posée sur un socle semblable. Chacune est pourvue de son armature politique, de son outillage économique, de sa structure sociale, et chacune est portée par son courant de vie spirituelle. Chacune prend place dans des cadres continentaux : cadres, plus rigides, de la Nouvelle-France ou, moins fermement tracés, de l'Amérique britannique. Chacune, enfin, fait partie d'un empire qui vit un peu d'elle et dont elle vit.

Nous voici donc en présence de deux blocs. De formation à peu près identique, ils se rapprochent aussi par leurs aspirations, dont la principale est d'introduire le meilleur de l'Amérique dans leurs sphères d'influence et dans leurs zones d'exploitation. Ne voir dans cette ambition que convoitise déréglée serait se méprendre. L'un ne peut laisser à l'autre la liberté de se grossir des territoires les mieux situés et les plus riches du continent sans tomber dans une telle infériorité que son

---

[1] *La Société canadienne sous le régime français* (Ottawa, 1954).

propre destin ne s'en trouve fatalement compromis. L'enjeu est l'opulence ou la misère, la liberté ou la servitude, la vie ou la mort. Les adversaires le savent et le disent. Aussi se reconnaissent-ils pour ce qu'ils sont, des ennemis irréductibles. Avec une terrible netteté de vue, chacun comprend qu'il ne s'assurera de développement normal que sur les ruines de l'autre. Le grand carnassier n'a pas le choix; il lui faut dévorer. Car il n'est pas question que le vainqueur se contente d'une demi-victoire. Si beaucoup éprouvent de la difficulté à s'en rendre compte en Europe, où l'équilibre des forces n'est pas réparti assez inégalement pour qu'une nation voie la possibilité d'en anéantir une autre, le conquérant américain n'aura de cesse qu'il n'ait exploité à fond les avantages que le sort des armes lui aura mis entre les mains. Voilà comment il se trouve que le Canada n'est pas seulement vaincu, mais défait.

Précipitée par une conquête que les Américains britanniques, à la différence d'un grand nombre d'Anglais, estiment avec raison indispensable, la défaite canadienne est à la fois militaire, politique, économique, sociale, culturelle. Il faut bien entendre qu'elle n'est pas plus économique que culturelle ni plus politique que sociale. Elle est tout cela ensemble et au même degré. Le désastre n'aboutit pas uniquement à une substitution de drapeaux, mais à une transformation beaucoup plus complexe et plus profonde que celle-là. Il se traduit par le démembrement de la Nouvelle-France, le passage du Canada dans l'empire britannique et la naissance de la « Province de Québec », œuvre de la proclamation royale du 7 octobre 1763.

En dix ans, un changement d'une extrême gravité s'est effectué. Il y a un Canada en 1754. En 1759, il en existe encore un, amoindri, blessé, mais conservant toujours sa cohésion et son dynamisme interne. En 1764, il ne survit plus que des Canadiens — sans Canada, comme, depuis 1713, il ne subsiste plus que des Acadiens — sans Acadie. Pour mieux saisir le sens de cette désintégration, considérons une armée. Une armée est un corps de combattants qui opèrent avec efficacité en vertu d'une organisation très compliquée. Ce corps peut être battu, décimé, sans être désorganisé. Il peut aussi être défait sans être nécessairement exterminé. Dans ce dernier cas, il reste des soldats; il ne reste plus d'armée. Telle est la situation que la conquête a faite aux Canadiens.

Réduire les Canadiens à ce point n'a pas été aisé. C'est pourquoi la guerre qui entraîna la conquête fut si longue et si acharnée. L'ardeur et la durée de la lutte indiquent jusqu'à quel point le Canada était constitué pour vivre; dans quelle mesure aussi il reconnut et accepta

la nécessité de résister aux forces qui se liguaient pour le disloquer. Il
ne se laissa pas conquérir : il se fit écraser par le nombre. Crierons-nous
à l'héroïsme ? Ce serait peut-être de bonne rhétorique, ce ne serait pas
une explication. Simplement, comme l'eût fait toute autre société, le
Canada mit à résister à la conquête la même énergie qu'un organisme
vivant met à résister à la mort.

Ce conflit comporte tant d'aspects que l'étude en est, à vrai dire,
inépuisable. On peut en tirer des récits de batailles; beaucoup s'y sont
déjà appliqués. Il demeure sans doute possible d'en dégager des leçons
de stratégie, sinon de tactique. Il ne serait pas oiseux de l'aborder sous
l'angle politique, et nous avons le sentiment que l'histoire économique
en reste à faire. Nous avons cru néanmoins utile d'orienter notre entreprise dans une autre direction. Encore qu'il soit inconcevable de parler guerre sans pratiquer l'histoire « militaire », on observera que nous
nous sommes moins inquiété de raconter des combats que de définir
des objectifs, sans jamais perdre de vue l'objectif capital des hostilités :
la conquête. Aux yeux des Américains britanniques, qui savaient ce
qu'ils voulaient, et pour une partie des Anglais d'Europe, les plus éclairés, le véritable but des opérations, et cela, dès 1755, ne faisait pas le
moindre doute. Il s'agissait d'éliminer le Canada. On a tôt fait de s'en
rendre compte à relire les déclarations des chefs, à suivre le mouvement de l'opinion publique et à dégager les liens logiques qui existent
entre les diverses campagnes de la guerre. Et la conquête, on ne saurait
en pénétrer le sens que l'on ne scrute les motifs et les méthodes de
ceux qui l'ont faite aussi bien que le comportement et le sort de ceux
qui l'ont subie. C'est ainsi que l'objet de nos recherches en est venu
à se confondre avec celui du conflit que nous voulions examiner.

D'où le titre que nous avons donné au présent ouvrage. La guerre
de la Conquête : pourquoi cette nouvelle expression ? [2] N'y en aurait-
il pas déjà assez pour désigner ce grand fait d'histoire ? Justement, il
s'en rencontre trop, et nous avons cru y voir le signe qu'elles conviennent toutes assez mal. On dit : la guerre de Sept ans. Si cette formule
correspond suffisamment à la phase européenne des hostilités, elle
s'ajuste malaisément au duel à mort que, soutenues par leurs métropoles, se livrèrent la Nouvelle-France et l'Amérique britannique, — ne
serait-ce que parce qu'au Nouveau Monde la guerre de Sept ans n'a pas
duré sept ans. Il fallait trouver autre chose. L'abbé Casgrain, qui en

---

[2]   A ce jour, nous n'avons vu cette expression qu'une fois; elle apparaît dans l'introduction dont Amédée Gosselin fait précéder son édition du journal de Bougainville,
RAPQ (1923-1924), 202.

avait eu l'intuition, avait adopté « la guerre du Canada ». Mais il y a eu plus d'une guerre du Canada. Le professeur Lawrence Henry Gipson propose *The Great War for the Empire*. L'expression est d'une justesse admirable, mais du seul point de vue britannique; il faut en dire autant des sous-titres que l'éminent historien américain a inscrits sur les deux livres dans lesquels il raconte cette guerre : *The Years of Defeat (1754-1757)* et *The Victorious Years (1758-1760)*. Ses années de défaite sont les années victorieuses du Canada; ses années victorieuses consomment la défaite canadienne.

Un dernier mot. On trouvera encore des notes au bas des pages de ce volume. Elles sont à l'usage des historiens, personnages curieux, méticuleux et parfois savants, qui aimeraient voir sur quoi l'auteur appuie ses dires et vérifier si les données documentaires l'autorisent à formuler les conclusions qu'il pose. Très brèves, volontairement sèches, elles ne comportent que des indications de sources et des renvois propres à favoriser des recherches futures. Ceux que ces préoccupations ne concernent pas n'ont qu'à se dispenser, s'ils le préfèrent, de s'y rapporter.

ABRÉVIATIONS

1 — *Archives*

AC	Archives des Colonies.
AE	Ministère des Affaires étrangères.
AG	Ministère de la Guerre.
AM	Archives de la Marine.
AN	Archives nationales.
APC	Archives publiques du Canada.
BN	Bibliothèque nationale.
PRO	Public Record Office.

2 — *Imprimés*

AHR	*American Historical Review.*
BRH	*Bulletin des recherches historiques.*
Casgrain	H.-R. Casgrain, éd. *Collection des manuscrits du maréchal de Lévis.* 12 vol., Montréal et Québec, 1889-1895. Le chiffre qui suit le mot Casgrain indique le tome de la collection.
Gipson	L. H. Gipson. *The British Empire before the American Revolution.* Le numéro qui accompagne le nom indique le tome de la série.
NYCD	E. B. O'Callaghan, éd. *Documents Relative to the Colonial History of the State of New York.*
RAC	*Rapport des Archives publiques du Canada.*
RAPQ	*Rapport de l'Archiviste de la province de Québec.*
RHAF	*Revue d'histoire de l'Amérique française.*

REMERCIEMENTS

Accueilli avec bienveillance partout où ses recherches l'ont conduit, l'auteur désire exprimer sa reconnaissance aux institutions suivantes : la bibliothèque du Congrès, à Washington (D.C.), la bibliothèque publique de New-York, celle de Boston, les bibliothèques Widener et Houghton de l'Université Harvard, la Société historique du Massachusetts, les Archives publiques du Canada, à Ottawa (Ontario), la bibliothèque Saint-Sulpice, à Montréal, et la bibliothèque centrale de l'Université de Montréal.

Il tient à remercier le Conseil canadien des recherches en sciences sociales, qui lui a octroyé une bourse de voyage à l'été de 1953.

Il éprouve une profonde reconnaissance à l'égard de la compagne de ses expéditions scientifiques, Lilianne Rinfret-Frégault, licenciée ès lettres; non seulement lui a-t-elle apporté une aide constante lorsqu'il s'est agi de dépouiller la documentation sur laquelle cette étude repose, mais elle a dactylographié le manuscrit, l'a soigneusement revu et a indiqué de nombreuses corrections.

PREMIÈRE PARTIE

LES COMBATTANTS

CHAPITRE PREMIER

LES SENTIMENTS, LES IDÉES ET LES FAITS

PARCE qu'elle a imprimé une orientation à la fois nouvelle et décisive à l'histoire du Canada et qu'elle a pesé d'un poids considérable sur l'évolution de l'Amérique du Nord, la guerre de la Conquête est beaucoup mieux connue dans ses résultats que dans ses causes. Si elle n'avait pas eu lieu ou qu'elle se fût dénouée autrement, il est certain que l'Etat-nation appelé maintenant Canada n'existerait pas : il conserverait sans doute le même nom, puisque le pays d'aujourd'hui l'a emprunté au pays d'autrefois, mais il n'aurait ni les mêmes habitants, ni la même géographie, ni par conséquent la même économie, ni la même politique, ni les mêmes structures sociales, ni les mêmes expressions culturelles. Par ailleurs, il est infiniment probable que les colonies que l'Angleterre possédait en Amérique au XVIIIe siècle n'auraient acquis leur indépendance ni au moment où elles se la sont assurée ni de la manière que l'on sait si le Canada n'avait pas été défait en 1760 et incorporé à l'empire britannique trois ans plus tard.

Ces conséquences sont si impressionnantes par leur ampleur et leur gravité qu'elles ont masqué les causes du conflit d'où elles découlent. C'est pourquoi on ne les comprend d'ordinaire qu'en gros. Si l'on en mesure la masse, on éprouve une extrême difficulté à en reconnaître la substance, ou plutôt la composition, car rien ici n'est simple. Comment définir autrement qu'en termes très vagues des répercussions dont on ne saisit pas le principe ? Il ne paraît guère possible d'avoir une intelligence convenable des situations créées par la guerre de la Conquête si les causes de ce conflit demeurent obscures. Et ces causes sont dans les hommes — Canadiens et Américains, Français et Anglais — qui se sont dressés les uns contre les autres, l'arme au poing, avec leurs ambitions et leurs moyens, leurs craintes et leurs orgueils, leurs idées et leurs aspirations; dans les hommes, ce qui veut dire dans les sociétés, puisque ce ne sont pas des individus qui se sont affrontés, mais bien des collectivités pour lesquelles il était devenu impératif d'atteindre telle fin, de maintenir telle position, de briser telle résistance, de s'assurer tel développement.

Chercher les causes dans les hommes, n'est-ce pas d'abord les interroger, les écouter ? Qu'ont-ils à nous dire, les contemporains du gigantesque conflit qui, en plein siècle des Lumières, à une époque qui s'estimait réaliste et, entre toutes, soucieuse de sagesse, ensanglanta le monde durant tout près de dix ans ? Comment ont-ils vu eux-mêmes ce qui les entraînait au combat ? Ils ne s'égorgeaient pas sans savoir ce qu'ils faisaient ni pourquoi. Étaient-ce des haines « héréditaires » qui en eux se heurtaient ? Des conceptions de la personne que tout opposait l'une à l'autre ? Ou, ce qui revient un peu au même, des conceptions de l'État ? Eh bien ! ils ont cru tout cela, et bien d'autres choses encore, ces hommes à tant d'égards si éloignés de nous et, sur tant de points, si voisins, qui parlaient un langage très semblable au nôtre, tout en donnant aux mots que nous proférons un sens parfois fort différent de celui que nous y attachons; ces hommes que nous rejoignons, par delà toutes les contradictions, parce qu'ils avaient avec nous ceci de commun et de fondamental qu'ils voulaient vivre et, comme nous, en prenaient les moyens inchangés au fond et violents.

« Il est dans le sang des Anglois de haïr les François et de leur vouloir du Mal », déclare, vingt ans avant la défaite du Canada, l'auteur d'un mémoire qui fit son chemin jusqu'aux bureaux du ministère français de la Marine. Il explique : « ...et ce sentiment, je l'avoue, est de leur part fondé sur quelque raison. Epris d'amour pour leur pretendue liberté, ils nous regardent comme la seule nation assés puissante et a portée de la leur faire perdre... Ils sont donc continuellement occupés du soin de sapper notre puissance » ...[1] L'homme part du mauvais pied. Affirmer que les Anglais ont dans le sang la haine des Fran-

---

[1] « Mémoire sur les Colonies françoises et angloises de l'Amerique Septentrionale, » 1739, Archives des Colonies, Correspondance générale, Canada [AC, C 11A], vol. 72: 228.

çais est une piètre figure de style qui embrouille tout. Mais l'explication qu'il propose va assez loin. Pour en saisir la portée, il suffit de la traduire dans la langue qu'écrirait aujourd'hui l'auteur d'un mémoire analogue à celui que nous citons. Elle se présenterait à peu près comme ceci : les Anglais sont attachés à des conceptions et à des institutions politiques plus libérales que les nôtres, mais évidemment erronées; comme nous sommes, ils s'en rendent compte, le seul Etat capable de mettre en danger leur régime de liberté, ils s'appliquent sans relâche à nous affaiblir.

Lorsque la guerre commence, le ton monte. En 1755, un propagandiste français lance cette tirade : « Je rends volontiers à l'Angleterre cette justice, qu'il n'y a aucune Nation qui ose s'égaler à elle dans ce qui concerne l'intelligence du commerce; aucune Nation si habile à faire fleurir ses colonies; aucune Nation qui tire tant d'avantage de ses propres productions & des matieres premieres qui lui sont importées des pays étrangers; aucune Nation qui ait porté si loin la gloire de sa navigation. Mais aussi ne fut-il jamais de Nation si intéressée, si jalouse, si avide, si ambitieuse, & si prête à violer le droit des Gens, lorsqu'elle le juge nécessaire à l'accroissement de son commerce. » La Grande-Bretagne, « Nation commerçante », subordonne tout à ce qui peut lui rapporter des profits. Renfermée en elle-même, elle se tient à l'écart et au-dessus du reste du monde. L'*Homo sum...* de Térence n'éveille aucun écho dans sa sensibilité; à cette maxime, son peuple a substitué cette formule égoïste : « *Je suis Anglois; & tout ce qui ne l'est pas est pour moi comme s'il n'existoit pas.* » Une telle attitude traduit un énorme dédain des autres hommes. Aussi ne faut-il pas s'étonner de voir les Anglais en Acadie « s'illustrer par des actes d'hostilité et par des déprédations bien plus dignes d'une troupe de bandits que d'hommes civilisés ». On doit s'attendre à tout d'un « Peuple qui méprise assez les autres Peuples, pour se persuader qu'il n'y a point entr'eux et lui de droit des Gens, qu'il soit obligé de respecter ». Avide, matérialiste et sans scrupule, l'Angleterre agit de manière à se hausser sur les ruines de l'indépendance des Etats européens : « Quel malheur pour l'Europe qu'il y ait une Angleterre; s'il faut que, pour remplir sa haute destinée, l'Angleterre lui donne la loi ! » Si cette nation de proie veut abattre la France, c'est que la France se met en travers de ses ambitions. Et le drame de l'Europe est aussi celui de l'Amérique, où les deux rivales se font face : « La même fatalité qui les rendit voisines dans l'ancien Monde, s'est plû à les rapprocher encore dans le nouveau, pour les mettre sans cesse aux prises l'une contre l'autre, & tenir en haleine cette haine immortelle qui les a toujours divisées. » [2] Négligeons la « haine immortelle », ornière dont la pensée française semble impuissante à se dégager, pour retenir l'élément valable de cette analyse : les Anglais cherchent dans l'hégémonie l'épanouissement de la société nationale qu'ils ont édifiée; tel est le ressort de leur politique en Europe et en Amérique. En 1756, Louis XV dénoncera « cet esprit de domination générale qu'ils voudroient etendre dans les deux mondes ». [3]

Ces déclarations sont des répliques, extraites d'un dialogue. Les Anglais aussi élèvent la voix. Que disent-ils ? Le premier engagement important de la guerre de la Conquête se déroule dans le pays de l'Ohio, le 3 juillet 1754, alors que Coulon de Villiers chasse Washington du fort Nécessité, après lui avoir imposé une capitulation « injurieuse et insultante » et infligé aux défenseurs britanniques de ce camp fortifié « beaucoup d'outrages et de violences ». L'Angleterre prend l'Europe à témoin que ces « hostilités ouvertes... Suffisent par Elles mêmes pour faire connoitre evidemment que les françois Sont les Aggresseurs de dessein premedité dans leur querelle avec les anglois ». [4] Après ce grave incident, le gouverneur de la Caroline du Sud, James Glen, s'adresse à l'assemblée législative de sa province. Il s'efforce de relever les courages ébranlés par ce revers et de faire partager aux hommes politiques de la colonie le ressentiment qu'il éprouve. Quel sera le thème de son discours ? Si, s'écrie l'orateur, les sujets d'un pouvoir absolu montrent tant de bravoure au service de « leur maître », combien de courage « les fils de la Liberté » ne devraient-ils pas déployer au maintien de leurs droits ! Pour eux, il ne s'agit pas uniquement de défendre leur territoire, mais aussi leur constitution : « Nous avons le bonheur de connaître la forme de gouvernement la plus heureuse et la plus parfaite du monde; elle fait l'envie de tous les peuples; toutes les nations disent : *Qui ne voudrait pas être Anglais ?* Grâce à cette constitution, notre colonie, après de modestes débuts, n'a pas tardé à devenir très considérable et fort avantageuse à la Grande-Bretagne. » Tel est le sens de l'empire : union d'idéaux et communauté d'intérêts. Le haut fonctionnaire évoque l'histoire : « Lorsque nos pères vinrent de là-bas pour s'établir ici, ils emportèrent leurs droits de naissance,

    [2] *Lettres d'un François à un Hollandois Au sujet des differends Survenus entre la France et la Grande-Bretagne, Touchant leurs Possessions respectives dans l'Amérique Septentrionale* ([s. l.], 1755), 4s, 23s, 50, 99, 105, 169.
    [3] « Lettre du Roi à M. de Bompar, » 21 juillet 1756, AC, B 103 : 28.
    [4] « Relation abregée des hostilités françoises Sur l'Ohio dans l'Amerique Septentrionale en 1754, » Ministère des Affaires Etrangères [AE], Mémoires et documents, Amérique, 10 : 150.

les lois de la mère-patrie : quel glorieux héritage ! Ils ne se séparè-
rent pas de cet inestimable joyau, le privilège de faire des lois propres
à leur assurer un bon gouvernement; sans cela, ils n'auraient pu réaliser de progrès. Ce privilège, j'espère que nous le conserverons toujours. » [5]

Aux yeux des Anglais, les Français, asservis à un régime de despotisme et de misère, font figure de barbares. Ce sont des Goths et des
Vandales qui, poussés par la faim, font irruption dans les pays pacifiques et mal défendus pour piller les populations qui s'adonnent aux
arts de la paix. [6] Que dire des Canadiens ? Les Canadiens, assure un
ecclésiastique anglais qui pousse le patriotisme au point de s'improvi-
ser historien — les Canadiens sont « de véritables sauvages ». [7] Rien
que cela ? Non, renchérit un écrivain politique de New-York, « ils se
délectent dans le sang, et leur barbarie dépasse, s'il est possible, celle
des sauvages eux-mêmes ». [8]

Ce ton n'a rien qui puisse nous surprendre, nous qui savons ce
qui s'écrit en temps de guerre et en période de paix armée. Sans doute
serait-il assez vain de chercher à tout prix des analogies entre les époques troublées que nous connaissons d'expérience et le grand conflit
d'il y a deux siècles. A chaque âge son atmosphère. Encore serait-il
bon de ne pas oublier que la politique des Etats-nations n'a pas varié
essentiellement depuis deux cents ans et que le conflit dont la guerre
de la Conquête est la phase la plus importante comporte bien des aspects qui nous semblent familiers. Les hostilités furent précédées et,
durant deux ans, accompagnées par les délibérations plutôt tumultueuses d'une commission internationale qui ne régla rien et n'eut
d'autre utilité que de servir de tribune à la propagande des deux
grandes puissances du moment, la France et l'Angleterre. Les diplomates poursuivaient leurs conférences cependant que la guerre se dé-
veloppait sur mer et donnait lieu à de grands mouvements de troupes
en Amérique. [9] Le gouvernement français représenta l'invasion de Mi-

5   *The Maryland Gazette,* 13 février 1755.
6   *The London Magazine or Gentleman's Monthly Intelligencer* (septembre 1757),
421. — A l'avenir : *London Magazine.*
7   John Entick, *The General History of the Late War : Containing it's Rise, Progress,
and Event, in Europe, Asia, Africa, and America* (5 vol., Londres, 1763-1764), 3 : 227. —
A l'avenir : *Entick.*
8   « A Review of the Military Operations in North America, from the Commencement of the French Hostilities on the Frontiers of Virginia in 1753, to the Surrender of
Oswego, on the 14th of August, 1756; in a Letter to a Nobleman, » 20 septembre 1756,
Collections of the Massachusetts Historical Society, série 1, t. 7 (1846) : 75. — A l'avenir :
« Review of the Military Operations. »
9   *Mémoires des commissaires du Roi et de ceux de Sa Majesté Britannique* (8 vol.,
Paris, 1756-1757).

norque comme une opération policière menée en représaille des « pirateries » britanniques. Un ministre français considérait une déclaration de guerre comme une « formalité ». [10] Pour justifier son pays
d'avoir pris en mer des centaines de navires français avant que la paix
fût officiellement rompue, un Anglais soutiendra que les faits pèsent
plus lourd que les gestes protocolaires et que les Français « nous déclarèrent effectivement la guerre en nous attaquant en Amérique ». [11] La
France mit un mois à répondre à la déclaration de guerre de la Grande-Bretagne. Le correspondant français d'une revue hollandaise juge
cette attitude étonnante, mais explicable : « Ce vrai Phenomene...
est un nouveau trait de la Politique de notre Ministere. Uniquement
occupé du projet d'accabler son ennemi, il ne s'arrête point à des for-
malitez qui lui paroissent inutiles. » [12]

Il y a plus. Cette guerre est mondiale, elle affecte les quatre continents alors connus. A mesure qu'elle se déroule, se révèle l'extrême
complexité des relations internationales. L'isolement devient un rêve.
Un observateur intelligent en fait la remarque : « Les liaisons d'intérêt qu'ont entre eux les différents Etats... forment une espèce de
Chaîne dont tous les Anneaux sont si étroitement unis ensemble, que
l'un ne sçauroit être ébranlé sans que tous les autres en ressentent
aussitôt les secousses plus ou moins fortes. » Les hostilités s'entachent
d'atrocités telles que le monde semble replongé dans les âges noirs.
« Jamais, en effet, depuis les Siecles des Gots, des Huns, & des Vandales, on ne vit tant & de si nombreuses Armées rassemblées à la fois
sur un même Théâtre, se battre avec tant d'acharnement, ravager les
Païs avec tant de fureur, en piller tour à tour, avec tant d'inhumanité,
les infortunés habitans. » [13] En Amérique, la guerre n'est pas moins
cruelle qu'en Europe, elle l'est probablement davantage. Elle entraîne
le déplacement massif d'une population : c'est la déportation des Acadiens. Amherst, dans des vues politiques, fait détruire les établissements de l'île Royale après la capitulation de Louisbourg; il sait qu'il
fait quelque chose de grave et n'a pas la conscience tranquille, puisqu'il recommande de procéder « sans bruit ». [14] De fait, quelqu'un,
en Angleterre, s'élèvera contre ces ravages systématiques, voisins du

10 Guy Frégault, *François Bigot, administrateur français* (2 vol., Montréal, 1948),
2 : 161.
11 *Sentiments Relating to the Late Negociation* .(Londres, 1761), 23.
12 *Mercure historique et politique de La Haye,* 140 (1756) : 24s. — A l'avenir :
Mercure historique de La Haye.
13 *Mercure historique de La Haye,* 148 (1760) : 5.
14 Amherst à Whitmore, 28 août 1758, Public Record Office, Colonial Office, série
5, vol. 53 : 223s. — A l'avenir, PRO, CO 5.

« sacrilège », qui s'assimilent, dans son esprit, à « la frénésie des Goths ».[15] D'autre part, les Canadiens et leurs alliés indigènes saccagent durant des années les frontières des colonies anglaises; hommes, femmes, enfants y sont massacrés, mutilés, torturés. Ces incursions font horreur à Bougainville et à Montcalm. Bougainville tient à se désolidariser des Canadiens; il pousse la naïveté jusqu'à croire, en se fondant sur ce que lui auraient dit des gentlemen de l'armée ennemie, que, lorsque le Canada sera vaincu, « il y aura deux capitulations : une pour les troupes françaises et l'autre pour les Canadiens ».[16]

Français et Anglais s'accusent de barbarie : coutume à laquelle tiennent, semble-t-il, en temps de conflit, les nations policées. Prendrons-nous pour argent comptant les éloges que les uns et les autres font de leurs propres vertus et les éloquentes condamnations qu'ils portent sur les vices de leurs adversaires ? Tout serait si simple si les guerres se livraient entre le bien et le mal. Raisonnable, un contemporain l'a compris : quand les Etats ont recours aux armes, réfléchit-il, il n'est rien de plus ordinaire que de les voir se taxer mutuellement « de perfidie, de fourberie et de parjure prémédité ». Et que prouvent ces éloquentes déclarations ? Que « chaque nation dispose de la presse qui se publie dans son territoire et qu'il faudrait qu'une cause fût bien mauvaise pour ne pas triompher dans une telle polémique ».[17] Même lorsqu'ils prennent la plume, les antagonistes ne s'appliquent pas à réfléchir, mais à vaincre; non pas à se comprendre, mais à se battre. C'est ce qui fait que leur témoignage, sans être irrecevable, tait l'essentiel. Il ne dit pas que Français et Anglais ont en commun beaucoup plus de conceptions, de traditions et d'habitudes qu'ils ne consentent à le reconnaître. Bien que ces deux grands peuples se flattent d'être très différents l'un de l'autre et soulignent — avec une vanité de primitifs qui conviendrait mieux à un clan qu'à une nation moderne — tous les éléments qui les distinguent, y trouvant autant de signes d'une indiscutable supériorité, la vérité est que leurs ressemblances se révèlent plus profondes et incomparablement plus importantes que les divergences de comportement et d'idées dont ils se targuent. Au moment de la guerre de la Conquête, la France et l'Angleterre constituent deux expressions plus ou moins originales d'une même civilisation occidentale.

---

15 *Answer to the Letter to Two Great Men, Containing Remarks and Observations on that Piece; and Vindicating the Character of a Noble Lord from Inactivity* (Londres, 1760), 12.
16 Bougainville à madame Hérault, [septembre] 1757, dans R. de Kerallain, *Les Français au Canada : la jeunesse de Bougainville et la guerre de Sept ans* (Paris, 1896), 90.
17 *Answer to the Letter to Two Great Men*, 7.

L'une et l'autre sont des Etats-nations : non pas qu'en France plus qu'en Grande-Bretagne tous les particularismes locaux aient été étouffés, mais ils sont matés, et, pour ne citer qu'un cas, le rôle que joueront en Amérique les unités et les chefs écossais est significatif : James Murray, qui commande les troupes d'occupation à Québec en 1759-1760, avant de devenir gouverneur de la province conquise, est un Ecossais assimilé aux Anglais. Deux Etats-nations modernes et aussi deux monarchies : différentes, bien sûr, elles le sont, puisque l'une se présente comme absolutiste et l'autre, comme constitutionnelle. Mais cette dissemblance, sans vouloir la minimiser, à quoi tient-elle au fond ? A ce qu'après avoir goûté durant deux siècles la monarchie absolue, l'Angleterre a évolué, non sans crises, vers une formule rénovée du pouvoir royal, formule adaptée au développement de ses structures sociales et, de ce fait, plus souple, plus efficace et mieux accordée au rythme de sa vie collective que la monarchie française, dont le mécanisme aurait besoin d'être remis au point, allégé, nettoyé aussi, pour être en état de s'articuler aux énergies nouvelles dont la pression s'accumule au centre même de la société : la bourgeoisie. L'Etat britannique a trouvé sa voie, il est de son temps; l'Etat français, imposant encore et d'une puissance massive, est arriéré. Entre les deux monarchies, la différence la plus profonde et par quoi s'explique l'écart croissant entre leurs institutions est peut-être que l'une s'est laissée devancer par les événements, alors que l'autre s'avance du même pas qu'eux. Songeons que deux générations n'ont pas eu tout à fait le temps de passer entre la Glorious Revolution et le commencement de la guerre de la Conquête.

Sur un autre plan, voici deux nations de tradition chrétienne. La France, il est vrai, conserve ses liens avec l'Eglise catholique, alors que l'Angleterre a depuis longtemps réduit sa religion aux dimensions de son île. Considérable chez les personnes, qui ont une conscience, cette autre différence ne marque pas les Etats, qui, pratiquement, n'en ont pas. A y bien réfléchir, les deux Etats n'ont qu'une foi (confiance et fidélité), celle qu'ils mettent en leur propre puissance. Dans le domaine de la culture, de part et d'autre de la Manche, les esprits portent l'empreinte des conceptions issues de la révolution scientifique qui, depuis la fin du siècle précédent, ont complètement transformé les perspectives intellectuelles de l'Occident et lui ont conféré un commun dénominateur de « modernité ».[18] De plus, anglais ou français, les

---

[18] Voir l'essai fondamental de l'historien anglais Herbert Butterfield, *The Origins of Modern Science* (Londres, 1950). Cf. Paul Hazard, *La Crise de la conscience européenne : 1680-1715* (Paris, c. 1935).

intellectuels qui donnent le ton à l'époque, ceux dont on retient la contribution au développement de la pensée européenne, ont un même culte de la raison, une commune allégeance aux idéaux « humanitaires », une semblable foi au progrès.

Enfin, la France et la Grande-Bretagne ont une armature économique fort semblable : toutes deux sont capitalistes, toutes deux sont pénétrées de respect pour le « commerce » — terme doué d'un sens très large, qui inclut notamment ce que nous appelons maintenant l'industrie — et le pratiquent avec une ardeur qui frôle parfois la férocité. La promotion du commerce tient à celle de la bourgeoisie qui a pénétré partout : dans l'administration, dans la judicature, dans l'armée et, naturellement, dans la noblesse où, lorsqu'il s'agit d'arranger un mariage, on convient sans peine, comme disait madame de Sévigné, que les écus d'une petite bourgeoise « sont de bonne maison ». Déjà riche, la classe moyenne s'enrichit encore dans ses rapports avec l'Etat, auquel elle fournit cet argent dont il éprouve un besoin grandissant. En Angleterre, les maîtres du commerce et de la finance règnent en liaison avec l'aristocratie, avec laquelle ils nouent des liens de famille et d'intérêt. En France, s'esquisse une réaction qui prendra des proportions de plus en plus fortes à mesure que l'ancien régime se précipite vers sa chute. C'est au début de la guerre de Sept ans qu'un gentilhomme traditionaliste, le chevalier d'Arc, dénonce la toute-puissance de l'argent et du même coup l'envahissement du commerce, qui multiplie l'argent. La monarchie, tonne-t-il, « peut avoir trop d'argent ». Ennemi de la richesse mobilière, il l'est aussi du luxe qui l'accompagne; et le luxe, « n'est-ce pas du commerce qu'il tire ses sucs venimeux qu'il fait couler incessamment dans les plaies qu'il nous a faites, et qui les rendent incurables » ? [19] La vigueur même de cette réaction souligne l'importance de la place que la bourgeoisie commerçante a prise dans la société française.

Il n'est pas question de fabriquer ici une France britannique et une Angleterre française. Il faut néanmoins reconnaître à ces deux nations une communauté de civilisation — ce mot exprime un ensemble vivant d'énergies spirituelles et d'éléments matériels — qui a une base beaucoup plus large que les différences de caractère qui se manifestent entre elles. Il est indéniable, en tout cas, qu'elles sont assez semblables pour éprouver les mêmes ambitions. Au cours du conflit qui s'amorce, il n'y aura de croisés dans aucun camp, ni en Europe ni en Amérique.

---

[19] Cité par E.-G. Léonard, « La Question sociale dans l'armée française au XVIIIe siècle, »*Annales E.S.C.*, 3 (1948) : 144.

Ici, ce sont des colonies qui mesurent leurs forces. Et, parce que les sociétés coloniales ont une tendance naturelle à se modeler sur les métropoles qui leur ont donné la vie, il se trouve que la communauté de civilisation qui s'affirme chez les combattants européens apparaît aussi chez les combattants américains. Les Canadiens ne se battront pas en vue d'être et de rester différents des Anglo-Américains, mais avec la détermination de rester maîtres de leur pays, de leur économie, de leur politique, de leur société; non pas pour éviter de devenir « américains » (ils le sont, quoique à leur manière, autant que les autres), mais pour éviter de voir disloqués leur pays, leur économie, leur politique, leur société. Ils ne défendront pas les « innéités » émouvantes et un peu ridicules qu'on aura la naïveté de leur découvrir au XIXe siècle, ils luttent pour l'existence. Doués d'une intelligence normale, ils ne commettent pas davantage l'inconcevable sottise — aussi faudra-t-il qu'on la conçoive pour eux — d'attendre de l'adversaire « la liberté d'être eux-mêmes », ils n'attendent que de la victoire la liberté d'être. [20]

Ainsi, chercher la cause de la guerre de la Conquête dans une grossière psychologie des peuples serait s'engager dans une impasse : préoccupation d'astrologues et d'augures égarés dans l'histoire. Que les contemporains représentent leurs adversaires sous les traits de la mauvaise foi, du despotisme, de la cruauté et du matérialisme incarnés, il n'y a là rien d'étonnant, rien non plus de particulièrement instructif. Ce conflit n'en est pas, au premier chef, un d'idéologies. Même lorsque des idées et des idéaux sont mis de l'avant, ils recouvrent quelque chose d'élémentaire. Nous sommes en présence de sociétés qui se combattent pour acquérir ce qu'elles ne pourraient acquérir autrement et repousser ce qu'elles ne peuvent repousser que par la force. Elles se battent pour dominer et n'être pas dominées, qu'il s'agisse d'une domination partielle ou complète. A l'époque où nous arrivons, cette question de domination comporte un fort aspect économique. Un observateur britannique l'avoue ingénument, les graves difficultés qui s'élèvent entre la Nouvelle-France et les colonies anglaises ne sont pas susceptibles d'un règlement pacifique, malgré la sincère volonté de conciliation qui semble régner dans les cours de Versailles et de Londres, parce que « ceci est une dispute commerciale, chose à la-

----

[20] Le professeur A. L. Burt croit que tout de suite après la conquête, durant le régime militaire, l'administration du Canada « fut plus canadienne de caractère qu'elle ne l'avait été sous le régime français », *A Short History of Canada for Americans* (Minneapolis, 1944), 59. Il intitule le cinquième chapitre de ce même livre : « Liberty to be Themselves. » Singulière conception historique, qui ne marque aucun progrès sur celle de Parkman : voir *The Old Regime in Canada* (Boston, 1889), 400s.

quelle on ne met pas fin aussi aisément qu'à une querelle politique ».[21]

Il faut quand même se garder de trop simplifier l'enjeu de la guerre. Qu'il s'y trouve des éléments économiques, c'est indéniable. Mais ils n'y sont pas seuls, ils ne peuvent pas y être seuls. Sauf dans les livres — surtout dans les livres médiocres —, l'activité économique ne se présente jamais seule, isolée de la vie. Voici la Virginie, le New-York, le Canada. Ce sont des unités économiques et, en même temps, des unités politiques au sein d'un grand organisme politique et économique qui est un empire français ou britannique; les institutions de l'empire, ses besoins, ses débouchés, son crédit, son outillage, tout cela influe sur l'économie de la colonie, sur sa prospérité, sur son orientation et sur son agressivité. Et chaque colonie renferme une société, qui a une structure particulière où la masse, la richesse, le pouvoir et le prestige se distribuent et s'équilibrent de telle façon plutôt que de telle autre. Chaque colonie s'entoure de frontières plus ou moins faciles à défendre, et cette circonstance donne lieu à des considérations stratégiques. Tout est lié : politique, économie, société, situation géographique; gouvernement, grandes affaires, classes sociales, partis et groupes d'intérêt. Saisissez une activité ou une fonction, toutes les autres suivent, entraînées par elle. Pourquoi ? Parce que c'est l'homme que vous saisissez, l'homme qui, tout à la fois, assure sa subsistance, exerce un métier, s'administre, se bat — et tient à des idées qui ne sont jamais tout à fait les siennes, mais qu'il nourrit de son expérience propre. De la sorte, bien que la guerre qui s'ouvre ne soit pas une guerre idéologique — pas plus qu'un conflit économique, pas plus qu'une querelle politique, mais tout cela ensemble, — les idées aussi combattront.

*

* *

Des idées vont claquer comme des drapeaux sur les deux camps ennemis. Les Anglais se rangent sous l'étendard de la Liberté. En France, le roi peut affirmer : « C'est en ma personne seule que réside la puissance souveraine dont le caractère propre est l'esprit de conseil, de sagesse et de raison; ... c'est à moi seul qu'appartient le pouvoir législatif sans dépendance et sans partage; ... l'ordre public tout en-

---

[21] *Maryland Gazette*, 20 février 1755.

tier émane de moi; j'en suis le gardien suprême » ... [22] L'Angleterre
ne permettrait pas à George II de s'exprimer ainsi. Elle méprise la
France de se courber sous un tel despotisme. Un journal de Londres
définit sa conception de la liberté; il est aisé d'en retracer les sources :
d'une part, la philosophie à la mode, de l'autre, la tradition constitutionnelle de la nation. Le tout a une allure très moderne et assez con-
servatrice, raisonnable et séduisante : « Notre Etat ou communauté
[« commonwealth »], comme tous les autres le furent, croyons-nous,
à l'origine, est fondé sur des principes de liberté : au commencement,
il n'y avait pas d'esclaves. Le maintien de cette liberté résulte de l'équilibre des pouvoirs dans le corps politique, car quelle que puisse être
la constitution d'un Etat, l'élément le plus faible subira toujours l'oppression de celui qui est trop puissant. » [23]

Cette doctrine est aussi familière aux Américains britanniques
qu'aux Anglais. A la voix du journal de Londres, répond celle d'un
périodique new-yorkais qui s'exprime avec une clarté où l'on ne peut
s'empêcher de voir le signe d'une profonde compréhension : « Le gouvernement britannique sur lequel se sont modelées, en général, les
constitutions établies dans nos colonies n'est ni une monarchie ou le
gouvernement arbitraire d'un seul homme, comme en France, ni une
aristocratie ou le gouvernement de la noblesse, comme à Venise, ni
une démocratie ou le gouvernement de la masse, comme en Hollande;
c'est la quintessence de ces trois formes de gouvernement,... nous
avons retenu ce que celles-ci ont de bon, tout en éliminant leurs inconvénients respectifs. » [24] Comme les Anglais, les Américains s'estiment libres, et comme les Français, disent-ils, les Canadiens sont des
« esclaves » parce qu'ainsi le veut « la nature de leur gouvernement ». [25]
Le culte de la Liberté s'est instauré en Amérique britannique comme
en Grande-Bretagne. Un hebdomadaire de New-York s'écrie : « Qu'est-
ce qui fait la gloire de la constitution britannique, comparée à la constitution française, si ce n'est la LIBERTÉ ? ... Si jamais cette LIBER-
TÉ se perd, il n'existera plus de différence entre un gouvernement
anglais et un gouvernement français. » [26]

En France aussi, des propagandistes préconisent le triomphe de la
liberté; toutefois le mot, sous leur plume, prend un sens différent de

---

[22] Cité par Alexis de Tocqueville, *Histoire philosophique du règne de Louis XV*
(2 vol., Paris, [s.d.]), 2 : 385s.
[23] Article du *Monitor* reproduit dans le *London Magazine* (décembre 1755), 609.
[24] *The New-York Gazette*, 1er novembre 1756.
[25] *The Pennsylvania Gazette*, 29 août 1754.
[26] *The New-York Gazette*, 8 novembre 1756.

celui qu'on lui donne outre-Manche. Pour les Français qui le prononcent, il ne signifie pas un principe constitutionnel, mais une réalité de
la politique internationale. En 1755, une brochure publiée à Bâle en
français et en italien exprime les vues de la cour de Versailles sur les
motifs qui inspirent la conduite de la Grande-Bretagne en Amérique :
« Il faudroit s'aveugler volontairement, pour ne pas apercevoir, que
par les troubles que les Anglois viennent d'exciter ils ne cherchent
d'abord qu'à se débarrasser des obstacles, que la France peut leur opposer, & qu'ensuite, & successivement, viendra le tour de l'Espagne,
& de toutes les autres Nations qui ont des possessions en Amerique, &
qui refuseront de baisser la tête sous le joug. C'est par la destruction
de la liberté, & de l'indépendance de l'Amerique, qu'ils se proposent
de parvenir au projet de dicter la Loi à toute l'Europe. » [27]

Les Français ont beau jeu de dénoncer cet impérialisme destructeur de « la liberté » de l'Amérique. Ils pourraient, s'ils s'en donnaient
la peine, puiser des arguments dans la presse britannique du Nouveau
Monde. En 1755, un hebdomadaire du Maryland souligne un des plus
grands avantages que vaudrait à l'empire britannique la réduction des
colonies françaises. Ayant par ce moyen isolé la Floride, les Anglais
se verraient en état de « forcer » les établissements espagnols de l'Amérique du Sud à ouvrir toutes grandes leurs portes au commerce britannique, car, explique le journal, « si les Espagnols allaient s'y refuser,
nous pourrions, après la conquête du Canada et de la Louisiane, faire
passer nos troupes dans la Georgie, enlever San Agostin, puis conduire
ces mêmes troupes à travers la péninsule floridienne jusqu'à une place
appelée Penicola » [Pensacola]. Ainsi, la Floride deviendrait entre les
mains des Anglais une espèce d'otage en échange duquel l'Espagne
devrait laisser pénétrer les produits britanniques en Amérique du Sud;
ce seul trafic « nous produirait une balance favorable de deux millions
de livres... annuellement ». [28]

Ce beau projet n'est pas tout à fait nouveau. L'année précédente,
une brochure anglaise a préconisé un moyen analogue de juguler l'économie sud-américaine. L'auteur conseillait d'envoyer au sud de la Floride un corps expéditionnaire que vingt-quatre heures de navigation
déposeraient à Cuba; de Cuba, des éléments en seraient détachés à
Porto-Rico et à la partie espagnole de Saint-Domingue. Après ces opérations, l'Espagne aurait le choix de s'incliner, et alors ses possessions

---

27 *Discussion Sommaire sur Les anciennes Limites De L'Acadie Et Sur les Stipulations Du traité d'Utrecht qui y sont relatives*, AE, Mémoires et documents, Amérique, 10 :
206v.
28 *The Maryland Gazette*, 2 octobre 1755.

lui seraient rendues, ou de s'entêter à refuser à l'Angleterre les privilèges que celle-ci aurait exigés, et alors elle trouverait toutes bloquées les issues de la mer des Antilles : la Grande-Bretagne lui imposerait partout des droits de passage qui, « à eux seuls, suffiraient à éteindre notre dette nationale ». Il est cependant impossible de mettre en œuvre cette brillante politique sans au préalable « chasser les Français de tout le continent de l'Amérique ». [29] Le plus curieux est que ce plan soit exposé en toute bonne conscience. Le même publiciste se scandalise de voir les Canadiens construire des forts dans la vallée de l'Ohio. En s'installant solidement sur ce territoire, ils manifestent au grand jour, écrit-il, l'intention qu'ils nourrissent depuis longtemps de « se rendre maîtres de toute l'Amérique du Nord ». [30] Mais où prend-il le droit de protester, lui qui voudrait voir ses compatriotes réduire le continent septentrional et, de surcroît, s'inféoder le continent méridional ? C'est que tout est pur à qui est pur; tout est permis aux apôtres de la Liberté.

En veut-on un autre exemple ? Voyons les sentiments qu'exprime un Américain à l'été de 1755. C'est une véritable profession de foi. Le personnage proclame sa loyauté au roi; son amour pour la Grande-Bretagne, « qui a donné naissance à mon père et à ma mère et m'a doté en toute sécurité de ma chère Liberté »; son « affection naturelle » à l'égard de l'Amérique du Nord, « ma patrie »; son « zèle », enfin, pour la cause protestante, « que j'estime autant que ma vie ». Qu'est-ce qui occasionne cette effusion ? Un plaidoyer pour le « déplacement » des Acadiens ! Et la déportation de la population acadienne n'est qu'un des vœux de ce « Cincinnatus » — c'est de ce nom qu'il signe —; il souhaite que les Britanniques « frappent maintenant un grand coup, qu'ils se rendent maîtres de toute l'Amérique du Nord, qu'ils en chassent les Français de tous les coins, qu'ils détruisent leur marine et leur commerce et qu'ils ne les laissent plus jamais paraître sur la mer ». [31]

Tout cela, au nom de la Liberté ? Il faut entendre rigoureusement : au nom de cette Liberté qui est l'apanage singulier du sujet britannique, qui fait partie de sa culture politique et qui, en somme, constitue une des assises de ce que nous appellerions aujourd'hui son nationalisme. Un autre Américain s'écrie : « Combien de combats nos pères n'ont-ils pas livrés pour la défense de leurs libertés ? Combien de

---

[29] *A Scheme to Drive the French out of All the Continent of America* ([Londres], 1754), 22.
[30] *Ibid.*, 7
[31] *The New-York Gazette*, 4 août 1755.

temps nos aïeux britanniques se sont-ils dressés contre la tyrannie de la France ? » [32] Si les collectivités anglaises du Nouveau Monde recueillent des exemples de vaillance et des motifs de fierté dans l'histoire de la métropole, elles ne laissent pas d'en trouver aussi dans leurs propres annales. Lorsque les incursions indigènes organisées par les Canadiens répandent la terreur et la désolation sur les frontières des provinces britanniques, un New-Yorkais éclate : « Pouvons-nous, nous la postérité de ces nobles héros qui, pour l'amour de la Liberté, se sont confiés aux flots déchaînés, ont supporté des peines, des fatigues et des dangers innombrables dans une terre sauvage et pleine de hurlements, pouvons-nous, dis-je, nous leur postérité, rester dans une inaction scandaleuse cependant que nous voyons ravager notre pays, tuer nos femmes, assassiner nos enfants innocents et massacrer nos vieux parents ? » [33]

Chacun exalte la liberté qui lui convient. Parce qu'elle a des colonies américaines, la France revendique pour l'Amérique la liberté de n'être pas entièrement britannique. Telle est aussi la liberté que les Canadiens défendent; elle se confond avec la lutte pour l'existence. Quant aux Britanniques, la liberté politique dont ils se font les champions est la mesure de leur indépendance et le signe de leur richesse, en même temps que l'excuse de leurs ambitions, le ressort de leurs sociétés et l'âme de leur patriotisme.

En fait, au Nouveau Monde, un ardent patriotisme se développe sous son égide, fondé sur l'amour de l'Amérique anglaise et sur la haine de l'ennemi. Il arrive que ce sentiment déchaîne un enthousiasme surprenant. Un auteur qui signe Philo-Americus a des accents inspirés : « Si je t'oublie, ô Amérique anglaise, que ma main droite se paralyse; si je perds ton souvenir, que ma langue s'attache à mon palais. Souviens-toi, Seigneur, des enfants de France, qui disent de notre patrie : qu'elle soit abattue, qu'elle soit rasée. Ô fille du Canada, qui dois être détruite, heureux qui te traitera comme tu voudrais nous traiter ! Heureux qui saisira tes enfants et leur brisera la tête contre la pierre ! » [34] Il est d'autant plus naturel d'avoir l'adversaire en horreur qu'il fait systématiquement une guerre cruelle; chaque raid dirigé contre une agglomération britannique — et ces incursions ne se comptent pas — aggrave l'exécration à laquelle les Canadiens sont voués : « Debout, donc, mes compatriotes ! ... Levez-vous afin d'assurer à vo-

---

32 *The New-York Mercury,* 18 août 1755 : article reproduit dans le *Boston News-Letter* du 29 août 1755.

33 *The New-York Mercury,* 27 juin 1757.

34 *The New-York Gazette,* 26 mai 1755 .

tre postérité la paix, la liberté et une religion pure d'erreurs. Levez-vous pour tirer vengeance d'une nation perfide, coupable de violations de la foi jurée, de cruautés abominables et de massacres affreux. »[35]

La barbarie française et la sauvagerie canadienne servent de thèmes à une infatigable propagande qui déborde bientôt le nouveau continent et se répand en Europe. On lit dans une dépêche de Londres destinée à un périodique hollandais le récit d'un raid indigène qui s'accompagne de ce commentaire : « Il n'est personne, pour peu qu'il n'ait pas dépouillé tout sentiment d'humanité, qui ne frémisse d'horreur »... L'opinion, ajoute-t-on, s'élève avec « une espèce d'horreur contre les Français ».[36] La presse anglaise rapporte « de lamentables détails des cruautez affreuses que les *Indiens* affectionnez aux *François* ont commises depuis peu »; la simple lecture « en glace d'horreur ».[37] Détails lamentables, à la vérité, et propres à faire sensation : ne montrent-ils pas que, loin de traiter leurs prisonniers « selon les Regles de la Guerre et de l'humanité », les Français et les Canadiens les jettent en « proie » à leurs sauvages qui les mutilent et les abattent « de sang froid, & longtems après le Combat » ?[38] Et non seulement, précise un hebdomadaire américain, les Français se révèlent-ils aussi féroces que les Indiens, mais, altérés de « sang innocent », ils « s'efforcent de dépasser en cruauté les sauvages eux-mêmes ».[39] Scandale ! Tous les Anglais se voilent la face; tous, même l'artisan de la déportation des Acadiens. Au lendemain de la capitulation de Québec, il y a quatre ans que Charles Lawrence accomplit sans répit son inhumaine besogne : il se félicite de la chute de la capitale canadienne, « cette métropole barbare » qui a fait si longtemps gémir « les bons sujets » du roi d'Angleterre; il se plaît à y voir le gage de la disparition prochaine des « obstacles que l'ennemi n'a que trop bien réussi à susciter à notre progrès partout dans cette province » de la Nouvelle-Ecosse aussi bien que de la fin des « atrocités monstrueuses qu'il a jusqu'ici commises avec impunité contre l'empire anglais d'Amérique, en temps de paix et en temps de guerre, sans la moindre distinction ».[40]

Au fond, bien que l'absolutisme français prête le flanc à des critiques justifiées et que les raids incendiaires destinés à harceler les établissements britanniques provoquent une indignation compréhensible, ce n'est ni contre ce régime ni contre ces pratiques que se dresse

---

[35] *The New-York Mercury,* 22 mai 1758.
[36] *Mercure historique de La Haye,* 139 (novembre 1755) : 566.
[37] *Ibid.,* 140 (mars 1756) : 343.
[38] *Ibid.,* 139 (décembre 1755) : 696.
[39] *The New-York Gazette,* 23 février 1756.
[40] *The Boston News-Letter,* 10 janvier 1760.

l'opinion anglaise dans un concert trop bien orchestré de réprobation; c'est contre la France et le Canada, contre tout ce qui est français. Certains insulaires se moquent avec plus de dépit que d'esprit des maîtres à danser, des tailleurs, des coiffeurs et des cuisiniers français. L'un d'eux va jusqu'à dénoncer les historiens français et ses compatriotes assez sots pour les « singer ». [41] Un autre prend un ton grave. Trop de jeunes Anglais apprennent le français. Il y voit un danger : « On dit que la langue et les modes françaises finiront par instaurer la monarchie universelle de la France. J'en suis persuadé. Chaque jour qu'un précepteur ou un répétiteur français enseigne à la jeune *Miss* et au jeune *Master* la langue de son pays, il en profite pour seriner à leurs oreilles la gloire, l'éclat, la puissance, en un mot, le *Je ne sçai quoi* de ce florissant royaume... Ainsi, les Français nous amènent à nous soumettre nous-mêmes à eux. C'est pour eux une manière bien plus facile et bien plus sûre de venir à bout de nous que s'ils s'avançaient tambour battant, l'épée au clair et la baïonnette au canon. » [42]

Si encore les Français n'avaient que des manières insinuantes ! Mais ils sont dépravés. Les Françaises sont légères, « très libres d'allure », trop maquillées, « naturellement coquettes », parfois « gracieuses » et « bien tournées », quoique, « dans l'ensemble, fort inférieures en beauté aux dames anglaises ». [43] Quel rapport entre cela et la guerre ? Aucun. Il y a cependant madame de Pompadour. Oui, déjà. Il est curieux et instructif de voir tout le cas que la presse britannique fait de l'intéressante favorite. En marge de l'affaire de Damiens, un journal de Philadelphie rapporte : « On dit que, pris de remords, le roi de France... a rompu avec la marquise de Pompadour. » [44] En 1758, le *London Magazine* publie par tranches, un peu comme il ferait un roman-feuilleton, une biographie de la Marquise. Il raconte, dans la plus pure tradition du genre, la rencontre du roi et de la jeune femme : elle est d'une « extrême beauté », elle a un « teint de rose », une « grâce enfantine », un « air de tendre timidité » et une « innocence que chez elle il devina et qu'il trouva en effet, assure-t-on ». L'épisode se conclut ainsi : « Tout cela conspira à exciter en lui des désirs qu'un homme de son rang pouvait assouvir sans languir un instant. » [45] Le satyre ! Voilà précisément l'impression que la revue s'évertue à don-

---

41   *London Magazine* (janvier 1755), 33s.
42   *Ibid.* (juillet 1757), 329s.
43   *Ibid.* (décembre 1756), 599.
44   *The Pennsylvania Journal*, 18 mai 1757.
45   *London Magazine* (novembre 1758), 582. La biographie apparaît *ibid.*, 511-513 (oct.); 582-584 (nov.); 617-619 (déc.).

ner. Horace Walpole est moins sentimental. Goguenard, il reproduit une chanson qui, dit-il, circula à Versailles :

> O France, le sexe femelle
> Fit toujours ton destin.
> Ton bonheur vint d'une Pucelle
> Ton malheur vient d'une catin. [46]

Les publicistes utilisent contre la France les débordements de Louis XV.

C'est naturel, ils ont eux-mêmes si bonne conscience. La cause de l'Angleterre est juste. Les Américains britanniques sont persuadés d'avoir le Ciel de leur côté. Les Canadiens aussi, d'ailleurs. A propos de la victoire de la Monongahela (9 juillet 1755), l'annaliste des Ursulines de Québec réfléchit : « Jamais la main de Dieu n'a paru plus visiblement pour abattre l'orgueil d'un nouvel Holopherne, dans la personne du général Braddock. » [47] Pourtant, une autre religieuse de la capitale canadienne, écrivant peu après, reconnaît dans la guerre un des « fléaux de la justice de Dieu qui chatie nos pechez »; elle « gémit » en apprenant combien l'Eglise « est persécutée en france, et à quel comble l'irreligion est montée ». [48] L'année suivante, en revanche, on la trouve rassérénée : un prisonnier ennemi, témoin de la défaite de Braddock, « rapporte, dit-elle, que les anglois virent sur le camp des françois une dame vêtue de blanc qui étendoit les bras, et qu'ils tirerent sur elle plus de 4,000 coups de mousquet, en effet nos guerriers dirent en revenant que les Anglois ne sçavoient pas tirer et qu'ils perdoient tous leurs coups en l'air ». [49]

Les Anglais ne le cèdent cependant pas en piété aux religieuses du Canada. Le Révérend Checkley, de Boston, compare ses compatriotes au « peuple de Dieu sous la révélation de l'Ancien Testament », entouré d'ennemis méditant sa perte; il les prévient de ne pas compter sur leurs propres forces : « Dieu nous en a enseigné la vanité dans l'inglorieuse défaite de nos armes près de l'Ohio »; après la victoire remportée par Johnson sur Dieskau le 8 septembre 1755, il leur rappelle : « Les Chananéens sont encore sur notre sol. » [50] Un périodique new-

---

[46] *Memoirs of the Reign of George II*, 3 : 217. — Voir *ibid.*, 2 : 176, et sa version de la disgrâce du cardinal de Bernis, *ibid.*, 3 : 157s.

[47] [Adèle Cimon], *Les Ursulines de Québec, depuis leur établissement jusqu'à nos jours* (4 vol., Québec, 1863-1866), 2 : 278.

[48] A.-L. Leymarie, éd., « Lettres de Mère Marie-André Duplessis de Sainte-Hélène, » *Nova Francia*, 4 (1929) : 57.

[49] Lettre du 8 novembre 1756, *ibid.*, 113.

[50] Samuel Checkley, *The Duty of God's People When Engaged in War. A Sermon Preached at the North-Church of Christ, in Boston, Sept. 21* (Boston, 1755), 5, 24, 28.

yorkais exhume un vieux texte anglais de l'époque de Henri VIII :
« En décidant d'entrer en guerre, nous nous conformons d'abord à la
doctrine chrétienne. » [51] Huit jours après la capitulation de Québec,
en 1759, des soldats anglais écoutent, dans la chapelle des Ursulines,
un sermon prononcé par un aumônier militaire, le Révérend Eli Daw-
son; l'orateur propose à leur méditation cette parole de l'Ecriture :
« Je te rendrai donc grâces, Seigneur, au milieu des païens. » [52] Aux
yeux d'un pasteur du Connecticut, la capitulation de tout le Canada,
le 8 septembre 1760, marque un triomphe sur « les puissances des
ténèbres », et ces démons, ce sont « les perfides et cruels Canadiens ». [53]
Pour un ministre de Cambridge, le même événement annonce la fin
du règne de la Bête et la défaite de l'Antéchrist au Nouveau Monde;
le personnage explique lui-même ses propos apocalyptiques : « Nous
pouvons considérer comme antichrétiens nos voisins du Canada, car
ils professent les principes de l'Eglise de Rome, que nous, protestants,
tenons pour l'Antéchrist. » Le dénouement de la guerre montre, à son
dire, où était l'erreur, où est la vérité : si les Canadiens ont été écrasés,
c'est qu'ils ont été jugés et que « la divine colère » s'est abattue sur
eux, tandis que l'Eternel « n'a jamais encore manifesté son courroux
à une seule province protestante du continent ». [54] Victoire britannique, triomphe du bien, châtiment du mal.

*

*   *

De ce que les hommes — nous voulons toujours dire : les sociétés — s'engagent dans le conflit avec leurs idées, il ne s'ensuit pas que
la simple énumération de ces idées nous ouvre tous les secrets de la
conduite de ceux qui les professent. Ces idées ont leur valeur. Elles
ont leur sens. Mais de même que l'homme n'a ni toute sa valeur ni
tout son sens si l'on fait abstraction de ce qu'il pense, de même la
pensée des sociétés que met aux prises la guerre de la Conquête perd

---

[51] *The New-York Gazette*, 8 décembre 1755.
[52] A. G. Doughty, éd., *An Historical Journal of the Campaigns in North America
for the Years 1757, 1758, 1759, and 1760, by Captain John Knox* (3 vol., Toronto,
1914-1916), 2 : 239s, note. — A l'avenir, Doughty, éd., *Journal* de Knox.
[53] William Adams, *A Discourse Delivered at New-London, October 23d. A.D.
1760* (New London, 1760), 8, 15.
[54] Nathaniel Appleton, *A Sermon Preached October 9. Being a Day of Public
Thanksgiving* (Boston, 1760), 25s.

le plus clair de sa signification et le plus gros de son intérêt si on la
détache de ceux qui l'ont formulée. L'eau prise à la source et mise
en bouteille est encore de l'eau, elle n'est plus une source. Essayons
de remonter à la source. C'est-à-dire aux sources. Nous atteignons ainsi
des Américains formés en collectivités qui expriment ce qu'ils ont appris à l'école de la tradition et à celle de l'expérience. [Ce nom ne s'applique pas seulement à ceux que les publications métropolitaines et
coloniales appellent « Americans »; il désigne tout aussi bien les habitants des colonies françaises que ceux des provinces britanniques.
Les uns et les autres ont au moins cela de commun qu'ils sont américains. Si ce qu'ils disent et ce qu'ils font porte le cachet de traditions
à certains égards différentes, une expérience sous bien des aspects semblable leur inspire des pratiques qui se rapprochent beaucoup plus
qu'on ne pourrait croire si l'on se contentait de les entendre. Mais il
y a plus. Ces Américains, issus de nations modernes appartenant à la
même civilisation occidentale, se groupent en sociétés de types très
voisins : fortement hiérarchisées, se développant en régime capitaliste
(il s'agit, cela va sans dire, du capitalisme de l'époque) et comportant
de grandes bourgeoisies qui leur assurent une direction économique
tout en se tenant en liaison étroite avec les pouvoirs publics. Ainsi,
lorsqu'on dit : les Américains, on fait allusion aux sociétés américaines; et il faut alors penser aux éléments qui leur donnent le ton et qui
les poussent dans telle ou telle voie, à ces minorités actives, dont la
puissance est une ambition jamais comblée et qui, douées de la clairvoyance de leurs intérêts, savent ajuster ceux-ci aux dimensions et aux
aspirations des sociétés, parfois rétives, qui finissent par les servir en
les adoptant.]

Prenons le cas de la Virginie. Au moment où éclatent les hostilités
dans la vallée de l'Ohio, ce sont surtout des Virginiens que les Canadiens affrontent. Le « Vieux Dominion » prend la tête de la poussée
vers l'ouest. Serait-ce que les espaces transapalachiens et leurs fourrures
séduisent le peuple de cette province ? Mais la Virginie tourne littéralement le dos à l'ouest. Elle fait surtout du tabac, denrée qui en 1755
compte pour les deux tiers de ses exportations (alors que la fourrure
compte pour les deux tiers des exportations canadiennes). Elle expédie encore au dehors des céréales, des viandes, du bois, des sous-pro-
duits de la forêt et du fer, articles qui représentent presque tout l'autre
tiers de son commerce extérieur. Quant aux peaux et aux fourrures,
elles constituent 6% de ses ventes. Pourquoi irait-elle, les armes à la
main, disputer au Canada le trafic de l'Ohio ? La population virginienne, en très grande majorité agricole, s'en passerait aisément. Il se

trouve cependant que le petit parti impérialiste qui détient le pouvoir veut consolider son empire sur la traite de l'Ohio : pour lui, il n'est pas indifférent que cette activité passe tout entière aux mains des Canadiens; il tient encore davantage à mettre la main sur les territoires de l'ouest parce que ses membres se sont organisés de manière à y réaliser de fructueuses spéculations immobilières. Le gouverneur Dinwiddie — avec son collègue du Massachusetts, Shirley, l'homme d'Amérique qui a le plus de crédit auprès du gouvernement anglais — est non seulement sous l'influence de ce parti, il appartient à ce parti. George Washington, qui y adhère, est tout autre chose qu'un marchand de tabac. Comme le groupe de puissants intérêts auquel il est lié, il ne rêve que de voir l'ouest s'ouvrir par la voie de la Virginie. Non pas par la voie de la Pennsylvanie, du Maryland ou des Carolines, colonies bien situées, elles aussi, pour communiquer avec l'Ohio et où se manifestent les mêmes ambitions qu'en Virginie. C'est que la grande bourgeoisie de cette dernière province ne profiterait pas d'une pénétration économique — le terme propre est : colonisation — opérée par la classe dirigeante d'une collectivité voisine. Or, la guerre sert les desseins des Virginiens : d'abord, elle écarte les Canadiens des espaces convoités; de plus, elle leur fournit l'occasion de faire avancer leurs projets partiellement aux frais de la métropole. L'Angleterre décide, à la fin de 1754, d'envoyer en Amérique un corps expéditionnaire sous les ordres de Braddock, qui a mission d'aller déposter l'ennemi de l'Ohio. Pour atteindre son objectif, le général anglais devra construire une route : travail hérissé de difficultés techniques, extrêmement coûteux et nécessitant une main-d'œuvre considérable. Cette route, voilà précisément le grand instrument de colonisation dont les entrepreneurs virginiens ont besoin et qu'ils ne peuvent guère s'offrir avec leurs moyens malgré tout limités. Il faut donc qu'elle passe par leur province. Aussi, quelle consternation chez eux lorsque Braddock donne à une de ses divisions l'ordre de s'avancer vers l'Ohio par le Maryland ! Les Virginiens assiègent le général de leurs représentations et parviennent à le faire revenir sur sa décision. Washington soupire d'aise : ses compatriotes, rapporte-t-il, ont « ouvert les yeux » de Braddock et lui ont démontré que ces ambitieux Marylandais lui en avaient imposé. [55]

L'Ohio Company est à l'œuvre. Elle joue un rôle important au début du conflit. L'idée de la fonder paraît se faire jour dès 1746, on y travaille en 1747, pour y aboutir l'année suivante. Il ne s'agit donc

55 H. Baker-Crothers, *Virginia and the French and Indian War* (Chicago, [1928]), 25-28, 73s.

pas d'un organisme improvisé lorsque les événements se précipitent.
Quand la guerre commence, elle est solidement constituée, elle sait
ce qu'elle veut. Elle compte parmi ses membres une couple de négociants de Londres, le gouverneur Dinwiddie, le gouverneur Dobbs,
de la Caroline du Nord, quelques « esquires » du Maryland, mais la
majorité de ses actions appartient à des Virginiens; parmi ces derniers,
deux Washington : Augustine et Lawrence.[56] Celui-ci en prendra même la direction durant quelque temps.[57] Si puissante soit-elle, la Compagnie ne compte pas seulement des amis, même en Virginie. L'exploitation de l'ouest offre des perspectives trop alléchantes pour qu'il ne
surgisse pas d'autres entreprises, animées par des appétits analogues
aux siens. A un moment donné, elles poussent comme des champi-
gnons. Ce sont autant de sociétés rivales. Quelques-unes ont des porte-
paroles à l'Assemblée législative et jusque dans le Conseil de la province. L'Ohio Company doit se défendre. Elle ne peut se maintenir
qu'en prenant les devants sur les autres. En 1753, elle décide de frapper un grand coup : elle manœuvre auprès du gouvernement de Londres en vue d'absorber la plupart de ses concurrentes. Mais elle a trop
d'adversaires, elle essuie un échec.[58] Les Canadiens n'ignorent ni son
existence, ni son activité, ni, apparemment, certaines des difficultés qu'elle éprouve. C'est l'impression que donne Pécaudy de Contrecœur. Le 16
avril 1754, arrivé aux fourches de l'Ohio à la tête d'une forte expédition, l'officier surprend un petit détachement britannique occupé à y
construire un poste. Il force l'adversaire à abandonner ses travaux et
emploie tout de suite ses Canadiens à l'érection du fort Du Quesne.
Pécaudy sait très bien qui il dérange : l'Ohio Company. Il affecte de
la traiter comme une quantité négligeable et de souligner que la cause
de cet organisme ne se confond pas avec celle de l'empire britannique.
Il déclare au commandant qu'il déloge : « L'on m'assure, Monsieur,
que votre entreprise n'a été concertée que par une Compagnie qui a
eu plus en vue les intérêts du commerce que de travailler à entretenir
l'union et la bonne harmonie entre les deux couronnes de France et
d'Angleterre. »[59] Le ministère français des Affaires étrangères tient
des propos analogues. Il charge le duc de Mirepoix de faire entendre

---

[56] Lawrence H. Gipson, *Zones of International Friction: North America, South of the Great Lakes Region 1748-1754* (New-York, 1939), 228s. — A l'avenir: Gipson, 4.
[57] *Ibid.*, 247.
[58] *Ibid.*, 258-265.
[59] « Sommation faite par ordre de Mr de Contrecoeur, » 16 avril 1754, F. Grenier, éd., *Papiers Contrecoeur et autres documents concernant le conflit anglo-français sur l'Ohio de 1745 à 1756* (Québec, 1952), 117. Nous avons uniformisé l'orthographe. — Sur cette compilation, voir *The Canadian Historical Review*, 34 (1953) : 298.

à la Cour de Londres que la politique qu'elle poursuit en Amérique
« ne peut... être favorable qu'à la cupidité de quelques traiteurs particuliers ». Il ajoute : « C'est même ce qui a donné lieu aux contesta-
tions actuelles puisque ce n'est que depuis que quelques traiteurs anglais ont penché de ce coté là qu'on a elevé en Angleterre des pretentions sur la riviere d'Ohio. » [60]
  Là où le secrétaire d'Etat se trompe, comme aussi Contrecœur,
c'est lorsqu'il minimise l'influence de ces « quelques traiteurs particuliers ». Non pas que les hommes d'affaires auxquels il fait allusion
soient capables, à eux seuls, d'orienter la politique britannique; mais
leurs aspirations, endossées par un gouvernement colonial qu'intéresse
à plusieurs titres un mouvement d'expansion vers l'ouest, concordent
avec les vues générales que la Grande-Bretagne entretient sur l'Amérique du Nord. Les colonies américaines ont faim d'espace et besoin
de sécurité. En se fortifiant dans le Centre-Ouest, la Nouvelle-France
bloque leur expansion et jette des bases d'opérations à portée de leurs
agglomérations de l'intérieur, les plus mal défendues. C'est ce que
l'Angleterre ne saurait admettre. Dès qu'il apprend le revers essuyé
par Washington et ses Virginiens au fort Nécessité, le paisible duc
de Newcastle prend un ton menaçant. Les Français, mande-t-il à l'ambassadeur britannique à Versailles, ont jeté l'alarme dans les provinces américaines. Leurs agressions deviennent intolérables. Il faut y mettre un terme, sans quoi « nous perdrons toute l'Amérique,... et il vaudrait mieux avoir la guerre que de souffrir de telles insultes ». En réalité, poursuit l'homme d'Etat, les Français revendiquent presque toute
l'Amérique du Nord à la réserve d'une lisière en bordure de l'océan;
ils cherchent à confiner les collectivités britanniques dans cette bande
de terre. « Mais c'est ce que nous ne pouvons pas souffrir, c'est ce que
nous ne souffrirons pas. » [61] L'opinion métropolitaine n'est ni moins
attentive, ni moins clairvoyante, ni moins résolue que le gouvernement; elle l'est même sûrement davantage. Les Français, lit-on dans
une brochure anglaise de 1754, ont érigé tant de forts en territoire
américain qu'ils sont en passe de « nous dépouiller des neuf-dixièmes »
du continent. A peine laissent-ils à la colonisation britannique, le long
de l'Atlantique, une zone étroite « bornée au nord par le fleuve Saint-
Laurent et, à l'ouest, par les Apalaches ou Alliganey [Alleghanys],
montagnes qui ne s'élèvent nulle part à plus de 280 milles de la côte

---

60 Rouillé à Mirepoix, 13 février 1755, AE, Correspondance politique, Angleterre,
438 : 141v.
61 Newcastle à Albemarle, 5 septembre 1754, dans T.C. Pease, éd., *Anglo-French
Boundary Disputes in the West, 1749-1763* (Springfield, [1936]), 50s.

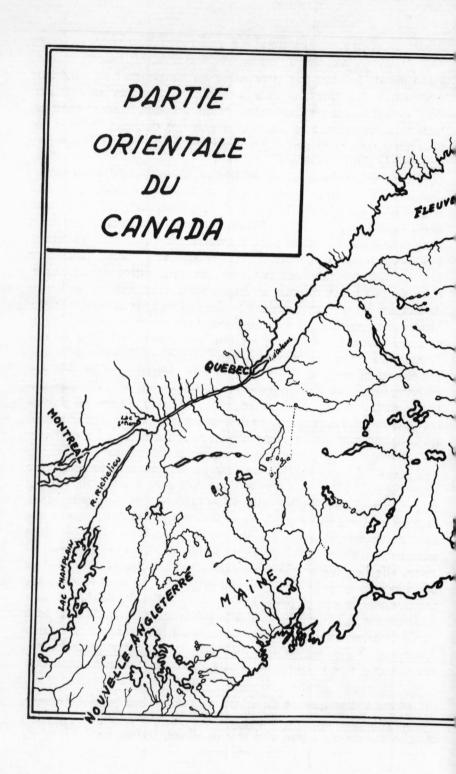

PARTIE
ORIENTALE
DU
CANADA

LABRADOR

GOLFE DE
St LAURENT

I. ANTICOSTI

TERRE
NEUVE

GSPESIE

Baie de Gaspé

Baie
des
Chaleurs

Iles de la
Madeleine

ÎLE
St JEAN

ÎLE
ROYALE

rançaise

ACADIE

I. de Sable

et qui s'en approchent jusqu'à 120 milles en certains endroits »; autrement dit, « ils nous ont poussés... dans un coin et nous y ont bloqués ». [62] Dans de telles limites, l'activité britannique étouffe. Il faut qu'elle se déploie à l'ouest des montagnes et qu'elle se donne carrière dans l'Ohio. Pourquoi précisément dans l'Ohio ? Parce qu'il faut en interdire l'occupation aux Français : si jamais ces derniers y consolidaient leur emprise, « ils deviendraient un jour ou l'autre maîtres de toutes les colonies britanniques »; ils articuleraient la Louisiane au Canada et tiendraient l'Amérique du Nord par le centre, « projet qu'ils n'ont jamais perdu de vue depuis qu'ils sont entrés dans le Mississipi... en 1699 ». [63] — On ne saurait mieux décrire le grand objectif que poursuivait, en fondant la Louisiane, le créateur de la Nouvelle-France, Pierre Le Moyne d'Iberville. [64] — En somme, pensent les Anglais, permettre aux Canadiens de s'installer dans l'Ohio, ce serait s'effacer devant eux et leur préparer l'hégémonie en Amérique.

Ce qu'il faut comprendre, c'est que le parti impérialiste qui domine la Virginie peut entraîner derrière lui cette province dans une poussée vers l'ouest parce qu'un tel mouvement favorise à la fois la « cupidité » — comme on dit à Versailles — d'un petit groupe de spéculateurs et de politiciens coloniaux et la grande politique que la métropole médite de faire triompher au Nouveau Monde. Il y aurait lieu de s'en étonner si le cas de la Virginie était exceptionnel. C'est sur ces conjonctions d'intérêts que se bâtissent les empires.

On s'en rend bien compte à considérer ce qui se passe en Nouvelle-Angleterre. Là, les yeux se tournent non pas vers l'intérieur, mais vers le nord, du côté de l'île Royale [Cap-Breton], de la Nouvelle-Ecosse et de l'estuaire du Saint-Laurent. Si les regards du Massachusetts et des provinces voisines se posent ailleurs que ceux des collectivités méridionales, ils sont cependant chargés de la même ambition et expriment des appréhensions analogues. Une activité intense règne au nord-est de l'Amérique britannique. En 1749, la Grande-Bretagne a plongé la main dans ses énormes ressources, et une nouvelle ville a surgi, ou plutôt a été débarquée sur la côte néo-écossaise : Halifax est une grosse entreprise, poussée avec vigueur, organisée avec méthode, peuplée

---

[62] *State of the British and French Colonies in North America, With Respect to Number of People, Forces, Forts, Indians, Trade and Other Advantages... With a Proper Expedient Proposed for Preventing Future Disputes. In Two Letters to a Friend* (Londres, 1755), 11, 14. — La 1ère lettre, d'où sont extraites ces citations, porte la date du 10 décembre 1754.

[63] *Ibid.*, 4s.

[64] Guy Frégault, *Iberville le Conquérant* (Montréal, 1944), chapitre VI.

à grands frais. [65] Pourquoi ce soudain déploiement d'énergie ? D'une part, l'Angleterre a senti la nécessité de modifier rapidement la composition ethnique de sa colonie, cette ancienne Acadie qu'habite encore une population en grande majorité d'origine française. [66] Par ailleurs, elle éprouve le besoin de protéger au moyen d'une puissante base navale les pêcheries de la Nouvelle-Angleterre et d'assurer à celle-ci une certaine compensation en retour de la restitution de Louisbourg à la France. [67]

Mais si coûteuse et si admirablement organisée qu'elle soit, la fondation de Halifax apparaît bientôt comme une demi-mesure. De même qu'il ne s'agit pas d'élever une barrière devant les Canadiens sur l'Ohio, mais de les en chasser, de même, il ne suffit pas de dresser Halifax contre Louisbourg, il faut nettoyer la Nouvelle-Ecosse de toute influence française. C'est que, raisonnent le gouverneur de cette province, Lawrence, et celui du Massachusetts, Shirley, tant que la France conservera le port militaire de Louisbourg et bénéficiera de la sympathie de la population acadienne, il lui restera possible de déposer et d'entretenir dans cette zone stratégique un corps expéditionnaire capable de prendre à revers la Nouvelle-Angleterre et même le New-York en donnant la main à des éléments de l'armée canadienne. La Nouvelle-Ecosse, ajoute Lawrence, est le bastion de la Nouvelle-Angleterre; mais il ne lui sera guère possible de remplir cette fonction nécessaire tant que les Français maintiendront leurs positions sur l'isthme de Chignectou et à la rivière Saint-Jean, d'autant que les postes qu'ils y ont érigés leur assurent une communication constante avec Louisbourg. [68] Shirley voit encore plus loin que son collègue du nord; il préconise un grand mouvement qui balaierait les Français depuis le littoral atlantique jusqu'aux grands lacs. A son sentiment, la destruction des fortifications ennemies de l'isthme acadien et de la rivière Saint-Jean, la réduction de Saint-Frédéric sur le lac Champlain et de Niagara sur le lac Ontario, l'anéantissement des nouveaux postes de la vallée de l'Ohio et, partout, l'érection de forts anglais sur les ruines des forts français,

---

[65] Voir les chiffres donnés dans AE, Mémoires et documents, Amérique, 10 : 54, et « Etat de l'Argent payé et des Depenses faites... depuis le 1er Novembre 1751. Jusqu'au 31. Decembre 1752, » *ibid.*, 49v-51.

[66] Lawrence H. Gipson, *Zones of International Friction : The Great Lakes Frontier, Canada, the West Indies, India, 1748-1754* (New-York, 1942), 179s. — A l'avenir, Gipson, 5.

[67] Max Savelle, *The Diplomatic History of the Canadian Boundary, 1749-1763* (New Haven, 1940), 148.

[68] Lawrence à Shirley, 5 novembre 1754, Board of Trade, Nova Scotia [BTNS], vol. 15 : H 278. — Voir aussi Lawrence aux gouverneurs de l'Amérique britannique, 11 août 1755, *ibid.*, H 312.

voilà les seules conditions auxquelles l'Amérique britannique peut se dégager de la double menace française qui pèse sur elle : celle d'une attaque de flanc que serait en mesure d'exécuter un corps européen débarqué en Acadie et celle d'une irruption que pourraient effectuer sur ses derrières des éléments tirés des bases militaires du Saint-Laurent. Shirley souhaite la dislocation de la Nouvelle-France; sans conseiller la conquête du Canada proprement dit, il fait observer que les opérations qu'il vient d'énumérer installeraient la Grande-Bretagne aux portes de la colonie laurentienne « et nous rendraient à moitié maîtres de tout ce pays ». [69]

Ces préoccupations stratégiques ne peuvent que dépasser, et de haut, les soucis normaux des masses populaires de la Nouvelle-Angleterre, composées pour les neuf-dixièmes de petits agriculteurs, [70] dont l'horizon se confond avec celui de leur agglomération. Plutôt que les vues de la population, elles reflètent les inquiétudes, les appétits et les calculs d'un petit groupe actif et influent de politiques intelligents et de capitaines de la vie économique. Pour ces derniers, l'empire est, entre autres choses, une affaire et la guerre, une entreprise. La maison Hancock, par exemple, dont le conflit de 1744-1748 a si bien stimulé le développement grossira encore et prospérera davantage parce que la guerre de la Conquête lui procurera de plantureux contrats de fournitures. [71] L'expulsion des Acadiens donnera même à Apthorp et Hancock l'occasion de devenir entrepreneurs en déportation. Auparavant, les mêmes négociants se verront appelés à fournir les approvisionnements de l'armée destinée, au printemps de 1755, à enlever les forts français de l'isthme acadien. Mais, à ce moment, Shirley leur aura imposé un associé : son gendre, John Erving, qu'il met ainsi de part dans des bénéfices considérables. [72] Pourquoi s'en étonnerait-on ? Deux autres gouverneurs, Dobbs et Dinwiddie, sont bien membres de l'Ohio Company. Des liens se nouent toujours entre la politique et les grandes affaires.

Il en va de même dans le New-York, où la situation est cependant plus confuse qu'ailleurs. Le nord-ouest de cette colonie touche au Canada.

---

[69] Shirley à Robinson, 24 mars 1755, E. B. O'Callaghan, éd., *Documents Relating to the Colonial History of the State of New York* (11 vol., Albany, 1853-1887), 6 : 942, 944s. — A l'avenir, NYCD.

[70] Harold U. Faulkner, *American Economic History* (New-York et Londres, [1943]), 68.

[71] Voir l'intéressante étude de W.T. Baxter, *The House of Hancock* (Cambridge, 1945).

[72] « Additional Instructions to Lieutenant Colonel Moncton, » 29 janvier 1755, *The Northcliffe Collection* (Ottawa, 1926), 27. Voir plus bas, chapitre V, note 51, et Virginia Harrington, *The New York Merchant on the Eve of the Revolution* (New-York, 1935), 211, note 17. Sur les Apthorp, voir *ibid.*, 218s.

Comme au Canada, la traite des fourrures est une activité importante. Il existe deux moyens de la pratiquer avec succès : ou bien en faisant aux Canadiens une concurrence résolue, ou bien en se livrant avec eux à une contrebande aussi facile que profitable. Un bon nombre de marchands préféraient cette dernière méthode, qui ne comportait aucun risque et exigeait peu d'efforts. Les longues courses en forêt, les relations avec les Indiens pourvoyeurs de pelleteries, tout cela, qui était l'aspect le plus dur du dur métier de traitant, restait le lot de l'aventurier canadien. Le bourgeois d'Albany se contentait d'attendre le voyageur — et la fortune — sur le pas de sa porte. Au lieu d'aller exploiter cette richesse à sa source, il la laissait venir à lui. Ses bénéfices, sans doute, eussent été plus grands s'il avait fait lui-même toutes les opérations de la traite, mais il lui eût fallu oser et peiner davantage, et il s'enrichissait bien comme cela. Ceux des New-Yorkais qui voyaient plus grand et plus loin combattaient ce commerce. En 1720, le gouverneur Burnet avait fait adopter par l'assemblée coloniale une législation en vue d'y mettre fin, mais il avait fallu, en 1726, lever ces défenses sous la pression des négociants d'Albany et des politiciens qui représentaient leurs intérêts. [73] Car le « commerce du Canada » donnait lieu à de solides fortunes qui assuraient à leurs possesseurs une forte influence politique : les « Canada Traders » formaient un véritable parti qui possédait plusieurs sièges à l'assemblée législative. [74] La famille du lieutenant-gouverneur James de Lancey avait partie liée avec ce groupe [75] : pacte d'aide réciproque, semble-t-il, comme d'ailleurs tous ces obscurs trafics d'influence, puisque, de son côté, de Lancey avait su se ménager des appuis dans les comtés de la province; on disait qu'il était en mesure de jouer comme d'un clavier sur les intérêts locaux, ce qui mettait à sa merci l'assemblée et le rendait capable, par l'assemblée, de dicter sa conduite au gouverneur lui-même. [76] La guerre ne mettra pas une fin immédiate au « commerce du Canada »: des Canadiens en profiteront pour écouler leurs fourrures sans courir les risques de la mer, patrouillée par les croiseurs anglais. Et ils écouleront autre chose encore, notamment une partie du butin que leur auront valu leurs raids incessants sur les frontières des colonies britanniques: on rapporte que, lorsque des visiteurs du Massachusetts reconnurent entre les mains de

73   Jean Lunn, « The Illegal Fur Trade Out of New-France, 1713-60, » Canadian Historical Association Report (Toronto, 1939), 66.
74   Peter Wraxall, « Some Thoughts upon the British Indian Interest in North America, » [9 janvier 1756], NYCD, 7 : 16. Voir Virginia Harrington, The New York Merchant, 232-234, 309s.
75   Lawrence H. Gipson, The Great War for the Empire : The Years of Defeat, 1754-1757 (New-York, 1946), 144. — A l'avenir : Gipson, 6.
76   « Review of Military Operations, » 85.

boutiquiers d'Albany des articles en provenance des villages ravagés de leur province, ils éprouvèrent des sentiments amers à l'égard de ces profiteurs sans scrupule. [77] Dans le New-York, le trafic avec l'ennemi cessera seulement quand les marchands d'Albany verront qu'ils gagnent plus à remplir les commandes de l'armée britannique qu'à faire la traite avec les Canadiens. [78]

Mais pendant que ces trafiquants à l'imagination courte et à l'ambition aisément satisfaite exploitaient la fourrure par l'intermédiaire des voyageurs montréalais, d'autres négociants mettaient sur pied de vastes opérations commerciales. Les plus fructueuses avaient pour centre le fort Oswego, sur le lac Ontario. Quand le gouverneur Burnet avait fondé ce poste, en 1727, il avait voulu riposter aux Canadiens, qui venaient de rétablir Niagara, à l'autre bout du même lac, en vue de commander les routes de l'ouest et d'attirer à eux les fourrures qui y circulaient; il avait voulu fournir ainsi au grand commerce du New-York un point d'appui qui le mît en mesure de disputer l'ouest au grand commerce de Montréal. Tous les New-Yorkais ne l'avaient pas compris, les marchands d'Albany ne l'avaient pas suivi: l'assemblée coloniale lui avait mesuré si parcimonieusement les crédits que, plutôt que de voir s'effondrer son projet, le gouverneur avait mis dans la construction du nouveau poste 600 livres sterling de son propre argent, somme qui ne devait jamais lui être entièrement remboursée. [79] Plus lucides que les politiciens de la province britannique, les Canadiens avaient tout de suite saisi la gravité de cet acte: une redoutable concurrence s'installait au beau milieu de leur empire de traite. A Montréal, la première réaction avait été significative; on avait tout de suite eu l'idée d'envoyer un détachement de soldats et de miliciens raser Oswego. Mais c'eût été la guerre. Il fallut se rabattre sur une vigoureuse défensive, qui s'exprima par l'érection du fort Saint-Frédéric, sur le lac Champlain. Si la fondation d'Oswego avait provoqué une explosion de mécontentement dans la bourgeoisie canadienne, celle de Saint-Frédéric — où les Canadiens n'avaient fait que devancer les plus actifs de leurs concurrents — suscita un violent remous dans les milieux politiques du New-York, qui firent transmettre leurs protestations jusqu'à Versailles par l'ambassadeur d'Angleterre en France. [80] C'est que Saint-

---

[76] « Review of Military Operations, » 85.

[77] A. Pound et R. E. Day, *Johnson of the Mohawks. A Biography of Sir William Johnson, Irish Immigrant, Mohawk War Chief, American Soldier, Empire Builder* (New-York, 1930), 465.

[78] Stanley M. Pargellis, *Lord Loudoun in North America* (New Haven, 1933), 96.

[79] Burnet à Newcastle, 9 mai 1727, NYCD, 5 : 820; Burnet au Board of Trade, 9 mai 1727, *ibid.*, 818s; *id.* à *id.*, 29 juin 1727, *ibid.*, 821s.

[80] Voir G. Frégault, *La Civilisation de la Nouvelle-France* (Montréal, 1944), 55-58.

Frédéric allait bloquer le mouvement d'expansion que méditaient les spéculateurs de la vallée de la Mohawk, désireux d'élargir le réseau de leurs opérations de manière à englober les espaces qui s'étendaient au delà du bassin de l'Hudson, jusqu'au lac Champlain. [81]

Alors que les négociants d'Albany continuent à acheter les four- rures des voyageurs canadiens et à leur vendre les marchandises de traite à défaut desquelles les hommes d'affaires de Montréal se trou- veraient souvent fort embarrassés de maintenir leurs rapports avec les tribus de l'ouest, — ce qui, sur le plan politique, isolerait le Canada en Amérique [82] — d'autres grands commerçants new-yorkais exploitent sans intermédiaires la traite de l'intérieur, profitant du fait que les In- diens, lorsqu'ils le peuvent, se dirigent vers les comptoirs britanniques plutôt que vers les postes canadiens parce qu'ils y obtiennent de meil- leurs prix. Ces commerçants combinent des affaires qui connaissent un développement prodigieux. Le commerce, c'est bien connu, suit le dra- peau. Mais le drapeau ne cesse d'accompagner le commerce. Ainsi, Oswego qui remporte un immense succès économique, au point de dépouiller Niagara d'une grosse part de sa valeur commerciale, [83] de- vient en même temps un atout formidable dans le jeu de la diplomatie britannique. C'est un nid d'intrigues contre la Nouvelle-France. La Galissonière, en 1747, voit dans Oswego « un moyen sûr qu'auront toujours nos ennemis de débaucher nos sauvages »; huit ans plus tard, Vaudreuil y reconnaît « la cause directe de tous les troubles » survenus dans l'empire français d'Amérique. [84] De leur côté, gênés par l'hostilité compréhensible de la politique canadienne, les plus éclairés des Anglais considèrent Niagara et Saint-Frédéric comme des « empiétements » sur le territoire britannique. Plus le temps passe, plus cette rivalité s'in- tensifie. Elle atteint son paroxysme au milieu du XVIIIe siècle. Elle met en cause des éléments économiques et des éléments politiques : mélange explosif.

Dans le New-York, un homme entre beaucoup d'autres incarne cette rivalité. William Johnson, qui sera bientôt créé baronet, puis nommé major-général, fait des rêves grandioses. De son manoir de Mount Johnson, que des Canadiens semblent bien connaître, [85] ce grand féodal de la forêt trône au sommet d'une grosse entreprise qui

81   Max Savelle, *The Diplomatic History of the Canadian Boundary*, 149.
82   Peter Wraxall, « Some Thoughts upon the British Indian Interest in North America, » NYCD, 7 : 16.
83   Voir G. Frégault, *François Bigot, administrateur français* 1 : 365.
84   Voir G. Frégault, *Le Grand Marquis* (Montréal, 1952), 361, note 22.
85   Voir la description très détaillée qu'en donne le document intitulé « Itinéraire », 1757, AC, C 11A, 102 : 332v.

est en rapport avec Oswego, d'où arrivent quantité de ballots de pelleteries, avec les Indes Occidentales, où elle échange des chargements
de farines contre des cargaisons de rhum et de sucre, avec Londres et
Manchester, où elle prend des assortiments variés de produits manufacturés en retour du sucre et des fourrures qu'elle y dépose. [86] Sir
William est riche, il devient célèbre, il aspire à plus encore. Déjà pos-
sesseur de quelque 200,000 acres de terre, il s'entête à organiser, sur
les confins du New-York et du Canada, un domaine familial, vaste et
magnifique, sur le modèle des grandes propriétés que les aristocrates
de la mère-patrie se transmettent de génération en génération. [87] Sa
fortune et ses ambitions reposent sur une base faite de paquets de pelleteries. N'allez pas lui demander pourquoi la guerre et s'il est juste
de déloger les Canadiens du lac Ontario et du lac Champlain.

En somme, tout le long de l'arc gigantesque que décrit la Nouvelle-
France sur les espaces boisés, à peine troués çà et là de clairières cultivées,
bossués de montagnes et chamarrés de cours d'eau, qui se déroulent
depuis l'île Royale jusqu'aux bouches du Mississipi, — tout le long
de cette ligne pointillée, où chaque point est un fort, qui trace au cœur
du continent la frontière démesurée de la Nouvelle-France, — la masse
britannique, masse d'hommes, masse de richesses, masse d'ambitions
impériales, exerce une pression croissante. Il faut que la ligne recule
ou que la pression baisse; que l'arc franco-canadien soit brisé ou réduite
la masse britannique. A moins qu'en Europe une autre masse, celle de
la puissante infanterie française, ne pèse de son côté sur les décisions
qui s'élaborent à Londres, au centre de l'empire de la Grande-Bretagne,
et ne parvienne à faire contrepoids, à un bout du monde, au déséquilibre qui s'accentue à l'autre bout. Jusqu'ici, la France a pu restreindre
le déploiement de l'Angleterre sur le continent américain dans la mesure où elle a pu, en raison de ses énormes ressources militaires, affecter les intérêts que l'Angleterre possède sur le continent européen : on
l'a vue, en 1748, se faire rendre Louisbourg sans avoir gagné une seule
grande bataille au Nouveau Monde. Est-elle encore capable de mater
de cette façon l'Amérique britannique ? Elle n'y compte plus. Même si,
pressée par Versailles, la cour de Londres ordonnait à ses colonies de
contenir leur élan, elle ne s'en ferait pas obéir : ainsi raisonne, en 1752,
le ministère français de la Marine. [88] Le drame se noue en Amérique.
C'est là qu'il aura son dénouement.

---

[86]   Pound et Day, *Johnson of the Mohawks*, 108s.
[87]   W.P.M. Dailey, « Sir William Johnson, Baronet, » *Chronicles of Oklahoma*, 22
(1944) : 165.
[88]   *Le Grand Marquis*, 378.

Depuis trente ans, les Américains britanniques manquent d'espace dans leurs vieux établissements. On date de 1726 la poussée qui commence à les projeter vers le sud et vers l'ouest. Aux environs de 1750, le flot humain atteint la crête des montagnes et se déverse lentement sur la pente occidentale du massif apalachien. En avant de cette vague de peuplement, s'étalent les contrées interdites que, sans les habiter, les Canadiens ont soumises tant bien que mal à leur colonisation commerciale et qu'ils patrouillent le fusil au poing. Voilà les terres que les Britanniques désirent. Des hommes d'affaires s'évertuent à en organiser l'occupation et l'exploitation. Les gouvernements provinciaux, où parfois ils siègent, et que toujours ils influencent plus ou moins, leur emboîtent le pas, et la métropole, dont les intérêts sont inséparables de ceux de ses colonies, ne peut que donner à ces dernières tout son appui. [89] Newcastle l'a dit : elle fera la guerre plutôt que de laisser les Français refouler ses populations américaines à l'est des Alleghanys.

La faim d'espace est un phénomène social. Ses répercussions varient en raison de la puissance, de la vigueur et de la structure des sociétés qui l'éprouvent. Certains pays surpeuplés, ne se sentant pas assez forts pour ajouter de l'étendue à leur territoire, se voient ainsi contraints ou bien de laisser fléchir le niveau de vie de leur population — celle-ci augmentant plus vite que leur productivité — ou bien de laisser déborder sans ordre, à l'extérieur de leurs cadres, leur excédent de ressources humaines, et l'on assiste alors à un mouvement d'émigration. Il n'en ira pas ainsi au Nouveau Monde: les collectivités britanniques ont une force massive, bien supérieure à celle de la Nouvelle-France; elles sont en plein développement; leurs sociétés sont organisées de façon à pouvoir s'étendre sans se répandre. Non seulement se sentent-elles capables de prendre leur bien où il se trouve, mais elles y sont poussées par une conjonction ou mieux, par une fusion de grands intérêts privés et de hauts intérêts publics. A leur tête, se sont hissées des oligarchies qui les pénètrent et qui ne seraient pas arrivées au sommet si elles ne commandaient pas à la fois le pouvoir politique et la puissance économique; l'activité politique y assure le progrès économique, et le progrès économique y alimente l'activité politique. Il en résulte qu'une guerre de conquête n'est pas uniquement liée aux conjonctures américaines, mais — et c'est ce qui la rend inévitable — elle est encore dans les structures sociales de l'Amérique. Les oligarchies vont tirer partie, en même temps pour leur propre compte et pour le compte des peu-

---

89   Max Savelle, *The Diplomatic History of the Canadian Boundary*, 154s.

ples qui les portent sur leurs épaules, d'un besoin de terres colonisables qui n'a rien d'artificiel.

Existerait-il donc des oligarchies chez les « fils de la Liberté » ? Pour s'en convaincre, il suffit de se demander qui gouverne les colonies. En Virginie, ce sont les grands planteurs, classe qui constitue pourtant une petite minorité de la population. Ce qui s'observe dans le « Vieux Dominion » se remarque dans tout le Sud. En Caroline du Sud, un contemporain pose la question: qui siège à l'assemblée ? des artisans, des ouvriers, des petits agriculteurs ? Il répond: « Non. Les représentants sont presque tous, sinon tous de riches planteurs. » Les provinces du centre ne présentent pas un tableau différent. La Pennsylvanie n'accorde le droit de suffrage qu'à huit pour cent de ses ruraux, qu'à deux pour cent des citoyens de Philadelphie. Les opulents propriétaires terriens du New-York tiennent en main l'élection d'une partie des législateurs. La Nouvelle-Angleterre a fort évolué. L'ancienne aristocratie du savoir et de la vertu puritaine y a cédé le pas à celle de l'argent : négociants et trafiquants dominent les assemblées coloniales et profitent de l'ascension de ces corps représentatifs. [90]

A y bien regarder, il n'intervient vraiment pas d'écart entre les faits et les idées. Les hommes de réflexion le reconnaissent, c'est aux *gentlemen* qu'il appartient de gouverner. Car les *gentlemen* sont éclairés. A peu près seuls, ils peuvent l'être. Le Révérend Mayhew, de Boston, n'y voit rien à redire, au contraire, lui qui estime tout naturel que les choses de l'esprit soient réservées « à ceux que Dieu a favorisés en leur donnant à la fois la richesse et la sagesse ». Le gouverneur du Massachusetts, l'historien Thomas Hutchinson, M.A. (Harvard), n'aime pas la démocratie parce qu'un régime populaire, déplore-t-il, accorde plus d'importance au nombre qu'à la valeur des hommes. [91] Que devient alors la Liberté au nom de laquelle ceux qui savent et qui mènent appellent aux armes la populace ? Attention. Il s'agit de cette liberté britannique dont on dit qu'il « faut considérer qu'il existe une Liberté publique aussi bien que privée ». [92] Et même sur le plan « privé », c'est une liberté de possédants. Dans une brochure publiée en 1754, on lit que les hommes se groupent en société pour sauvegarder la propriété de leurs biens; telle est la fin qu'ils poursuivent lorsqu'ils

---

[90] John C. Miller, *Origins of the American Revolution* (Boston, 1943), 55s; Virginia Harrington, *The New York Merchant*, 37s.

[91] Joseph Dorfman, *The Economic Mind in American Civilization, 1606-1865* (2 vol., New-York, 1946), 1 : 111, 114s.

[92] *A Miscellaneous Essay Concerning the Courses Pursued by Great Britain in the Affairs of Her Colonies with Some Observations on the Great Importance of Our Settlements in America, and the Trade Thereof* (Londres, 1755), 19.

organisent leur liberté: « La Liberté sans la Propriété est comparable
à l'appétit d'un homme qui n'aurait rien à manger. » [93]

*

*   *

Si une guerre sort de ces situations sociales, c'est que ces dernières
se reproduisent, dans une mesure considérable, chez l'adversaire. Rien
ne ressemble plus à une colonie nord-américaine qu'une autre colonie
nord-américaine; rien ne se rapproche plus de la structure sociale d'une
colonie anglaise d'Amérique que la structure sociale d'une colonie
française d'Amérique. Non pas que la Liberté — cette glorieuse abstraction dont le panégyrique se fait en anglais — soit appelée, au Canada,
à servir de thème à développement oratoire: ce n'est pas encore là
une habitude française, par conséquent, ce n'est pas, semble-t-il, un
penchant canadien. Nous voudrions pourtant en être plus sûr: les
chefs du pays répètent au Canadien, au point qu'il en devient, souli-
gne-t-on, « ennuyé », qu'il lui faut lutter jusqu'au bout afin de « conserver la Liberté de sa religion et de ses possessions ». [94] La liberté des
« possessions », voilà bien un langage aussi compréhensible et aussi
usité en Amérique française que dans les provinces britanniques; il se
parle ici comme là parce que partout il exprime et il affirme la même
évolution et le même état de société.

Au Canada comme en Virginie, comme dans le New-York, comme
en Nouvelle-Angleterre, une oligarchie détient le pouvoir et manie
l'argent, avance ses propres affaires et conduit au même rythme celles
de la collectivité. Au moment où la guerre commence, ce petit groupe
gravite autour de deux hommes, l'intendant Bigot et le gouverneur
Du Quesne. Et du fait que le pays n'est pas pourvu, au sens strict, d'or-
ganismes représentatifs dans le domaine politique, cette minorité do-
minante peut négliger certaines précautions auxquelles ne doivent pas
se soustraire les oligarques des provinces britanniques, limiter plus
rigoureusement le nombre de ses membres et utiliser avec moins de
gêne l'appareil de l'Etat. Sa présence n'est pas anormale. Alors qu'il
s'en trouve d'analogues dans toutes les sociétés du continent, c'est son
absence, si elle n'occupait pas son poste, qui serait exceptionnelle.

---

93   Cité par Dorfman, *op. cit.*, 1 : 116.
94   « Mémoire, » AC, C 11E, 10 : 262.

Il a toujours existé une oligarchie à la tête du Canada. L'histoire sociale de cette colonie est précisément faite de ses renouvellements, qui ne se sont jamais opérés sans provoquer de crise. Cette relève est d'ordinaire assez brutale. Comment en serait-il autrement ? Elle se traduit par l'élimination d'une classe dirigeante au profit d'un groupe d'hommes nouveaux. Un tel phénomène se produit dès 1645, alors que l'aristocratie de la fourrure se constitue en « Compagnie des Habitants » et s'empare de l'activité économique du pays, avant d'en inspirer la direction politique: ce qu'elle fera en prenant place dans les conseils bientôt institués autour du gouverneur général. [95] Vingt ans après, arrive l'intendant Talon avec ses projets de « grand royaume »; il secoue ces cadres, les élargit, y entre lui-même et y introduit une nouvelle aristocratie de type militaire qu'il favorise de toutes manières, au détriment de l'ancienne équipe qui se cabre, mais doit enfin plier. [96] A la suite de Talon, voici Frontenac (1672), qui ne se contente pas d'étendre les cadres existants, mais qui entreprend de les briser par la violence, et les scènes invraisemblables qui éclatent au Conseil souverain, si elles ont pour prétextes des querelles de préséance, ont pour cause un conflit d'intérêts centré autour de la maîtrise du grand commerce; il est remarquable que les « ennemis » de Frontenac soient des négociants: le gouverneur Perrot, Villeray, La Chesnaye (et avec lui Jolliet), Le Ber, Charles Le Moyne et, plus tard, le fils de celui-ci, ce « petit présomptueux » d'Iberville, — et que ses protégés soient aussi des traitants: La Salle, à qui il fait concéder un empire (découvert par Jolliet), Moreau, Du Lhut, Cadillac. [97]

Au XVIIIe siècle, de semblables luttes politiques se déroulent en vue du même objectif. Les « troubles » qui font rage à Québec en 1727 et en 1728 naissent sans doute à l'occasion de la mort de Saint-Vallier, mais les principaux adversaires qui se mesurent au Conseil supérieur sont, d'une part, les grands bourgeois qui y siègent et l'intendant Dupuy — et, d'autre part, le gouverneur de Beauharnais,

[95] Voir Léon Gérin, *Aux sources de notre histoire* (Montréal, 1946), 143-154. Sur l'histoire sociale du Canada, voir G. Frégault, *La Société canadienne sous le régime français* (Ottawa, 1954).

[96] Mémoire de Jean Talon à Colbert, 10 novembre 1670, *Rapport* de l'archiviste de la province de Québec [RAPQ] pour 1930-1931 (Québec, 1931), 126; « Mémoire de M. de La Chesnaye sur le Canada, 1676, » *Collection de manuscrits contenant lettres, mémoires et autres documents historiques relatifs à l'histoire de la Nouvelle-France* (4 vol., Québec, 1883-1885), 1 : 252. — A l'avenir, *Collection de Mss.*

[97] Voir les études de Jean Delanglez, *Frontenac and the Jesuits* (Chicago, 1939); *Some La Salle Journeys* (Chicago, 1938); surtout *Louis Jolliet, vie et voyages* (Montréal, 1950), 227-229, 288-297. Consulter *Histoire du Canada par les textes* (Montréal, 1952), 47-49.

gendre de l'ancien intendant Bégon, [98] héritier aussi de certaines de ses
entreprises commerciales, et les fonctionnaires subalternes qui sont en
même temps des agents d'affaires, ces « comptables et gens subordon-
nez » qu'unissent entre eux et au gouverneur des liens de famille
quand ce ne sont pas simplement des relations intéressées et qui, « as-
sociez ensemble », spéculent, avec les ressources de la caisse publique,
sur les besoins de la colonie, sur les fourrures et sur les fournitures
de l'Etat. [99] Ce régime est trop solidement assis pour ne pas durer. Il
tient encore debout à l'arrivée de Bigot, vingt ans plus tard (1748).
Le nouvel intendant ne tarde pas à bousculer ceux qu'il trouve en place,
pour se mettre lui-même, avec des hommes de son choix, à la tête du
grand commerce. On n'est pas lent à convenir qu'il entend merveilleu-
sement « la manivelle ». Sans dédaigner de prendre part à l'exploitation de quelques postes de traite — les plus rémunérateurs —, il
concentre son attention sur la manutention des vivres, les fournitures
de l'armée et le transport des effets du roi : déjà payantes en temps
de paix, ces opérations le deviennent encore bien davantage, du fait
que la colonie est toujours sur un pied de guerre et le restera jusqu'à
la conquête. Pendant ce temps, les gouverneurs, La Jonquière (1749-
1752) et Du Quesne (1752-1755), s'affairent dans le secteur que leur
réservent leurs attributions officielles, l'administration des postes militaires et l'organisation du trafic des fourrures.

Cette dernière activité comporte nécessairement un aspect politique, puisque deux séries de relations la conditionnent: celles qu'il faut
conserver avec les Indiens pourvoyeurs de pelleteries et celles qui s'im-
posent avec les Britanniques, à la fois concurrents des traitants canadiens et, dans une bonne mesure, fournisseurs des marchandises de
traite que les Canadiens troquent aux indigènes. Ces relations, il existe
deux façons de les concevoir. S'il importe au plus haut point de conserver l'Ouest, pensent les négociants du pays, on doit prendre garde de
ne pas y heurter de front les Anglais et les Iroquois : ni les uns ni
les autres ne sont des chasseurs, ils s'approvisionnent de fourrures auprès des tribus qu'ils s'efforcent d'attirer dans leur sphère d'influence. Il
s'agit de leur disputer ces « nations » en semant chez celles-ci la division
et en leur inspirant la terreur des armes canadiennes. Des expéditions
organisées à propos — « quelques coups d'Eclat », pour reprendre les
termes de Vaudreuil, [1] — ont pour effet de faire rentrer dans le rang

98 *La Civilisation de la Nouvelle-France*, 17s; *Histoire du Canada par les textes*,
60-62.
99 « Mémoire de M. Dupuy, intendant de la Nouvelle-France, sur les troubles arrivés à Québec en 1727 et 1728, » RAPQ (1920-1921), 98-100.
1 *Le Grand Marquis*, 380 .

les agglomérations indigènes qui manifestent un penchant trop indiscret pour les échanges avantageux qu'offrent les Anglais; l'audacieux Langlade a frappé un de ces « coups d'éclat » lorsqu'il est allé, à l'été de 1752, anéantir la bourgade de Pickawillany, dans la vallée de l'Ohio. Au fond, politique d'équilibre qui exige une vigilance de tous les instants, mais qui esquive les risques trop considérables. Elle s'est maintenue tant bien que mal sous La Jonquière. La mort inopinée de ce gouverneur porte au pouvoir durant quelques mois le baron de Longueuil. Canadien, fils d'une longue tradition de commerce et de diplomatie, Longueuil s'applique à faire triompher les méthodes dont il connaît l'efficacité. Mais il compte sans Bigot. L'intendant résiste, intervient auprès de la Cour et dénonce ce « sistème canadien » qui consiste à « laisser tranquille la belle Riviere [Ohio], ayant une veneration et une consideration particuliere pour les Iroquois qui y resident ».[2] L'ironie du haut magistrat cache mal une ambition déçue. Le fonctionnaire supérieur voudrait que son consortium d'intérêts mît la main sur l'Ouest. Que de grands projets ne pourraient-ils pas s'y développer ?

Du Quesne arrive de France, à la grande joie de Bigot.[3] Ce ne sont pas les plans qui lui manquent. Il en a d'admirables dans les instructions que le ministre lui a données, il en aura bientôt de grandioses dans la tête. Il commence par mettre en pièces le « système canadien ». La Cour, au reste, désapprouve les procédés élaborés dans la colonie. Le gouverneur lance en 1753 sa spectaculaire campagne de l'Ohio. Et à qui en confie-t-il le commandement ? A Marin, qui partage depuis 1749 la traite de la Baie [Green Bay, sur le lac Michigan] avec Bigot, La Jonquière et Péan. Péan est aussi de la partie en 1753; il est le second de Marin; il est plus encore: Du Quesne le décrit comme « le grand ressort de cette expédition ». Or le même Péan, déjà nanti d'importants contrats de fournitures, joue généralement le rôle de factotum de Bigot. La bourgeoisie canadienne ne saurait s'y tromper : avec l'aide du nouveau gouverneur, l'intendant la chasse de l'Ouest. Elle se cabre, elle crie, elle écrit des lettres noires d'accusations. « Clameurs de mauvais cytoiens », riposte Du Quesne, qui s'emporte noblement contre ces « infames jaloux », ces « pestes » à « la plume toujours venimeuse ». Bien qu'il ne parvienne pas à faire taire les partisans du « système » qu'il abolit, le gouverneur a toujours la ressource

---

[2] Bigot à Rouillé, 26 octobre 1752, AC, C 11A, 90 : 270-270v.
[3] A moins d'indications contraires, ce qui suit s'appuie sur les faits analysés en détail dans *François Bigot, administrateur français*, chapitres VIII à XII, et *Le Grand Marquis*, chapitre VII, section 3.

de les faire marcher, comme il l'avoue lui-même, « par l'impression
de la crainte ». Cependant l'opposition monte, la tempête grossit. Des
échos en atteignent la France, où les milieux bien renseignés concluent
à l'existence, dans la colonie, d'un « mecontentement... universel et
prest a eclater »; quelqu'un va jusqu'à mentionner l'éventualité de
« quelque revolution ». Du Quesne est rappelé et Bigot invité à passer
dans la métropole : il devra se justifier des plaintes portées contre lui
par les victimes des monopoles qu'il a instaurés.

A Versailles, auprès d'un nouveau ministre de la Marine, l'intendant se défend si bien que son voyage tourne au « triomphe ». Renvoyé à Québec en 1755, il reconstitue autour de lui-même, de Péan
et de Cadet un autre état-major plus compact, mieux armé et plus
avide encore que celui qu'il avait groupé en 1748. C'est « la Grande
Société ». La guerre se développe, elle exige des quantités croissantes
de vivres et de munitions, rend nécessaires d'énormes entreprises de
transport, complique les finances, hypertrophie le crédit, multiplie les
emplois à la suite des armées. Quelle aubaine pour les profiteurs !
L'ancienne oligarchie est bel et bien subjuguée. Ses membres doivent
se contenter de servir dans les fonctions secondaires, dominés par
les grands carnassiers dont le règne se consolide. Les affaires roulent,
elles n'ont jamais tant roulé. Le régime fonctionne, puissante machine. La défaite le brisera. Et il laissera derrière lui un relent de corruption, des souvenirs amers. Un bourgeois canadien va écrire en 1761:
« Vous sçavés que c'est la Tyrannie et l'avarice qui ont causé la perte
du Canada nôtre patrie. »

Non; c'est la conquête qui a perdu le Canada. Bigot et sa sé-
quelle porteraient-ils la responsabilité de la conquête ? Non encore;
c'étaient des voleurs, ce n'étaient pas des traîtres. Comment donc un
contemporain que l'on n'a aucun motif de croire déraisonnable peut-il
reprocher à la Grande Société d'avoir provoqué la chute de la colonie ?
Reprenons. En 1753, Du Quesne envoie une « armée » occuper l'Ohio.
Dès le printemps de 1754, le ministère français de la Marine apprend
par la voie d'Angleterre que ce déploiement de force « a fait grand bruit
dans les Colonies Angloises, et particulierement a la virginie ». Rouillé
s'inquiète : « S'il faut en croire ces nouvelles, le g[ouvern]eur de cette
derniere Colonie y a pris des mesures et a même demandé des secours
a ses voisins pour marcher aussi du costé de la belle Riviere. »[4] Le
gouverneur de la Nouvelle-France va de l'avant, et Contrecoeur fonde
le fort Du Quesne, aux fourches de l'Ohio, à la mi-avril. Tout de

---

[4] Rouillé à Du Quesne, 31 mai 1754, AC, B 99 : 204.

suite après, des incidents graves se produisent: Jumonville est tué
à la fin de mai; Villiers fait irruption sur le fort Nécessité au commencement de juillet. Au début de 1755, la Cour écrit à Du Quesne: « Les
mouvemens... qu'il y a eu l'année dernière du coté de la Belle riviere
ont fait beaucoup de bruit en Europe; Et l'expedition du S. de Villiers
a occasionné une fermentation particuliere en Angleterre. » A ce
moment le ministre sait qu'outre-Manche l'agitation des esprits et la
détermination du gouvernement se sont exprimées par l'embarquement
de deux régiments à destination de la Virginie. [5] L'opinion britannique
est exaspérée: « Une foule d'écrits, sortis des presses de Londres, ont
été semés dans le public, pour appuyer les prétentions de la Nation
Angloise. Si la violence du style caractérise l'éloquence, on peut dire
qu'elle ne parut jamais avec plus d'éclat que dans les écrits faits
par les Anglois. » [6]

Même sans déclaration, la guerre est alors commencée. La cause
du conflit est claire: ni le Canada ni les collectivités britanniques ne
veulent être évincés du Centre-Ouest; l'empire français ne peut pas
laisser à l'empire anglais le champ libre dans le hinterland américain,
et la réciproque est également vraie. Voilà des conclusions auxquelles
il est relativement facile d'aboutir aujourd'hui. Mais que l'on se mette
à la place de la bourgeoisie canadienne récemment exclue des affaires
importantes par l'oligarchie qui entoure Bigot et Du Quesne. Jusqu'au jour où ce dernier a opéré le renversement du « système canadien », elle avait réussi à exploiter sa part du Centre-Ouest sans déclencher de catastrophe. Elle voit maintenant fondre une guerre qu'elle
n'a jamais souhaitée. Ce malheur arrive à la suite de l'application d'une
politique qu'elle réprouve parce qu'elle la juge téméraire et inspirée
par des intérêts sordides. Elle observe à la fois les profits scandaleux
et les fatales imprudences que font ses concurrents heureux. Que va-t-
elle en penser ? Que « la tyrannie et l'avarice » ont provoqué le conflit qui compromet le sort du Canada. A l'automne de 1758, Montcalm se fait l'écho de ce sentiment. Son témoignage est à retenir:
« Verrès [Bigot] arrive; en construisant l'édifice d'une fortune immense, il associe à ses rapines quelques gens nécessaires... Le commerce, écrasé par les privilèges exclusifs, par les privilégiés tout-puis-
sants, gémit et se plaint; mais sa voix impuissante étouffée ne peut
se faire entendre; il faut qu'il subisse une loi qui va l'anéantir... La
concussion lève le masque; elle ne connoît plus de bornes; les entreprises augmentent, se multiplient; une société seule absorbe tout le

---

[5] Machault à Du Quesne, 17 février 1755, AC, B 101 : 144. Dépêche chiffrée.
[6] *Lettres d'un François à un Hollandois*, 6.

commerce intérieur, extérieur, toute la substance d'un pays qu'elle dévore; elle se joue de la vie des hommes » ... Jusqu'ici, le général donne une description assez exacte du processus adopté par l'équipe qui entoure Bigot pour se substituer à celle qu'elle a trouvée en place. Il poursuit: « La guerre survient, et c'est la Grande-Société qui, par des attentats utiles à ses intérêts seuls, fournit aux vues ambitieuses des Anglois le prétexte pour en allumer le flambeau. »[7]

Montcalm n'a pas observé de ses yeux tout ce qu'il rapporte: il s'agit de faits qui ont précédé son arrivée au Canada, où il n'a débarqué qu'en 1756. Il faut qu'il répète ce qui se dit. Il est sûr qu'un bouleversement social s'est opéré dans la colonie à la veille de la guerre de la Conquête: une classe dirigeante en a remplacé une autre. Ces parvenus ont contre eux leur accession trop récente au pouvoir et à la fortune; le groupe qu'ils forment n'a pas eu le temps, lorsque la guerre éclate, de se couvrir d'un vernis de légitimité. De plus, le conflit international qui leur permet de mettre les bouchées doubles — et, authentiques parvenus, ils mangent salement — va tourner aussi mal que possible: circonstance tragique qui fait ressortir leurs agissements sous un jour sinistre. Il en est allé à peu près de même chez les Américains britanniques au cours de leurs années de revers. Chez ceux-ci aussi, les accusations de corruption n'ont pas tardé à s'élever. Ne déclara-t-on pas publiquement à New-York, dans les premiers jours de 1756, que, si Braddock s'était fait battre, c'était parce qu'il avait mal engagé son expédition et que, s'il avait mal procédé, c'était parce qu'il avait été amené à « servir les intérêts d'une compagnie particulière au détriment de l'intérêt général » ?[8]

Enfin, les profiteurs de guerre du Canada se discréditent par leur cynisme. Trop rapide, leur réussite est aussi trop insolente et trop aisément explicable. Si encore, raisonne l'ingénieur Desandrouins, le talent comptait pour quelque chose dans ces succès foudroyants ! Mais non; il suffit de bénéficier de protections indiscrètes pour arriver: « ... Soyez parent ou amy de quelqu'un des membres de la haute société, et votre fortune est faite ! On armera de préférence vos vaisseaux, quoiqu'ils soient en mauvais état et condamnés; on les frêtera pour le compte du Roy; et on risquera dessus de braves hommes et des marchandises. S'ils périssent, vous serez dédommagé au centuple. Ou bien, on vous donnera entreprises et sous-entreprises à gagner prodi-

_____
7 H.-R. Casgrain, éd., *Journal du marquis de Montcalm durant ses campagnes en Canada de 1756 à 1759* (Québec, 1895), 461s. — A l'avenir : *Journal* de Montcalm, Casgrain, 7.
8 *The New-York Mercury*, 5 janvier 1756.

gieusement... Ou bien encore on vous enverra commander dans un poste; et c'est alors que vous verrez pleuvoir les richesses. » [9] Comment ne pas accabler de mépris et ne pas jalouser férocement ces aventuriers grossiers qui « de toile vêtus en passant en Canada, ont eu 100,000 francs, 100,000 ecus 2 ou 3 ans après » ? [10] Un autre contemporain le note avec amertume, ce qui « décourage » les Canadiens, c'est la prospérité insultante des « particuliers, qui envoyés de France pour les Gouverner, sont beaucoup plus avides de les dépoüiller, en tournant à leur profit et au prejudice de l'Etablissement de leurs colonies les fonds qui leur sont destinés ». [11] Des fonctionnaires intéressés pousseront le sans-gêne, même au plus fort des hostilités, jusqu'à disputer à l'armée territoriale les meilleurs éléments de sa milice afin de les employer à « convoyer des marchandises pour faire la richesse de divers particuliers ». [12]

Ce groupe de grands commis, de manieurs de crédit, de vendeurs et d'intermédiaires n'est pas anonyme. Des noms ? Il est possible d'en relever une quarantaine dans la liste des cinquante-cinq accusés — ce n'étaient pas tous des coupables — appelés à comparaître devant une commission du Châtelet de Paris, entre 1760 et 1763, au cours de la retentissante Affaire du Canada. Ce ne serait pas exagérer beaucoup que d'assimiler cette liste au bottin de la finance et du commerce de la colonie au moment de sa chute. Bigot, Varin, Bréard, Cadet, Péan, Maurin, Corpron, Pénissault, Le Mercier, Boishébert, Noyan, Fayolle, La Barthe, Grasset de Saint-Sauveur, Deschenaux, Estèbe, Martel..., voilà les personnages les plus considérables de l'oligarchie que la défaite refoule derrière les murs de la Bastille. [13] Les Quarante Voleurs comptent des fonctionnaires supérieurs et des subalternes, hommes d'épée et gens de plume, des nobles et des roturiers. Sous l'énumération, on peut tirer une ligne et inscrire un commun dénominateur : commerçants, tous le sont à des titres divers. Bien d'autres aspirent à l'être. La colonie brûle d'une fièvre de négoce. « Tout le monde veut commercer; les états sont confondus », écrit Montcalm en 1758. [14] Le gouvernement canadien éprouve un mal infini à trouver des can-

---

[9] Cité par Gabriel, *Le Maréchal de camp Desandrouins 1729-1792. Guerre du Canada 1756-1760. Guerre de l'indépendance américaine 1780-1782* (Verdun, 1887), 129.

[10] Texte cité dans *François Bigot, administrateur français*, 2 : 217.

[11] « Mémoire, » AC, C 11E, 10 : 262.

[12] « Memoire, » AC, C 11A, 104 : 687.

[13] « Nombre, Noms et qualité des accusés, » Archives publiques du Canada [APC], Affaire du Canada, 1 : 7s; *Jugement rendu souverainement et en dernier ressort dans l'Affaire du Canada* (Paris, 1763). — Sur l'Affaire du Canada, voir *François Bigot, administrateur français*, chapitre XVII.

[14] *Journal* de Montcalm, Casgrain, 7 : 461.

didats au Conseil supérieur; c'est que « la jeunesse », même celle des meilleures familles, au lieu de se préparer à « la Judicature » comme ses aînés, « se jette dans le commerce ».[15] Faisant allusion à un récent ouvrage de l'abbé Coyer, *La Noblesse commerçante* (1756), dans lequel l'auteur demandait que les gentilshommes se vissent autoriser à se faire négociants, Bougainville jugeait : « Tout ce qui se passe dans les colonies fait la critique de la noblesse commerçante. »[16]

En écrivant « dans les colonies » et non pas seulement « au Canada », le grand voyageur ne croyait pas, sans doute, si bien dire. Sa généralisation s'appliquait de toute évidence à l'empire français; elle aurait pu inclure, *mutatis mutandis,* les possessions britanniques d'Amérique. En maints endroits, pour ne pas dire partout, l'observateur attentif pouvait voir à l'œuvre des coalitions d'intérêts économiques et politiques — et, dans les deux ordres, publics et privés; il pouvait mesurer l'influence que les grandes affaires exerçaient sur les gouvernements et constater l'immixtion des gouvernants dans de puissantes entreprises du « commerce ». Au sommet de toutes les sociétés, quels qu'en fussent le régime et l'idéologie, s'étaient élevés des hommes d'action, d'ambition et d'intrigues qui savaient ce qu'ils voulaient, le voulaient avec force et s'efforçaient d'entraîner à leur suite les collectivités qu'ils dominaient. Dans les colonies françaises comme dans les colonies britanniques, ces oligarchies jouaient un rôle normal. Et semblable. Elles occupaient la même position : la première. Vérité au delà des Alleghanys, vérité aussi en deçà.

*
*   *

Poursuivant les mêmes objectifs ultimes, pourvues d'armatures de même type et procédant selon des méthodes fort voisines, les sociétés ennemies ont en commun un autre caractère fondamental. Elles sont coloniales. Ce fait aura des conséquences importantes sur la conduite et sur le rythme de la guerre de la Conquête. Les provinces anglaises ne sont pas sans rapports entre elles et elles en maintiennent avec leur métropole. Le Canada entretient également des relations avec la France. Français et britanniques, les Américains, qui se ressemblent tant, considérés dans les cadres de leurs pays, diffèrent-ils beaucoup les uns des autres, considérés dans les cadres des empires dont ils font partie ? Il peut n'être pas sans intérêt de chercher à le savoir.

---

15 Berryer à Vaudreuil et à Bigot, 8 janvier 1759, AC, Moreau de Saint-Méry [F 3], 15 : 235-235v.
16 « Journal, » 24 avril 1757, RAPQ (1923-1924), 260.

CHAPITRE II

DES COLONIAUX

A u début de la guerre de la Conquête, il suffit de mesurer les forces dont les empires rivaux disposent au Nouveau Monde pour prévoir le dénouement du conflit. La supériorité britannique est écrasante. Selon les calculs effectués à l'été de 1755 par le Board of Trade and Plantations, les colonies anglaises du continent américain compteraient 1,042,000 habitants. Les fonctionnaires qui ont compilé ces statistiques se montrent fort prudents : entre plusieurs données, ils inclinent à choisir la plus faible; ainsi, ils ne donnent au New-York que 55,000 âmes, près de 20,000 de moins qu'un tableau dressé en 1749 n'en attribuait à cette province.[1] Ils soulignent que 100,000 étrangers, des Allemands surtout, vivent au milieu des collectivités d'origine britannique. Fait significatif, ils estiment à 4,000 habitants la population de la Nouvelle-Ecosse, ce qui laisse dans les ténèbres extérieures les 16,000 Acadiens que renferme la colonie; les Acadiens, il est vrai, constituent pour l'empire tout autre chose qu'un élément de force.[2] Au moment où les Lords du commerce alignent leurs chiffres, un journal américain transcrit ceux que le *London Magazine* fournissait quelques mois auparavant. Ces statistiques, qui se

---

1 NYCD, 6 : 550.
2 « An Account of the Number of White Inhabitants in His Majesty's Colonies in North America, » 29 août 1755, Board of Trade, America & West Indies [BT, A & WI], vol. 605.

retrouvent aussi dans une brochure publiée à Londres dans les premiers mois de 1755, établissent à 1,051,000 âmes les peuplements de l'Amérique britannique. En regard de ces données, les publications anglaises présentent les renseignements qu'elles possèdent sur la Nouvelle-France, à laquelle elles supposent une population totale de 52,000 habitants : 7,000 en Louisiane et 45,000 au Canada. Cette dernière donnée est trop faible, puisque le recensement canadien de 1754 constate la présence de 55,009 habitants dans le pays.[8] Malgré son apparente exactitude, ce relevé paraît lui-même incomplet. Un autre dénombrement, opéré au commencement de 1758, établira un chiffre plus élevé : non pas, dit Montcalm, que la population ait sensiblement augmenté en trois ans, mais parce que le premier « avoit eté mal fait ».[4] Quoi qu'il en soit, ce ne serait pas se tromper beaucoup que de donner à l'Amérique britannique vingt fois plus de monde qu'au Canada. C'est la conclusion à laquelle aboutissent les Anglais.[5]

Comment se fait-il qu'un avantage aussi décisif n'ait pas valu aux Britanniques une victoire rapide ? Dès 1755, la réponse est connue : peu nombreux, mais bien dirigés, les Canadiens peuvent donner un mal infini à leurs adversaires supérieurs en nombre, mais divisés. C'est ce qu'observe le *London Magazine* : « L'union, une bonne position géographique, une solide politique indigène, une meilleure connaissance du territoire et de la suite dans les idées n'auront pas de peine à contrebalancer la supériorité numérique de populations désunies et à rompre un lien de sable. »[6] Au moment où elle s'exprime, cette idée n'a plus beaucoup d'originalité. Il y a longtemps qu'elle circule en Amérique. Dans les premières semaines de 1755, un journal de la Nouvelle-Angleterre trace un parallèle entre les Canadiens et les Anglo-Américains. Il montre ceux-ci en possession d'une vaste étendue de littoral, bénéficiant d'un opulent commerce et établis dans des contrées « où une Nature plantureuse prodigue à profusion ses bienfaits », tandis que ceux-là — « une négligeable poignée de gens » — sont emprisonnés dans un pays aride, à l'écart du reste du monde, étrangers aux douceurs du commerce et forcés « de compter sur leurs ennemis pour se procurer le pain quotidien ». Qui, demande-t-il, n'accorderait pas aux premiers les moyens de tenir en respect les seconds, bien plus, « d'effacer leur nom de la face de la terre » ? Pourtant, ce sont les

[8] *La Civilisation de la Nouvelle-France,* 39.
[4] Montcalm à Bourlamaque, 11 mars 1758; H.-R. Casgrain, éd., *Lettres de M. de Bourlamaque au chevalier de Lévis* (Québec, 1891), 289. — A l'avenir : Casgrain, 5.
[5] *The Maryland Gazette,* 4 septembre 1755, reproduisant un article du *London Magazine* de mai 1755. Voir *State of the British and French Colonies,* 15, 139.
[6] Dans la *Maryland Gazette,* 4 septembre 1755.

Canadiens qui sèment la terreur sur les frontières des colonies anglaises. « Ne devrions-nous pas », conclut l'auteur de ces réflexions, « rougir de ce que notre négligence donne de la hardiesse à nos ennemis et de ce qu'ils puisent leur puissance dans notre faiblesse ? »[7] — « Peut-être », déclare un hebdomadaire new-yorkais, « nous reposons-nous sur notre grand nombre. Vaine confiance, assurément ! Présage certain d'une destruction imminente ! »[8] A la fin de 1754, la même feuille avait affirmé tenir de bonne source que les colonies se coaliseraient, fourniraient chacune son contingent de troupes et, fortes de l'appui de la métropole, nettoieraient le Centre-Ouest : « Il ne fait aucun doute, avait-elle lancé, que nous n'enlevions aux Français l'Ohio et que nous ne les contraignions de se replier dans les limites que leur a prescrites le traité d'Utrecht. »[9] C'était vite dit. Cela ne se fit pas; pas tout de suite, en tout cas, ni de longtemps.

Plusieurs causes empêchaient les Américains britanniques de réaliser cette unité d'action qui était cependant pour eux la seule politique de raison. Il y en avait d'abord de générales; elles relevaient de leur psychologie. Ce n'était pas la chose du monde la plus aisée, pour des provinciaux d'Amérique, au milieu du XVIIIe siècle, que de saisir l'importance de la partie qui s'engageait entre l'impérialisme français et l'impérialisme anglais : aujourd'hui encore, après deux siècles d'histoire au cours desquels les conséquences de ce combat de géants ont eu tout le temps de se développer, il faut un réel effort de pensée pour en voir nettement l'enjeu. Combien il devait être difficile pour ces esprits coloniaux d'établir des rapports entre leurs propres aspirations, celles de leur milieu social et, souvent, de leur parti (ou de leur faction), celles de la province dans les cadres de laquelle ils évoluaient, celles de l'Angleterre, le vieux pays auquel les liaient toutes sortes d'attaches et, plus que tout, un attachement profond, celles, enfin, d'une Amérique britannique qui avait encore tant de peine à se reconnaître elle-même et qui commençait tout de même à éprouver un sentiment confus de solidarité, — sentiment combattu, à la vérité, par des tiraillements, des ignorances, des habitudes, des paresses et des égoïsmes locaux ! Ces hommes, ne l'oublions pas, étaient des provinciaux, et qui dit provincial dit nécessairement borné. Avant de pouvoir se dégager de leurs idées étroites, il faudrait qu'ils fussent entraînés par une élite lucide ou contraints par les événements de prendre de la hauteur.

---

[7] *The Boston News-Letter*, 13 février 1755. Voir *State of the British and French Colonies*, 16.
[8] *The New-York Mercury*, 20 janvier 1755.
[9] *The New-York Mercury*, supplément du 16 décembre 1754.

Chacune des provinces américaines, constate justement un publiciste contemporain, comporte un gouvernement tout à fait indépendant de ceux des autres colonies et « attaché à la poursuite de ses seuls intérêts, sans être assujetti à une autorité générale ». Ces collectivités ont accoutumé de se conduire « comme si elles se prenaient pour des Etats indépendants »; rien ne leur rappelle qu'elles sont « des provinces du même empire ». [10] Le plus singulier est que la métropole n'a pas toujours vu sans plaisir s'affirmer ces autonomies jalouses. Des politiques anglais ont même favorisé une telle « désunion parmi les colonies » de peur que, « dans un état d'union », [11] elles ne se soustraient à toute subordination et n'organisent leur indépendance. Quelle crainte déraisonnable ! estime notre auteur. Même « fortement » articulées les unes aux autres, les diverses sociétés américaines ne s'engageraient dans pareille révolution qu'à la suite de provocations « qui rendraient les Anglais eux-mêmes impatients de leur gouvernement ». Il serait du reste « ridicule » d'imaginer que semblable danger puisse se présenter « ni à présent ni pour bien des générations » puisque les Américains n'ont pas de marine et que la Grande-Bretagne en possède une pour les tenir en respect. [12] Ainsi, pense le publiciste, les périls qui pèsent actuellement (début de 1755) sur l'Amérique britannique auront eu, malgré tout, un « heureux » effet : celui de forcer les colonies à faire front commun contre l'envahisseur étranger. [13]

Quelle illusion, ou plutôt quel défaut de renseignements ! Voici ce qui est arrivé à l'assemblée législative du New-York lorsque le sous-gouverneur de Lancey l'eut mise au courant de la fameuse expédition de Marin, qui devait avoir pour résultat immédiat l'érection d'un fort français à la rivière aux Bœufs [French Creek], dans le pays de l'Ohio. [14] Cela se passe en 1753, un an avant la fondation du fort Du Quesne. Dans un message au haut magistrat, la chambre basse répond : « Il semble bien, d'après les documents que vous avez eu la bonté de nous communiquer, que les Français ont construit un poste à un endroit appelé French Creek, à une distance considérable de la rivière Ohio; rien ne nous dit et rien ne nous prouve, cependant, qu'il s'agisse là d'une invasion affectant le territoire d'aucune des colonies de Sa Majesté. » [15] Au lendemain de la défaite de Washington au fort Néces-

[10] *State of the British and French Colonies*, 19, 57.
[11] « ...In a united state » ...
[12] *State of the British and French Colonies*, 58.
[13] *Ibid.*, 53.
[14] *François Bigot, administrateur français*, 2 : 65-67.
[15] Cité par E. I. McCormac, *Colonial Opposition to Imperial Authority During the French and Indian War* (Berkeley, 1911), 6. Voir Herbert L. Osgood, *The American Colonies in the Eighteenth Century* (4 vol., New-York, 1924), 4 : 336.

sité, de Lancey convoque l'assemblée et, se souvenant sans doute de la rebuffade qu'elle lui a fait essuyer l'année précédente, il précise que le combat s'est déroulé « en deçà de l'Ohio, indubitablement dans les limites des territoires de Sa Majesté » et que, de plus, les Français ont établi un autre poste fortifié [Du Quesne] « aux fourches de la Monongahela ». Il est par conséquent « évident, et point n'est besoin d'arguments pour le prouver », que le service du roi et le bien commun exigent des colonies qu'elles se solidarisent avec la Virginie et qu'elles se portent mutuellement secours. [16] L'appel a beau être éloquent, la réponse des représentants du peuple new-yorkais ne traduira pas un enthousiasme excessif; ils se contentent d'accorder un crédit de 5,000 livres pour venir en aide aux Virginiens. [17]

Faut-il s'étonner de l'attitude du New-York ? Cette colonie manifeste encore plus de largeur de vues que quelques autres. Malgré certaines hésitations elle apportera une contribution fort honnête à la cause commune. Pour ne rappeler qu'un cas, elle jouera un rôle plus brillant que celui du Maryland. En février 1754, le gouverneur de cette dernière province presse son assemblée de prêter main forte à la Virginie. Il y va, souligne-t-il, de l'intérêt de toute l'Amérique britannique. Le Français n'est pas seulement l'adversaire des Virginiens, il est « notre commun ennemi ». Il ajoute : « Je n'insiste pas sur les motifs évidents qui vous commandent de répondre à l'attente de nos voisins, de peur de vous laisser supposer que je vous croirais capables de ne pas agir. » [18] Façon comme une autre d'insister. Six ans plus tard, il insistera encore — sans plus de succès. [19] Franklin nous montre les assemblée législatives « chacune attendant pour prendre une décision de voir ce que l'autre fera, craignant de faire plus que sa part, ou cherchant à en faire moins, ou refusant de faire quoi que ce soit parce que le territoire de la colonie est à présent moins exposé que les autres, ou encore s'entêtant dans l'inaction parce qu'une autre province peut tirer [des opérations militaires] plus d'avantages immédiats ». [20] C'est que, fondés séparément et à des époques diverses, dotés de constitutions différentes et pourvus de structures économiques variées parce qu'ainsi le veulent leur géographie et leur histoire, les établissements britanniques ont grandi dans une solide ignorance mutuelle et ont macéré dans

16   *The New-York Mercury*, 26 août 1754.
17   James de Lancey aux Lords of Trade, 8 octobre 1754, NYCD, 6 : 909.
18   *The New-York Mercury*, 25 mars 1754.
19   Sharpe à Amherst, 25 février 1760, Public Record Office [PRO], Colonial Office [CO] 5, vol. 57 : 413; *id.* à *id.*, 10 avril 1760, PRO, CO 5, 58 : 139s.
20   Cité par George L. Beer, *British Colonial Policy, 1754-1765* (New-York, 1922), 19.

d'aigres jalousies provoquées par une concurrence souvent très âpre. La guerre met à nu leur défaut de maturité.

Benjamin Franklin s'emploie de son mieux à éclairer ses compatriotes. Son journal, la *Pennsylvania Gazette,* mène une vigoureuse campagne d'opinion en vue d'accélérer la coordination des divers éléments américains. La confiance des Français, y lit-on, se fonde sur la désunion des provinces britanniques et sur l'extrême difficulté qu'éprouvent nécessairement tant de gouvernements et d'assemblées à se mettre d'accord sur des mesures propres à assurer la défense et la sécurité communes. « En revanche, nos ennemis ont le précieux avantage d'être sous un commandement unique, avec un seul conseil et une seule caisse; leur supériorité d'organisation et l'énorme distance qui nous sépare de la Grande-Bretagne leur persuadent qu'ils peuvent impunément violer les traités les plus solennels,... tuer, capturer et jeter en prison nos traitants, confisquer leurs marchandises à volonté (c'est ce qu'ils font depuis plusieurs années), assassiner et scalper nos colons sans épargner les femmes et les enfants et s'installer sans grandes peines dans toutes les contrées britanniques qu'ils jugent leur convenir; leur permettre de se comporter ainsi, c'est accepter d'avance la destruction des intérêts, du commerce et des colonies de la Grande-Bretagne en Amérique. » Un dessin illustre ces réflexions. Il représente un serpent coupé en huit tronçons : à un bout, la Caroline du Sud, à l'autre, la Nouvelle-Angleterre et, entre les deux extrémités, la Caroline du Nord, la Virginie, le Maryland, la Pennsylvanie, le New-Jersey et le New-York; enfin, en gros caractères, ce mot d'ordre : « L'UNION ou la MORT. » [21]

Franklin va jouer un rôle de premier plan au congrès colonial qui s'ouvre à Albany le 19 juin 1754. Ces assises groupent les représentants de sept provinces. Elles ont pour fin de jeter les bases d'une nouvelle politique indigène et de préparer les voies à une « union » des colonies. [22] Les délibérations se déroulent en juin et en juillet. Elles se poursuivent donc au moment où, après avoir trop aisément battu Jumonville, Washington doit, dans des circonstances humiliantes, s'avouer vaincu au fort Nécessité. Entraînés par quelques hommes qui voient clair et qui ont de l'avenir dans l'esprit, les délégués s'élèvent au-dessus des petites appréhensions et des petites conceptions provinciales. Le projet qu'ils élaborent est de bonne et haute politique. Mais les assemblées législatives le repousseront ou le laisseront tomber. Le

---

[21] « Join, or die. » — *The Pennsylvania Gazette,* 9 mai 1754.
[22] Sur le congrès de 1754, lire les chapitres importants de Gipson, 5 : 113-166.

gouvernement impérial lui réserve un accueil glacial. L'attitude de la
métropole s'explique : pendant que les personnalités politiques réunies
dans le New-York cherchent et trouvent un « plan d'union », une action parallèle s'engage à Londres. Le 14 juin, le jour même où le congrès d'Albany aurait dû tenir sa première séance, — celle-ci a eu lieu
cinq jours en retard — le secrétaire d'Etat Robinson demande au Board
of Trade and Plantations de lui préparer un projet d'entente entre les
colonies. Ce texte est prêt le 9 août. [23] Le ministère lui ménage un sort
analogue à celui que les législatures américaines ont fait au plan d'Albany. Ni l'Angleterre ni ses établissements d'outre-mer ne se sont révé-
lés capables d'une initiative d'envergure. Quant à Franklin, il conservera
un souvenir pénible de la mise au rancart de ses idées. En 1789, considérant les ruines politiques que le grand schisme britannique avait
laissées derrière lui, l'ancien délégué de la Pennsylvanie allait réfléchir
que, si l'union des provinces avait pu se réaliser, l'Amérique ne se fût
pas séparée si tôt du vieux pays et qu'un siècle se serait peut-être écoulé
sans que se fussent produits les dégâts qu'il déplorait. [24]

En attendant, son journal ne se lasse pas de préconiser la formation d'un front commun en face de la menace française. En Amérique,
rappelle-t-il au début de septembre 1754, les Français sont moins nombreux que les Britanniques, cependant qu'en Europe « leur nombre et
leur puissance font trembler leurs voisins ». Ce serait peu de chose
pour Louis XV que d'envoyer dix ou quinze mille hommes au Nouveau Monde; ce corps expéditionnaire suffirait pour lui assurer la conquête « d'un empire dix fois plus grand que tout ce qu'il possède dans
l'ancien monde ». Prêtant au gouvernement français une lucidité qui
fait contraste avec son réel manque de vues, Franklin poursuit que
Versailles ne peut manquer de savoir que ce serait maintenant le temps
de frapper un grand coup : les Américains britanniques sont isolés, le
récent revers subi par les Virginiens a disloqué leur réseau d'alliances
indigènes; il y a plus grave encore : non seulement les collectivités
américaines répugnent-elles à mettre en commun leurs ressources, mais
elles « refusent d'agir aussi bien séparément que de concert ». [25]

Les mêmes inquiétudes se manifestent ailleurs. Du Maryland, un
lecteur fait écho, dans un journal local, aux idées de Franklin. Plus
nombreux, dit-il, que les Canadiens, les Américains sont plus faibles

---

[23] Les lords du Commerce à Robinson, 9 août 1754, BT, A & WI, vol. 604; les
mêmes au roi, 9 août 1754, *ibid.;* « The Draught of a Plan or Project for a General Concert, to be entered into by His Majesty's several Colonies upon the Continent of North
America, » *ibid.*
[24] Gipson, 5 : 140, note 81.
[25] *The Pennsylvania Gazette,* 5 septembre 1754.

qu'eux en raison de leurs divisions; dans un mouvement d'ensemble, ce leur serait un jeu que de culbuter à la mer leurs ennemis. Transplantés sur le nouveau continent, les Britanniques auraient-ils dégénéré ? « Les Anglais de la mère-patrie, pourtant aussi inférieurs en nombre aux Français que nous leur sommes supérieurs ici, [26] ne défendent-ils pas depuis des siècles leur religion et leur liberté, malgré les formidables efforts de leurs ambitieux voisins ? Et nous, ne permettons-nous pas que notre repos soit troublé, notre commerce ruiné, nos compatriotes massacrés ou traînés en captivité par une méprisable poignée de Canadiens et quelques bandits qu'ils se font une gloire d'avoir convertis chez les tribus payennes ? » [27] Une « union générale des colonies » devient de jour en jour plus nécessaire, déclare le sous-gouverneur du New-York; les efforts désaccordés des diverses provinces — « sans compter que certaines d'entre elles ne veulent faire aucun effort » — les laissent impuissantes devant l'ambition évidente que nourrissent les Français de se rendre maîtres du continent et de s'emparer de tout le commerce indigène. [28]

Voix prophétiques : elles crient dans le désert. Chaque collectivité ne semble avoir d'yeux que pour ses intérêts immédiats. Si les colonies finissent par apporter leur concours à la défense continentale, elles tiennent farouchement à le faire à leur manière, dans des cadres qu'elles ont elles-mêmes tracés ou au moins acceptés en toute liberté. [29] Elles vénèrent la Liberté menacée sans oublier de revendiquer leurs libertés. Qu'est-ce qui les amène à se battre lorsqu'elles y consentent ? Deux besoins : celui de mettre fin aux incursions qui désolent leurs frontières; celui aussi de poursuivre leur expansion vers l'ouest. Qu'elles soient attirées au delà des montagnes par une poussée de peuplement qui provoque une fièvre de spéculation immobilière ou qu'elles soient entraînées par le commerce des fourrures, elles veulent atteindre des fins particulières, qui sont à leur échelle et qui se heurtent aux objectifs semblables que visent des provinces voisines; c'est ce qui explique qu'elles puissent mettre en train, chacune de son côté, des politiques indigènes non seulement diverses, mais contradictoires et même hostiles et des entreprises d'exploitation qui se portent concurrence. [30]

---

[26] Exagération : en 1757, la population française peut être de 20 millions d'habitants et celle du Royaume-Uni, de 8 à 9 millions. R. Waddington, *La Guerre de Sept ans; histoire diplomatique et militaire* (5 vol., Paris, [1899-1914]), 1 : 218s. D'autre part, la population canadienne représente environ 6% de celle de l'Amérique britannique.
[27] *The Maryland Gazette*, 26 décembre 1754.
[28] Lettre du 15 décembre 1754, NYCD, 6 : 926.
[29] E. I. McCormac, *Colonial Opposition to Imperial Authority*, 92.
[30] Stanley M. Pargellis, *Lord Loudoun in North America* (New Haven et Londres, 1933), 254.

Dans ces conditions, il est normal que leur méfiance trouve l'occasion de se manifester soit par des disputes soit, ce qui est encore plus facile, par de l'inaction.

Au commencement de 1755, le gouverneur de la Caroline du Sud, James Glen, fait appel au patriotisme de son assemblée. Craignant sans doute que cette corde ne soit pas assez sensible, il tâche de faire vibrer celle de l'intérêt. L'intérêt le plus vif des peuples est la paix; le magistrat développe cet argument : « Nous préparer à la guerre, c'est le moyen le plus efficace de conserver la paix. » [31] Il en est pour ses frais d'éloquence. La Caroline, rapporte Shirley quelques semaines plus tard, n'a mis en œuvre aucun effort pour améliorer la sécurité de l'Amérique britannique. En Pennsylvanie, enchaîne-t-il, les politiciens se sont engagés dans une querelle « absurde » avec le gouverneur, et l'assemblée a pris le parti d'ajourner ses délibérations sans même pourvoir à la défense du territoire de la province, alors que l'ennemi rôde à ses portes. Quant à la Virginie, — « la populeuse et riche Virginie » — on ne sait pas encore si elle prendra des mesures propres à réparer l'échec qu'elle a subi en juillet 1754 précisément à cause de l'insuffisance de ses dispositions antérieures. [32]

L'assemblée législative du Maryland se réunit en février 1755. Après avoir rejeté à l'unanimité le projet d'union d'Albany « parce qu'il tend manifestement à la destruction des droits et des libertés des sujets de Sa Majesté habitant cette province », elle vote des crédits de £10,000 pour la poursuite de la guerre. Sans être astronomique, la somme est importante; la chambre a cependant ordonné de la prélever de telle manière que le conseil législatif ne puisse faire autrement que de s'y opposer. [33] Naturellement, le gouvernement aura les mains liées, et chacun pourra en rejeter la faute sur son adversaire politique. — Pendant ce temps, Braddock élabore de beaux plans de campagne : articulées à celles que Shirley et Lawrence ont déjà mises au point, ses vastes combinaisons devraient avoir pour résultat de chasser la France à la fois de l'Acadie, de l'Ohio et du lac Ontario. Mais, vers la fin de mars, Shirley s'inquiète : l'apathie du Sud menace de compromettre cette savante stratégie. Les « provinces occidentales », dit-il, — et il désigne ainsi les deux Carolines, la Virginie, le Maryland et la Pennsylvanie — ont essuyé durant tout l'hiver des raids sanglants; elles avaient déjà encaissé deux revers : l'un aux fourches de l'Ohio,

---

[31] Discours du 11 janvier 1755, *The Maryland Gazette*, 6 mars 1755.
[32] Shirley à Robinson, 4 février 1755, NYCD, 6 : 939.
[33] Paul H. Giddens, « The French and Indian War in Maryland, 1753 to 1756, » *Maryland Historical Magazine*, 30 (1935) : 299.

l'autre au fort Nécessité. On eût pu s'attendre de leur part à un sursaut d'énergie. Eh bien ! non : elles n'ont pas levé plus de onze cents hommes pour veiller à leur propre tranquillité et n'en ont pas recruté un seul pour compléter les régiments de Braddock. Manquant de monde, ce dernier pourra-t-il se mettre en état de marcher sur l'Ohio sans sacrifier l'offensive projetée contre le fort Niagara ? [34] Craintes amplement justifiées : l'expédition du lac Ontario devait avorter et celle de la Belle-Rivière tourner au désastre.

Au Maryland, le gouverneur Horatio Sharpe était au désespoir. Il s'évertuait sans succès à faire miroiter aux yeux de l'assemblée les avantages qu'entraînerait la réduction du fort Du Quesne. [35] Il lui fallait au moins obtenir de la chambre basse l'autorisation d'affecter des fonds à la formation de quelques unités territoriales destinées à patrouiller la frontière occidentale; très vulnérable, criblée de petites agglomérations sans défense, celle-ci était la cible des incursions de plus en plus nombreuses et sanglantes que le commandant du fort Du Quesne lançait dans cette direction en vue de ralentir l'avance de Braddock sur l'Ohio et d'occuper chez eux les Anglais suffisamment pour les empêcher de s'en prendre aux établissements français. [36] Incapable de se procurer ces crédits, il se tourna vers le public. Il invita les citoyens à se cotiser pour défrayer l'entretien d'une ou deux compagnies de volontaires qu'il posterait sur les points les plus exposés aux coups de l'ennemi : terrible colère de l'assemblée, qui dénonce à grands cris cette mesure anticonstitutionnelle et revendique son droit exclusif à voter les sommes mises à la disposition du pouvoir exécutif. Rien, rapporte Sharpe, n'a été négligé par « certains de ces Patriotes » pour faire échouer la souscription publique. Elle échoua. [37]

Le 9 juillet, le jour même de la défaite de Braddock, le gouverneur écrivait au malheureux général que la législature du Maryland persistait à lui refuser des crédits bien que, depuis quelque temps, 26 colons eussent été massacrés ou traînés en captivité dans les hameaux de la frontière. [38] La nouvelle de la déroute de la Monongahela parut secouer l'insouciance de la colonie. La *Gazette* déclarait à la mi-août : « Nous enrôlons tous les jours des hommes pour aller attaquer les Français de l'Ohio. » [39] Propagande ou excès d'optimisme ? On ne sait. A la fin

[34]   Shirley à Robinson, 24 mars 1755, NYCD, 6 : 943.
[35]   *The Maryland Gazette*, 26 juin 1755.
[36]   *The Maryland Gazette*, 3 juillet 1755.
[37]   Paul H. Giddens, *loc. cit.*, 304s.
[38]   W. H. Browne, éd., *Correspondence of Governor Horatio Sharpe* (3 vol., Baltimore, 1888-1911), 1 : 242s. — A l'avenir : *Sharpe Correspondence*.
[39]   *The Maryland Gazette*, 15 août 1755.

de septembre, le Maryland avait levé en tout cinquante recrues ! [40] La province ne voulait pas se battre. Sa population, au dire de Sharpe, s'élevait à 107,963 blancs et 46,225 noirs. D'après les calculs du haut magistrat, 26,000 blancs étaient en état de porter les armes; déduction faite de ceux qui pouvaient se prévaloir d'une exemption de service, il restait 16,500 mobilisables. Mais, outre que le gouvernement n'avait pas sous la main assez de matériel pour en armer plus des deux tiers convenablement, l'assemblée s'obstinait à lui refuser la faculté d'appeler les milices sous les drapeaux. [41] Le gouverneur n'entrevoyait de solution que dans une intervention décisive du parlement impérial, soit que celui-ci imposât aux Américains une loi de conscription, soit qu'il expédiât au Nouveau Monde cinq ou six régiments anglais. Il affirmait : « L'expérience que nous avons faite cette année, j'en suis convaincu, démontre qu'il ne faut pas compter sur le concours spontané des colonies. » [42]

Que n'eût-il pas dit s'il avait gouverné la Pennsylvanie ! Il aurait trouvé sur son chemin le pacifisme doctrinal des Quakers et bien d'autres résistances. Car les Quakers n'étaient pas seuls à se mettre en travers des desseins du gouverneur. Même quand ils se furent retirés de l'avant-scène politique, l'assemblée législative, qu'ils ne dominaient pourtant plus, n'en continua pas moins de s'opposer à la politique financière des Propriétaires, de retenir les appointements du gouverneur pour lui arracher des concessions ou lui infliger des représailles et de se quereller avec la Virginie, contre laquelle elle élevait des réclamations territoriales. [43] Les Quakers possédaient cependant mieux que personne le secret de faire scandale. Au lendemain de la défaite de Braddock, la chambre basse, qu'ils commandent encore, siège, imperturbable dans sa sagesse. Une vague de terreur balaie la province. Par des pétitions réitérées, les populations pressent leurs législateurs d'organiser la défense des frontières. L'assemblée promet tout, mais ne fait rien que gagner du temps. Au témoignage du gouverneur, pendant que la chambre pérore, des prédicants quakers prononcent des homélies sur la paix, dénoncent le « péché » que commettent ceux qui se servent de l'épée et poussent le zèle jusqu'à passer de porte en porte pour persuader aux fidèles de défendre leurs principes envers et contre tous; ils ont de singuliers arguments : ils proclament par exemple « que

---

40   Paul H. Giddens, *loc. cit.*, 290.
41   Sharpe aux lords du Commerce, 8 février 1756, *Sharpe Correspondence*, 1 : 353.
42   Sharpe à ses frères, 25 novembre 1755, *ibid.*, 1 : 310s.
43   Herbert L. Osgood, *The American Colonies in the Eighteenth Century*, 4 : 336; Stanley M. Pargellis, *Lord Loudoun in North America*, 222; E. I. McCormac, *Colonial Opposition to Imperial Authority*, 34s.

la défaite [de Braddock] est un jugement du Ciel contre les troupes [anglaises], coupables d'avoir entrepris de troubler les français dans leur établissement ». [44] Une rumeur voulait qu'il y eût pis encore. A Philadelphie, racontait-on, « les Papistes » auraient ouvertement « manifesté de la joie » en apprenant le désastre de la Monongahela, et l'on avait eu un mal infini à contenir l'indignation d'une foule ameutée qui menaçait de démolir l'église catholique. Quelle pauvre figure faisaient maintenant les Pennsylvaniens, eux qui avaient pris l'habitude de se targuer du peuplement rapide de leur province « grâce à l'importation d'étrangers d'Allemagne » ! C'est là qu'éclatait, aux yeux des fidèles du loyalisme britannique, l'absurdité d'une politique de colonisation qui avait voulu faire trop vite et trop grand. [45]

La vérité est que la guerre semble avoir provoqué en Pennsylvanie une crise d'une réelle gravité. En novembre 1755, après une session orageuse au cours de laquelle il ne s'est pas privé d'accuser la chambre basse d'avoir contribué par sa mauvaise volonté au sanglant échec de Braddock, [46] le gouverneur Morris, désespéré, se déclare impuissant à dégager sa province de l'impasse où elle s'est jetée. Il ne peut, prévoit-il, que lui arriver malheur : elle sera ou bien ravagée par les Français et les Indiens, ou bien déchirée par une guerre civile dont personne ne saurait prédire le dénouement. Ce qu'il veut dire est clair : si le parti qui domine actuellement la législature conserve le pouvoir, la Pennsylvanie périra faute d'avoir pourvu à sa défense; et ce parti ne sera pas renversé, à moins d'une révolution également périlleuse. Bon serviteur de la métropole, Morris s'enfonce dans le pessimisme. Les rebuffades dont il a été l'objet et les polémiques continuelles qu'il a soutenues contre les représentants du peuple le portent à tout voir sous le jour le plus sombre. Ce qu'il écrit trahit l'usure de ses nerfs : « Le peuple a complètement perdu le sens de l'obéissance au Gouvernement, et il est poussé à l'insoumission par l'assemblée. Celle-ci n'a en vue que ses propres ambitions et elle se sert des masses populaires pour gagner son point. Tout m'amène à penser que le gouvernement impérial a trop longtemps négligé la politique intérieure des colonies. Presque partout, il a permis aux assemblées d'outrepasser leurs droits au point que, depuis un certain temps, elles s'imaginent n'avoir plus de supérieurs. Si la métropole ne prend pas les moyens de mettre un frein à l'esprit factieux qui se répand dans les établissements améri-

---

[44] Morris à Robinson, 28 août 1755, *Minutes of the Provincial Council of Pennsylvania*, 6 (Harrisburg, 1851) : 599.
[45] *The Maryland Gazette*, 4 septembre 1755.
[46] E. I. McCormac, *Colonial Opposition to Imperial Authority*, 49.

cains, elle va bientôt se rendre compte qu'il est plus difficile qu'elle ne croit d'y maintenir l'ordre. » [47]

Franchement mauvais dans le sud, le moral des gouvernements et des populations, quoique beaucoup plus sain dans le nord, n'est pas, là non plus, exempt de toute défaillance. A la fin de 1755, le gouverneur de la Nouvelle-Ecosse, Charles Lawrence, avoue au président du Board of Trade sa crainte que les divisions qui subsistent entre les colonies et les déceptions que leur a causées la mauvaise tournure de la campagne n'opposent « des difficultés insurmontables » à toute tentative de les faire collaborer à « de nouvelles entreprises contre les Français ». [48] Lawrence fait ici allusion à la rivalité qui dresse contre Shirley William Johnson, dont le ressentiment est adroitement attisé par le parti de James de Lancey. Ce violent démêlé ne tarde pas à dégénérer en querelle entre le Massachusetts et le New-York. Johnson retient contre Shirley deux griefs : il lui reproche de nuire à sa politique indigène et de lui enlever les moyens de déloger les Canadiens du lac Champlain. [49] De fait, le gouverneur du Massachusetts prélève sur le corps expéditionnaire confié à Johnson des éléments qu'il rattache à l'armée qu'il doit mener lui-même contre Niagara. Shirley a sans doute raison d'augmenter ainsi ses effectifs. Mais, même avec ses renforts, il ne viendra à bout de rien, tandis que Johnson va battre Dieskau. Or les Bostonnais paraissent prendre aussi mal le succès inattendu du New-Yorkais que l'insuccès de leur gouverneur. A la fin, un journal de New-York affirme résolument son intention de « fermer la sale bouche des calomniateurs de la Nouvelle-Angleterre ». Si Johnson, demande-t-il, n'avait pas remporté sa victoire, « que serait devenu Oswego ? Quel hiver auraient passé les colonies, celles du nord comme celles du sud ? La réponse n'est pas douteuse : elles auraient baigné dans le sang » ... [50]

Le salut d'Oswego n'a cependant rien d'assuré. La chute du fort du lac Ontario (14 août 1756) envenimera le désaccord des deux provinces. Naturellement, les New-Yorkais attribuent ce malheur à Shirley. Shirley, répètent-ils, a multiplié les fautes en 1755; l'Amérique britannique récolte maintenant les fruits amers de son ineptie. Ils ne sont

47 Morris à Thomas Penn, 22 novembre 1755, *Minutes of the Provincial Council of Pennsylvania*, 6 : 739s. — A l'avenir : *Pennsylvania Colonial Records*.
48 Lawrence à Halifax, 9 décembre 1755, Stanley M. Pargellis, éd., *Military Affairs in North America 1748-1765. Selected Documents from the Cumberland Papers in Windsor Castle* (New-York et Londres, c. 1936), 155s. — A l'avenir : *Military Affairs in North America*.
49 Johnson à de Lancey, 30 juillet 1755, James Sullivan, éd., *The Papers of Sir William Johnson* (9 vol., Albany, 1921-1922), 1 : 794s; Johnson à Pownall, 4 septembre 1755, *ibid.*, 2 : 9, etc.
50 *The New-York Mercury*, supplément du 23 février 1755.

pas seuls à le penser. Telle est aussi l'opinion du cartographe de Philadelphie, Lewis Evans, qui, dans un essai publié au commencement
de 1756,[51] s'applique à démontrer que « la conduite du G-----l
Sh----y » n'a pas été « favorable à la conservation d'Oswego ». Les
lecteurs de New-York avaient été fort éloignés de toujours approuver
des vues souvent très originales d'Evans.[52] Cette fois, ils accueillent
avec délices ses déclarations, prêts à faire flèche de tout bois contre le
gouverneur du Massachusetts. Il faudrait plutôt dire l'ancien gouverneur, car les politiciens du New-York, à la suite de manœuvres habiles en Amérique et en Europe, ont obtenu du Board of Trade sa ré-
vocation; et parmi les motifs de disgrâce qu'énumère lord Halifax,
apparaît la polémique ("paper-war") que Shirley a eu la faiblesse d'encourager contre le New-York.[53] Cette dernière province chante victoire. Un de ses journaux, en faisant à l'ancien chef des adieux ironi-
ques, lui souhaite de recevoir en Grande-Bretagne la récompense de
ses « faits d'armes héroïques », justice qui s'impose maintenant que
« l'ennemi commun » a anéanti « Os--go, l'un des postes les plus
importants que les Anglais aient jamais eus sur leurs frontières ».[54]
Rien de plus faux, riposte un hebdomadaire de Boston : loin d'être
attribuable à Shirley, la chute d'Oswego tient à ce que le général a
été prématurément relevé de ses fonctions.[55] Mais les New-Yorkais ne
veulent rien entendre. Une de leurs feuilles reprend la rengaine : « Ce
qui est sûr, c'est que nous nous sommes fait enlever une des positions
anglaises les plus importantes du continent... Et bien du pauvre monde, bien des gens sans défense ressentiront sur nos frontières les terribles effets de certains retards avant la prochaine campagne. »[56] A ce
moment, les polémistes du New-York reçoivent un appui important.
Voici que le *London Magazine* se demande, après l'auteur d'une brochure imprimée en Angleterre, si le gouvernement n'a pas été mal inspiré de confier la succession intérimaire de Braddock à un avocat comme Shirley.[57] La lumière vient de Londres, et la *Gazette* de New-York
se fait un devoir de ne pas la laisser sous le boisseau : oui, reprend-
elle, Braddock a été un piètre général, sa nomination avait constitué
une faute; le ministère en a commis une autre, plus lourde encore, en

---

51　Cet ouvrage s'intitule *Analysis Number II*. Le professeur L. H. Gipson l'a édité
dans sa splendide étude, *Lewis Evans* (Philadelphie, 1939), 177-218.
52　Voir le *New-York Mercury*, 5 janvier et 2 février 1756.
53　Halifax à Charles Hardy, 31 mars 1756, PRO, CO 5, 52 : 86.
54　*The New-York Gazette*, 6 septembre 1756.
55　*The Boston Gazette*, 13 septembre 1756.
56　*The New-York Gazette*, 13 septembre 1756.
57　*London Magazine* (août 1756), 631.

passant à sa mort son commandement à Shirley, « homme que la pratique du droit en qualité d'avocat avait fatigué, qui était d'un naturel lent, hésitant et inactif, qui n'avait jamais vu ni siège ni bataille et qui, néanmoins, fut créé commandant en chef des troupes du roi en Amérique ». [58]

Perdue dans ces clameurs partisanes, perce une observation sur laquelle les politiciens new-yorkais préfèrent que l'on glisse; elle a trait au commerce qui se poursuit toujours avec l'ennemi. « C'est une vérité bien établie, affirme un journaliste, que s'ils ne se procuraient pas chez nous des approvisionnements et du matériel de guerre, les Français ne seraient jamais en mesure de nous causer des ennuis. » [59] La corruption, l'affolement, la division et l'impéritie atteignent de telles proportions qu'un pasteur en vient à une conclusion d'une extrême gravité. Ce qui manque, pense-t-il, à ses compatriotes pour s'unir et pour vaincre, c'est un idéal élevé, un principe directeur : « Animés du véritable esprit du protestantisme, ils formeraient comme un mur d'airain autour de ces colonies. » [60] Ce n'est pas que les Américains reculent toujours devant le combat. A l'heure même où l'ecclésiastique exprime ces pensées profondes, des Britanniques se battent comme des lions sur une de leurs frontières : ce sont des New-Yorkais et des habitants du Massachusetts qui se disputent à coups de fusil une tranche de territoire aux confins des deux colonies. [61]

Après cela, on comprend l'accent désespéré d'un Américain confiant en 1756 à un correspondant anglais : « On ne conçoit pas en Angleterre les difficultés que nous éprouvons ici à faire la guerre. Nos ennemis, riches comme pauvres, sont tenus de marcher contre nous. Mais chez nous, inspirées par l'envie et par l'intérêt particulier, les provinces n'ont qu'hostilité les unes pour les autres. En un mot, nous voilà plongés dans un tel désordre qu'il nous faudrait, semble-t-il, la paix à présent pour que nous puissions nous préparer à la guerre. » [62] Les Anglais d'Amérique sont tellement supérieurs à leurs adversaires en nombre et en ressources et pourtant ils encaissent des revers avec une telle régularité que ce paradoxe ne saurait s'expliquer, aux yeux d'un autre Américain, que par une intervention du Ciel. Peuple « coupable,

---

58   *The New-York Gazette*, 29 novembre 1756.
59   Cité par Dan E. Clark, « News and Opinions Concerning America in English Newspapers, 1754-1763, » *The Pacific Historical Review*, 10 (1941) » 79.
60   William Smith à Secker, 1er novembre 1756, NYCD, 7 : 165.
61   Hardy au Board of Trade, 22 décembre 1756, *ibid.*, 206; le Board of Trade à Hardy, 10 mars 1757, *ibid.*, 221.
62   Cité par Hubert Hall, « Chatham's Colonial Policy, » *American Historical Review*, 5 (1899-1900) : 661s.

odieux », ainsi décrit-il ses compagnons d'armes. Il réfléchit : « Si les sociétés civiles sont punies en ce monde parce qu'elles existent seulement en ce monde,… il est certain que la Grande-Bretagne et ses possessions ont raison d'être épouvantées. » [63] Au début, il eût suffi, remarquera bientôt un journal pennsylvanien, que quatre colonies s'unissent et qu'elles fournissent les contingents prévus par le haut commandement pour que l'Amérique britannique se vît en mesure « d'écraser dans l'œuf » l'offensive des Franco-Canadiens. Mais les années ont passé, la puissance de l'ennemi s'est développée avec ses succès, et les Américains en sont réduits à chercher non pas tant à triompher qu'à recouvrer ce qu'ils ont perdu. [64]

Les échecs ne paraissent pas atténuer les égoïsmes locaux. On dirait, au contraire, qu'ils les exaspèrent. Vers la fin de la campagne de 1756, le gouverneur du Maryland met ses chefs, les Propriétaires, au courant des dispositions de son assemblée. Elle consentira tout au plus, annonce-t-il, à fournir de modestes crédits au commandant général des troupes du roi en Amérique; elle trahit la plus vive répugnance à autoriser des unités provinciales à combattre au dehors de la province; du reste, presque personne ne s'enrôle dans ces unités, excepté des engagés ["indented servants"] qui n'ont rien à perdre en passant du service de leurs maîtres au service du roi. [65] Les faits ne justifient que trop les prédictions de Sharpe. La chambre basse accorde au successeur de Braddock et de Shirley, le comte de Loudoun, une petite somme qu'elle a en caisse. Par la même occasion, elle précise que les troupes du Maryland formeront un corps tout à fait indépendant du grand quartier général : celui-ci n'aura aucun droit de regard sur l'emploi qu'on en fera à l'intérieur de la colonie; et, si elles en sortent, elles relèveront exclusivement du colonel Stanwix qui, à son tour, ne dépend que du gouvernement local. Loudoun aurait voulu intégrer le contingent du Maryland aux opérations que comportait la stratégie qu'il avait élaborée. Contraint de modifier ses plans, il fulmine contre cette mesure « absurde en elle-même et nettement incompatible avec la prérogative que le roi possède sans le moindre doute de commander toutes les troupes de ses possessions ». Mais qu'y faire ? Si le gouverneur avait rejeté les conditions des législateurs, ces derniers ne lui auraient pas voté de crédits militaires. Il a préféré accepter moins plutôt que de se voir tout refuser. [66] Il n'y aurait, pense Sharpe, qu'un remède à cette situation into-

---

[63] *The New-York Gazette*, 27 septembre 1756.
[64] *The Pennsylvania Journal*, 13 octobre 1757.
[65] Sharpe à Calvert, 14 septembre 1756, *Sharpe Correspondence*, 1 : 483.
[66] E. I. McCormac, *Colonial Opposition to Imperial Authority*, 69.

lérable; ce serait « une bonne loi de milice ». Il faudrait cependant
que le parlement métropolitain prît sur lui de l'imposer, car ceux qui
tiennent en main la chambre coloniale ne consentiront jamais à en
adopter une : ils se déclarent assez enclins à « recommander » à la
population de se procurer des armes et d'apprendre à les manier, mais
ils estiment « qu'aller plus loin serait restreindre indûment la Liberté
à laquelle, en leur qualité d'Anglais, les habitants de la province ont
un droit inviolable ». [67]

Les Pennsylvaniens ne s'amendent pas plus que leurs voisins du
Maryland. Leur pacifisme résiste aux incursions les plus violentes de
l'ennemi. En 1756, des Quakers envoient un message à leur gouverneur. Combien ils déplorent que le conflit ait transformé leur pays en
un théâtre de rapines sanglantes ! Les alliés indigènes des Français
sont des « barbares », ils ne font aucune difficulté à en convenir. Ils
ne croient pourtant pas qu'il soit juste de répondre à la violence par
la violence et, « considérant que toutes les guerres entraînent des conséquences fatales », ils conseillent de tenter encore une fois, « par des
moyens pacifiques », de ramener dans le droit chemin les tribus indiennes qui terrorisent l'ouest de la colonie. Leur message se ferme sur
ce vœu : « Puisse l'esprit du gouverneur être revêtu de cette sagesse
que le plus sage des rois jugeait *supérieure aux armes de la guerre* ! » [68]
Comme son collègue du Maryland, Denny, en Pennsylvanie, souhaite
que l'assemblée établisse les cadres d'une milice. A l'exemple de Sharpe,
il en vient, lui aussi, à croire que seul le parlement anglais pourrait sur
ce point venir à bout des préjugés tenaces du corps législatif de sa
province. [69] Comment ne pas lui donner raison ? Il est évident que les
Pennsylvaniens ne changeront pas d'attitude, qu'ils n'y soient forcés
par l'autorité suprême. En 1757, Loudoun leur réclame 200 recrues.
La demande n'a certes rien de déraisonnable. Elle n'en est pas moins
repoussée. Il finit par croire que l'assemblée de la Pennsylvanie con-
sacre « toute son attention » à usurper l'autorité du souverain et à
« contrecarrer tout projet du Gouvernement ». [70]

Même dans les colonies dont l'assemblée comprend la nécessité
de collaborer avec le gouvernement métropolitain à la grande œuvre
impériale, il arrive que les populations suivent sans enthousiasme leurs
dirigeants. Soit peur, soit intérêt personnel, beaucoup cherchent à éluder le service militaire. Tel est le cas d'une centaine de mobilisables

---

[67] Sharpe à Calvert, 5 octobre 1756, *Sharpe Correspondence*, 1 : 491.
[68] *The New-York Gazette*, 3 mai 1756.
[69] Denny à Pitt, 9 avril 1757, PRO, CO 5, 18 : 75.
[70] Loudoun à Pitt, 17 juin 1757, PRO, CO 5, 48 : 404.

du New-Hampshire qui gagnent à la dérobée le New-York pour échapper au recrutement; mais ils se font ramasser et embrigader de force dans des régiments new-yorkais. C'est bien fait pour eux, déclare une dépêche de New-Haven : « Espérons que partout où se sauveront ces lâches, ces sujets déloyaux, ces déserteurs, on les rattrapera de la même façon. » [71] A New-York même, de Lancey exprime à la législature la « vive mortification » qu'il éprouve en apprenant que des hommes pleins de santé quittent précipitamment leur localité afin de se dérober à la conscription. [72] Un grand nombre se découvrent tout à coup une vocation de marins : ils s'empressent de prendre la mer à bord de navires corsaires avant qu'on ne vienne les enrôler dans l'infanterie; [73] outre qu'ils évitent ainsi le risque d'être scalpés, ils s'embarquent à la poursuite du gain, puisque la course est fort payante et peu dangereuse, en raison de la suprématie navale de l'Angleterre. Un patriote s'indigne et accuse ses concitoyens de manquer de cette « vertu noble et virile », la valeur militaire, alors que les Franco-Canadiens déploient tant de bravoure : « Nous nous flattons, s'écrie-t-il, d'avoir une haute idée de la liberté à laquelle notre constitution nous donne un juste titre. Nos ennemis sont nés dans l'esclavage et combattent sous l'effet d'une passion trompeuse,... pour satisfaire l'ambition d'un tyran. Force nous est cependant de reconnaître qu'ils ont fait preuve, ces derniers temps, d'une énergie et d'un courage qui eussent pu ajouter de l'éclat au nom anglais. » [74] En 1759, un officier pennsylvanien dénonce rageusement ses camarades, dont une bonne moitié remettent leur commission, et pourquoi ? Pour s'employer à la suite des régiments « comme cantiniers et colporteurs » ! [75] Il y a là, sans aucun doute, de quoi rougir. Ce serait néanmoins un assez grave défaut de perspective que d'attacher bien de l'importance à des faits de cette nature. Parce qu'ils ne traduisent pas des états de société, mais simplement des incidents individuels. Il ne serait guère plausible qu'il ne s'en fût point produit. Dans une guerre, les gestes occasionnels de lâcheté comptent peu, — aussi peu, d'ailleurs, que les gestes occasionnels d'héroïsme. Ce qu'il est essentiel de retenir, c'est l'orientation de l'effort collectif, assurée par les pouvoirs publics, en harmonie avec les aspirations normales des groupes humains dont ils assument la direction.

---

[71] *The New-York Mercury*, 10 avril 1758.
[72] Message du 15 mars 1758, PRO, CO 5, 18 : 767.
[73] De Lancey à Pitt, 17 mars 1758, NYCD, 7 : 343.
[74] *The New-York Gazette*, 27 mars 1758.
[75] Hugh Mercer à Bouquet, 21 mars 1759, British Museum, Additional Manuscripts [BM, Add. Mss.], 21644 : 114.

Aussi, beaucoup plus significative que ces événements isolés, apparaît l'attitude de l'assemblée législative de la Virginie vers la fin de 1759. Elle interdit au gouverneur de destiner plus de 400 provinciaux aux opérations qui pourront se dérouler à l'extérieur de la colonie. [76] A ce moment, une telle décision n'est pas incompréhensible : la Nouvelle-France se désagrège, les Canadiens ont évacué l'Ohio, le fort Du Quesne est devenu Pittsburgh. De la guerre, le « Vieux Dominion » n'a plus rien à attendre pour lui-même. Il a toujours visé des objectifs plutôt limités. Puisque les voilà maintenant atteints, il estime opportun de restreindre ses efforts. Et puis, il ne fait en cela qu'imiter plusieurs provinces qui, du début à la fin des hostilités, ont manœuvré de manière à se battre le moins possible et à économiser le plus qu'elles peuvent, tout en discourant admirablement de Liberté. Immaturité politique, avons-nous déjà constaté : elle éclate ici dans toute son inconscience pittoresque. Mais qu'est la Virginie ? Que sont les autres colonies américaines ? Des sociétés qui pratiquent gauchement l'art difficile de se gouverner. Elles sont encore en pleine période d'apprentissage. Il y aurait quelque illogisme à exiger d'elles, tout de suite, des chefs-d'œuvre de gouvernement.

Non, la politique américaine n'est pas un chef-d'œuvre. Pendant que, du côté français, la corruption installée au sommet de l'administration indique un fléchissement inquiétant de la moralité publique, du côté britannique, une contrebande nuisible aux intérêts de l'empire se poursuit avec les ports français des Antilles durant tout le conflit, aux heures de détresse aussi bien qu'aux moments de triomphe, et cette activité prend une telle ampleur — c'est pourquoi elle devient intéressante — que son expansion serait inexplicable sans l'intervention intéressée de certains politiciens, le concours du pouvoir judiciaire et surtout la complicité de l'opinion. Ce commerce interlope, particulièrement florissant depuis 1746, [77] se pratique surtout dans des îles hollandaises et espagnoles, où vont se rencontrer des navires français et britanniques. Au cours du conflit, les échanges clandestins ne sont pas une peccadille, puisqu'ils ont pour effet d'atténuer le quasi-blocus que la marine anglaise s'efforce de resserrer autour de l'empire français. Toutes les ruses sont bonnes pour déjouer la surveillance métropolitaine. [78] Une des plus cyniques consiste à armer des vaisseaux « par-

---

76   Fauquier à Stanwix, 24 novembre 1759, PRO, CO 5, 57 : 617.

77   Hubert Hall, « Chatham's Colonial Policy, » *American Historical Review*, 5 (1899-1900) : 667.

78   Sur la contrebande en temps de guerre, voir George L. Beer, *British Colonial Policy* (New-York, 1922), *passim;* Lawrence H. Gipson, *The Great War for the Empire : The Culmination 1760-1763* (New-York, 1954), 78-82 [à l'avenir : Gipson, 8]; Virginia Harrington, *The New York Merchant*, 261-267.

lementaires » destinés, en apparence, à l'échange des prisonniers, mais employés effectivement au transport de vivres et même de matériel de guerre à l'ennemi. Des magistrats plus malins que consciencieux font un trafic rémunérateur de commissions de « parlementaires ». Et il faut qu'il y ait une certaine concurrence parmi les hauts fonctionnaires qui ont le droit d'en signer, car le prix en est relativement bas : en Pennsylvanie, le gouverneur Denny vend, paraît-il, ses commissions vingt livres sterling, parfois un peu plus, parfois un peu moins, selon l'état du marché. [79]

Une partie des approvisionnements ainsi introduits dans l'empire français atteignent Louisbourg. Du Cap-Breton, il en passe à Montréal et jusque dans les forts canadiens de l'Ohio. Le gouverneur de la Virginie écrit au secrétaire d'Etat, dans les premiers jours de 1755 : « Il est, je crois, de mon devoir de vous informer que toutes les provisions dont les Français se servent pour envahir si injustement le pays de l'Ohio... leur viennent de New-York et de Philadelphie. Nos marchands déchargent de grandes quantités de farine, de pain, de lard, de bœuf, etc., à Louisbourg,... où ils prennent en retour du rhum, de la mélasse et du sucre venant des Antilles françaises. » [80] Il est vrai que, vers la fin de l'été, un journal du sud déclare, sur la foi d'une dépêche de Halifax, que la disette, sinon la famine, sévit à Louisbourg, où les Français ressentent « à un degré très surprenant » les effets des mesures rigoureuses qu'ont adoptées plusieurs capitales américaines pour mettre fin au ravitaillement du Cap-Breton. [81] Faut-il y voir un optimisme excessif ou une grosse finesse de contrebandiers soucieux de détourner l'attention des curieux ? On peut se le demander, car, sept mois plus tard, à l'ouverture de la campagne de 1756, un New-Yorkais envoie à son journal une lettre indignée dans laquelle il dénonce avec violence la conduite des mercantis « dépravés » qui ont vendu à Louisbourg « tout ce qu'il faut pour notre destruction », soit directement soit par la voie des Antilles hollandaises et françaises; ces pratiques, ajoute-t-il, sont de notoriété publique, et il n'y a qu'une fausse honte et la crainte de passer pour « délateurs » qui retiennent les bons citoyens de publier les noms de ces criminels. [82]

---

[79] Hamilton à Pitt, 1er novembre 1760, Gertrude S. Kimball, éd., *Correspondence of William Pitt When Secretary of State with Colonial Governors and Military and Naval Commanders in America* (2 vol., New-York, 1906), 2 : 351s.
[80] Dinwiddie à Robinson, 20 janvier 1755, PRO, CO 5, 15 : 285-288; Hardy aux lords du Commerce, 10 mai 1756, NYCD, 7 : 81.
[81] *The Maryland Gazette*, 11 septembre 1755.
[82] *The New-York Gazette*, 12 avril 1756.

Peut-être y a-t-il aussi autre chose qui tempère le zèle des patriotes : élever la voix, c'est déranger des intérêts puissamment organisés
et capables de toutes les représailles. Un certain Spencer, de New-York,
s'en rendra bien compte en 1760. Le voici qui se met en tête de dé-
masquer les profiteurs de la grande contrebande. Non seulement le
directeur du journal à qui il communique ses révélations n'ose-t-il pas
en faire part à ses lecteurs, mais l'auteur de cette tentative d'intervention est bientôt connu, attaqué en pleine rue et jeté en prison sous
une fausse accusation; il y languira deux ans sans pouvoir se défendre :
conjuration de commerçants, de magistrats et de maîtres de l'opinion
contre un indiscret. Dans aucune colonie, il ne se trouverait un jury
disposé à reconnaître la culpabilité d'un marchand à cause de ses relations d'affaires avec les Français. [83]

Les Américains ne sont pas seuls à entretenir de tels rapports illi-
cites. A l'été de 1756, le gouverneur du New-York avoue que, si désireux soit-il de mettre fin au commerce avec l'ennemi, il ne saurait y
parvenir que les Britanniques d'Europe ne cessent d'abord d'en donner le pernicieux exemple; or le maître d'un navire colonial qui vient
de rentrer d'une croisière dans la mer des Antilles lui assure avoir vu
cinq bâtiments d'Irlande chargés de vivres aborder à l'île hollandaise
de Saint-Eustache. [84] Le seul moyen d'empêcher le flot des approvisionnements britanniques de s'écouler dans les ports neutres à destination
des marchés français est de décréter un embargo. Cette mesure est
nuisible aux échanges permis aussi bien qu'aux échanges interlopes.
Un gouvernement ne peut d'ailleurs y recourir sans l'assentiment de
l'assemblée, et d'ordinaire une chambre basse ne se prête pas volontiers à une législation de ce genre. En 1756, le gouverneur du New-
York obtient de son assemblée un embargo prévu pour une durée de
trois semaines et susceptible d'être prolongé jusqu'à trois mois, à condition que les colonies du voisinage adoptent, elles aussi, des lois semblables. [85] C'est que les colonies n'entendent pas être dupes de leur
dévouement; aucune ne se sent prête à faire le sacrifice d'un trafic profitable à moins d'être assurée que les autres ne profiteront pas de l'aubaine pour le lui enlever. [86] Sur ce plan comme ailleurs, il faudrait
que les égoïsmes provinciaux fussent subordonnés au bien commun
de l'Amérique britannique. Ce serait possible si cette dernière était
pourvue de cadres assez larges pour contenir les ressorts et les mani-

[83] Gipson, 8 : 81s; Virginia Harrington, *The New York Merchant*, 273s.
[84] Hardy aux lords du Commerce, 19 juin 1756, NYCD, 7 : 117.
[85] *Id.* à *id.*, 10 mai 1756, NYCD, 7 : 81.
[86] *Id.* à *id.*, 13 octobre 1756, NYCD, 7 : 163.

festations de son activité. Expression d'une conscience nationale, la formation de cette unité supposerait la création d'une haute oligarchie dominant les appétits des oligarchies locales sans en affaiblir la vitalité.

*
* *

Outre qu'elles n'arrivent pas à s'entendre entre elles, les colonies britanniques ont du mal à collaborer avec leur métropole. Phénomène fort compréhensible, est-on tenté de penser, vu l'approche de la révolution. Une telle impression est trop superficielle pour ne pas se révéler fautive. Vingt ans séparent le début de la guerre de la Conquête du commencement de la guerre de l'Indépendance; vingt ans se passent entre le traité de Paris et celui de Versailles : vingt ans au cours desquels l'histoire de l'Amérique va s'accélérer à un rythme imprévu. Lorsque s'ouvre cette période de transition, ce qui est destiné à mourir paraît encore bien vivant, et ce qui doit naître n'est pas même une promesse. Les provinces britanniques sont plus étroitement liées à la mère-patrie qu'elles ne le sont entre elles : d'où le rôle de tout premier plan que l'Angleterre va jouer dans la défaite du Canada. Bien qu'elles disposent d'une supériorité incontestable sur leur adversaire, les collectivités britanniques du Nouveau Monde affichent leur inaptitude à organiser leurs éléments humains et leurs ressources naturelles de façon à obtenir elles-mêmes la victoire dont elles ont besoin pour achever leur propre accomplissement. Cette victoire, il faut que la Grande-Bretagne la leur procure. Tandis qu'il reste à construire les cadres de la nation américaine, ceux de l'empire tiennent toujours. Mais ces derniers sont, malgré tout, trop étroits pour contenir la vie qui sourd de sociétés ambitieuses, nées de peuplements en pleine expansion; de plus, ils ont été conçus pour un vieil empire improvisé, alors que, de la guerre, — des transformations territoriales qu'elle annonce, de la productivité qu'elle stimule et de la réorganisation dont elle souligne la nécessité — ne peut sortir qu'un empire nouveau.

Les rapports entre métropoles et colonies, surtout quand celles-ci se font une idée considérable de leur importance, ne laissent jamais d'être fertiles en malentendus, ne serait-ce que parce qu'ils se traduisent forcément dans des relations entre coloniaux et métropolitains. Un Virginien ou un New-Yorkais pouvaient aimer l'Angleterre sans aimer les Anglais qui venaient diriger les opérations militaires et présider au gouvernement des colonies. Un colonial est volontiers ombrageux et un métropolitain, trop aisément pénétré de sa supériorité. Et gare aux conflits d'intérêts ! Ils risquent de devenir féroces. L'opinion coloniale ne manque pas de sévérité à l'égard de la prévarication commise par un agent du gouvernement impérial; de son côté, le fonctionnaire royal passe en Amérique avec un tout autre dessein que d'en admirer les paysages. Franklin écrit en 1754 que les gouverneurs envoyés par le vieux pays « viennent aux colonies seulement pour faire fortune ».[87] C'est plus que vraisemblable. Les choses ne se passent pas autrement dans l'empire ennemi : un fonctionnaire français du Canada définira une colonie « un pays où l'on ne va que pour faire fortune ».[88]

Non seulement les relations personnelles sont-elles délicates entre les provinciaux et les grands commis de la mère-patrie, mais gouverner une colonie américaine comporte d'effroyables difficultés. Un gouverneur, observait Loudoun, arrive d'Angleterre tout imbu de sa dignité. Mais l'assemblée provinciale le guette. Elle compte des hommes d'expérience, rompus aux tactiques parlementaires et prompts à discerner partout les empiétements du pouvoir exécutif. A la première occasion, elle fait trébucher le représentant du roi. Celui-ci ne pourra plus se relever : du jour où il s'est pour la première fois fourvoyé, il lui deviendra impossible de marquer un seul point contre la chambre basse.[89] Conscientes de leur puissance et déterminées à l'augmenter, les assemblées coloniales donnent l'impression très nette de profiter des embarras que le conflit cause à la métropole dans les quatre parties du monde pour infliger des revers constitutionnels à l'autorité suprême.[90]

Parfois, les objectifs politiques des provinciaux se compliquent de convictions religieuses. A un moment donné, les Quakers dominent les assemblées du New-Jersey et de la Pennsylvanie. Tant qu'il en sera ainsi, prédit Loudoun, ces corps publics « s'opposeront à toute mesure de gouvernement et maintiendront cet esprit d'indépendance qui a des racines profondes dans toutes les populations de ce pays, mais particulièrement chez ce groupe de gens » [Quakers].[91] De fait, la Pennsylvanie restera ingouvernable tant que les Trembleurs — com-

---

[87] Cité par W. T. Selley, *England in the Eighteenth Century* (Londres, 1949), 105. — Cf. Pargellis, *Lord Loudoun in North America*, 261.

[88] « Mémoire pour Guillaume Estèbe, » APC, Affaire du Canada, 3 : 320.

[89] Hubert Hall, « Chatham's Colonial Policy, » *American Historical Review*, 5 (1899-1900) : 662s.

[90] John C. Miller, *Origins of the American Revolution*, 39-41.

[91] Loudoun à Pitt, 25 avril 1757, PRO, CO 5, 48 : 259s.

me on disait en français — donneront le ton à sa chambre basse. Et ce ton n'était pas sans vivacité. Pacifiques, les Quakers avaient la tentation de l'être envers l'ennemi; ils n'éprouvaient pas la même inclination envers le gouverneur. Un jour, ce dernier envoie aux représentants du peuple un message dans lequel il déclare que « ce malheureux pays » souffre de l'inconséquence de ses législateurs, qui, en un temps où tous devraient concourir uniquement au bien public, « s'amusent encore à susciter des disputes nouvelles et inutiles pour distraire ainsi l'attention de matières qui sont de la plus haute importance pour la sécurité future de la population ». Sainte colère de l'assemblée, qui met brusquement fin à sa session. Avant de se disperser, elle riposte : « Si ceux qui nous ont choisis désapprouvent notre conduite, il leur suffira de quelques jours et d'une nouvelle élection pour procéder à notre remplacement; or si le peuple pouvait changer de gouverneur aussi vite et aussi facilement, nous sommes persuadés que la Pennsylvanie mériterait bien moins d'être appelée un *malheureux pays*. » [92] La lutte engagée entre le pouvoir exécutif et l'assemblée implique aussi la chambre haute, le conseil législatif. Nommés à leur poste par l'autorité anglaise, les conseillers se recommandent par leur loyalisme conservateur et ils ont une très forte tendance à lier partie avec le gouverneur contre les élus du peuple. [93] Aussi le conseil est-il la bête noire de l'assemblée qui, en Pennsylvanie notamment, le traite, au dire du gouverneur, « avec la plus grande ingratitude » et représente ses membres « comme des ennemis publics ». [94]

Mauvais entre personnages politiques, les rapports devaient être fort aigres entre hommes d'épée. En général, les Américains britanniques reprochaient aux officiers venus de la métropole de prendre des airs de potentats orientaux; les Anglais se plaignaient de l'incompétence orgueilleuse de leurs collègues provinciaux. [95] Quand des unités régulières et des éléments coloniaux participaient à une même expédition, il était convenu que les officiers anglais auraient la préséance sur les officiers américains de même grade. Mais des officiers supérieurs des troupes provinciales seraient-ils autorisés à commander à des subalternes d'Angleterre ? En théorie, sans aucun doute. « Je ferai seulement observer », écrivait le gouverneur du New-York, « que les capitaines des troupes régulières se résoudront malaisément à recevoir des ordres de la part d'officiers supérieurs des colonies et que les haut

[92] *The Pennsylvania Gazette*, 2 octobre 1755.
[93] E. B. Greene, « New York and the Old Empire, » *The Quarterly Journal of the New York State Historical Association*, 8 (1926) : 126.
[94] *The Pennsylvania Journal*, 6 octobre 1757.
[95] John C. Miller, *Origins of the American Revolution*, 47s.

gradés des unités régulières n'aimeront pas davantage à voir des officiers provinciaux sur le même pied qu'eux ». [96] Dans ces conditions, il est compréhensible que les commandants américains aient cherché à se faire confier des missions indépendantes et à restreindre le plus possible leurs relations avec les militaires anglais. Le major-général Winslow, du Massachusetts, manœuvra de façon à éviter une entrevue avec Loudoun en 1756 : il fallut un ordre péremptoire du commandant en chef pour le faire venir au grand quartier général. [97] La même année, Franklin montre qu'il saisit très bien pourquoi le corps expéditionnaire de Winslow, destiné à marcher sur Saint-Frédéric, préfère se passer de l'appui des régiments anglais : les Américains craignent que, si les unités régulières se joignent à eux, elles ne revendiquent tout l'honneur d'une victoire éventuelle et, qu'en cas d'échec, elles ne leur en imputent l'entière responsabilité. « Ils disent, explique Franklin, que l'année passée [1755], en Nouvelle-Ecosse, 200 soldats anglais tout au plus accompagnaient les 2,000 hommes de la Nouvelle-Angleterre qui s'emparèrent de Beauséjour; cependant, le rapport officiel dressé par le gouverneur Lawrence et publié ensuite par la *Gazette* de Londres ne laissait pas soupçonner qu'un seul provincial eût participé à cette campagne. » [98]

Pareille discrétion sur la contribution des troupes coloniales à l'effort de guerre britannique en Amérique n'était que justice aux yeux des chefs anglais. Ils s'indignaient de ce que plusieurs provinces ne voulussent pas se battre et n'admettaient pas que les autres eussent la prétention d'intervenir dans l'élaboration des plans de campagne et de jouer un rôle distinct dans l'œuvre commune. Excédé des revendications et des disputes que soulevaient à toute occasion les législatures coloniales, lord Loudoun adopta rapidement la ligne de conduite suivante : utiliser les gouvernements provinciaux dans la mesure du possible, combattre leur immixtion dans les questions militaires et faire du corps d'armée régulière qu'il avait sous ses ordres une machine de guerre qui pût fonctionner indépendamment de leur aide aléatoire. [99] Cette attitude trahissait une méfiance un peu dédaigneuse des Américains. D'autres chefs exprimèrent sans détours leurs sentiments. En 1758, Wolfe alla jusqu'à écrire à Lord George Sackville : « Les Américains sont en général les plus sales individus et les plus méprisables

96 Hardy à Halifax, 7 mai 1756, S. M. Pargellis, éd., *Military Affairs in North America,* 173.
97 Pargellis, *Lord Loudoun in North America,* 90s.
98 Franklin à Sir Edward Fawkener, 27 juillet 1756, Pargellis, éd., *Military Affairs in North America,* 185.
99 Pargellis, *Lord Loudoun in North America,* 186.

lâches que vous puissiez imaginer. On ne saurait compter sur eux dans une bataille. Ils s'écrasent dans leurs propres ordures et désertent par bataillons entiers, y compris les officiers. Ces coquins-là sont plutôt un encombrement qu'un réel élément de force pour une armée. » [1]

D'autre part, malgré leurs grands airs de supériorité, les militaires professionnels venus d'Angleterre n'impressionnaient pas beaucoup les Américains. Il faut convenir que les généraux métropolitains n'avaient rien qui pût forcer l'admiration. Les meilleurs s'élevaient à peine au-dessus du médiocre, et les plus mauvais furent au-dessous de tout. Le premier qui prit le commandement suprême, Braddock, n'était certes pas propre à donner une haute idée des talents de ses semblables. A trois lieues du fort Du Quesne, le 9 juillet 1755, il se fit écraser avec ses réguliers par un adversaire fort inférieur en nombre et en armement. « Peu de généraux, observe un historien contemporain, ont reçu à la suite d'une défaite une condamnation aussi sévère que celle dont le général Braddock fut l'objet à la suite de son malheur. » Un « torrent de blâme » l'éclaboussa. [2]   S'il opéra, en certains quartiers, un léger retournement d'opinion en sa faveur, [3] cette expression d'indulgence fut aussi timide que passagère. Le public le taxa d'impétuosité, d'arrogance, de « négligence honteuse » et se plut à voir en lui « la cause première » du désastre. [4] Il ne possédait, lança-t-on, aucune aptitude à commander, aucune expérience; il n'avait jamais vu de bataille. [5] « Respecté des officiers, il était haï de la troupe, ... qu'il avait surchargée de besognes inutiles. » [6] Des causes du désastre qui l'emporta, on donnait une énumération significative : son entêtement, sa sévérité excessive, le peu de cas qu'il avait fait des avis de ses lieutenants et « son attitude méprisante à l'égard des provinciaux ». [7] Un New-Yorkais évoque encore en 1758 son « inhumanité envers les hommes », sa « témérité » et sa « morgue », sa suffisance, surtout, qui l'avait empêché d'écouter « les conseils de ceux qui connaissaient la forêt américaine et ses sauvages habitants ». [8] La même année, ce n'est pas sans arrière-pensée qu'un hebdomadaire de Boston entoure des

---

    [1] « The Sackville Papers, » A. G. Doughty et G. W. Parmelee, éd., *The Siege of Quebec and the Battle of the Plains of Abraham* (6 vol., Québec, 1901), 6 : 84.
    [2] Thomas Mante, *The History of the Late War in America* (Londres, 1772), 21s.
    [3] Ephraim Williams à Israel Williams, 2 août 1755, Massachusetts Historical Society (Boston), Williams Mss., 1 : 163.
    [4] *London Magazine* (septembre 1755), 403s; Morris à Shirley, juillet 1755, *Pennsylvania Colonial Records*, 6 : 496.
    [5] *London Magazine* (1756, supplément), 631.
    [6] [Anonyme], *An Impartial History of the Late Glorious War* (Londres, 1769), 11.
    [7] Entick, 1 : 148.
    [8] *The New-York Gazette*, 10 avril 1758.

commentaires les plus élogieux le récent discours dans lequel William Pitt, en plein parlement, a furieusement attaqué les officiers de terre et de mer, flétrissant « leur manque d'application à la géographie, aux divers arts de la guerre et à la discipline militaire, leur insolence envers leurs subordonnés et la tyrannie qu'ils font peser sur la troupe »; les sarcasmes dont le Grand Député foudroie les officiers, « ces *petits maîtres* [en français dans le texte] pommadés et parfumés », redoutables dans les boudoirs, ne sont pas étrangers à l'enthousiasme du journal, qui conclut : « Bref, ce fut le plus beau discours jamais prononcé dans une chambre anglaise. » [9]

Les Américains ne se contentèrent pas de piétiner Braddock et ses lieutenants. Ils enveloppèrent toute l'armée anglaise dans la même condamnation. Jugement absurde, mais compréhensible : il se fondait sur le mouvement d'opinion que l'état-major du général vaincu voulut susciter à son propre bénéfice en s'appliquant d'une façon systématique à expliquer la défaite par la lâcheté du soldat; ainsi le corps des officiers cherchait-il à masquer sa propre incapacité. [10] Manœuvré par de plus habiles que lui, le jeune George Washington fournit sa contribution à cet inqualifiable plaidoyer *pro domo* : au premier feu de l'ennemi, rapporte-t-il, les soldats réguliers « furent saisis d'une si mortelle panique » qu'il devint impossible de les faire obéir; pour les officiers, « ils déployèrent dans l'ensemble une bravoure incomparable »; quant aux Virginiens, ils surent « se conduire comme des hommes et mourir en soldats ». Seuls, les troupiers anglais auraient manqué de courage et d'intelligence; bien pis, leur « comportement pusillanime exposait à une mort presque certaine tous ceux qui voulaient faire leur devoir », d'où le carnage qui marqua cette affreuse journée. [11] Des gouverneurs donnèrent aussitôt crédit à cette version de l'affaire. La déconfiture du 9 juillet « et aussi la mort du général et de tant de braves officiers », répète Dinwiddie, « tiennent uniquement à la lâcheté des soldats ». [12] A New-York, de Lancey prescrit à Johnson de faire entendre aux Iroquois — « c'est d'ailleurs la vérité » — que les Français doivent leur victoire au fait que « les troupes européennes man-

---

9   *The Boston News-Letter,* 23 mars 1758.
10   Voir la brillante analyse de Stanley M. Pargellis, « Braddock's Defeat, » *American Historical Review,* 41 (1936) : 253-269.
11   Lettre du 18 juillet 1755, dans John C. Fitzpatrick, éd., *The Writings of George Washington from the Original Manuscripts* (39 vol., Washington, 1931-1944), 1 : 149.
12   Dinwiddie à Washington, 26 juillet 1755, R. A. Brock, éd., *The Official Records of Robert Dinwiddie, Lieutenant-Governor of Virginia* (2 vol., Richmond, 1883-1884), 2 : 122.

quaient d'habitude et de préparation à un combat en forêt ». [13] Comme par hasard, un journal raconte, quinze jours plus tard, que, lorsque Johnson a fait part à ses sauvages de la défaite de Braddock, les Indiens n'ont manifesté aucune surprise, mais ont, au contraire, fait remarquer que les vaincus « étaient des hommes qui avaient traversé la Grande Eau et qui ne savaient pas faire la guerre parmi les Américains ». [14]

Un débat s'éleva dans la presse de la métropole : fallait-il attribuer l'humiliant échec de la Monongahela à la poltronnerie du soldat anonyme « ou à l'indiscipline, à la négligence et à l'incompétence des officiers » ? Etait-il bien vrai que ces derniers fussent irréprochables ? N'y avait-il pas lieu de retenir le témoignage de ce Virginien au dire de qui « la fuite des soldats avait tenu au grand dégoût qu'ils éprouvaient de leurs officiers » ? Le *Monitor* de Londres réclamait une enquête sur ces points, car, raisonnait-il, s'il se trouvait que les plaintes de la troupe fussent justifiées, il était inutile d'envoyer de nouvelles unités en Amérique : elles n'y feraient rien de bon tant que le gouvernement ne se serait pas assuré qu'elles iraient au combat « sous des commandants qui traiteraient leurs hommes comme des libres sujets de la Grande-Bretagne ». [15] Aux yeux de Walpole, tout le monde avait eu tort. Le choix de Braddock avait été mal inspiré : c'était un homme, « personnellement indolent », mais d'une extrême rigueur pour les autres, « d'un état de fortune désespéré, brutal dans sa conduite, entier dans ses idées, intrépide et compétent ». Le ministère avait commis l'erreur de mettre sous ses ordres de mauvaises troupes : « des recrues tirées des pires éléments de quelques régiments irlandais, démoralisées, au surplus, par cette espèce de bannissement » que constituait leur envoi au Nouveau Monde. Enfin, l'erreur capitale, à son sentiment, avait été de confier une mission comme la prise du fort Du Quesne à des Européens : moins bien disciplinés, mais moins étrangers au genre de guerre que faisaient les indigènes, des provinciaux eussent réussi là où des Anglais ne pouvaient qu'échouer. [16] Cette interprétation des faits et ce partage des responsabilités étaient promis à un énorme succès auprès des historiens à venir. En attendant, la vanité coloniale y trouvait largement de quoi se satisfaire. Elle ne manqua pas de se rengorger.

---

[13] Lettre du 3 août 1755, James Sullivan, éd., *The Papers of Sir William Johnson*, 1 : 826s.
[14] *The Boston News-Letter*, 21 août 1755.
[15] Dan E. Clark, « News and Opinions, » *Pacific Historical Review*, 10 (1941): 76s.
[16] *Memoirs of the Reign of George II*, 2 : 29.

Si les officiers anglais avaient cru, par leur manège, sauver leur honneur, ils s'étaient lourdement trompés. Ils étaient seulement parvenus à discréditer leurs troupes, sans se hausser eux-mêmes dans l'estime des coloniaux. En revanche, ceux-ci grandissaient dans leur propre opinion. Vers la mi-août 1755, une dépêche d'Albany rapporte une scène fort plaisante. Elle se déroule sur un terrain d'exercice, où un capitaine anglais fait évoluer des recrues provinciales. Survient un Américain. L'officier engage avec lui la conversation : n'est-il pas vrai qu'il réussit assez bien à donner une allure martiale à ses hommes ? Sur quoi son interlocuteur lui fait observer que, quant à lui, il préparerait autrement son monde à se mesurer à des Canadiens et à des sauvages. L'entretien se poursuit ainsi :

« — Dites-moi, Monsieur, fait le capitaine, qu'est-ce que vous leur enseigneriez ?

— Rien qu'à charger rapidement leurs armes et à viser juste.

— Quoi ! vous ajustez l'adversaire ?

— Bien sûr. Il faut viser avec soin ou s'abstenir de tirer.

— Mais alors, si un officier se montre, il est la cible de vingt fusils ! Ce n'est plus de la guerre, c'est du meurtre ! » [17]

L'anecdote a dû amuser plus d'un lecteur. Les Américains ne se contentent toutefois pas de se moquer des Anglais. Un journal — de Boston, naturellement, — dit sans détours qu'il ne fait confiance qu'à des troupes de la Nouvelle-Angleterre; il eût mieux valu, à son avis, mettre en garnison quelque part les vétérans d'outre-mer et envoyer sur l'Ohio des provinciaux, car ceux-ci « combattent pour des principes », ce qui fait qu'ils « réussissent toujours ». [18] Oui, reprend la même feuille, la semaine suivante, seuls les hommes de la Nouvelle-Angleterre s'engagent de tout coeur dans la lutte : « Contrairement aux réguliers, ils ne se battent pas pour toucher leur solde, mais pour les motifs les plus pressants et les plus élevés, — pour venger la mort d'un parent ou d'un ami, pour tirer un proche de l'horreur de la captivité. » [19] Voilà le mot lâché : les Anglais sont des mercenaires, ils constituent une sorte de « garnison étrangère » ! [20] Après le désastre de la Monongahela, l'Amérique britannique va de déconvenue en déconvenue. En 1756, c'est la perte d'Oswego; en 1757, la chute de William-Henry; en 1757 encore, l'échec de la tentative esquissée par Loudoun contre Louisbourg. Un New-Yorkais en tire, non sans amertume, une pénible

17 *The New-York Gazette*, 25 août 1755.
18 *The Boston News-Letter*, 14 août 1755
19 *The Boston News-Letter*, 21 août 1755.
20 Hubert Hall, « Chatham's Colonial Policy, » *The American Historical Review*, 5 (1899-1900) : 663.

conclusion : « Plus il nous arrive de troupes de la Grande-Bretagne, plus nous nous faisons battre par les Français, qui, d'après nos meilleurs renseignements, ont avec eux beaucoup moins de soldats réguliers que nous n'en avons. »[21] Des historiens exprimeront la même idée.[22] Après cela, il devient difficile de dire si les Anglais méprisent plus les troupes américaines que les Américains ne méprisent les officiers et les soldats anglais.

Cette cacophonie assourdissante de récriminations peut n'être pas édifiante, elle reste explicable par la longue série des revers militaires qui la provoquent. Mais sous ces disputes que les circonstances justifient, s'étend une couche profonde de causes permanentes d'incompréhension. Comme tous les coloniaux sont tentés de le faire, surtout aux heures de danger, les Américains britanniques sont portés à croire que l'Angleterre ne leur accorde pas une place suffisante dans ses préoccupations. Les provinces sont « depuis trop longtemps négligées par leur mère-patrie », déplore un New-Yorkais à la fin de 1756.[23] Deux ans plus tôt, Franklin rappelait déjà aux Anglais que les colonies alimentaient en partie le trésor métropolitain : sans doute leurs habitants ne déposaient-ils pas d'impôts dans la caisse impériale, mais les contributions que versaient les producteurs et les négociants anglais n'augmentaient-elles pas les prix des denrées que les consommateurs achetaient de la Grande-Bretagne ? Or, tandis que le vieux pays pouvait restreindre à volonté l'importation de produits étrangers, il n'était pas permis aux colonies de réglementer à leur avantage l'entrée des marchandises anglaises, si bien que, « en définitive, toute notre richesse va se concentrer entre les mains des hommes d'affaires anglais et que, si nous les enrichissons et les mettons mieux à même de payer leurs impôts, c'est à peu près comme si nous étions nous-mêmes grevés d'impôts ».[24] Il s'ensuivait que les provinces américaines avaient un droit strict à la protection de la mère-patrie.

Même s'ils conservaient encore une certaine tournure académique, de tels arguments pouvaient donner à réfléchir : les Américains n'avaient-ils pas une conscience un peu trop vive de l'utilité des colonies pour la Grande-Bretagne et ne cultivaient-ils pas avec trop de complaisance l'impression de jouer un rôle nécessaire au bien-être du vieux pays ? Mais ces sentiments correspondaient à autre chose que de

---

21   *The New-York Gazette,* 27 février 1758.
22   Entick, 2 : 3s; Mante, 40.
23   *Review of Military Operations,* 68.
24   Cité par Kate Hotblack, *Chatham's Colonial Policy,* 175. Voir *The Maryland Gazette,* 22 mai 1755.

la vanité. Il convient peut-être d'y voir une réaction de défense contre un certain détachement qu'un large secteur de l'opinion métropolitaine affiche à l'égard des possessions d'outre-mer. « Les partisans du ministère, écrit en 1755 Horace Walpole, envoient au diable les colonies et se demandent si nous allons nous engager pour elles dans une guerre. » [25] Conception assez répandue pour qu'on l'estime dangereuse : en mars de la même année, un lecteur londonien proteste contre cette « idée pernicieuse, d'un égoïsme étroit » que l'on propage « avec beaucoup d'adresse » en répétant « que nos colonies d'Amérique seraient censées se défendre elles-mêmes et que nous ne devrions pas entrer en guerre pour elles ». [26] Ce sentiment a la vie dure, puisque, au milieu de 1756, le *London Magazine,* après avoir souligné avec force l'apport des collectivités américaines à la prospérité de l'Angleterre, ajoute d'un ton où perce l'indignation : « Et pourtant il existe ici un groupe de gens à qui il répugne de faire la moindre dépense pour le soutien de nos colonies, en temps de guerre comme en temps de paix. En temps de paix, ils se récrient que nos colonies n'ont pas besoin de notre aide; en temps de guerre, ils déclarent que nous devrions les contraindre de se défendre elles-mêmes. Il faut espérer que ces petits esprits de politiciens n'exercent à présent aucune influence sur nos décisions. » [27] Ce qui porte souvent « ces petits esprits » à vouloir mesurer les secours à l'Amérique, c'est l'appréhension qu'un excès de générosité ne se révèle inutile et même dangereux. Un correspondant de Londres rapporte à la mi-avril 1755 : « Certains craignent que nos colonies d'Amérique ne s'avisent, avec le temps, de secouer les liens qu'elles ont avec nous et de se faire une vie à part. » [28] Quelques mois plus tard, à Londres toujours, un observateur pose les données essentielles du problème colonial : « Les Américains ont sans doute une soif trop ardente de puissance; quant à nous, peut-être redoutons-nous trop l'usage qu'ils feraient de leur force... Ne pourrions-nous pas, après mûre réflexion, trouver quelque moyen de les armer de pouvoirs plus étendus sans leur tendre l'appât trompeur de l'indépendance ? » [29]

Parler d'indépendance américaine en 1755, c'était ou bien manifester une extrême clairvoyance ou bien déployer une grande imagination. Comme disait un Anglais, les hostilités qui se développaient au

25 Cité par Gerald S. Graham, *Empire of the North Atlantic. The Maritime Struggle for North America* (Toronto, 1950), 143.
26 Communication reproduite dans *The Boston News-Letter,* 22 mai 1755.
27 *London Magazine* (juillet 1756), 330.
28 *The Maryland Gazette,* 10 juillet 1755.
29 *The New-York Gazette,* 19 janvier 1756.

Nouveau Monde ne pouvaient que rapprocher les colonies de la métropole en leur faisant comprendre « que, sans les flottes et les forces armées de celle-ci, elles se verraient bientôt privées de leur territoire même ». [30] De fait, au cours des années sombres qui se succèdent de 1754 à 1758, les événements vont se charger d'enseigner aux Américains les avantages de l'empire. Mais voici que s'opère un retournement de fortune. L'année 1758 voit tomber Louisbourg, le fort Frontenac et surtout le fort Du Quesne. Du même coup, l'ouest et le nord de l'Amérique britannique sont dégagés. La menace franco-canadienne s'éloigne. Et un Américain se prend à parler d'indépendance. Il importe de comprendre comment il y est amené. La chute du fort Du Quesne, dit-il, met la vaste contrée qu'il commandait à la disposition de l'Amérique britannique. C'est pour cette dernière une nouvelle source de richesse en même temps qu'un élément supplémentaire de puissance. Mais n'y a-t-il pas des Anglais qui estiment les colonies déjà trop fortes ? Croire que « l'étendue et la vitalité des colonies pourraient constituer un danger pour la mère-patrie » est une erreur que seul « le vulgaire » serait excusable d'entretenir. En réalité, les provinces américaines sont besogneuses. Elles sont petites. Tout le sol arable qu'elles contiennent, depuis le New-Hampshire jusqu'à la Caroline, n'égale pas « la moitié des espaces cultivables de l'Angleterre ». Le Massachusetts, dont les ignorants font un croquemitaine, tiendrait à l'aise dans les limites du Yorkshire. D'ailleurs, les colonies ne songent pas à se séparer de la métropole, à laquelle les attachent « les liens du sang et de l'amitié ». Pour rompre avec le vieux pays, il faudrait qu'elles s'unissent. Elles ne le veulent pas : chacune a sa propre forme de gouvernement; elles ne permettraient pas qu'une d'entre elles cherchât à se mettre à leur tête. Ce sont là autant « d'obstacles insurmontables » à l'unité qu'il leur faudrait réaliser avant que de former, au préjudice de l'Angleterre, « des vues ambitieuses qui leur fussent propres ». Et, malgré tout, — ici, le ton se fait menaçant — la Grande-Bretagne peut pousser ses colonies à des gestes désespérés; elle y parviendra si elle les maltraite et si elle sacrifie leurs aspirations légitimes « aux ambitions et aux intrigues de leurs ennemis du dedans et du dehors ». Des politiques qui se veulent habiles professent que l'existence d'une forte collectivité ennemie aux portes de l'Amérique britannique est la meilleure garantie de sa soumission à la métropole. Quelle aberration ! Au contraire, c'est précisément cela qui pourrait « provoquer une tentative d'indépendance ». Et « quiconque a vraiment

---

[30] *The Maryland Gazette*, 10 juillet 1755.

à cœur l'intérêt futur de la Grande-Bretagne et de ses possessions devra s'employer à enrayer en Amérique les progrès des Français et non pas ceux des Anglais ». A quoi l'auteur de ces graves propos veut-il en venir ? A cette conclusion : il ne faut pas remettre l'Ohio à la France dans l'idée que les ressources naturelles de cette région augmenteraient plus que de raison le territoire et la population des provinces américaines; il faut plutôt y jeter les bases d'un nouvel établissement et procéder de façon à éviter « de scandaleux accaparements de terre de la part d'individus ou de compagnies privilégiées ». [31] Sur ce point, il est clair que les Américains ne badinent pas. Des discussions envenimées reprendront sur le même thème à la veille du traité de Paris.

*
* *

Ainsi, au début du conflit — et les relations seront encore plus tendues à la fin — ce n'est pas une idylle qui se déroule entre métropolitains et coloniaux dans le monde britannique. Cette mésintelligence — il faut donner à ce mot tout son sens — signifie que, dans les cadres de l'empire, il existe des sociétés assez avancées dans leur développement pour avoir des vues distinctes des choses, des collectivités fortement structurées entre lesquelles s'est opérée une différenciation assez nette pour qu'elles s'appliquent à viser, et à leur manière, des objectifs divers tout en poursuivant plus ou moins consciemment un but commun. Or cette évolution, ou plutôt ce moment d'évolution, s'observe aussi bien dans le monde français que dans le monde britannique.

Il est vrai que l'on ne saurait retrouver en Nouvelle-France les divisions qui empoisonnent les rapports des colonies anglaises. Mais c'est que l'organisation de la Nouvelle-France n'est même pas comparable à celle de l'Amérique britannique. Au fait, celle-ci n'est pas du tout organisée : tous ses établissements sont sur le même pied, il n'existe entre eux aucune hiérarchie politique, tandis que le Canada, siège du gouvernement « général » de la Nouvelle-France, domine les autres colonies françaises du continent. En 1754, les provinces britanniques discutent d'union; voilà un point sur lequel la Nouvelle-France n'a pas à délibérer. Au reste, par sa position géographique, par sa force,

---

31 *The Boston News-Letter*, 28 décembre 1758.

par l'importance relative de sa population, le Canada ne peut occuper que le premier rang parmi les pays de l'Amérique française. Il intervient dans la politique acadienne au point qu'entre 1749 et 1758 environ, c'est lui qui met en œuvre l'éphémère « Acadie française ». Il concourt à la défense de l'île Royale : sa contribution est modeste, puisque seules des escadres peuvent sauver Louisbourg et que la France seule peut disposer d'escadres, — mais si modeste soit-elle, cette collaboration n'en reste pas moins significative. Quant à la Louisiane, pays, disait La Galissonière, destiné à grandir « à l'ombre du Canada », elle n'est pas envahie, ce qui lui permet de fournir quelque secours en hommes et en vivres. Pourtant, lorsque des rivalités ont éclaté à l'intérieur de l'empire français d'Amérique, elles ont mis aux prises Canadiens et Louisianais. C'est naturel : les uns et les autres s'intéressent à la traite des fourrures; l'oligarchie qui, dans chacune de ces colonies a rassemblé entre ses mains les fils du grand commerce, cherche à empiéter sur la zone d'exploitation que l'autre considère comme sa chasse gardée : d'où des revendications qui ne sont pas demeurées sans échos dans les milieux politiques et qui ont donné lieu à des frictions répétées entre le gouvernement de Québec et celui de la Nouvelle-Orléans. [32] La guerre fait taire ces disputes.

Au Canada comme dans l'empire britannique, cependant, le conflit fait tourner à l'aigre les relations, qui ont toujours été délicates, [33] entre coloniaux et métropolitains. Les soldats professionnels venus d'Angleterre refusent aux coloniaux assez de compétence pour donner un avis utile sur les questions militaires. Leur ton n'est pas plus tranchant que celui de Montcalm : « Bourgeois, financiers, marchands, officiers, évêques [sic], curés, jésuites, tout cela projette, disserte, parle, déparle, prononce sur la guerre. Tout est Turenne ou Villars.» Ces «préjugés », cette « stupidité », pense le général, seront causes d'un « grand malheur pour ce pays ». [34] Le même personnage empanaché n'a que dédain pour les officiers canadiens : « Souvenez-vous, déclare-t-il, que Mercier [Le Mercier] est un ignorant et un homme foible, Saint-Luc, un fanfaron et un bavard, Montigny, admirable, mais un pillard, Ligneris, Villiers, Léry, bons, Langy, excellent, Marin, brave, mais sot; tout le reste ne vaut pas la peine d'en parler, même mon premier lieutenant général Rigaud. » [35]

[32] Le Grand Marquis, 123, 324-326.
[33] La Civilisation de la Nouvelle-France, 269s.
[34] Journal du marquis de Montcalm, Casgrain, 7 : 420.
[35] Montcalm à Lévis, 17 août 1756, Casgrain 6 : 35.

Les armées de l'Amérique britannique comportent trois éléments :
les troupes régulières d'Europe, les unités provinciales et les milices.
Il en va à peu près de même au Canada. A compter de 1755, la colonie
accueille des bataillons d'infanterie expédiés par le ministère de la
guerre : ce sont les « troupes de terre », que commanderont tour à tour
Dieskau, Montcalm et Lévis, entourés d'un état-major et de subalternes français. Les troupes de terre viennent prêter main-forte, pour la
durée de la guerre, à la garnison habituelle du pays, composée d'un
nombre variable de compagnies franches de la marine, dont les soldats se recrutent en France et les officiers, au Canada; on les appelle
couramment « troupes de la colonie », expression assez équivoque,
puisqu'il s'agit à la vérité de soldats français, mais on pense surtout
à leurs officiers, qui sont « de la colonie » en ce qu'ils sont canadiens
ou établis à demeure au Canada. Les milices sont levées dans les paroisses canadiennes; leurs propres officiers — les « capitaines de milices » — jouent en général un rôle secondaire; dans les expéditions,
les corps de milices marchent d'ordinaire sous les ordres des officiers
« de la colonie ». Une rivalité intense règne entre ces derniers et les
officiers « de terre ». Un Français, le major-général de Montreuil, déplore : « Les officiers de la colonie n'aiment pas les officiers de terre. » [36]
Le gouverneur général, Pierre de Rigaud de Vaudreuil, à qui appartient
le commandement suprême de toutes les troupes, celles « de terre »
aussi bien que celles « de la colonie » et des milices, [37] est canadien et
ancien officier « de la colonie ». Il voudrait réorganiser les éléments
du pays sur le modèle des bataillons français, dans l'intention évidente
de se constituer un état-major canadien semblable à celui de Montcalm et de procurer ainsi aux officiers du Canada des grades identiques
à ceux des officiers français. Mais le ministère de la Marine, dont il
relève, refuse d'effectuer les transformations qu'il recommande. [38] A
l'exemple des officiers des colonies britanniques, ceux du Canada dé-
testent se battre sous les ordres des Français: ils éprouvent, dit Le
Mercier — « l'homme foible » de Montcalm —, du « desagrement »
à être commandés par des hommes qui ont beaucoup moins d'ancien-
neté qu'eux, tout en étant revêtus de grades supérieurs. [39] Et toute la

36. Lettre du 12 juin 1756, *Collection de manuscrits contenant lettres, mémoires et autres documents historiques relatifs à l'histoire de la Nouvelle-France* (4 vol., Québec, 1883-1885), 4 : 31. — A l'avenir : *Coll. de Mss.*
37. Machault à Dieskau, 25 mars 1755, AC, B 101 : 150; « Instruction pour M. le marquis de Vaudreuil concernant les troupes de terre, » 1er avril 1755, *ibid.*, 157; Machault à Montcalm, 14 mars 1756, AC, B 103 : 135; « Memoire du Roy pour servir d'instruction au Sr M^ls de Moncalm Marechal de camp, » 14 mars 1756, *ibid.*, 136-136v.
38. Machault à Vaudreuil, 12 mai 1757, AC, B 105 : 18-18v; « Canada, » 1757, AC, C 11A, 102 : 261.
39. Le Mercier à Machault, 30 octobre 1756, AC, C 11A, 101 : 292v.

sympathie du gouverneur général leur est acquise. Il ne faudrait pas
prendre ce sentiment pour une simple manifestation d'esprit de corps.
Il ne serait pas exagéré de parler ici d'esprit national. C'est du moins
ce que pense Montcalm, qui décrit Vaudreuil « toujours partial en faveur des Canadiens contre les François ». [40]

Si les Anglais ont une piètre opinion des troupes provinciales, les
Français n'ont guère une plus haute idée des combattants canadiens.
« Les Canadiens ont perdu tout leur ancien esprit guerrier », dit Desandrouins. [41] Il s'exprime en termes mesurés. Un de ses camarades perd
toute retenue; mécontent des miliciens qui servent sous lui, il évoque
la mémoire de leurs ancêtres, ces gredins, croit-il, qui auraient mérité
le supplice de la roue, mais qu'on a déportés au Canada; et il lâche :
« Ces b...-là sentent bien l'origine des roués manqués dont ils sortent, et je crois qu'il leur faudroit, à eux tout seuls, une nouvelle Ré-
demption pour effacer la tache de ce second péché originel. » [42] Cette
comparaison revient souvent sous la plume des Français. Un familier
de Montcalm s'en sert pour déprécier Vaudreuil aux yeux de la Cour:
quand le gouverneur, écrit-il, aurait tous les talents, « il auroit toujours
un deffaut originel, il est Canadien ». [43] Le commandant d'artillerie
Pontleroy se sent-il persécuté par les coloniaux, il renverse l'image :
« Me permettés vous de vous le dire, Monseigneur, j'ay pour ce pays
ci le péché originel, c'est d'être françois. » [44]

Les Britanniques ont dénoncé « l'inhumanité », la « brutalité »
de Braddock. Des témoins autorisés regrettent que Dieskau ait « me-
né les troupes à l'allemande ». [45] Vaudreuil affirme que Montcalm
« mène durement » les Canadiens. [46] Le ministre de la Marine conseille au général d'avoir des « ménagemens » à leur égard et lui ordonne de veiller à ce que les officiers français fassent oublier les « im-
pressions » pénibles qu'ils ont produites dans la colonie du fait qu'ils
« en ont usé en plusieurs occasions d'une façon trop dure » pour les
miliciens. [47] Plus tard, le vainqueur de Carillon sera accusé de laisser
piller par ses soudards les populations civiles du Canada, et les témoignages partent de trop de points différents, ils concordent trop pour

[40] Montcalm au ministre de la Guerre, 3 novembre 1756, Archives de la Guerre
[AG]; liasse 3417, no 294.
[41] Août 1758. Cité par Gabriel, *Le Maréchal de camp Desandrouins*, 207.
[42] De Blau à Bougainville, 15 août 1759, dans Kerallain, *La Jeunesse de Bougainville*, 134.
[43] Doreil à Paulmy, 31 juillet 1758, RAPQ (1944-1945), 152.
[44] Pontleroy à Massiac, 1er décembre 1758, AC, C 11A, 103 : 491.
[45] Voir les textes cités dans *François Bigot, administrateur français*, 2: 119, note 82.
[46] Vaudreuil à Machault, 16 janvier 1756, AC, C 11A, 101 : 3v.
[47] Moras à Montcalm, 27 mai 1757, AC, B 105 : 25-26.

n'être pas concluants. [48] Il est possible de pousser encore plus loin le parallèle entre ce qui se passe dans le monde français et ce qui s'observe dans le monde britannique. Quelques mois après que William Pitt eut stigmatisé au parlement l'incompétence et la légèreté des officiers anglais, un Parisien trouve presque les mêmes termes pour blâmer les officiers français : « Au lieu d'étudier leurs devoirs, de se rendre capables de les remplir, de s'attacher au bien & à l'intérêt de la Patrie,... nous voïons, à la honte de notre Nation, que la plûpart des principaux de l'Armée n'ont cherché qu'à s'enrichir par la désolation & la ruine du pays ennemi... Aussi voit-on la *Bastille* se peupler. » [49] Il est à croire que, s'il avait paru des journaux au Canada, une dépêche comme celle-là y aurait trouvé un accueil empressé et que ces feuilles eussent été vivement tentées de faire un rapprochement entre les scandales qui menaient des officiers à la Bastille et le comportement singulier des officiers « de terre » au Canada. Il fallait que l'inconduite de ces derniers fût criante pour que Bougainville reconnût : « J'avoue que jusqu'à présent une partie des officiers a vécu comme dans le sein de la paix et de la plus grande abondance, que leur jeu était énorme, leur table recherchée, et qu'enfin... le luxe, la bonne chère, les aisances de la vie paraissaient occuper uniquement des gens qui ne devraient l'être que de gloire. Mais hélas ! je le dis dans l'amertume de mon cœur, désir de gloire, délicatesse de sentiments, émulation, honneur, qu'êtes-vous devenus ? Notre âme est avilie... » [50]

De même que les Américains sont bien persuadés de leur supériorité sur les Anglais dès qu'il s'agit d'évoluer sur un champ de bataille du Nouveau Monde, ainsi les militaires canadiens, Vaudreuil en tête, tiennent leur propre tactique pour infiniment plus valable que celles des commandants des troupes de terre. [51] Montcalm suffoque: à ses yeux, les méthodes des coloniaux ont fait leur temps, « maintenant, la guerre s'établit ici sur le pied Européen, des projets de campagne, des armées, de l'artillerie, des sièges, des batailles... Quelle révolution ! » [52] Vaudreuil s'estime plus apte qu'un Français à élaborer

---

48   « Extrait d'un Journal tenu à l'armée que commandoit feu Mr de Montcalm, » AC, C 11A, 104 : 277; Bigot à Lévis, 8 septembre 1759, Casgrain, 9 : 56; Querdisien à Berryer, 22 septembre 1759, AC, C 11A, 104 : 523-527; proclamation de James Wolfe, 27 juin 1759, Casgrain, 4 : 273-276.
49   *Mercure historique de La Haye*, 145 (1758) : 28s.
50   Journal de Bougainville, RAPQ (1923-1924), 371. Voir Bigot à Berryer, 15 avril 1759, AC, C 11A, 104 : 159.
51   Voir les pages excellentes de Lawrence H. Gipson, *The Great War for the Empire : The Victorious Years, 1758-1760* (New-York, 1949), 381-384, 388s. — A l'avenir, Gipson, 7.
52   *Journal du marquis de Montcalm*, Casgrain, 7 : 419.

une stratégie américaine; surtout, il se considère mieux préparé que tout autre à manier les tribus indigènes, dont le concours est précieux. Illusion, dit encore le général, qui se vante d'avoir pris sur l'esprit des Indiens un tel ascendant que le gouverneur en reste tout « étonné » : « Il est né en Canada, et son système et celui de ses amis a toujours eté de dire que Son nom seul suffiroit pour attirer La confiance des nations. Je croirois aujourd'hui Etre aussi sur du mien. » [53] Mais ce qui le révolte, c'est que Vaudreuil n'adopte pas « le sistème tactique d'Europe » et s'entoure de conseillers canadiens — « des Empiriques et des ignorants » — au lieu de s'en remettre aux « principaux officiers que la cour lui a envoyés ». Ce fut l'accusation capitale que le gouvernement français retint contre l'homme d'Etat canadien. [54] Elle flattait la vanité métropolitaine.

Montcalm regardait les officiers et les soldats « de terre » qu'il commandait comme « des Troupes Expatriées et Exilées pour ainsi dire ». [55] Son second et successeur, l'aimable Lévis, ne faisait pas mystère de ce qu'il n'était venu en Amérique que pour obtenir de l'avancement. [56] De même que les unités anglaises dans les provinces britanniques, les soldats professionnels de France faisaient-ils donc figure de « mercenaires » au Canada ? Il était difficile qu'il en allât autrement. Montcalm s'en trouvait pourtant humilié. Méditant sur sa situation et celle de son état-major, il ironisait amèrement : « Des généraux hessois que le Roi a envoyés pour défendre la colonie, et, vu leur qualité d'étrangers, on ne peut avoir confiance en eux. » [57] Vaudreuil ne voyait pas là matière à sarcasme. Plus que sérieux, grave, il s'évertuait à « démontrer la différence qu'il y a de la deffense qu'on doit attendre d'une troupe qui a la Colonie pour sa ressource, qui y a ses biens, Sa famille et Sa fortune, ou d'une troupe qui se Voyant Expatriée n'a d'autre ambition que de ne se point deshonorer et de retourner dans sa famille s'embarrassant fort peu des torts que l'Ennemy peut faire a la Colonie ny même de sa perte totale ». [58]

Si les Américains britanniques croyaient avoir raison de taxer l'Angleterre de négligence à leur égard, quel sursaut n'aurait pas provoqué chez eux une menace formelle d'abandon de la part de leur mé-

---

[53] Montcalm au ministre de la Guerre, 18 septembre 1757, AG, 3457 : no 141.
[54] Montcalm à Berryer, 12 avril 1759, *Coll. de Mss.*, 4 : 224-227; « Fautes essentielles qui ont accéléré la perte du Canada, » Bibliothèque de l'Arsenal, Archives de la Bastille [BA, Bastille], 12143 : 263.
[55] « Mémoire sur le Traitement des officiers en Amerique, » 1756, AG, 3417 : no 292.
[56] Lévis à Argenson, 26 octobre 1756, Casgrain, 2 : 101.
[57] Montcalm à Lévis, 13 janvier 1758, Casgrain, 6 : 115.
[58] Vaudreuil à Berryer, 20 novembre 1758, AC, C 11A, 103 : 320-320v.

ropole ? Une telle menace, le ministre français chargé de l'administration des colonies l'articule à la mi-juillet 1755, au moment où quatre
armées d'invasion opèrent contre la Nouvelle-France. Le secrétaire
d'Etat veut voir diminuer les dépenses du Canada. De légères écono-
mies ne lui suffiraient pas. Il en exige de fortes, de sensationnelles.
C'est alors qu'il déclare : « Malgré la protection particuliere dont le Roy
a honoré jusqu'a present cette Colonie, et dont S.M. lui donne de si
grandes marques par les efforts qu'elle fait pour pourvoir a sa Sureté,
elle Seroit bientost obligée de l'abandonner, si l'on ne parvenoit pas
a en reduire les depenses. » Le ministre désire être bien compris. Il
ne faut pas que ceux à qui il s'adresse — le gouverneur et l'intendant
— s'imaginent que ses paroles dépassent sa pensée. Il a bien réfléchi
à la portée de l'avertissement qu'il donne : « ... Car je vous le repete,
les efforts que S.M. fait aujourd'huy pour elle [la colonie] seroient
les derniers, et rien ne pourroit l'empescher de l'abandonner, si elle
n'avoit pas lieu de S'apercevoir que vous apporterés une attention efficace a la diminution des depenses. » [59] En 1759, Berryer tiendra la
promesse de Machault.

Pour mener jusqu'au bout ce parallèle entre les relations franco-
canadiennes et anglo-américaines, il nous reste à nous demander si,
à l'instar de certains Britanniques, certains Français envisageaient la
séparation éventuelle (autrement que par abandon) du Canada et de
la France. Irrité de la résistance à laquelle les Français se heurtent dans
la société canadienne, Bougainville laisse tomber : « Il semble que
nous soyons d'une nation différente, ennemie même. » [60] Jugement
frappant, mais excessivement sommaire. Révélateur, sans doute, il manifeste plus d'impatience que de compréhension. Mais voici qui a plus
d'importance. Au début de 1759, le même Bougainville est à la Cour
avec mission d'obtenir des renforts pour la Nouvelle-France. Des secours, la métropole n'est guère disposée à en expédier à sa possession
américaine. Il y a dans la mère-patrie « des personnes ... qui pensent
qu'il est peu important à la France de conserver le Canada ». Un de
leurs principaux arguments est « que quand le Canada sera bien
établi, il essuiera bien des révolutions »; et, dans cette éventualité,
demandent les fins politiques, « n'est-il pas naturel qu'il s'y forme des
royaumes et des républiques qui se sépareront de la France » ? L'intérêt de cette question est que « des personnes » puissent se la poser en
1759. Non moins significative que la question est la réponse que Bou-

---

59   Machault à Vaudreuil et à Bigot, 15 juillet 1755, AC, B 101 : 135, 136.
60   *La Civilisation de la Nouvelle-France*, 270.

gainville y apporte : « Il est vrai que dans la suite des temps ces vastes contrées pourront se partager en royaumes et en républiques, il en sera de même en Nouvelle-Angleterre. » [61]

Ces derniers mots sont à retenir. A des observateurs de l'époque dont l'intelligence n'est pas obnubilée par une tradition absurde d'interprétation historique en désaccord avec le réel, les perspectives de l'Amérique française apparaissent semblables à celles de l'Amérique britannique. Quoi de moins inattendu ? Voilà des sociétés qui ont connu et qui connaissent encore les mêmes expériences collectives. Elles sont coloniales et elles ont les mêmes attitudes à l'égard de leurs métropoles. Elles appartiennent au même siècle. Elles nourrissent les mêmes aspirations fondamentales. De cette situation, résulte une similitude de sentiments qui se traduit souvent par les mêmes mots sous la plume des colons canadiens et des colons britanniques. Au fond, cela signifie simplement que les uns et les autres sont américains, — les premiers tout autant que les seconds. Et rien ne ressemble plus à un Américain qu'un autre Américain.

---

[61] « Mémoire sur le Canada, » janvier 1759, RAPQ (1923-1924), 23s.

DEUXIÈME PARTIE

LA RÉSISTANCE VICTORIEUSE

CHAPITRE III

LE CHOC

1754 - 1755

A l'été de 1754, les journaux américains regorgent de nouvelles considérables. Une dépêche du 13 juin, en provenance d'Annapolis (Maryland), mande que le 27 mai précédent le jeune major George Washington est parti des Grandes Prairies, dans le bassin de l'Ohio supérieur, à la rencontre d'un petit détachement canadien dont les indigènes viennent de lui signaler la présence dans le voisinage. Après avoir marché toute la nuit, les Britanniques ont surpris le camp des « Français », le matin du 28 mai. Ce sont, dit la nouvelle, ces derniers qui ont ouvert le feu. Les Anglais ont riposté par des décharges qui abattirent sept ou huit hommes et mirent les autres en fuite. Mais un chef indien, le Demi-Roi, qui accompagnait le major virginien avec une bande de guerriers, coupa la retraite aux fugitifs et terrassa à coups de hache le commandant canadien avant de lui lever la chevelure. Telle est la version de l'affaire que la presse répand dans le public : simple incident de frontière qui n'a même pas les honneurs de la première page. [1] L'opinion semble n'y attacher d'abord qu'une importance assez médiocre : une poignée de « Français » ont osé disputer un coin de terre britannique à ses légitimes propriétaires; ils ont trouvé leur maître dans la personne d'un obscur militaire provincial qui leur a infligé une correction méritée; ces Français ne savent pas se battre, — voilà, en gros, la réaction que provoque cet épisode. [2]

---

[1] *The New-York Mercury*, 24 juin 1754.
[2] Voir *The New-York Mercury*, 18 novembre 1754.

Washington est à peu près seul à s'exciter. Après l'engagement, il se permet d'écrire : « J'ai entendu siffler les balles et, croyez-moi, leur son a quelque chose de charmant. » On hausse les épaules : ce sont là propos de « fanfaron » qui apprendra bien à « rougir de sa rodomontade ». [3] L'échauffourée aura-t-elle des suites ? Le prédire serait plutôt impertinent, puisque le ministre français de la Marine, mieux placé pourtant que quiconque pour mesurer la portée de l'événement, se refuse à y voir un signe de « rupture de la part des Anglois ». [4]

Voici cependant que, le 28 juin, le commandant du fort Du Quesne confie à Coulon de Villiers, le frère de Jumonville, un corps de 500 hommes, avec mission de « venger l'assassin » [assassinat] du malheureux officier et de chasser les agresseurs des domaines du roi de France. Le 3 juillet, au bout d'une marche de soixante-cinq milles, l'expédition trouve Washington enfermé dans le fort Nécessité. Le Virginien n'est guère en état de se défendre : une bonne moitié de ses hommes sont ivres, la chanson que sifflent les balles n'a plus rien d'amusant. Il doit s'avouer vaincu et signer une capitulation déshonorante dans laquelle il reconnaît par deux fois avoir « assassiné » Jumonville. Le fait le plus troublant peut-être de toute l'aventure est que de nombreux Indiens accompagnent Villiers : des Chaouanons, des Loups et même des Iroquois. Les Britanniques ont accoutumé de tenir ces tribus pour des alliées. Les compagnons de Washington reconnaissent dans le groupe des indigènes avec qui ils ont déjà été en relations d'affaires. Ils en appellent plusieurs par leur nom. Hélas ! « ils reçoivent pour toute réponse les pires injures que les dialectes sauvages peuvent exprimer ». Cette fois, il ne s'agit plus d'un incident négligeable, mais d'un combat de bonnes dimensions. Le récit en fait le tour de la presse, des journaux vont jusqu'à publier des « suppléments ». Plusieurs reproduisent intégralement la capitulation du 3 juillet, y compris les mots « assassin » et « assassinat ». [5]

De fait, la bataille qui vient de se dérouler dans l'Ohio s'inscrit dans un drame dont la dernière scène se situera sous les murs de Mont-

---

[3] Horace Walpole, *Memoirs of the Reign of George II*, 1 : 399s.
[4] Machault à Du Quesne, 19 août 1754, AC, B 99 : 217. — Le meilleur travail sur la question Washington-Jumonville est celui du professeur Marcel Trudel, « L'Affaire Jumonville, » *Revue d'histoire de l'Amérique française*, 6 (1952) : 331-373.
[5] *The Virginia Gazette*, 19 juillet 1754; *The New-York Mercury*, supplément du 22 juillet 1754; *The Boston News-Letter*, 1er août 1754; *The Pennsylvania Gazette*, 22 août 1754; *The Maryland Gazette*, 29 août 1754. — Voir « Journal de la campagne de M. de Villiers au fort Nécessité, » F. Grenier, éd., *Papiers Contrecoeur et autres documents concernant le conflit anglo-français sur l'Ohio de 1745 à 1756* (Québec, 1952), 196-202; « Capitulation du fort Nécessité, » 3 juillet 1754, *ibid.*, 202-205.

réal, le 8 septembre 1760. Non pas que la prise du fort Nécessité soit la cause de la guerre de la Conquête. Elle marque simplement l'ouverture de sa phase capitale. Dès 1744, Vaudreuil a préconisé l'érection d'un poste français sur l'Ohio, en vue de mettre en train la colonisation commerciale de cette région et d'attirer ses indigènes dans l'orbite de l'influence française.[6] En 1747, La Galissonière parle « d'empêcher les Anglois de s'Etablir sur la belle Riviere, établissement capable d'interrompre notre communication avec le Mississipi ».[7] Il en parle encore en 1749.[8] A ce moment, les Britanniques se sont solidement installés sur la « Belle Rivière ». Quand Céloron de Blainville rentre à Montréal en novembre 1749, après avoir fait le tour des principales agglomérations indigènes de l'Ohio, il n'en rapporte qu'une constatation décourageante : « Tout ce que je puis dire c'est que les Nations de ces endroits sont tres mal disposés pour les françois et devoues entierement a l'anglois. » Et il se demande « par quelle voys on pourra les ramenner ».[9] Par quelle voie ? Il ne reste vraiment que celle des armes ou, comme dit Vaudreuil, celle des « coups d'Eclat ». Un de ces coups foudroie en 1752 le village miami de Pickawillany, sur la rivière à la Roche, comptoir de traite et foyer de diplomatie britannique. La destruction de cette bourgade jette la terreur dans les tribus et fait chanceler la structure d'alliances économiques édifiées par les Virginiens et les Pennsylvaniens au cœur du continent.[10] A la mi-octobre, le gouverneur Du Quesne écrit « sous le grand secret » au commandant de Niagara, Pécaudy de Contrecœur, qu'au printemps suivant il fera partir de Montréal 2,000 Franco-Canadiens et 200 Indiens avec mission de « s'emparer et s'etablir dans la belle Riviere que nous sommes alaveille de perdre si je ne fais pas donner ce coup de colier aussi pressé qu'indispensable ».[11] Ce mouvement que médite le gouverneur a tout l'air d'une offensive de grand style. Il s'agit de « s'emparer » de la Belle-Rivière. Pourquoi ? Parce que, répond Du Quesne, d'un ton péremptoire, « le Roy la veut et c'est assés pour marcher en avant » ...[12]

Le « Roy » signifie l'Etat. L'Etat veut l'Ohio parce que sa possession est nécessaire au maintien de la Nouvelle-France et au dévelop-

6 *Le Grand Marquis*, 337.

7 La Galissonière à Maurepas, 22 octobre 1747, AC, C 11A, 87 : 260v-261.

8 *Le Grand Marquis*, 356.

9 « Journal de la Campagne » de Céloron de Blainville, 1749, Archives des Colonies, collection Moreau de Saint-Méry [AC, F 3], 13 : 346v-347.

10 *Le Grand Marquis*, 380s.

11 Du Quesne à Contrecoeur, 18 octobre 1754, F. Grenier, éd., *Papiers Contrecoeur*, 17.

12 Du Quesne à Saint-Pierre, 30 janvier 1754, *ibid.*, 98s.

pement du Canada; ou plutôt, l'intégrité territoriale de la Nouvelle-France, cadre américain de la collectivité canadienne, exige que la vallée de l'Ohio soit fermée à l'expansion britannique. Or, la voilà ouverte à la colonisation anglaise, qui s'y déploie à un rythme accéléré. Vu l'avance dont l'adversaire est déjà assuré, les Canadiens sont condamnés à prendre des mesures agressives : elles le seraient indirectement, par le détour des « guerres sauvages », si le « système canadien » était adopté; elles le seront ouvertement puisque, incarné par Du Quesne, le système français a triomphé. En 1753, le Canada s'engage donc dans de grandes opérations. C'est une véritable armée qui s'embarque à Lachine, depuis la fin d'avril jusqu'à la mi-juin, à destination du portage de Niagara, puis du lac Erié où, sur la rive sud, elle construira le fort Presqu'île, puis de la rivière aux Bœufs, où elle bâtira un autre fort et laissera une troisième garnison au village indien de Venango, au confluent de cette même rivière et de l'Ohio. Au moment où cette expédition s'ébranle, un officier britannique d'Oswego en mesure les répercussions : les Canadiens, prévoit-il, élimineront ses compatriotes du Centre-Ouest et tourneront contre eux les tribus qui jusqu'alors avaient favorisé la pénétration anglaise de l'Ohio. [13]

C'est ce que les Américains britanniques ne peuvent pas permettre. Aussi, en décembre 1753, Washington arrive-t-il au fort de la rivière aux Bœufs porteur d'une lettre du gouverneur Dinwiddie sommant le commandant canadien, Le Gardeur de Saint-Pierre, d'évacuer « paisiblement » cette position, incluse « dans l'Ouest de la Colonie de la Virginie ». [14] Il rentre à Williamsburg, auprès de son chef, avec un refus aussi poli qu'énergique [15] et une haute idée de la puissance française dans le bassin de la Belle-Rivière. Son rapport fait bientôt le sujet des conversations dans sa province. Les Français, répète-t-on, auraient jeté une couple de forts dans la contrée de l'Ohio; dans chacun de ces postes, ils maintiendraient une garnison de 500 hommes, et, à peu de distance en arrière, veilleraient un grand nombre de Canadiens et d'Indiens prêts, « au moindre signal », à se porter au secours de ces établissements. [16] Devant le fait accompli, il ne reste à l'empire britannique qu'une alternative : s'incliner ou se battre. S'incliner ? La démarche dont Dinwiddie a chargé Washington indique

---

[13] Stoddart à Johnson, 15 mai 1753, NYCD, 6 : 780.
[14] « Copie de la lettre du gouverneur de la Virginie à M. de St-Pierre, » 30 [31] octobre 1753, F. Grenier, éd., *Papiers Contrecoeur*, 77s.
[15] « Copie de la lettre de M. de St-Pierre au gouverneur de la Virginie, » 16 décembre 1753, *ibid.*, 84.
[16] *The Pennsylvania Gazette*, 5 février 1754.

que la Virginie au moins s'insurge contre une pareille éventualité. L'opinion métropolitaine se cabre avec encore plus de violence. Dès l'automne de 1753, le *London Evening-Post* pose la question : « Les Français n'ont-ils pas envahi les possessions britanniques du continent américain ? » Les limites des colonies d'outre-mer, poursuit le journal, ont été fixées par des traités. Que la France observe les conventions internationales auxquelles elle a elle-même souscrit ! Les Anglais ne consentiront « certainement pas » à se montrer assez « soumis » pour reculer devant leurs rivaux. [17] D'autant qu'ils le savent fort bien : reculer, ce serait se laisser refouler à l'est des Alleghanys, accepter de se voir confinés entre les montagnes et la mer, abandonner l'intérieur aux Canadiens, compromettre irrémédiablement l'avenir.

En mai 1754, un officier colonial raconte avoir descendu le cours de la Monongahela jusqu'à une faible distance du point où les Franco-Canadiens jettent les bases du fort Du Quesne après en avoir chassé les Virginiens. Il fait l'éloge de la région, de ses eaux, de ses bois, de son sol. Combien elle est « attrayante », cette contrée ! Le voyageur s'est fait donner sur les lieux une description de l'Ohio et de ses affluents : « A mon avis, la France gagnerait plus à s'en assurer la propriété qu'à effectuer la conquête de toutes les Flandres. » [18] C'est justement ce que la France entend faire. La sommation que Contrecœur a remise à Jumonville, « au Camp Du fort Duquesne », le 23 mai 1754, avec ordre de la communiquer au commandant des troupes britanniques qu'il rencontrera au cours de sa mission, porte que les Anglais sont avertis pour la dernière fois d'évacuer « les terres Du Roy mon maitre », que, dorénavant, les Français sont déterminés à les « y contraindre par toutes les voyes... les plus Efficaces pour l'honneur des armes Du Roy » et qu'ils dégagent d'avance leur responsabilité « s'il arrive quelque acte d'hostilité ». [19] Au lendemain de la capitulation du fort Nécessité, le gouverneur du Maryland s'écrie : « Les intentions des Français doivent maintenant être bien claires aux yeux de chacun de nous. » [20] Ce ne peut être que la guerre. La guerre, une rumeur se répand en juillet que les deux métropoles se la sont déclarée. Ce bruit court avec tant de persistance en Nouvelle-Angleterre que les pêcheurs, pris de panique, rentrent à leurs ports d'attache; pour les rassurer, le gouverneur du Massachusetts donne aux journaux la

17   Article reproduit par la *Pennsylvania Gazette* du 19 février 1754.
18   *The Maryland Gazette*, 30 janvier 1755.
19   F. Grenier, éd., *Papiers Contrecoeur*, 130s.
20   *The New-York Mercury*, 5 août 1754.

consigne de démentir cette nouvelle, trouvée fausse « après une enquête minutieuse ». [21]

Nouvelle fausse ou seulement prématurée ? La question pourrait se poser. Dans les derniers jours du mois d'août, une bande d'Indiens de Bécancourt vont incendier des maisons et des granges à Horeck, au nord-ouest d'Albany. Ils y font des chevelures et des prisonniers. L'objectif de cette incursion et de quelques autres qui l'accompagnent ne peut être, réfléchit de Lancey, que de semer l'émoi dans les provinces afin de les rejeter sur la défensive et de les empêcher ainsi de secourir la Virginie, [22] qui a besoin du concours des colonies voisines pour « réparer le malheur » que lui ont causé l'érection du fort Du Quesne et surtout la pénible affaire du fort Nécessité. [23] Si telle est la fin que les Canadiens poursuivent, ils ne tardent pas à l'atteindre : inquiète de la sécurité d'Albany, la législature du New-York en fait réparer l'enceinte et mobilise une partie des milices des alentours pour en organiser la défense en cas d'alerte. [24] A la mi-décembre, de Lancey n'est pas encore revenu de ses craintes. Il en prévient le gouvernement anglais, une invasion peut enfoncer la frontière septentrionale de sa province. L'heure est grave. Aux grands maux, les grands remèdes : il faudrait que le ministère dépêchât un régiment dans le New-York et que fût créé un dispositif de défense comportant quatre forts, dont un, élevé à égale distance d'Oswego et de Niagara, servirait à la fois de bastion avancé contre l'ennemi et de base d'opérations contre les routes et les places canadiennes du lac Ontario. [25] Mais de Lancey se laisse emporter par l'ambition. Pour l'instant, il paraîtrait plus sage de se préparer à repousser l'adversaire sans caresser des projets de conquêtes trop grandioses. Le gouverneur Morris ne déclare-t-il pas à l'assemblée du New-York, le 30 décembre 1754, avoir appris qu'un corps de 6,000 soldats « choisis parmi l'élite des unités françaises » viennent de se rassembler au fort Du Quesne ? [26] Quinze jours auparavant, quelqu'un faisait observer en Pennsylvanie que les Français campaient à 250 milles seulement de Philadelphie, ce qui laissait présager pour 1755 un été « sanglant ». [27]

Au même moment, un publiciste entrevoit « des calamités effroyables ». Si, raisonne-t-il, les Français érigent des forts dans les domaines

---

[21] *The Boston News-Letter*, 25 juillet 1754.
[22] NYCD, 6 : 909.
[23] *The New-York Mercury*, 18 novembre 1754.
[24] NYCD, 6 : 911.
[25] *Ibid.*, 922s.
[26] *The New-York Mercury*, 6 janvier 1755.
[27] Lettre datée du 17 décembre 1754, *The Maryland Gazette*, 1er mai 1755.

américains de la Grande-Bretagne, c'est en vue d'aménager un large couloir fortifié entre la Louisiane et le Canada. Avec le temps, cette communication permanente fera d'eux les maîtres du continent « depuis le Cap-Breton jusqu'au golfe du Mexique ». Et voyez-les manœuvrer. Non contents de rompre les relations existantes entre les colons britanniques et les indigènes, ils emploient ces derniers à harceler les provinces anglaises, cependant qu'ils multiplient eux-mêmes les pires hostilités contre les Britanniques qui ont l'infortune d'être exposés à leurs cruautés. Il faut se raidir, se défendre. Se défendre des coups redoublés des Franco-Canadiens ? Oui, sans doute; mais surtout empêcher que ne se développe la conséquence de ces agressions couronnées de succès : la prépondérance française sur le continent.[28] A la mi-décembre 1754, le gouverneur de la Caroline du Nord, Arthur Dobbs, — c'est, on s'en souvient, un directeur de l'Ohio Company — exprime avec force les mêmes vues : donner aux Français le loisir de poursuivre l'exécution des projets qu'ils ont mis sur pied, c'est préparer « la perte inévitable » des libertés, des biens et de la religion des colonies britanniques (entendons : la dislocation des structures politiques, économiques, sociales et culturelles de ces collectivités). « Combien misérable ne pourra manquer d'être la condition de toutes nos colonies quand elles se verront confinées en deçà des montagnes et privées de leur commerce avec le hinterland américain », — soumises, du côté des terres, à la pression intolérable des tribus indiennes lancées contre leurs frontières et, du côté de l'océan, à la pression plus redoutable encore de la marine de guerre et des corsaires de France infestant leurs routes maritimes et dévastant leurs côtes. « Dans cette situation, il ne nous restera plus qu'à devenir les esclaves des Français, leurs scieurs de bois et leurs porteurs d'eau; et il nous faudra leur payer tribut au moyen d'énormes impôts. »[29] — Voilà une analyse d'une pénétration brutale. Ce que le gouverneur ne dit pas, c'est qu'une fois assurée la prédominance britannique, la « situation » prévue par Dobbs deviendra celle avec laquelle l'histoire se chargera de familiariser les Canadiens : le sort de ceux-ci, après leur défaite, indique ce qu'eût pu être la condition des Anglo-Américains s'ils avaient été eux-mêmes défaits.

Ce n'est pas à dire que les colonies anglaises aient couru un risque réel de tomber aux mains des Canadiens. Les données démographiques suffisaient à rendre invraisemblable une telle éventualité. Elles avaient

---

28 *The Maryland Gazette,* 12 décembre 1754.
29 Message du 12 décembre 1754, *The Pennsylvania Gazette,* 1er mai 1755.

toutefois raison d'appréhender qu'une colonisation de l'intérieur mo-
nopolisée par leurs adversaires et un équilibre territorial constitué
contre elles n'eussent gêné leur croissance et retardé leur épanouissement; il était clair que des perspectives différentes s'ouvraient devant
elles, selon qu'elles pourraient exploiter tout le continent ou qu'elles
se verraient contraintes d'en abandonner les trois quarts à la Nouvelle-
France. C'est à peu près l'idée qu'exposera bientôt un négociant de
Londres, Henry McCulloh, qui fit de brefs séjours en Caroline du
Nord, où il avait des intérêts et où il occupa quelque temps un poste
important. Le traité d'Utrecht, remarque-t-il, avait mis à la disposition
des provinces britanniques un vaste champ d'expansion en leur livrant
le pays des Iroquois, région qui comprend les cinq grands lacs et leurs
dépendances; « mais notre négligence à mettre en œuvre une vraie
politique américaine nous fit perdre tous les avantages qu'un système
sage et cohérent nous aurait assurés ». [30] En d'autres termes, il se révélait impossible de concilier les intérêts vitaux du Canada et les aspirations naturelles de l'Amérique britannique.

Les faits exceptionnels frappent toujours plus que les faits constants. Ils surprennent, ils sollicitent l'attention en vertu même de leur
caractère insolite, et c'est pourquoi les historiens ont souvent une fâ-
cheuse tendance à les mettre en lumière au détriment des autres. Ainsi,
ils vont insister sur la tentative, intervenue au début de la guerre de
la Succession d'Espagne, de conclure un traité de neutralité entre le
Canada et le New-York; de même, ils se plairont à décrire le commerce interlope qui se noue, en temps de guerre, entre Albany et
Montréal. Mais ce sont là des exceptions. Sans manquer d'importance,
elles ne doivent pas faire oublier la règle. La règle veut qu'à compter
de la fin du XVIIe siècle les colonies anglaises désirent la guerre avec
la Nouvelle-France pour en recueillir les dépouilles. Elles convoitent
ses routes commerciales, son sol, ses ressources, ses fourrures, son poisson. Le temps ne fait qu'attiser leurs désirs. [31]

D'où le profond respect dont les Anglais entourent le traité
d'Utrecht. Il leur avait tout donné, à la réserve de la Basse-Louisiane
et du Canada. Réserve plus importante qu'il n'avait paru en 1713.
Si le Canada n'avait ni le climat, ni les richesses, ni l'avenir du Centre-
Ouest, il avait les hommes capables de maintenir le Centre-Ouest dans
les cadres politiques et économiques de la Nouvelle-France, — capables, par conséquent, de fermer la terre promise aux Américains

---

[30]   William K. Boyd, éd., « Miscellaneous Representations Relative to Our Concerns
in America, » par Henry McCulloh, *The North Carolina Historical Review*, 2 (1925): 484.
[31]   Max Savelle, *The Diplomatic History of the Canadian Boundary*, 149s.

ritanniques. Shirley l'avait compris, lui qui, dès 1745, préconisait la
réduction du Canada.[32] Il avait crié dans le désert. Un journal new-
yorkais lui fait pourtant écho en septembre 1754. Point n'est besoin,
lit-on, d'avoir le don de prophétie pour prédire qu'il ne saurait y
avoir de « paix durable en Amérique du Nord » sans l'anéantissement
de l'adversaire; voici venu le temps de « suivre le conseil qu'un séna-
teur romain avait l'habitude de répéter à ses compatriotes... : *Delenda
est Carthago* ».[33]

*

* *

Cependant l'Amérique britannique nourrit plus de Catons que de
Scipions. Plus friande de guerres que de combats, mieux pourvue de
législateurs que de généraux, elle ne saurait entreprendre d'abattre la
Nouvelle-France sans l'appui de la métropole, sans l'action de la diplomatie, de la marine et des régiments anglais. Or le gouvernement
de la Grande-Bretagne ne désire pas s'emparer du Canada, et l'opinion
de la mère-patrie, quoique plus prompte à s'émouvoir, semble-t-il, que
le cabinet Newcastle, sera très lente à faire l'unanimité à ce sujet :
elle n'y sera pas encore parvenue en 1763. Absorbées par les problèmes intérieurs et sollicitées par ceux de l'Europe, l'attention des milieux politiques ainsi que celle du public anglais sont fort éloignées
de se concentrer sur des perspectives de nouvelles acquisitions américaines à même l'empire français.[34] Au surplus, du moins dans sa
phase initiale, le conflit s'étend trop graduellement pour déchaîner l'enthousiasme populaire, et l'aspect franchement mercantile qu'il prend
au début a pour effet d'en limiter l'intérêt au « monde du commerce »,
donc à une minorité remuante, mais assez peu sympathique, dont la
promotion est d'ailleurs plutôt récente dans la nation.[35] Il convient
encore d'évoquer les vues générales des hommes d'Etat anglais de
l'époque. Leurs prédécesseurs, ceux qui avaient imposé à la France le
traité d'Utrecht, n'avaient tenu compte que du déploiement du commerce britannique et des exigences que comportait le maintien de la
suprématie maritime de la Grande-Bretagne; ils s'étaient surtout éver-
tués à arracher aux vaincus des concessions européennes.[36] Non pas

---

32 George Louis Beer, *British Colonial Policy 1755-1765*, 140.
33 *The New-York Mercury*, supplément du 16 septembre 1754.
34 Gerald S. Graham, *Empire of the North Atlantic*, 144.
35 Evan Charteris, *William Augustus Duke of Cumberland and the Seven Years'
War* (Londres, c. 1925), 169.
36 W. T. Selley, *England in the Eighteenth Century* (Londres, 1949), 68.

qu'ils se fussent privés de tailler dans le Nouveau Monde. Mais qu'y avaient-ils pris ? L'Acadie, Terre-Neuve et ses pêcheries, la baie d'Hudson et ses fourrures, le pays des Lacs où ils avaient voulu que toutes les tribus indiennes jouissent « d'une pleine liberté de se fréquenter pour le bien du Commerce ». [37] Ils avaient moins négocié en stratèges qu'en marchands, comme s'ils avaient pu s'assurer l'exploitation du Centre-Ouest sans en éliminer les Canadiens et en éliminer les Canadiens sans annihiler le Canada. Pas plus que ceux de 1713, les politiques anglais de 1754 ne se sentent « séduits par l'idée d'empire ». Ni eux ni les hommes d'affaires qu'ils écoutent ne rêvent de colorer en rouge toute la carte de l'Amérique du Nord. Ils ne donnent pas beaucoup de valeur au Canada. Ils attachent peu de prix aux territoires situés à l'ouest des contrées colonisées. Dans les premiers mois de 1755, on trouvera le gouvernement anglais prêt à conclure avec la cour de France un accord qui aboutirait à la création d'une zone neutre au cœur du continent, entre la rivière Wabash et la partie orientale de l'Etat actuel de l'Ohio (mais Halifax, au Board of Trade, n'en voudra pas; Rouillé, à Versailles, n'en voudra pas davantage; et les colonies américaines s'en seraient-elles accommodées ? elle préfigure assez bien celle que dessinera la proclamation royale de 1763). Ce n'est pas tout. L'appréhension que provoquent les immenses dépenses inhérentes à une grande guerre moderne inclinent le ministère à une politique économe, c'est-à-dire défensive. Il paraît établi qu'avant la crise de l'été de 1754, Newcastle et ses collègues auraient souhaité circonscrire l'action de la métropole à deux objectifs très limités : financer l'érection et l'entretien d'un fort aux fourches de l'Ohio et favoriser une union des colonies qui mît celles-ci à même de résister aux offensives canadiennes. [38]

En octobre 1754, désireux de dissiper la mauvaise impression qui résulte d'une récente « indiscrétion » du War Office, — car le ministère de la Guerre ne reste pas inactif — Newcastle écrit à l'ambassadeur britannique en France, Albemarle, que rien n'est plus « éloigné de la pensée » du cabinet que de plonger la nation dans une guerre. [39] Mais, au même moment, le même Newcastle reproche vivement à la France ses envois « annuels » de troupes en Louisiane et au Canada (le ministère français de la Marine se borne pourtant à combler les vides qui se produisent tous les ans dans les garnisons qu'il y main-

---

[37]   Traité d'Utrecht, *Histoire du Canada par les textes*, 56-59.
[38]   Stanley M. Pargellis, *Lord Loudoun in North America*, 19-22.
[39]   Cité par Julian S. Corbett, *England in the Seven Years' War : A Study in Combined Strategy* (2 vol., Londres, 1907), 1 : 10.

tient), il l'accuse d'envahir en Amérique le domaine de George II et de chasser les Anglais de leurs forts en pleine paix (allusion au fort Du Quesne et au fort Nécessité), de leur ravir le commerce indigène et de jeter en écharpe sur le continent une « chaîne » de postes fortifiés « depuis le Canada jusqu'à l'océan [golfe du Mexique], le long du Mississipi ». [40] Il peut bien nier vouloir la guerre, il ne saurait se défendre aussi aisément de vouloir pour l'empire britannique le centre de l'Amérique du Nord, territoire pour la possession duquel s'allume le conflit. Le pacifique Newcastle est, on le sait, l'homme qui déclarera qu'il vaut mieux accepter le combat que de laisser les provinces américaines se rétrécir au point de ne plus constituer qu'une lisière en bordure de l'Atlantique. En somme, pour peu qu'on y regarde de près, on a peine à saisir plus qu'une nuance entre sa véritable pensée et celle qu'exprime, le 5 octobre 1755, un collaborateur du *Westminster Journal*, selon qui une rupture avec la France se révèle « inévitable » à moins que les Français ne se replient sur le Canada, ne « fassent ample réparation des dommages qu'ils ont causés aux sujets américains de Sa Majesté » et n'abandonnent enfin toutes leurs prétentions sur l'Acadie. [41]

Que les Canadiens se retirent sur le Saint-Laurent, et la Nouvelle-France ne devient qu'un souvenir ou qu'une aspiration manquée. C'est en réalité ce que désire le monde britannique. C'est ce que, confusément, il désire depuis 1713. Quelle fin poursuivaient en Amérique les auteurs du traité d'Utrecht ? L'élargissement de la base économique et territoriale des provinces britanniques : expansion qu'eût rendue illusoire un Canada qui aurait conservé des rapports avec la Louisiane. Eh bien ! assure un Anglais en 1755, l'articulation de la Louisiane au Canada par la voie du Centre-Ouest, voilà précisément à quoi la politique américaine de la France est axée à compter de 1712. [42] Vers 1720, affirme bientôt un historien, le « plan d'usurpation » des Français devient manifeste et commence à se réaliser méthodiquement, « au mépris du traité d'Utrecht » et des « concessions solennelles » que la France y avait faites à la Grande-Bretagne. [43] Réflexion après coup ? Que non pas. Effectivement, en 1720, un rapport du Board of Trade and Plantations attire l'attention du ministère sur « la grande habileté » avec laquelle les Français s'emploient à ouvrir une communication entre le bassin du Saint-Laurent et la vallée du Mississipi, à faire

40 Cité par Evan Charteris, *William Augustus Duke of Cumberland*, 118.
41 Article reproduit par la *Maryland Gazette*, 6 février 1755.
42 *London Magazine* (décembre 1755), 622.
43 Entick, 1 : 16.

entrer les tribus indigènes sous leur dépendance, en un mot à se constituer « un empire universel en Amérique ». [44] Le manège des Français, observe un autre historien contemporain, ne suscita d'inquiétude grave que du jour où les Canadiens parvinrent à s'emparer des Iroquois, Indiens « reconnus par le traité d'Utrecht comme les alliés de la Grande-Bretagne ». [45] Telles sont les idées qui ont cours en Angleterre, non seulement dans le public, mais aussi au ministère. Dans les premiers jours de janvier 1755, le duc de Mirepoix rend compte à Rouillé des propos que lui a tenus officiellement le secrétaire d'Etat britannique, Sir Thomas Robinson. Sir Thomas lui a dit que la Grande-Bretagne détient des titres irréfutables à la possession de l'Ohio parce que les Iroquois, « qui y habitent », sont « ses alliés et sujets »; comme, de plus, ces Indiens ont, depuis 1713, « detruit les autres sauvages qui y habitoient avec eux », se sont emparés « de tout le pays » et l'ont « ensuite vendu aux Anglois », ces derniers en sont maintenant les maîtres légitimes « sans que nous [Français] puissions avoir aucun droit de les y troubler ». [46]

Autrement dit, le monde britannique ne pouvait pas admettre l'existence de la Nouvelle-France : à ses yeux, celle-ci s'identifiait à une volonté française « d'empire universel en Amérique ». Louis XV, déclarait le *Westminster Journal* du 21 septembre 1754, reprend le vieux rêve de Louis XIV : étendre sa domination depuis les bouches du Mississipi jusqu'aux rivages de la baie d'Hudson. [47] Traduisons : la France ne veut pas lâcher le centre du continent. L'accord international de 1713 lui avait laissé le Canada (et aussi la Louisiane, qui ne comptait guère : elle avait alors à peine plus de 200 habitants). Les Anglais n'avaient pas cru indispensable de s'en saisir parce que les dispositions du traité suffisaient à assurer la sécurité et le développement économique de leurs colonies. Que demander de plus ? Que pouvaient demander de plus les Anglais de 1754 ? Des fourrures ? Ils en tiraient de la baie d'Hudson, et c'étaient les plus belles du monde. Du territoire ? Ils en possédaient assez. Ils n'avaient, en vérité, aucun intérêt à vouloir une guerre. Ils n'eussent rien souhaité de plus que de mettre fin d'une manière ou d'une autre aux petites hostilités qui dérangeaient leurs lointaines colonies. Mais à une condition, disait

---

[44] Cité par Gerald S. Graham, *Canada : A Short History* (Londres, 1950), 55s.
[45] *An Impartial History of the Late Glorious War, from it's Commencement to it's Conclusion* (Londres, 1769), 2-3.
[46] Lettre du 16 janvier 1755, AE, Correspondance politique, Angleterre, 438 : 19-19v.
[47] Reproduit par le *Boston News-Letter*, 12 décembre 1754.

in mémoire diplomatique de source anglaise : « ...à condition que outes les Possessions en Amerique soient prealablement retablies sur le pié du Traité d'Utrecht confirmé par celui d'aix la chapelle ». [48] Prétentions exorbitantes, protestait-on en France : le roi ne pourrait les reconnaître « sans admettre les Anglois au centre de ses domaines, et leur laisser la facilité de s'emparer ensuite de la Louisiane ou du Canada ». [49] Et les Canadiens se répandaient dans le pays de l'Ohio, où ils éconduisaient les Britanniques à coups de fusil. En 1713, Louis XIV avait mangé des raisins verts; c'étaient eux qui, maintenant, grinçaient des dents. Ils étaient ainsi placés qu'il leur était interdit de prendre le beau rôle. L'empire britannique, en revanche, pouvait l'assumer : il se défendait...

Se défendre, les provinces américaines ne sauraient y réussir sans aide, observe à la fin de septembre 1754 une dépêche de Londres : la métropole a le devoir d'intervenir; il faudrait qu'elle fît passer en Virginie deux ou trois régiments. [50] Pourquoi se gênerait-elle ? Le gouvernement de Louis XV fait bien davantage : il y aurait actuellement au Canada 11,000 soldats français, rapporte à la mi-octobre une autre dépêche de Londres, sans compter plusieurs ingénieurs de talent et une « formidable » armée indigène, d'une fidélité éprouvée à l'égard des Canadiens. Ces derniers, poursuit la nouvelle, « ne parlent que d'ouvrir une communication ininterrompue entre leur pays et le Mississipi par l'érection d'une chaîne de forts derrière nos établissements ». [51] Serait-ce l'effet du hasard ? Au même moment, le ministère décide d'expédier deux régiments en Amérique. Il s'agit de deux unités d'infanterie, fortes de 500 hommes chacune, qui seront portées à 700 soldats en y incorporant des recrues coloniales. Deux autres régiments provinciaux de mille hommes devront aussi être mis sur pied. [52] Ces éléments, souligne à la mi-novembre un mémoire qui passa entre les mains du duc de Cumberland, auront pour tâche de « *recouvrer* les territoires appartenant aux colonies et aux sujets » de George II, d'en « déloger » les Français qui s'y sont fortifiés « de la façon la plus injuste et la plus contraire aux traités solennels qui existent entre les deux couronnes de France et de Grande-Bretagne » et d'en « assurer pour l'avenir la juste possession aux sujets et aux alliés de Sa Majes-

---

48 [Sans titre], AC, C 11A, 101 : 363v.
49 Rouillé à Mirepoix, 3 février 1755, AE, Correspondance politique, Angleterre, 101 : 363v.
50 *The Maryland Gazette*, 9 janvier 1755.
51 *Ibid.*, 2 janvier 1755.
52 Robinson aux gouverneurs de l'Amérique du Nord, 26 octobre 1754, A & WI, 605.

té ». [53] A la tête des expéditions projetées, le gouvernement a nommé, dès le 24 septembre, le major général Edward Braddock. [54]

Envoyer des régiments, nommer un commandant en chef, c'étaient là des décisions graves. C'étaient aussi, à certains égards, des demi-mesures. Concrètement, ces dispositions n'ajoutaient que des moyens limités à ceux que possédait déjà l'Amérique britannique. Même décoré du titre de généralissime et pourvu d'instructions ambitieuses, Braddock restait un général presque sans armée. En fin de compte, ses effectifs allaient se réduire à sept régiments : le 40e (Hopson), le 45e (Warburton), le 47e (Lascelles), le 44e (Halkett), le 48e (Dunbar), le 50e (Shirley) et le 51e (Pepperrell). Les trois premiers formaient la garnison permanente de la Nouvelle-Ecosse, où ils s'engageaient dans une besogne qui dépasserait leur force. Les deux derniers, licenciés en 1748, devaient être reconstitués; ce n'étaient d'ailleurs que des unités provinciales. Quant au 44e et au 48e, ils représentaient les seuls éléments nouveaux; ils ne comptaient que 500 hommes chacun, et il faudrait en remplir les cadres en puisant dans les ressources humaines des colonies. [55] En réalité, le gouvernement anglais se bornait à faire passer 1,000 hommes au Nouveau Monde. Sans refuser son aide, il la réduisait au minimum.

Les dimensions modestes de ce contingent trahissent une étrange confusion dans l'esprit des Anglais. D'une part, les dirigeants et la partie la plus éclairée de l'opinion comprennent, en gros, la valeur de l'Amérique. Ils savent qu'il faut empêcher la France d'y nuire au développement des établissements britanniques. « Je prends la liberté de l'affirmer, et c'est là ma ferme conviction, il serait moins préjudiciable à notre nation de permettre aux Français de conquérir les Flandres et la Hollande que de les laisser s'approprier les ports de la Nouvelle-Ecosse et de la Nouvelle-Angleterre ainsi que les contrées qui s'étendent derrière nos colonies, entre le Mississipi et le fleuve du Canada [Saint-Laurent]. » Ainsi s'exprime un observateur anglais au printemps de 1755. [56] Il eût été difficile de souligner avec plus de vigueur l'importance de la frontière américaine de la Grande-Bretagne. Celle-ci attache une valeur énorme à l'hégémonie qu'elle exerce au Nouveau Monde. Concrètement, la prépondérance incontestée qu'elle

[53] « Sketch for the Operations in North America, » 16 novembre 1754, Stanley M. Pargellis, éd., Military Affairs in North America, 45.
[54] Instructions à Braddock du 25 novembre 1754, article 1er, A & WI, 604.
[55] Stanley M. Pargellis, Lord Loudoun in North America, 31s.
[56] Lettre de « Geo. Burrington », Londres, 27 mars 1755, reproduite dans la New-York Gazette, 16 juin 1755.

désire à tout prix maintenir exige que la Nouvelle-Ecosse englobe un immense territoire et que, de plus, rien ne puisse porter atteinte à la sécurité et à la croissance normale de ses établissements intérieurs, ce qui comporte à ses yeux la nécessité de posséder le lac Champlain, le lac Ontario et l'Ohio. En d'autres termes, l'empire britannique ne sera satisfait, il ne se sentira tranquille que le jour où sa supériorité sera devenue absolument inviolable sur le continent américain; il n'atteindra cet objectif inavoué que lorsqu'il aura fait reculer les Canadiens sur le Saint-Laurent. Il a le sentiment obscur que la maîtrise de l'Amérique est indivisible. La voyant remise en question, il veut la conserver et l'affermir.

D'autre part, l'attitude officielle du ministère est nettement défensive. Dans l'ensemble, l'opinion ne paraît guère plus disposée que les gouvernants à une guerre de conquête. C'est contre les « empiétements », contre les « acquisitions injustes » de la France que le ministère et le public s'élèvent avec la meilleure conscience du monde. Il est vrai que, coupée de ses « empiétements », la Nouvelle-France n'est plus viable et qu'arraché aux cadres de la Nouvelle-France, le Canada sombre dans l'insignifiance. Il est vrai que la simple défense de ses positions de 1713 suffit à l'Angleterre pour tenir l'Amérique à sa merci. Il est vrai que la Grande-Bretagne veut par-dessus tout éviter que l'Amérique française ne réduise l'Amérique britannique à la condition dans laquelle l'Amérique britannique entend jeter l'Amérique française. Mais, parce que tout cela va sans dire, les Britanniques ne le disent pas. Il vaudrait toutefois mieux pour eux que leurs vrais buts de guerre — ceux auxquels ils aboutiront, du reste, — fussent dès le début plus explicites. Leur action y gagnerait en cohérence.

Malgré la tendance générale de l'opinion, il se rencontre en Angleterre certains esprits assez précis pour aller droit au cœur du débat qui s'engage entre les deux grandes puissances impériales et donner à leurs compatriotes de salutaires avertissements. L'auteur d'une brochure publiée avant la fin de 1754 préconise franchement une offensive générale contre l'Amérique française. Il expose son plan en détail : dépêcher au Nouveau Monde 6,000 soldats anglais, y lever 14,000 provinciaux et envoyer une flotte assiéger Québec. Il suffirait, prévoit-il, d'une campagne de sept mois pour subjuguer le Canada et réduire les postes français de l'Ouest. Il aligne ses chiffres et calcule qu'il en coûterait au royaume moins de £800,000 pour mener à bien cette entreprise décisive. Cette somme, fait-il remarquer, est une « bagatelle » en comparaison des subsides que l'Angleterre prodigue aux cours étrangères « sous prétexte de maintenir l'équilibre européen ».

Il assure : « Cet équilibre européen s'établira inévitablement au bénéfice de la puissance qui possédera le continent nord-américain ... La
base s'en trouve réellement en Amérique, et non pas en Europe. »
Voilà un homme qui raisonne avec une rigueur admirable. Si justes
soient-elles, ses vues supposent cependant que la Grande-Bretagne
veuille bien se dégager de la doctrine défensive dans laquelle elle commence à s'embourber, qu'elle devienne consciente de la fin véritable
qu'elle poursuit sans oser se l'avouer — dépouiller le rival français
de son empire américain — et qu'elle prenne sans détours les moyens
les plus rapides de l'atteindre. Plutôt que de viser à refouler les Français dans les limites de leurs colonies, il faut, proclame-t-il, s'appliquer
à les expulser de l'Amérique : « Car s'efforcer de les faire rentrer
dans leurs territoires, ce sera nous exposer à des dépenses dix fois plus
grandes que celles que nous pourrions nous contenter de faire maintenant pour venir à bout de notre affaire, sans compter que, durant
tout ce temps-là, notre commerce américain ne cesserait de décliner. » [57]

Pour déjouer les projets ambitieux des Américains français, dira
bientôt un autre publiciste, les Britanniques peuvent choisir entre deux
« méthodes » : il leur est loisible de nettoyer à main armée les territoires que le traité d'Utrecht a attribués aux Anglais ou encore de s'établir eux-mêmes dans les régions qu'ils revendiquent et d'y bâtir des
forteresses. Il précise : « Si nous adoptons la première ligne de conduite, ... nous ne pouvons mieux faire que d'agir comme [les Franco-
Canadiens] agiraient à notre place, c'est-à-dire de prendre leur capitale, Québec, et de mettre tout d'un coup fin à la guerre. Pour commencer, nous devrions balayer tout ce qui est au sud du Saint-Laurent,
y démolir tous les établissements français ! Telle est la méthode la
plus expéditive et la plus efficace : c'est aussi celle qui occasionnera
le moins de dépenses à la. nation. » [58]

Pareilles expressions de clairvoyance sont rares. Ce n'est pas que
les périodiques anglais se montrent avares de commentaires sur la situation américaine. Ils prennent un ton si violent que le ministre
français de la Marine s'en plaint à l'ambassadeur britannique à Versailles. Il n'y gagne rien qu'une leçon, puisqu'il se fait répondre qu'en
Angleterre la presse est libre. [59] Ce que disent les journaux a souvent

---

[57] *A Scheme to Drive the French Out of All the Continent of America* ([s.l.],
1754), 9-17, 19.
[58] *State of the British and French Colonies*, 31.
[59] Albemarle à Robinson [rapportant une entrevue avec Machault], 23 octobre
1754, dans T. C. Pease, éd., *Anglo-French Boundary Disputes in the West, 1749-1763*
(Springfield, [1936]), 56.

plus de rime que de raison. C'est ainsi qu'on peut lire dans le *West-minster Journal* :

> The Brave shou'd fight; but for the Fops of France,
> 'Tis theirs to *cook*, to *taylorize* and *dance*. [60]

Si semblables propos sont négligeables, d'autres valent d'être retenus. Ainsi, le *Gentleman's Magazine* analyse les conséquences de la suprématie navale de l'Angleterre. Celle-ci, conclut-il, n'est vraiment pas dans le cas d'encaisser avec résignation les « insultes » de la France. Elle perd un temps précieux en pourparlers oiseux. Elle ferait mieux, puisque rien ne lui manque pour cela, de lancer de vigoureuses opérations navales : « Sur mer, nous sommes en état de faire la guerre aux Français jusqu'au jour où il ne leur restera plus une seule unité militaire ni un seul navire marchand. Il n'est que de commencer à temps. » [61] L'auteur de ces lignes a une idée derrière la tête : la destruction de la flotte française entraînerait celle du commerce et des colonies de la France; c'est alors que l'Angleterre n'aurait plus à redouter ni concurrence économique ni rivalité impériale. Aux yeux de la plupart des Anglais, qu'est-ce qu'un empire ? Une gigantesque entreprise commerciale au service de la puissance nationale. Quand il aborde ce thème, le *Westminster Journal* s'élève au lyrisme : « Combien puissante, combien auguste, combien magnifique, combien riche l'Angleterre est devenue grâce au rendement de ses établissements américains ! Ne mettra-t-elle pas en œuvre toute sa force, toute son autorité, toute sa richesse pour soutenir de si désirables possessions ? » [62] Pour l'Angleterre, enchaîne un autre, perdre ses colonies américaines, c'est perdre son commerce, et perdre son commerce, c'est se livrer à la France; car l'indépendance des nations repose à la fois sur leur richesse et sur leur puissance. [63] Imbu des mêmes principes, le *Daily Advertiser* de Londres conseille de faire au Canada une guerre économique : le meilleur moyen d'abattre ce pays, dit-il, c'est de lui enlever son commerce vital, la traite des fourrures; ensuite, il s'effondrera de lui-même. [64] (Les Canadiens ne le savent que trop; c'est même pour ce motif qu'ils tiennent tant à la conservation de la Nouvelle-France, base territoriale de l'économie qu'ils ont édifiée.) Revenant sur

---

[60] Reproduit dans le *Boston News-Letter*, 12 décembre 1754.
[61] Reproduit dans le *Boston News-Letter*, 5 décembre 1754, et dans la *Maryland Gazette*, 12 décembre 1754.
[62] Article du 5 octobre 1754, reproduit dans le *Boston News-Letter*, 26 décembre 1754.
[63] Cité par le *Boston News-Letter*, 23 janvier 1755.
[64] 2 novembre 1754; reproduit dans la *Pennsylvania Gazette*, 4 février 1755.

le passé, le *St. James Chronicle* rappellera en 1761 : « Nous commen-
çâmes à faire la guerre pour maintenir nos possessions et prévenir la
ruine entière de notre Commerce de l'Amérique septentrionale. » [65]

Cette conception économique de l'empire était pourtant étriquée.
Les cadres de la formule mercantiliste dont elle était une manifestation se révélaient dès lors trop étroits, trop fragiles aussi, pour contenir
l'extraordinaire destinée de l'Amérique britannique. Les hommes d'affaires anglais dont les convictions inspiraient l'action de l'Etat et les
réactions du grand public n'avaient certes pas tort de voir dans les
colonies un fabuleux marché ouvert à l'industrie métropolitaine. Mais
ils n'avaient pas raison de n'y voir que cela. Ce qui se créait dans le
nouveau continent, c'était en réalité une seconde Angleterre, capable
de soutenir un jour la première et — perspective moins agréable pour
le vieux pays — d'en prendre l'éventuelle succession. Il y avait là la
chance d'un épanouissement immense — et l'occasion de terribles malentendus. Malentendus qui ne tarderont pas à percer. Dès les années
1760, une fois le Canada éliminé, l'Amérique britannique affirmera
un impérialisme moins traditionnel et plus intelligent que celui de
toute une partie de l'opinion métropolitaine; et les esprits arriérés
combattront ces idées neuves au nom des mêmes principes mercantilistes qui, en 1754, auront amené la puissante classe des négociants à
exiger de la nation-mère qu'elle se porte au secours des provinces
d'outre-mer. Pour l'instant, parce qu'il faut courir au plus pressé, on
ne saurait voir aussi loin. Une Amérique affaiblie par les Franco-Canadiens n'offrirait plus qu'un marché rétréci. Il faut se hâter de conjurer ce péril. Et, comme une irruption française dans les Flandres
affecterait moins directement, croit-on, la finance et le commerce anglais qu'une contraction subite du pouvoir d'achat du Nouveau Monde,
le sentiment se répand que l'Angleterre doit faire taire ses soucis européens, renvoyer au second plan les inquiétudes hanovriennes de la
monarchie et imprimer à sa politique une orientation plus américaine.

Il est toutefois difficile d'échapper à l'impression qu'il existe une
certaine disproportion entre l'élan que prend le monde britannique et
le bond qu'il se propose de faire. « L'expédition à destination de la
Virginie se prépare avec beaucoup de vigueur, annonce une dépêche
de Londres, le 1er décembre 1754; une partie des troupes sont déjà
embarquées, le reste montera à bord des vaisseaux d'ici une semaine.
Nous avons bon espoir que le contingent arrivera à temps pour protéger nos précieux établissements d'Amérique. » Puis la nouvelle fait

---

[65] Article traduit dans AC, C 11A, 105 : 314-314v.

allusion à l'offensive coloniale qui s'était terminée en 1745 par la prise de Louisbourg : « Les Américains sont hommes à agir avec entrain, on l'a bien vu quand ils se sont emparés du Cap-Breton. » [66] Que veulent donc les Anglais ? Attaquer ? Se défendre ? Ils prennent une attitude trop agressive pour organiser une simple défense. Ils mobilisent trop peu de moyens pour mettre sur pied une attaque de grande envergure. Munis à la fois de profondes raisons de se battre et de bons prétextes de guerre, ils mettent de l'avant ceux-ci en pensant à celles-là. Ils se prennent eux-mêmes à ce jeu.

*

* *

Jeu dangereux, l'année 1755 va le prouver.

Cette confusion entre ce que les Anglais veulent et ce qu'ils professent vouloir se traduit par un flottement dans l'opinion publique et par un désaccord irritant entre celle-ci et le gouvernement. L'empire britannique veut la guerre. « La guerre avec la France, écrit à la mi-février un habitant de Liverpool, fait le sujet des conversations. De part et d'autre, les préparatifs s'accélèrent. » [67] L'Europe prend peur. Rien peut-être n'exprime mieux ses craintes que le ton rassurant qu'affecte le *Mercure* de La Haye. Tout, raisonne le *Mercure*, pouvait faire appréhender un conflit en 1754. L'année s'est cependant écoulée sans que la catastrophe se soit produite : « Qu'êtes vous devenües, effrayantes et Chimériques conjectures de nos Spéculatifs, qui sembliez voir tout en armes, & le feu de la Guerre tout prêt à se ralumer en Europe ? ... L'Imagination vous avoit fait naître; la Verité vous a detruites. » Tout s'arrangera, le gouvernement de Louis XV aboutira bien à quelque « accommodement » avec celui de George II. [68] Un mois plus tard, avec un tremblement tout à fait perceptible dans la voix, la même revue assure que les « flatteuses espérances » de paix se fortifient : « Il s'en faut, en effet, de beaucoup, que les choses ayent eté poussées... au point d'en venir absolument à une rupture ouverte. » [69]

C'est ce qui enrage les Anglais. Le ministère a beau mettre la flotte en état et presser fiévreusement l'enrôlement forcé des matelots, l'opinion estime qu'il ne va pas assez vite en besogne; elle blâme « l'iner-

---

[66] *The New-York Mercury*, 3 février 1755.
[67] *The Boston News-Letter*, 24 avril 1755. Voir *London Magazine* (février 1755), 94.
[68] *Mercure historique de La Haye*, 138 (janvier 1755) : 3, 94.
[69] *Ibid.* (février 1755) : 166.

tie et l'inattention inexplicables des hommes au pouvoir » et les accuse de ne rien faire pour empêcher « la conquête de nos colonies américaines ou, ce qui revient à peu près au même, leur destruction, en permettant qu'elles deviennent un théâtre de guerre et de désolation ». [70] Il paraît tout à coup à Londres des brochures qui soulignent la « sagesse » de la politique coloniale de la France. A force de vigilance, disent-elles, la France parvient à mettre ses possessions en mesure non seulement de se défendre mais même d'être « formidables » aux colonies qui les avoisinent, alors que la Grande-Bretagne néglige son empire. De l'impéritie anglaise, concluent-elles, résultent deux conséquences également néfastes : d'un côté, les provinces transatlantiques restent exposées aux coups que peuvent leur porter des collectivités moins peuplées qu'elles, mais supérieurement organisées; de l'autre, le monde britannique risque de perdre de vue « les rapports et l'interdépendance » qui doivent relier les colonies à la métropole, ce qui prépare le terrain à des conflits d'intérêts au sein même de l'empire. [71]

En mars, le *Mercure* de La Haye cesse de faire parade d'optimisme. Il publie une lettre de Londres dans laquelle percent l'impatience et la colère des Anglais : la France ne leur a toujours pas donné satisfaction au Nouveau Monde; or ils insistent de plus belle pour que les choses y soient remises « sur le pié qu'elles doivent être en vertu de divers Traités ». Les Français se plieront-ils à cette exigence ? Rien de plus improbable : « Ainsi il n'y a que la voye des Armes qui puisse decider. » [72] Vers le même temps, un collaborateur du *Daily Advertiser* de Londres proclame : « J'aime à croire que, dans tous les territoires britanniques, il n'y a pas un seul homme sensé et bien renseigné qui ne soit convaincu que la paix avec la France est à présent incompatible avec l'honneur et l'intérêt de la Grande-Bretagne. » Il est grandement temps de passer aux actes. Que faire ? Déposer un gros corps d'armée métropolitain à New-York et, de là, le transporter à Albany pour lui faire enlever ensuite toutes les agglomérations du Saint-Laurent; ce serait une affaire de « trois ou quatre mois ». [73]

Ce n'est cependant pas là, semble-t-il, le projet qui recueille le plus d'adhésions. Beaucoup souhaiteraient plutôt une guerre navale.

---

[70] « London. Copy of a Letter from a Gentleman in the Country, » *The Maryland Gazette*, 23 janvier 1755.
[71] *A Miscellaneous Essay Concerning the Courses Pursued by Great Britain in the Affairs of Her Colonies* (Londres, 1755), 18s, 121s; *The Wisdom and Policy of the French in the Construction of Their Great Offices* (Londres, 1755), 83s.
[72] *Mercure historique de La Haye*, 138 (1755) : 321s.
[73] Reproduit par la *New-York Gazette* du 23 juin 1755.

« L'Océan est notre élément », s'écrie un journal anglais. Puissance continentale, raisonne-t-il, la France peut écraser la Grande-Bretagne sur les champs de bataille. Mais pourquoi lui donner le choix des armes ? C'est sur mer qu'il faut l'attaquer.[74] Quand, à la fin de l'été, le gouvernement aura autorisé ses flottes à pourchasser partout les navires français, l'Angleterre ne se tiendra plus de joie. Quelle heureuse décision ! A quoi l'attribuer ? « On nous apprend, porte une dépêche de Londres, que le spectre d'Oliver Cromwell a fait apparition près de Whitehall et que sur son conseil, on s'est résolu à prendre tous les bâtiments de France que nos vaisseaux trouveront sur leur route. » Et on les gardera en otage tant que la France ne se sera pas conformée à tous les articles du traité d'Utrecht.[75]

Il n'est vraiment pas indispensable de ressusciter les morts pour expliquer une stratégie à première vue si étonnante. Une guerre coloniale appelle une guerre maritime. La maîtrise de la mer comporte celle de l'Amérique du Nord comme l'hégémonie du Nouveau Monde est conditionnée par la suprématie navale. Tout se tient. En contenant les possessions américaines de l'Angleterre derrière « la prétendue frontière naturelle des Apalaches », souligne un journal anglais, les Français s'efforcent d'exclure les Britanniques d'une immense contrée qui, dans le prolongement de la seule Caroline, couvre une superficie de 90,000 milles carrés. S'ils y parviennent, ils se soumettront toutes les tribus du continent, réuniront en leurs mains toute la traite des fourrures, isoleront les collectivités anglaises et, « en peu de temps », seront en mesure de les anéantir. « Alors, adieu, nos colonies des Antilles et, en vérité, adieu, notre commerce ! » La France verra grandir sa marine à proportion de son trafic; les « forteresses flottantes » de la Grande-Bretagne disparaîtront des océans, et, « au lieu de la vraie religion, de la liberté et de l'abondance, la superstition et la tyrannie, la faim et la nudité, les chaînes et les sabots de bois, voilà quel sera le lot des Anglais ». Le destin de ceux-ci est en jeu. Il est lié au sort de leur commerce qui est lui-même lié au sort de « l'Empire britannique ». « L'opulence, la grandeur et la dignité » de la nation dans le monde tiennent donc à l'intensité de ses échanges, car c'est grâce à sa richesse, conséquence de son activité économique, que l'Angleterre peut « humilier l'orgueil des tyrans de la terre... et libérer les nations ».[76]

---

74 Reproduit par la *Maryland Gazette* du 13 mars 1755.
75 Nouvelle du 4 septembre, *The New-York Mercury*, 3 novembre 1755.
76 Dépêche de Londres, 22 mai 1755, *The New-York Gazette*, 11 août 1755.

Les principes traditionnels du mercantilisme ajoutent du poids à ce raisonnement. On calcule, rappelle un publiciste anglais, que les colonies achètent le tiers des produits ouvrés de la Grande-Bretagne, circulation de richesses qui emploie 30,000 matelots. Et ce n'est encore là qu'un brillant début. Que l'Angleterre perde ce débouché, tandis que la France s'en constituera un semblable: on verra la première sombrer graduellement dans la « décadence », alors que la seconde sera peu à peu « exaltée ». Sur ce plan, la lutte est d'ores et déjà engagée entre les deux puissances coloniales. L'enjeu en est la première place dans le monde. Un tel conflit est-il susceptible d'un « règlement pacifique » ? Tout compromis ne ferait qu'ajourner l'inévitable épreuve de force. « Que notre nation se serve vigoureusement de ses ressources et de ses richesses », et la France s'en verra abaissée non seulement en Amérique, mais partout. [77] Les journaux ne se lassent pas de ces arguments. Ils s'appliquent à souligner les rapports qui existent entre la sécurité de la métropole et sa flotte, entre sa flotte et son commerce, entre son commerce et l'extraordinaire marché américain: « Qui possédera nos colonies d'Amérique possédera la prédominance dans l'Atlantique, par où passe le commerce des Indes orientales et occidentales. » [78] On ne saurait acheter trop cher cette hégémonie, qui doit être l'œuvre de la marine de guerre : « Il faut que nous soyons les maîtres de toutes les mers et que toutes les nations saluent notre drapeau. » [79] Devant cet objectif grandiose, les intérêts locaux — serait-ce une allusion aux domaines européens de George II ? — et toutes les vues personnelles n'ont qu'à s'éclipser: le bien commun des colonies rejoint les aspirations supérieures du royaume. [80] Le *Daily Advertiser* de Londres se plaît à saluer l'union de la lance, du bouclier et du trident: « Mars, Minerve et Neptune ont rallié notre flotte pour servir le génie de la Grande-Bretagne et porter son tonnerre, sa terreur, sa vengeance sur toute la terre. » [81]

Mais si vraiment la France élabore sa politique coloniale avec toute la « sagesse » que lui attribuent les brochures publiées à Londres sur les entrefaites, ne verra-t-elle pas venir les coups et ne prendra-t-elle pas les moyens de les parer ? Là-dessus, les Anglais ne s'entendent pas. Dans les premiers mois de 1755, ils savent que le gouvernement de Louis XV prépare à Brest un armement considérable. L'Europe entière

[77] Lettre de « Geo. Burrington », Londres, 27 mars 1755, *The New-York Gazette*, 16 juin 1755.
[78] Londres, 4 décembre 1755, *The New-York Gazette*, 22 mars 1756.
[79] Communication de Londres, *The Boston News-Letter*, 29 janvier 1756.
[80] « From a late English Paper », *The Pennsylvania Gazette*, 17 juillet 1755.
[81] Reproduit par *The Boston Gazette*, 30 octobre 1755.

tourne les yeux du côté de ce grand port. En février, le *Mercure*
de La Haye rapporte même qu'à la vue de la singulière activité qui
s'y déploie, « il se trouve un grand nombre de gens qui se sont formé
l'idée d'une rupture, & d'une guerre » entre la France et l'Angleterre
dans « les Colonies de l'Amérique ». [82] A la bonne heure ! riposte
le *London Magazine :* plus les Français mettront de navires à la mer,
plus ils donneront aux Anglais d'occasions d'en disperser, d'en capturer, d'en couler. La France n'est pas à craindre sur l'océan. Seules, ses
armées sont redoutables. Il suffit de ne pas se laisser prendre aux manœuvres qu'elle ne manquera pas de concerter en vue d'attirer la
Grande-Bretagne dans une guerre continentale. [83]

Louis XV, pensent d'autres, ne veut pas la guerre, il ne fera pas
grand-chose pour le Canada, qui est trop faible pour se défendre. Une
lettre de Paris, publiée à New-York à la fin de mars 1755, se fait
l'écho des inquiétudes qui s'expriment, à l'en croire, dans les milieux
politiques de France. On y tiendrait à peu près les propos suivants :
attaquée, la Nouvelle-France ne saurait se maintenir sans d'importants secours d'Europe. Conserver des positions militaires entre la Louisiane et le Canada n'est pas une mince affaire, et il est sûr que les Canadiens ne peuvent pas y suffire. Au surplus, quand ils y parviendraient,
qu'est-ce que la France y gagnerait? L'objet des colonies est de mettre en
culture de riches contrées, de donner lieu à de grands peuplements et
d'offrir à la métropole les fruits du travail des colons. Les Anglais d'A-
mérique sont assez nombreux pour exécuter ce beau programme. Mais
les Canadiens ? « A vouloir s'y prendre trop tôt, ils n'y réussiront jamais. » [84] Ainsi, l'opinion des éléments anticoloniaux de Paris favorise
les ambitions anglaises et augmente la confiance des Américains britanniques. La Cour de France, lira-t-on ailleurs, n'a jamais été plus
embarrassée qu'à présent. La vigueur de la politique anglaise la prend
au dépourvu. Elle n'est pas prête à s'engager dans un conflit: si elle
déclare la guerre, une défaite certaine la guette; si elle ne la déclare
pas, elle sombrera dans le mépris, « et elle peut s'attendre à se faire
insulter par les petits Etats d'Alger, de Tripoli ou de Tunis ». [85]

La guerre serait-elle donc inévitable ? A la réflexion, il semble
impossible d'en douter. Mais un conflit purement colonial peut se
développer sans provoquer un conflit mondial. Les hostilités peuvent
se poursuivre en Amérique sans transformer l'Europe en champ de

82 *Mercure historique de La Haye,* 138 (1755) : 164.
83 *London Magazine* (mars 1755), 142.
84 *The New-York Mercury,* 31 mars 1755.
85 *The Virginia Gazette,* 10 octobre 1755.

bataille. C'est ce que croit un collaborateur du *London Magazine*, fondé, dit-il, sur des lettres en provenance de Paris. [86] C'est là prévoir une époque de tension internationale où le moindre faux pas risquerait d'amener une rupture entre les grandes puissances. D'autant qu'il s'agit moins, au fond, de rectifier des frontières américaines que de faire passer toute l'Amérique du Nord dans l'empire anglais. « Si les Français pouvaient être chassés du nouveau continent, s'exclame un journal métropolitain, comme nous y emploierions plus d'hommes et de navires ! Comme nous y exporterions, tous les ans, plus de produits manufacturés ! Combien de milliers d'artisans et d'ouvriers en trouveraient du travail supplémentaire ! » [87] En réalité, cette éventualité d'une guerre circonscrite au Nouveau Monde ne saurait être envisagée que par les Anglais: l'équilibre des forces est ainsi établi dans le monde que les Britanniques ont le dessus en Amérique cependant que la France domine l'Europe en raison de sa population massive. La France ne peut que perdre une guerre limitée aux colonies, alors qu'il lui reste possible de sauver ses colonies — du moins, il serait assez naturel qu'elle le pensât — en gagnant une guerre européenne. En d'autres termes, il est aussi vain d'escompter que la France se croisera les bras en Europe au moment où l'Angleterre s'apprête à l'abaisser en Amérique qu'il est illusoire d'imaginer l'Angleterre restant inactive sur mer à l'heure où la France se dispose à lui disputer son hégémonie américaine. La situation est telle qu'il doit en sortir un conflit armé. Et ce conflit sera mondial.

C'est ce que, plus ou moins confusément, comprend le public anglais. Mais les politiciens et les diplomates, soit retard apparent sur le sentiment public, soit souci des convenances internationales, affirment que les mesures qu'ils prennent revêtent seulement un caractère défensif. La Cour de France ne s'y trompe pas. Dès le début de 1755, faisant part à Du Quesne de l'envoi de troupes anglaises en Virginie, le ministre de la Marine le prévient: « Et il faut s'attendre qu'elles agiront, car en supposant même qu'elles ayent effectivement ordre de s'en tenir à la deffensive, les pretentions des Anglois quelqu'injustes qu'elles puissent être leur serviront de pretexte pour vouloir faire regarder toutes les entreprises qu'ils pourront faire dans les endroits contestés comme purement deffensives. » [88] Six semaines plus tard, le ministre met Vaudreuil en garde contre les « prétentions si excessives

---

[86] *London Magazine* (mai 1755), 217.
[87] Reproduit par la *New-York Gazette* du 15 septembre 1755.
[88] Machault à Du Quesne, 17 février 1755, AC, B 101 : 144v.

et si injustes » des Britanniques et lui ordonne d'en user avec eux « de manière qu'il ne puisse pas paroitre l'agresseur, et [de] se borner à prendre toutes les mesures possibles pour être en état de repousser la force par la force », ajoutant toutefois qu'au cas où les adversaires attaqueraient résolument, le nouveau gouverneur ne devrait pas se contenter de se défendre; il lui faudrait alors foncer à son tour et mettre sur pied les opérations « les plus convenables... a la gloire des armes » du roi. [89] Puisqu'elle la veut, l'opinion britannique aura donc sa guerre. Le combat, toutefois, sera plus sanglant et plus long qu'elle ne prévoit.

Pour l'Amérique britannique, les six premiers mois de 1755 sont une époque d'euphorie. Elle se verse déjà le vin capiteux de la victoire. Elle ne saurait douter de son triomphe prochain. Non pas surtout parce qu'elle a le nombre, mais parce qu'elle possède maintenant la certitude que le vieux pays l'appuie. Il commence à lui envoyer des hommes et, mieux encore, il se dispose à lui assurer le concours de sa puissance navale. Le déploiement des forces maritimes de la Grande-Bretagne, note au début de mai un journal new-yorkais, prend — « à l'honneur de notre ministère » — tant d'ampleur que l'on se croirait à l'époque d'Elisabeth et de Cromwell. Ce mouvement se poursuivra tant que la France n'aura pas « démontré la sincérité de ses intentions pacifiques ». Bien plus, en cas de rupture, l'Angleterre fera opérer tout de suite une flotte militaire de 150 voiles. [90] Cette aide n'est pas superflue, les Américains s'en rendent compte. « La même soif de domination, la même ambition déréglée, si remarquable chez les Français d'Europe, apparaissent avec une égale évidence chez les Canadiens. » Ceux-ci, pense un Bostonnais, sont déterminés à s'assurer une position prédominante sur le continent. Bien que peu nombreux, ils exposent les collectivités britanniques à des « périls trop graves pour ne pas en ressentir de l'horreur ». Ils forment un peuple guerrier qui obtient la force au prix de sa liberté: leurs cadres militaires ont un tel développement qu'ils donnent à ce pays ennemi « presque autant de soldats qu'il compte d'hommes ». Aussi faut-il être reconnaissant au gouvernement impérial de se ceindre pour le combat, « témoignage de la vigilance et de la protection paternelles dont nous entoure notre gracieux souverain ». [91]

Les colons américains ont raison de compter sur la Grande-Bretagne. Le 25 mars, George II fait tenir aux Lords et aux Communes un

89   « Instruction Particuliere Pour M. de Vaudreuil sur la Conduite qu'il doit tenir avec les Anglois, » 1er avril 1755, *ibid.*, 165-165v.
90   *The New-York Mercury*, 5 mai 1755.
91   *The Boston News-Letter*, 6 février 1755.

message qui aura en France un grand retentissement. Le monarque y déclare que « la situation présente » nécessite une augmentation de ses armées de terre et de mer en vue de maintenir la paix de l'Europe ainsi que « les justes droits et les possessions de sa couronne en Amérique ». Dès le lendemain, les Communes votent d'enthousiasme des crédits d'un million de livres sterling. Cette mesure va permettre à l'armée de recruter 5,000 hommes de plus et à la marine, 20,000 nouveaux matelots. [92] Les services navals prennent, on le voit, la part du lion. C'est compréhensible. Il y a alors deux mois que le ministère leur a réservé un rôle de premier plan dans les eaux du Nouveau Monde. Dès janvier, le secrétaire d'Etat Robinson a prévenu les gouverneurs d'outre-mer que la métropole leur expédierait une escadre sous les ordres du vice-amiral Edward Boscawen; il les a priés de communiquer à l'officier supérieur tous les renseignements qu'ils pourraient se procurer sur les mouvements des vaisseaux français chargés de matériel de guerre. [93] Tout en renforçant ses défenses américaines, l'Angleterre veut empêcher la Nouvelle-France de recevoir elle-même des secours.

L'empire fait bloc. Menacé quelque part, il se sent partout en danger. Une diminution partielle, il en a l'intuition, se résoudrait en un amoindrissement global. Sa sécurité, dit un Américain, en voilà assez pour « réchauffer le cœur du patriote ». Cet homme ne le sait pourtant que trop, il y a patriotisme et patriotisme; il existe un sentiment local au-dessus duquel il demande aux siens de s'élever. « La grande et importante affaire de l'Ohio », déclare-t-il, il faut la considérer « sous un jour national, non pas en tant que Virginiens, mais en tant que Britanniques » : dans cette perspective, il n'est pas d'obstacle que ne puisse surmonter celui qui sert « la cause de son roi et de son pays ». [94] Le monde anglais est solidaire. « Fils d'Anglais, s'écrie Dinwiddie, montrez à la face de la terre que l'héroïsme et la valeur de nos pères (vertus fameuses dans tout l'univers) animent toujours leurs enfants des pays les plus éloignés. » [95] Une revue européenne recueille le témoignage d'un bourgeois du Massachusetts qui se félicite de ce que le ministère impérial ait consenti à prêter main-forte aux colonies afin d'empêcher la France de prendre la maîtrise du nouveau conti-

---

[92] *Mercure de France* (mars 1755), 189s.
[93] Robinson aux gouverneurs de l'Amérique du Nord, 23 janvier 1755, A & WI, 605.
[94] *The Maryland Gazette*, 29 mai 1755.
[95] *The Maryland Gazette*, 15 mai 1755. Voir le poème publié dans le *Boston News-Letter* du 5 juin 1755.

▪ent et de la mer des Antilles, « car le moment où la France y parvien-
▪rait marquerait le début de la ruine et de la décadence de la *Grande-
▪retagne* ». [96]

A Londres, pendant que Newcastle réarme tout en se montrant
▪isposé à négocier, il s'est constitué dans le gouvernement un parti
▪e la guerre, et ce groupe manœuvre de façon à brusquer les hostilités.
▪l a pour chef le duc de Cumberland, entouré de Henry Fox, de Gran-
▪ille et, bientôt, de William Pitt. Au printemps de 1755, Cumberland
▪ient la vedette. Selon l'expression de l'ambassadeur du roi de Prusse,
▪l « est un de ceux qui échauffent le plus la nation » et, plus que tout
▪utre, il a « empêché que l'accommodement avec la France n'ait eu lieu
▪ur un pied raisonnable ». [97] Le départ du roi, que rien ne peut retenir
▪'aller visiter son cher Hanovre, favorise ses plans. En gros, ceux-ci
▪onsistent à intercepter l'escadre que le gouvernement français se pré-
▪are, de son côté, à dépêcher en Nouvelle-France avec six bataillons,
▪oit 3,000 hommes. Pas plus que ceux de l'Angleterre, les projets de
▪a France n'étaient un secret bien gardé. Dès la fin de janvier, l'ancien
intendant Hocquart connaissait la décision de la Cour : « L'Envoy de
3000 hommes de nos troupes, écrivait-il, n'a pour fin que de nous maintenir dans nos justes possessions. » Fort de sa longue expérience américaine, il se demandait comment des soldats européens « accoutumés
a vivre de pain dans des Camps ou tout abonde, vêtus et chaussez pour
voyager dans des chemins battus, secourus dans les villages et villes
ou ils passent s'ils y tombent malades » pourraient supporter les « fatigues infiniment plus pesantes » qui les attendaient au Nouveau Monde, où « toutes ces ressources leur manqueront ». [98] A la mi-février,
Machault annonçait au marquis Du Quesne que le comte du Bois de
La Motte commanderait la flotte destinée à l'Amérique et déposerait
à Louisbourg deux des six bataillons qui allaient prendre place à bord
de ses navires. [99] Le 10 avril, une dépêche de Brest, que publiera un
journal américain, précise que les bataillons français commencent à
prendre place à bord des navires. Elle note qu'un « prodigieux concours de peuple » vient admirer la flotte de La Motte, « l'une des plus
belles que l'on ait préparées ici depuis le règne de Louis XIV ». [1]

---

96   *Mercure historique de La Haye,* 139 (octobre 1755) : 464.
97   Rapport du 15 avril 1755, cité par Albert von Ruville, *William Pitt, Earl of
Chatham* (3 vol., Londres, 1907), 1 : 355, note 2.
98   Hocquart à ———, 27 janvier 1755, Archives de la Marine [AM], B 4, 68 :
150v.
99   Machault à Du Quesne, 17 mars 1755, AC, B 101 : 145.
1   *The Maryland Gazette,* 26 juin 1755.

De fait, il s'agit, à première vue du moins, d'une escadre impo-
sante. [2] Elle ne compte pas moins de quatorze vaisseaux et de quatre
frégates. Cependant, de ces unités, trois seulement sont « armées en
guerre », c'est-à-dire munies de toute leur artillerie. Armées « en flûte », les autres sont dégarnies du plus grand nombre de leurs canons
pour faire place à des compagnies de soldats et à des munitions. Le
ministère de la Marine a recours à cet expédient pour assurer un passage plus rapide au contingent qu'il destine à la Nouvelle-France :
des navires de guerre sont meilleurs voiliers que des bâtiments de
charge. C'était là gagner du temps, mais au prix de la sécurité des
vaisseaux employés à l'expédition. La tension croissait entre la France
et la Grande-Bretagne. La guerre pouvait éclater d'un moment à l'autre. Et la France exposait une vingtaine de ses navires de combat, la
plupart à peu près désarmés, à une rencontre désastreuse avec l'ennemi. Quelle tentation pour l'Angleterre ! Capturer cette flotte, c'eût
été, pour elle, déclasser sur mer sa rivale dans un seul engagement.
Aussi ne faut-il pas s'étonner que les Anglais n'aient pas voulu laisser
passer pareille occasion. [3] L'escadre de Brest devait mettre à la voile
vers la mi-avril. Elle ne put prendre le large que le 3 mai. Une semaine plus tôt, le vice-amiral Boscawen était lui-même parti de Plymouth avec onze vaisseaux et deux frégates, qu'une division de huit
vaisseaux et d'une frégate, confiée au contre-amiral Holburne, reçut
ordre de rallier le 8 mai. [4] L'Amirauté avait remis à Boscawen des
« instructions secrètes ». Elles le chargeaient de surveiller les routes
maritimes de la France et « de faire de son mieux » pour s'emparer
des vaisseaux de guerre français et de tous les navires transportant des
troupes et du matériel de guerre : « En cas de résistance, poursuivaient-
elles, vous emploierez les moyens dont vous disposerez pour les capturer et les détruire. » [5]

Le matin du 6 juin, dans les parages de Terre-Neuve, du Bois de
La Motte aperçoit un groupe d'une dizaine de voiliers. Comme il lui
en manque à peu près ce nombre, dispersés par les brumes, l'amiral
leur donne le signal de se rapprocher. Pas de réponse. Il faut que ce
soient des Anglais, puisqu'ils ne savent pas se faire entendre du chef.
La brume retombe, masque les mouvements des adversaires. La Motte
en profite pour s'esquiver, heureux d'avoir évité un combat « qui auroit été, avoue-t-il, très desavantageux pour nous, puisque (étant tous

---

[2] « Escadre de M. du Bois de la Mothe chef d'Escadre des armées navalles, » AM,
B 4, 68 : 116.
[3] Corbett, *England in the Seven Years' War*, 1 : 67.
[4] Gipson, 6 : 109.
[5] Corbett, 1 : 45.

rassemblés) nous n'aurions été que trois vaisseaux, au plus, armés en guerre contre dix au moins bien plus forts que les notres ». Pendant qu'une partie de la flotte ennemie aurait manœuvré contre les navires munis de leur artillerie, le reste aurait pris sans difficulté les vaisseaux convertis en transports. [6] Les Britanniques auraient vu tomber entre leurs mains de grands bâtiments, de redoutables bataillons, le nouveau gouverneur général de la Nouvelle-France, Vaudreuil, et le commandant des troupes de terre, Dieskau.

Le lendemain, 7 juin, vers le soir, trois autres vaisseaux français séparés de leurs conserves voguent au large du cap Race, au sud-est de Terre-Neuve. Ce sont l'*Alcide,* capitaine Hocquart, armé en guerre, et deux grosses unités armées en flûte, le *Lys,* percé pour 64 canons, et le *Dauphin royal,* percé pour 74. Avant la tombée de la nuit, ils distinguent dans le lointain les voiliers que La Motte a évités la veille. Le matin du 8, les deux divisions se retrouvent à trois lieues de distance. La mer, se rappellera Hocquart, « étoit unie comme une glace et il ventoit très peu ». A onze heures, Français et Anglais se sont assez rapprochés pour se parler. Aux mouvements des Britanniques, Hocquart comprend qu'ils se préparent à l'attaquer. Il racontera : « Il fallut cependant attendre que [l'adversaire] commençat les actes d'hostilité puisqu'en partant d'Europe il n'y avoit point de guerre déclarée et je sentois toute la conséquence de paroitre l'agresseur, que l'ennemy pourroit s'en prévaloir pour m'accuser d'avoir le premier commencé la guerre et me donner par là le tort dans l'Europe. » Pour en avoir le cœur net, le commandant de l'*Alcide* fait crier par trois fois, en anglais : « *Sommes-nous en paix ou en guerre ?* » — « Nous n'entendons pas », répond le *Dunkirk,* le moins éloigné des voiliers britanniques. Saisissant lui-même le porte-voix, Hocquart demande : « *Sommes-nous en guerre ou en paix ?* » A quoi le capitaine Richard Howe, du *Dunkirk,* réplique « en bon françois », par deux fois : « La paix, la paix. » Riposte « ironique », a-t-on prétendu, à la suite du traître Pichon, pour justifier la grossière duplicité de l'Anglais. [7] La vérité est que l'heure n'était pas aux plaisanteries. Hocquart juge avec amertume que Howe employa cette ruse « sans doute pour m'attaquer avec plus d'avantages ». A peine les voix s'étaient-elles éteintes que le *Dunkirk* dirigeait sur l'*Alcide* une volée de tous ses canons chargés de deux boulets « et mitrailles de toutes espèces ». Quatre autres vaisseaux anglais suivaient dans le sillage du *Dunkirk.* Ils pilonnèrent à

---

[6]   Du Bois de La Motte à Machault, 27 juin 1755, AM, B 4, 68 : 127v-128.
[7]   Gipson, 6 : 11s. — Sur Pichon, consulter John C. Webster, *Thomas Pichon « The Spy of Beauséjour »* ([s. l.], 1937).

leur tour le navire français. Celui-ci avait perdu son gouvernail dès la première bordée. Après avoir prolongé sa résistance durant une heure — quelqu'un dira cinq heures — et s'être fait tuer ou blesser 80 hommes, l'*Alcide,* désemparé, ses manœuvres hachées, dut baisser pavillon. Pendant ce temps, le *Lys,* pris entre le feu de deux assaillants et incapable d'y répondre, se voyait forcé à son tour de se rendre. Le *Dauphin royal,* le meilleur voilier peut-être de la marine française, dut à « la supériorité de sa marche » d'échapper à la poursuite et d'atteindre Louisbourg, où il répandit la nouvelle de la perte des deux vaisseaux qu'il avait accompagnés, « événement qui mettoit au jour le projet des Anglois ». [8]

En France, la Cour ne mit pas de temps à connaître la nouvelle de cette attaque brusquée. Elle savait tout dès le 17 juillet, une semaine avant qu'on n'eût rien appris à Québec. Le ministre de la Marine s'étonnait : « Il n'y a pourtant pas encore de guerre déclarée. » [9] Le gouvernement mit les Parisiens au courant de l'agression « avec cette simplicité laconique qui accompagne toujours ici les mauvaises nouvelles ». [10] Louis XV posa des gestes dramatiques : il envoya au duc de Mirepoix, son ambassadeur à Londres, l'ordre de rentrer en France sans prendre congé. Fait significatif, il rompit en même temps les relations diplomatiques avec le Hanovre. [11] Dramatiques, ces gestes étaient également lourds de sens. Ils laissaient présager non seulement un conflit maritime, mais aussi — perspective infiniment désagréable pour les Anglais — un conflit qui affecterait leurs intérêts sur le continent européen.

Si la France avait été si tôt renseignée sur la capture de l'*Alcide* et du *Lys,* c'est que cette attaque avait tout de suite fait un bruit immense en Angleterre, où elle avait provoqué une explosion d'enthousiasme populaire. Un correspondant londonien du *Mercure* de La Haye mandait que « l'avis » du combat naval causait « beaucoup de joye parmi le peuple, qui en tire un heureux Augure, pour ceux qui pourront s'ensuivre, & qui s'ensuivront immanquablement ». [12] Ce n'était certes pas la prise de deux vaisseaux qui enivrait l'opinion. C'était la perspective d'avoir enfin la guerre maritime qu'elle souhai-

---

[8] « Relation du combat de l'*Alcide* pris par monsieur de Boscawen, » *Collection de Mss.,* 3 : 540-542; [Hocquart], « Relation de ce qui s'est passé à la prise de l'Alcide, » AM, B 4, 68 : 158-159; « Relation No 24, » *ibid.,* 266v-267; *Mercure historique de La Haye,* 139 (août 1755) : 218; *London Magazine* (juillet 1755), 346; *Mercure de France* (août 1755), 253s.
[9] *François Bigot, administrateur français,* 2 : 115, note 63.
[10] *Mercure historique de La Haye,* 139 (août 1755) : 165.
[11] *Mercure de France* (août 1755), 254.
[12] *Mercure historique de La Haye,* 139 (1755) : 117, 120.

tait. Des publicistes avaient beau s'évertuer à répéter que cette agression navale et celles qui la suivirent bientôt n'étaient que l'effet d'une vigoureuse politique défensive et qu'elles devaient tout au plus être regardées comme d'énergiques représailles, [13] de telles arguties ne pouvaient réellement convaincre personne.

L'Amérique ne se méprenait pas sur le sens de cet acte. Un journal du sud publie ce mot d'un observateur de Boston : « Ce combat inaugure sans aucun doute une guerre générale. On rapporte que l'amiral Hawke s'est rendu aux Indes Occidentales, muni d'ordres semblables [à ceux de Boscawen] de la part de notre bon roi. » [14] A Halifax, Lawrence est heureux : heureux du coup de Boscawen, heureux aussi de celui que ses lieutenants viennent de frapper à Beauséjour. [15] Le succès facile de l'amiral n'a précédé que de huit jours la victoire plus facile encore que les Anglais remportent en Acadie. Dès que paraît la nouvelle de cette dernière, des « transports » d'allégresse « gonflent le cœur » de tous ceux que préoccupent « la prospérité de leur pays et les inestimables bienfaits qu'apportent la liberté politique et la religion protestante ». [16] Et l'on attend d'autres triomphes. La division de Holburne rôde en vue de Louisbourg, qui n'ose la saluer de son artillerie, parce que, ricanent les Anglais, « on est en temps de paix ». L'optimisme est à son comble en Nouvelle-Ecosse, dans le New-York, au Maryland. [17] L'avenir est prometteur. On entend bien qu'il s'agit d'un avenir rapproché. « On dit dans cette ville, rapporte une dépêche de Halifax, que les Anglais entreront en possession de Louisbourg d'ici le 1er décembre. » Des officiers de marine engagent même de gros paris sur la date de la capitulation de la forteresse française. [18]

Pendant que les populations britanniques acclament le nom de Boscawen, des membres du cabinet anglais réfléchissent. Lorsqu'ils ont autorisé le vice-amiral à « capturer » et à « détruire » l'escadre de La Motte, ils comptaient bien enlever à la France une vingtaine de grosses unités de combat en profitant de ce qu'elles seraient hors d'état de se battre. Leur intention avait été d'ouvrir le jeu par un coup de partie.

---

[13] *Ibid.*, 455, 564; *The New-York Gazette*, 3 novembre 1755; *London Magazine* (avril 1760), 199; *Observations sur le mémoire de la France... Envoyées dans les cours de l'Europe, par le ministère britannique* (Londres, [1756?]) 6s. (photostat conservé à la Massachusetts Historical Society).

[14] *The Maryland Gazette*, 17 juillet 1755.

[15] Lawrence au Board of Trade and Plantations, 28 juin 1755, BTNS, 15 : H-300.

[16] *The New-York Mercury*, 21 juillet 1755.

[17] Halifax, 26 juillet, *The New-York Gazette*, 11 août 1755; *The Maryland Gazette*, 28 août 1755; « Review of Military Operations, » 91.

[18] *The New-York Mercury*, 13 octobre 1755; *The Maryland Gazette*, 23 octobre 1755.

C'est ce qu'a compris tout de suite l'ambassadeur du roi de Prusse à
Versailles. Les Anglais, a-t-il écrit à son gouvernement au printemps,
« ne manqueront pas » d'infliger à la flotte destinée à la Nouvelle-
France une « défaite » dans laquelle, quant à lui, il voyait déjà « l'époque de la destruction de la marine française, qui ne pourrait se remettre
de cet échec qu'en un grand nombre d'années ». [19] Or loin de démolir
les forces navales de l'adversaire, Boscawen ne les a pas même enta-
mées, tout en plaçant le gouvernement anglais dans une situation aussi
incommode que s'il avait réellement fait du mal à la France; La Motte
rentrera dans la métropole après avoir rempli sa mission, sans avoir
beaucoup souffert. Quand il eut pris connaissance du rapport — fort
vague — envoyé par le vainqueur du 8 juin à lord Anson, le chance-
lier Hardwicke faisait observer à Newcastle : « Nous avons fait trop
ou trop peu. » Au premier lord de l'Amirauté, il avoue : « J'éprouve
beaucoup de souci de ce que nous ayons accompli si peu, puisque nous
nous étions lancés dans l'action... Voilà la guerre commencée ! » [20]
Dans les derniers jours de juin, Dieskau s'étonnait à Québec des « retards » inexplicables de l'*Alcide* et du *Lys*. Il écrivait : « Je ne crois
cependant pas qu'ils soient tombés entre les mains des Anglois, n'etant
pas a presumer que ces derniers ayent voulu rompre La paix pour ne
prendre que deux Vaisseaux. » [21]

Même dans le public anglais, une fois dissipée la première bouf-
fée d'enthousiasme, des observateurs retrouvèrent le sens des proportions. Un journal londonien met ses lecteurs en garde contre un excès
d'optimisme : on aurait tort, souligne-t-il, de se rire des efforts que le
ministère français déploie en vue d'augmenter sa marine. Sans doute
n'est-il pas interdit d'espérer que la flotte anglaise puisse capturer des
navires ennemis à peu près au même rythme que les chantiers français
peuvent en construire, mais la France peut mettre en œuvre assez de
ressources pour prolonger ce jeu presque indéfiniment : à la fin, les
adversaires risquent de se trouver dans la situation familière aux plai-
deurs à l'issue de maints procès, où « celui qui perd sa cause en sort
tout nu, alors que celui qui la gagne n'a plus que sa chemise ». [22] Un
autre publiciste s'en prend au gouvernement : façon typiquement britannique de soulager un accès de spleen politique. A son dire, le cabinet est coupable de « négligence »; il laisse la mer libre aux escadres

---

[19]   Cité (en français) par A. von Ruville, *William Pitt*, 1 : 365, note 1.
[20]   Textes cités par Corbett, *England in the Seven Years' War*, 1 : 58, et par John
Barrow, *The Life of George Anson* (Londres, 1839), 237.
[21]   Dieskau à Argenson, 1er juillet 1755, AG, 3404 : no 175.
[22]   Londres, 7 octobre 1755, *The New-York Mercury*, 8 décembre 1755.

françaises. Celles-ci ne passent-elles pas à volonté au nez des formations anglaises ? On est trop « tendre » pour les navires marchands
de l'ennemi. On laisse à ce dernier toute latitude d'augmenter ses forces navales. En somme, on vient de perdre une année entière, temps
précieux que les Français ont mis à profit pour s'armer et saccager les
frontières sans défense de la Virginie et de la Pennsylvanie. [23]

*

* *

Brusquement, les hostilités se sont déchaînées sur mer. En même
temps, elles s'étendent sur le continent américain avec une rapidité qui
déconcerte les chefs de la Nouvelle-France. Débarqué à Québec le 23
juin, Vaudreuil apprend au début de juillet la prise du fort Beauséjour
sur l'isthme acadien. A ce moment, il est, de plus, au courant de l'offensive qui se prépare à Albany contre le lac Champlain. Il sait enfin
que les Britanniques d'Oswego s'évertuent à renforcer la petite marine
qu'ils maintiennent sur le lac Ontario, ce qui ne laisse pas de l'inquiéter sur le sort de Niagara. Il confie au ministre des Affaires étrangères :
« ... La Colonie est reellement attaquée de toutes parts; Et jamais elle
ne l'avoit eté par de si grandes forces. » Comment aurait-il pu s'attendre à « une guerre si generalle et si vive » en se fondant sur les renseignements que les bureaux lui avaient fournis, avant son départ de
Paris, sur « l'etat de la negociation avec la Cour d'Angleterre » ? Même Du Quesne, avec qui il a conféré quelques jours plus tôt, l'a accueilli en lui assurant qu'il pouvait être « tranquille » et que rien
d'anormal ne s'annonçait. [24] L'ancien gouverneur s'était contenté de
prendre de légères « précautions » dont l'insuffisance saute maintenant
aux yeux. [25] A la vérité, le pays n'est pas prêt à se défendre. [26]
Stupéfié, dépassé par les événements, Du Quesne crie à la trahison.
Il ne fait que d'apprendre, avoue-t-il au commencement de juillet, que
les plans mis en œuvre par l'ennemi sont conformes aux recommandations contenues dans les « lettres de M. le Ch^er Robinson [Sir Thomas

23   Londres, 31 octobre 1755, *The New-York Gazette*, 26 janvier 1756.
24   Vaudreuil à Puyzieulx, 2 juillet 1755, AE, Mémoires et documents, Amérique,
10 : 162-163v.
25   Du Quesne à Machault, 25 juin 1755, H.-R. Casgrain, éd., *Extraits des Archives
des ministères de la Marine et de la Guerre à Paris* (Québec, 1890), 13-17.
26   *François Bigot, administrateur français*, 2 : 113s.

Robinson] Secrétaire d'Etat, ecrites de l'année derniere » aux gouverneurs des colonies britanniques et communiquées par eux aux assemblées provinciales. « Il est bien facheux, récrimine-t-il, que le masque
de la negociation leur ait eté aussy utile pour couvrir tous ces projets. » Il avait espéré laisser la colonie « sinon parfaitement tranquille,
du moins uniquement occupée de deffendre quelques cantons de ses
frontieres », et il lui faut à présent la remettre à son successeur « attaquée jusque dans le sein de ses plus anciens etablissements ». [27] Bigot,
qui avait vu plus loin, manifeste presque autant de surprise que son
collègue. Sans doute, au cours de son récent séjour à Versailles, a-t-il
prévenu les ministres que le véritable objectif des Anglais « etoit de
s'emparer du Canada ». Pourtant, il l'avoue, il ne croyait pas, en partant de France, que les adversaires « dussent en venir tout d'un coup
aux attaques qu'ils font actuellement; Car enfin ils tombent sur nous
de tous côtés et nous voila en pleine guerre sans qu'ils nous l'ayent
declarée ». [28]

Le déploiement militaire devant lequel succombe « l'Acadie française » ne constitue que l'une des quatre offensives que Braddock médite depuis des mois. A vrai dire, lorsqu'il a débarqué en Virginie, vers
la mi-février, le général en chef a trouvé fort avancés les préparatifs
de la campagne combinée par Shirley et Lawrence contre les positions
canadiennes de l'isthme néo-écossais; il n'a eu qu'à approuver. Mais sa
participation a été décisive dans l'élaboration des attaques simultanées
qu'il a bientôt prévues sur les trois fronts de l'Ohio, du lac Ontario et
du lac Champlain. Tout en conservant la direction générale des opérations, il s'est réservé le théâtre de la Belle-Rivière; Shirley évoluera
sur celui de Niagara et Johnson, sur celui de Saint-Frédéric. Shirley
estime discutable cette stratégie. Plutôt que de diviser les éléments britanniques entre l'Ohio et le lac Ontario, il aimerait mieux, si son avis
pouvait prévaloir, que les forces attaquantes fussent réunies contre
Niagara, ce qui n'exclurait pas l'éventualité d'une démonstration contre le fort Du Quesne. Lui qui comprend la structure géographique de
la Nouvelle-France, il sait que l'occupation du lac Ontario couperait
les communications entre Montréal et les postes de l'Ohio, qui, isolés,
crouleraient automatiquement. Là-dessus, Johnson tombe d'accord avec
lui. [29] Mais non pas Braddock. Dès la mi-avril, il est en mesure d'ex-

---

[27]   Du Quesne à Puyzieulx, 3 juillet 1755, AE, Mémoires et documents, Amérique,
10 : 164v-165.
[28]   Bigot à Puyzieulx, 4 juillet 1755, *ibid.*, 166.
[29]   Shirley à Robinson, 24 mars 1755, NYCD, 6 : 942s; *id.* à *id.*, 20 juin 1755,
ibid., 954-957; Johnson à Shirley, 17 mars 1755, *ibid.*, 947. Voir *London Magazine*
(mai 1760), 242.

pédier ses plans à Londres. Même si, soucieux de ne pas affaiblir l'armée Shirley, il lui a fallu réduire les effectifs qu'il se propose de conduire en personne sur l'Ohio, il ne peut s'empêcher de « se flatter du succès » de son expédition. [30] Ses prévisions sont précises comme un horaire : départ d'Alexandria (Virginie), le 20 avril; passage des Alleghanys au début de mai; victoire au fort Du Quesne en juin. [31] Qui serait capable de lui résister ? Sûrement pas les douze cents hommes tout au plus que, selon un traitant de Montréal, le gouvernement canadien aurait envoyés à la Belle-Rivière. [32] Les Britanniques sont forts. Une seule ombre au tableau : l'incompétence notoire de leur commandant en chef. Qu'à cela ne tienne ! N'est-il pas entouré de bons lieutenants ? Un de ses subordonnés craint que ceci ne remédie pas à cela : « C'est une plaisanterie de croire que les seconds du général sauraient remédier à son ineptie. » [33] Naturellement, Braddock lui-même ne doute ni de son talent ni de son triomphe. Il avoue n'entretenir qu'une « appréhension » : que les Franco-Canadiens n'abandonnent leur fort à son approche et ne le fassent sauter avant de fuir; ce serait ennuyeux : il lui faudrait le reconstruire pour y laisser, comme c'est son intention, une garnison de provinciaux tirés du Maryland et de la Virginie. [34] Le gouverneur de cette dernière province partage l'optimisme du généralissime. Vers la fin de juin, il exprime l'espoir que la prochaine dépêche de Braddock sera datée du fort Du Quesne. [35]

Le mois de juin s'écoule, Braddock n'a pas encore atteint l'Ohio. La lenteur de sa marche tient à l'énorme matériel dont il a encombré son armée : une longue file de fourgons serpente à sa suite, et des grands troupeaux pour nourrir la troupe, et surtout un lourd train d'artillerie — « beaucoup plus qu'il n'en faut, remarque après coup un observateur français, pour faire le siége des forts de ce païs ». [36] Ne jouant qu'à coup sûr, il s'est muni de canons de siège et même de massifs canons de marine qu'il a fait détacher d'un vaisseau de ligne, le *Norwich,* amarré aux quais d'Alexandria. Personne ne croyait qu'il pût faire passer ces pièces, aussi formidables par leur pesanteur que par la puissance de leur tir, à travers la forêt et au delà des montagnes,

30 Braddock à Napier, 19 avril 1755, Pargellis, éd., *Military Affairs in North America,* 83.
31 Braddock à Robinson, 19 avril 1755, PRO, CO 5, 46 : 27-28.
32 *The New-York Mercury,* 2 juin 1755.
33 Le capitaine Shirley à Morris, 23 mai 1755, *Pennsylvania Colonial Records,* 6 : 405.
34 Braddock à Morris, 24 mai 1755, *Pennsylvania Colonial Records,* 6 : 399s.
35 Dinwiddie au Board of Trade, 23 juin 1755, Brock, éd., *Records of Dinwiddie,* 2 : 71.
36 « Relation depuis le depart des trouppes de Quebec jusqu'au 30 du mois de 7bre 1755, » AG, 3405 : no 106.

sur un terrain dépourvu de routes carossables et coupé de cours d'eau. [87]
Il y réussit pourtant, mais au prix d'efforts surhumains et au détriment
de la mobilité de son corps. C'est une monstrueuse machine de guerre
qui approche, pouce par pouce, du fort français. Le commandant de ce
dernier, Contrecœur, ne doute pas que, si l'assaillant réussit à se présenter devant la place, il ne soit en état de la pulvériser. Aussi, à compter du début de juin, s'efforce-t-il par tous les moyens d'enrayer l'avance
de la colonne ennemie. Il lance détachement sur détachement avec
mission de la « harceler »; elle chemine avec trop d'ordre pour être
entamée. Il envoie ravager les frontières du Maryland et de la Virginie;
Braddock laisse brûler les agglomérations britanniques. [38] Rien ne saurait le détourner de son objectif. Le 8 juillet, il n'en est qu'à six lieues.

Le lendemain matin, Contrecœur se résigne à une mesure désespérée. Il jettera dans le chemin de l'adversaire « tout ce qu'il peut mettre hors du fort ». Il forme ainsi un détachement de 72 soldats de la
marine, de 146 Canadiens et de 637 Indiens. Il confie l'attaque à Lié-
nard de Beaujeu qui, avant son départ, va « en Confesse et fait Ses
dévotions ». [39] Les indigènes tremblent : « Quoy, mon pere, tu veut
donc mourir, et nous sacrifier ? » Beaujeu les nargue : « Quoy, Laisse-
rés vous aller votre pere seul ? Je suis sur de les vaincre. » [40] Son élan
les entraîne. A huit heures, la petite troupe défile vers la Monongahela. [41] Elle va en disputer le passage aux assaillants. Mais il est trop
tard. La tortue a gagné la course. Les Franco-Canadiens sont en deçà
de la rivière lorsque, vers midi, la tête de leur colonne se heurte aux
éléments avancés de l'ennemi. La surprise est égale de part et d'autre.
Fougueux, Beaujeu fonce le premier, « avec Beaucoup d'audace, mais
sans nulle disposition », dira plus tard Dumas. Un moment disloqués,
les premiers rangs anglais se reforment et tirent trois décharges. A la
troisième Beaujeu est abattu. Dumas prend sa succession au comman-

---

[87] Gipson, 6 : 79.
[38] Contrecoeur à Vaudreuil, 14 juillet 1755, AC, F 3, 14 : 119; Morris à Sharpe,
3 juillet 1755, *Pennsylvania Colonial Records*, 6 : 454; message de Sharpe à l'assemblée
du Maryland, 29 juin 1755, dans *The Maryland Gazette*, 3 juillet 1755; *ibid.*, 10 juillet
1755.
[39] « Acte de sépulture de M. de Beaujeu, » F. Grenier, éd., *Papiers Contrecoeur*,
389s.
[40] « Relation depuis le depart des trouppes, » AG, 3405 : no 106.
[41] Le récit qui suit s'appuie sur Contrecoeur à Vaudreuil, 14 juillet 1755, AC, F 3,
14 : 119v-120; Dumas à Machault, 24 juillet 1756, AC, C 11A, 101 : 322-331v; « Relation du Combat du 9 juillet 1755 », dans Winthrop Sargent, *The History of an Expedition against Fort Du Quesne, in 1755; under Major-General Edward Braddock* (Philadelphie, 1855), 409s; journal anonyme, *ibid.*, 386; Dunbar à Napier, 24 juillet 1755, Pargellis, éd., *Military Affairs in North America*, 111; « Review of Military Operations, »
92; *Mercure de France* (octobre 1755), 226s; Walpole, *Memoirs of the Reign of George
II*, 2 : 31; « Journal of Proceedings from Willes's Creek to the Monongahela, » Pargellis,
éd., *Military Affairs in North America*, 106.

dement. D'un coup d'œil, il mesure la gravité de la situation. L'adversaire a déjà installé un petit canon. Les miliciens canadiens perdent pied, les sauvages vont plier. Il lui faut mettre à profit tout de suite les ressources du terrain. Depuis le bord de la Monongahela jusqu'au lieu où la rencontre est survenue, règne une route étroite, montante, bordée à droite et à gauche par une forêt drue et dominée par une hauteur. Dumas peut compter sur ses réguliers; il les dispose en travers de la route. Leur feu de peloton crible l'avant-garde britannique, qui vient au pas de charge, croyant la partie déjà gagnée. Déconcertée, elle se replie en désordre sur le corps principal qui accourt, prêt à la soutenir, mais non pas à en être embarrassé dans ses mouvements. A la vue de ce recul, les Indiens reprennent confiance, les Canadiens aussi. La plupart de ces derniers ont du mal à se ressaisir : ce ne sont « malheureusement que des enfants... Les meilleurs avoient restés a la Riviere aux Bœufs a faire le portage des vivres ». Bien encadrés, ils retrouvent leur courage. Les officiers les dépêchent avec les sauvages de chaque côté du chemin, derrière les arbres et sur la hauteur dont Braddock pensera à s'emparer quand il n'en sera plus temps.

Ainsi s'ouvre la seconde phase du combat. Avant que les Anglais n'aient eu le temps de se reformer, ils se voient pris entre deux feux. L'espace leur manque pour se déployer. Les savantes manœuvres qu'ils ont apprises en Europe ne sauraient leur servir. Et leur adversaire demeure invisible. Après l'engagement, beaucoup de Britanniques avoueront « n'avoir pas aperçu un seul ennemi de toute la journée ». Protégés par la forêt, Canadiens et indigènes tirent à volonté sur une masse vulnérable, sans défense, désorganisée, aveugle. C'est une tuerie. « Les rangs entiers tomboient a la fois. » L'horreur monte, fige les victimes hébétées de cette boucherie. Furieux d'être arrêté si près du fort Du Quesne — il en est à trois lieues —, Braddock galope de bas en haut de la route. Il fouaille ses hommes du plat de son épée pour les maintenir dans les rangs. Il cherche à les distribuer en petits détachements qu'il disperserait dans la forêt afin d'encercler l'ennemi. Mais son état-major fond, ses officiers tombent avant de pouvoir porter ses ordres, ses soldats deviennent de plus en plus sourds au commandement. Du reste, comment espérer que des réguliers puissent rattraper des sauvages et des miliciens dans un bois ? « Autant, ronchonne un contemporain, envoyer une vache à la poursuite d'un lièvre que de détacher nos soldats, chargés comme ils le sont, après des Indiens nus et des Canadiens en chemise ! » [42] Pourtant, Braddock s'acharne. Il aura eu

---

[42] Adam Stephens à John Hunter, 18 juillet 1755, dans Charteris, *William Augustus Duke of Cumberland*, 166.

cinq chevaux tués sous lui avant d'être atteint mortellement. A la fin, la déroute emporte son armée. Le cauchemar a duré quatre heures.

Les Anglais subirent des pertes affreuses. Le général avait divisé son armée et conduit au feu un peu moins de quinze cents hommes. De ce nombre, les deux tiers des soldats et les trois quarts des officiers, en tout 977 combattants, furent tués ou blessés. [43] Le détachement de Beaujeu n'eut que 23 morts et 16 blessés. [44] Ces chiffres indiquent assez que l'affaire fut moins un combat qu'un massacre. Les vainqueurs recueillirent treize pièces d'artillerie, un grand nombre de fusils, beaucoup de munitions de guerre, une centaine de bovins, quatre à cinq cents chevaux. [45] La nouvelle de cet exploit à peine vraisemblable fit courir sur le Canada un frisson d'orgueil et d'exultation. Des officiers de marine s'honorèrent de porter à la Cour le récit de « ce qui s'est passé dans cette journée si glorieuse aux Canadiens ». [46] Parmi les dépouilles des vaincus, on avait trouvé les papiers de Braddock. L'un des premiers à s'en inquiéter fut le sous-secrétaire du conseil provincial du New-York : « Voici, gémit-il, nos projets découverts. » [47] Il avait raison.

Vaudreuil se délecta à « démêler » ces documents. Il y découvrit un bon plan du fort Du Quesne, les instructions secrètes du gouvernement anglais à Braddock, une dépêche extrêmement compromettante du duc de Cumberland, plusieurs lettres de Braddock à Newcastle, à Halifax, au chef d'escadre Keppel. Une missive du vaincu à Robinson, en date du 19 avril, était particulièrement explicite. Elle fourmillait de détails sur la campagne projetée contre Niagara; Braddock expliquait en avoir confié la direction à Shirley parce que « c'est de toutes la plus importante ». La même pièce contenait des précisions sur l'offensive de Saint-Frédéric, expédition « à laquelle, avait annoncé le général, il sera employé 4400 hommes sous le commandement du Colonel Johnson ». Le gouverneur envoya tout le paquet à Versailles. Il avait le sentiment de fournir à la Cour de quoi provoquer un scandale dans

---

[43] Winthrop Sargent, *The History of an Expedition against Fort Du Quesne, in 1755,* 238.

[44] « Liste des officiers, miliciens, soldats et Sauvages de Canada qui ont esté tués et blessés . . . », AC, F 3, 14 : 117.

[45] « Etat de l'artillerie, Munitions de guerre et autres effets . . . trouvés sur le champ de bataille . . . », AC, F 3, 14 : 116-116v. Voir Montreuil à Argenson, 5 août 1755, AG, 3405 : no 7.

[46] Robert à Machault, 23 août 1755, AM, B 4, 68 : 138; Choiseul-Praslin à Machault, 21 septembre 1755, *ibid.,* 185v.

[47] Banyar à Johnson, 1er août 1755, James Sullivan, éd., *The Papers of Sir William Johnson,* 1 : 811.

les milieux diplomatiques. Pour lui, il voyait dans ces papiers « la preuve la plus authentique de l'etendue des projets, qui depuis long-tems font la principale occupation de la Cour de la Grande Bretagne... pour... surprendre cette Colonie et l'envahir dans le tems qu'elle doit être à l'abry de toute insulte, fondée sur les traittés de paix les plus respectables ». La politique américaine lui apparaissait sous un nouveau jour. Il saisissait une liaison étroite entre les agressions britanniques et les ordres de « la Cour d'Angleterre ». Loin d'agir de leur chef, les coloniaux n'avaient donc fait qu'obéir aux directives de Londres ! Il en concluait que Washington avait commis « l'assassinat de M. de Jumonville » de « l'aveu et consentement » des ministres anglais. Il évoquait le bombardement et la prise de Beauséjour, la capture de l'*Alcide* et du *Lys,* le blocus de Louisbourg et les violences infligées aux Acadiens, que l'ennemi menaçait maintenant « de mort et d'esclavage » parce qu'ils refusaient de prendre les armes contre les Canadiens. Il ne s'agissait plus de simples incidents, mais d'un plan élaboré par l'empire anglais pour détruire la Nouvelle-France. [48] La tentative de Braddock et les commentaires de Vaudreuil eurent en France un retentissement considérable. Le *Mercure* publia un récit détaillé de la bataille du 9 juillet. Il insista sur le caractère prémédité des offensives britanniques. Combien la Cour avait eu raison de faire passer des troupes au Canada ! Il le répétait après Vaudreuil : ces campagnes de grand style, « autorisées & fomentées par le Gouvernement d'Angleterre, dans le tems qu'il assuroit la France des dispositions les plus pacifiques, & qu'il auroit voulu l'amuser par de vaines négociations... prouvent le projet formé de s'emparer du Canada ». Si jamais les Anglais y parvenaient, « rien ne seroit plus capable de mettre un frein à leur cupidité ». [49]

Les Américains britanniques eurent peur. Trois semaines après le désastre de la Monongahela, le sous-gouverneur de la Pennsylvanie présente à l'assemblée de sa province « le triste rapport » de cette défaite : le général tué, la plupart des officiers morts ou blessés, presque toute l'artillerie aux mains de l'ennemi, les débris de l'armée battant en retraite. « Aussi malheureux qu'imprévu, ce retournement de nos affaires affectera profondément chacune des colonies de Sa Majesté, mais aucune d'une façon aussi sensible que celle que nous habitons : dépourvue de milice, elle reste exposée aux incursions cruelles des

---

48 Vaudreuil à Machault, 10 octobre 1755, AC, F 3, 14 : 189-199; voir Bigot à Machault, 27 août 1755, *ibid.*, 134v.
49 *Mercure de France* (octobre 1755), 230.

Français et de leurs féroces Indiens, qui se délectent à verser le sang. » [50]
Cinq jours plus tard, Dinwiddie communique un message analogue à
la législature virginienne. [51] « Personne, déclare un journal, ne saurait
prévoir combien de sang innocent sera inhumainement sacrifié à la
lâcheté des soldats anglais,... mais nous devons nous attendre au
pire. » Il faudrait reprendre l'offensive, ne serait-ce que pour « racheter
l'honneur des armes anglaises ». [52] Recommencer l'expédition du fort
Du Quesne, c'est aussi ce que le gouverneur de la Virginie propose au
colonel Dunbar, héritier du commandement de Braddock sur le front
de l'Ohio. La saison, raisonne Dinwiddie, n'est guère avancée, il reste
quatre bons mois de campagne, l'armée de l'ouest compte encore au
moins seize cents hommes, et la Virginie lui fournirait volontiers quatre
cents recrues. [53] Tel est également l'avis de Shirley. Il commande maintenant en chef. Un peu avant la mi-août, il fait tenir à Dunbar l'ordre
de se remettre en marche à destination des forts Du Quesne et Presqu'île, avec ce qui reste des éléments anglais, renforcés par des provinciaux de la Virginie et du Maryland. [54]

Ni Dunbar ni ses troupes ne peuvent toutefois songer à se battre.
La défaite est trop récente, elle a été trop terrible. Emportés par la
panique, les vaincus du 9 juillet ne cessent de courir qu'ils n'aient opéré
leur jonction avec la seconde division de leur armée. Puis, comme s'ils
avaient l'ennemi sur les talons, les Anglais détruisent tout ce qu'il leur
reste de matériel lourd pour alléger leur course vers le fort Cumberland et, de là, vers l'intérieur de la Pennsylvanie. [55] Le 29 juillet, le
gouverneur Morris reçoit du colonel une lettre étonnante : Dunbar
désire établir tout de suite ses quartiers d'hiver à Philadelphie. L'administrateur n'en croit pas ses yeux : des « quartiers d'hiver au mois de
juillet » ! [56] Il n'exprimerait pas cette stupéfaction s'il connaissait la
véritable situation de l'armée de l'ouest. Ceux qui la croient en mesure
de tenir encore la campagne, rapporte un officier, ne connaissent rien
de son état : elle a perdu tous ses équipages, les soldats vont nu-pieds,
il s'en trouve même qui n'ont plus de culotte. [57] Rentré à Mount Ver-
non, Washington ne pense pas autrement. Il ne saurait être question,

[50] Message du 31 juillet 1755, *The Boston News-Letter*, 14 août 1755; voir *Pennsylvania Colonial Records*, 6 : 502.
[51] Message du 5 août 1755, Brock, éd., *Records of Dinwiddie*, 2 : 134s.
[52] *The Boston News-Letter*, 21 août 1755.
[53] Dinwiddie à Dunbar, 26 juillet 1755, Brock, éd., *Records of Dinwiddie*, 2 : 118s.
[54] « Order for Colonel Thomas Dunbar » [12 août 1755], PRO, CO 5, 46 : 101.
[55] « Review of Military Operations, » 94; P. H. Giddens, « The French and Indian
War in Maryland, » *Maryland Historical Magazine*, 30 (1935) : 306.
[56] Morris à Shirley, 30 juillet 1755, *Pennsylvania Colonial Records*, 6 : 513.
[57] *The Pennsylvania Gazette*, 28 août 1755.

écrit-il, que les Britanniques se présentent sans artillerie devant le fort Du Quesne. Et ils n'ont plus un seul des canons qu'ils avaient transportés si péniblement au delà des montagnes : la plupart sont tombés aux mains des Canadiens, et Dunbar a fait détruire les autres « pour hâter sa fuite ». [58]

Pourtant, quelques jours après la déroute de Braddock, Contrecœur avait avoué que si les vaincus étaient revenus à la charge avec les mille hommes de troupes fraîches qu'ils avaient en réserve, les défenseurs de l'Ohio se fussent « peut estre trouvés fort embarrassés ». [59] Rien n'aurait plus surpris les Anglais que ce propos. Ils remirent la partie à l'année suivante. Au début de septembre, en préparant le plan des opérations de 1756, un officier supérieur d'Angleterre calcule que « si les tentatives contre *Niagara* et *Crown Point* réussissent aussi bien que celles que nous avons déjà faites contre *Beau Séjour* et *St-Jean*, nous serons toujours en mesure d'attaquer *Montréal* et *Québec*, puis de remonter le fleuve pour aller enlever le fort *Du Quesne* ». [60]

*
* *

Les expéditions de Niagara et de Saint-Frédéric occupent donc une place considérable dans la stratégie britannique. Moins d'un mois après la « fatale » défaite du 9 juillet, de Lancey s'adresse aux législateurs du New-York. Il faut, leur déclare-t-il, « abaisser l'orgueil des Français, abattre l'insolence de leurs sauvages », rétablir les positions anglaises en Amérique : « Nous avons, sous l'œil de Dieu, les moyens en mains. Mettons donc en œuvre avec unanimité, courage et résolution ces moyens que le Ciel nous a donnés; servons-nous en pour défendre notre religion contre le papisme, nos personnes contre l'esclavage et nos biens contre un pouvoir arbitraire. La sécurité, l'existence même des colonies britanniques évoluent vers une crise. » [61]

Le magistrat ne manque pas d'éloquence. Il ne manque pas davantage de projets. Tout de suite après avoir prononcé ce discours, il fait

58 Lettre du 2 août 1755, Fitzpatrick, éd., *Writings of Washington*, 1 : 157.
59 Contrecoeur à Vaudreuil, 14 juillet 1755, AC, F 3, 14 : 120.
60 Robert Napier, « Sketch for Next Year's Campaign in North America, » 6 septembre 1755, Pargellis, éd., *Military Affairs in North America*, 133s.
61 Discours du 6 août 1755, dans Frank H. Severance, *An Old Frontier of New France : The Niagara Region and Adjacent Lakes Under the French Control* (2 vol., New-York, 1917), 2 : 76s.

part de ses plans au gouvernement impérial. Il en expose trois. Le premier est radical : une flotte s'engagerait dans le Saint-Laurent, montée par une armée qui mettrait le siège devant Québec; seule, la métropole est en mesure de fournir une telle escadre et un tel corps expéditionnaire, et les colonies pourraient tout au plus combiner avec ce mouvement principal une diversion par les terres du côté de Montréal. Plus modeste, le deuxième projet de de Lancey est plus proportionné aux ressources des colonies. Il pourrait se réaliser en trois étapes : il comporte en premier lieu une poussée sur Saint-Frédéric, poste dont la réduction désarmerait les indigènes que les Canadiens emploient à ravager la frontière du New-York; devenus ainsi maîtres du lac Champlain, les envahisseurs construiraient ensuite sur les lieux une flotte légère à bord de laquelle ils glisseraient jusqu'à Saint-Jean et à Chambly; enfin, de Chambly, ils marcheraient sur Montréal. Le troisième plan est plus compliqué. S'il exige des effectifs moins amples que le second, il nécessite, en revanche, un allongement considérable des lignes de communication britanniques. Il s'agirait de conduire à Oswego un détachement dont l'objectif immédiat serait Niagara. Niagara enlevé, on peut laisser crouler lentement les postes français de l'Ohio, dont l'entretien opposerait aux Canadiens des difficultés insurmontables; on peut encore, si l'on veut des résultats rapides, percer jusqu'au fort Presqu'île, dont la prise entraînerait, à très brève échéance, la chute du fort Du Quesne. Moins coûteuse et moins risquée qu'une marche en ligne droite sur ce dernier établissement, une expédition comme celle-là aurait l'avantage de frapper au bon endroit : emporter Du Quesne, ce n'est que « couper un orteil », tandis que sectionner la Nouvelle-France à la hauteur du lac Ontario, c'est l'amputer « de tout un membre ». Il y a plus. Oswego offre deux grandes possibilités. De cette base d'opérations, on a le choix entre une attaque sur les positions de l'ouest comme celle qui vient d'être esquissée ou une incursion du côté de l'est : dans ce cas, l'armée britannique se rabattrait sur Frontenac, puis descendrait le cours du Saint-Laurent pour s'abattre sur Montréal. Voilà même un mouvement susceptible d'être coordonné avec l'application du deuxième plan, qui prévoit une offensive par le lac Champlain. [62] Rien de mieux raisonné que ces trois projets : on dirait un récit anticipé des campagnes de 1759 et de 1760. Et ils ne sauraient manquer d'exercer une forte séduction sur l'esprit des New-Yorkais : les voies d'invasion que trace leur sous-gouverneur se trouvent être en même temps des routes commerciales; aménagées par les ingénieurs de l'ar-

---

[62] De Lancey à Robinson, 7 août 1755, NYCD, 6 : 991s.

née anglaise, elles contribueraient à faire converger à Albany l'immense traite que draine Montréal. En James de Lancey, les entrepreneurs de l'Ohio Company ont un émule.

Ce qui fait la nouveauté de ces plans, c'est leur cohérence, qualité
qui leur vient de la sûreté avec laquelle le haut magistrat dégage l'objectif capital que l'Amérique anglaise poursuit dans cette guerre. Quand
il parle de religion et de liberté à sauver, de biens à protéger, de sécurité à rétablir, que veut-il dire ? Qu'il faut faire triompher en Amérique
la culture et la civilisation matérielle des collectivités britanniques.
L'existence même du Canada compromet l'épanouissement de cette civilisation et de la culture qu'elle alimente. Il devient donc nécessaire
d'étouffer le Canada, de réduire à l'impuissance la société canadienne,
et non pas simplement de limiter ses « empiétements ». De Lancey
n'est pas seul à penser ainsi. Il importe d'agir tout de suite, clame une
feuille new-yorkaise, le danger grandit dans la mesure où les retards
s'accumulent. « Maintenant, nous pouvons attaquer [les Canadiens]
dans ce qu'ils appellent leur propre pays et faire subsister nos armées
à même les territoires conquis. » Si les Français allaient avoir le temps
d'opérer une descente dans quelqu'une des provinces américaines, ils
plongeraient l'empire britannique dans une telle confusion qu'il en
serait paralysé. [63] En d'autres termes, le premier des belligérants à remporter une victoire importante aura gagné à demi la partie.

Au Canada, Vaudreuil reconnaît aussi clairement que de Lancey
l'objet fondamental du conflit. Très tôt, il est au courant des efforts qui
se poursuivent depuis le printemps dans le New-York pour mettre sur
pied deux expéditions qui, si elles réussissent, conduiront l'ennemi à
Saint-Frédéric et à Niagara, — à mi-chemin de Montréal et à mi-chemin
de l'Ohio. Le gouverneur sait « par des sauvages affidés de différents
villages » qui espionnent les New-Yorkais pour le compte des Canadiens que les Britanniques se disposent à envoyer 4,000 hommes à
Oswego afin de « s'emparer de Niagara et du fort Frontenac »; ses
services de renseignements lui ont également appris que, sur les confins d'Albany, s'élève un gros camp où se rassemble une armée qui
doit « marcher contre le fort Saint-Frédéric, et s'avancer ensuite sur
nos habitations ». [64] Depuis 1741, une colonie s'est constituée autour
de cette place militaire; cinq ans plus tard, la guerre en a chassé les
habitants; tenaces, ceux-ci ont commencé à y retourner en 1749. [65]
Voici maintenant que, devant la menace ennemie, il leur faut de nou-

63 *The New-York Mercury*, 18 août 1755.
64 Vaudreuil à Machault, 10 juillet 1755, Casgrain, éd., *Extraits des archives*, 37.
65 *La Civilisation de la Nouvelle-France*, 205s.

veau se replier sur l'intérieur. [66] Pourtant, le gouverneur général a le sentiment que la menace la plus grave ne pèse pas sur le lac Champlain, mais sur le lac Ontario. Il se propose de ne faire passer à Saint-Frédéric que « quelques secours en hommes ». Son effort principal, annonce-t-il, portera sur Niagara. Il explique : « La conservation de Niagara est ce qui nous intéresse le plus, si nos ennemis en étoient maîtres, en conservant Chouaguen [Oswego], les pays d'en haut seroient perdus pour nous, et nous n'aurions plus aussi de communications avec la rivière Oyo. » [67] Or, il en est persuadé, Niagara « est aux Anglois s'ils parviennent à l'attaquer ». Le fort est délabré, sa garnison « est composée de trente hommes qui n'ont point de fusils ». Il faut donc empêcher l'ennemi de se présenter devant la place. Comment ? En enlevant Oswego. Réduire Oswego, c'est éliminer les Britanniques du lac Ontario, les mettre dans l'impossibilité d'attaquer Frontenac et Niagara, ruiner leur système d'alliances indigènes; c'est enfin leur enlever leur meilleur comptoir de traite : « Dès ce moment la quantité prodigieuse de castor et de pelleterie qui alloit aux Anglois rentrera au commerce de France. » A cette expédition, Vaudreuil destine un peu plus de 4,000 hommes : 2,000 soldats, 1,800 Canadiens et quelques centaines de sauvages. Ces éléments commencent dès le 12 juillet à défiler par petits détachements vers Frontenac, où ils doivent se regrouper avant d'aller assiéger le fort anglais. Les opérations seront confiées à Dieskau. Celui-ci ne doute pas du succès, « pourvu qu'on ne me Laisse pas manquer de subsistances et de munitions ». [68]

Au commencement d'août, le gouverneur n'a pas modifié ses projets. Il s'emploie toujours à « accélérer » les préparatifs de la campagne d'Oswego. Il va « chanter la guerre » chez les Indiens du Sault Saint-Louis, puis chez ceux du lac des Deux-Montagnes. Les alliés lui promettent « de ne pas marchander les Anglois ». Sans les vents contraires qui retardent l'arrivée des barques attendues de Québec, le matériel lourd et la dernière division du corps expéditionnaire vogueraient déjà vers le lac Ontario. [69] Voilà cependant que, dans la deuxième semaine d'août, des nouvelles alarmantes arrivent de Saint-Jean. Une armée nombreuse se serait ébranlée, sous les ordres de Johnson, pour venir tomber sur Saint-Frédéric. Lui laisser le loisir d'emporter ce fort, ce serait livrer à la destruction tout le sud de la colonie jusqu'à Montréal.

---

[66] Vaudreuil à Machault, 24 juillet 1755, Casgrain, éd., *Extraits des archives de France*, 44.
[67] *Id.* à *id.*, 10 juillet 1755, *ibid.*, 37.
[68] *Id.* à *id.*, 24 juillet 1755, *ibid.*, 45-50; Dieskau à Argenson, 1er juillet 1755, AG, 3404 : no 175.
[69] Vaudreuil à Machault, 5 août 1755, AC, F 3, 14 : 130v-131.

Aussitôt, Vaudreuil appelle sous les armes « tous les hommes du gouvernement de Montréal en état de marcher ». C'est le temps des récoltes; elles attendront. On fera venir 350 moissonneurs des gouvernements de Québec et des Trois-Rivières pour couper le blé. On fera aussi
rebrousser chemin au dernier détachement parti pour Frontenac. Dieskau prendra ainsi le commandement de quelque 3,000 hommes —
quinze cents miliciens, un millier de soldats, cinq ou six cents indigènes — et marchera au-devant de l'ennemi. Le départ s'effectue de Montréal, par « brigades », du 10 au 20 août. Dans les premiers jours de
septembre, ces éléments campent à Carillon.[70] Bigot compte sur une
victoire décisive, comparable à celle de la Monongahela. Il serait « fâcheux », croit-il, que les Anglais réussissent à éviter une rencontre,
« car ils seront surement battus ».[71]

Cette rencontre, Johnson s'y dispose depuis des mois. Le grand
quartier général lui a attribué 5,000 hommes. Mais le recrutement
présente des difficultés imprévues; Shirley prend du monde au corps
du lac Champlain pour grossir sa propre armée; la maladie et, plus
encore, la désertion font des vides dans les unités coloniales. Le 18
août, Johnson n'a plus que 2,932 hommes, mais il attend le contingent
du New-Hampshire, qui devrait porter ses effectifs à 3,200 combattants.[72] Après s'être flattés d'un triomphe sur l'Ohio, les Britanniques
appréhendent maintenant un désastre sur le lac Champlain. Le gouverneur Banyar supplie le commandant de l'expédition de ne pas répéter les fautes de Braddock et de se méfier des embuscades.[73] Pour
lui, il s'agit moins de battre les Franco-Canadiens que de limiter leur
expansion au nord du New-York. « Quels que soient les obstacles que
vous trouviez, écrit-il à Johnson, et quelle que soit la force de l'ennemi,
j'ai confiance que vous atteindrez Ticonderoga [Carillon], qui me semble être un lieu très propre à la construction d'un bon fort... qu'il faudrait bâtir à la manière des Français. »[74] Pour d'autres, il appartient
aux provinciaux d'effacer à Saint-Frédéric la défaite des Anglais à la

---

70 Bigot à Machault, 27 août 1755, AC, F 3, 14: 135v-136v; « Relation de l'action
qui s'est passée le 8 Septembre 1755, » ibid., 183; Bréard à Machault, 13 août 1755, Casgrain, éd., Extraits des archives, 128; « Relation depuis Le depart des trouppes de Quebec
jusquau 30 du mois de 7bre 1755, » AG, 3405 : no 106; « Memoire pour servir d'Instruction à Monsieur le Baron de Dieskau, » AC, F 3, 14 : 162-162v.
71 Bigot à Machault, 5 septembre 1755, AC, F 3, 14 : 141.
72 Conseil de guerre du 23 août 1755, NYCD, 6 : 1001; voir Wraxall à Fox, 27
septembre 1755, Pargellis, éd., Military Affairs in North America, 137.
73 Banyar à Johnson, 6 août 1755, Sullivan, éd., The Papers of Sir William Johnson, 1 : 833s.
74 Id. à id., 15 août 1755, ibid., 847.

Monongahela et surtout de la faire oublier aux indigènes, qui penchent maintenant du côté des Français. [75]

Dans ces conditions, la prudence avec laquelle Johnson exécute ses mouvements n'a rien d'incompréhensible. Le 8 août, il part d'Albany pour rallier le colonel Phineas Lyman au « Grand Portage » de l'Hudson, à 14 milles du lac Saint-Sacrement. Son intention est d'y bâtir un fort « qui nous assure une retraite au cas où (Dieu nous en garde !) nous serions repoussés ». [76] Ce sera le fort Edward, que les Canadiens appelleront Lydius, du nom d'un traitant de réputation douteuse qui y possède un établissement. [77] Arrivé au camp de Lyman, Johnson s'aperçoit qu'il ne pourra pas surprendre Saint-Frédéric. Il reçoit des avis répétés que ses adversaires agissent tout comme s'ils disposaient des meilleurs renseignements sur les déplacements de son armée. Ils se préparent, en tout cas, à la recevoir : la route reliant Saint-Jean à Montréal est une fourmilière : on y a observé un va-et-vient continuel de voitures pleines de munitions qui sont ensuite déposées à bord de deux petits navires occupés à faire la navette entre Saint-Jean et Saint-Frédéric. Ce n'est pas tout. Au comportement des Canadiens, on voit qu'ils ont l'intention d'occuper Ticonderoga, où, profitant des avantages du terrain, ils se verront en mesure de résister à des forces bien supérieures aux leurs. [78] Que faire ? Redoubler de précautions, construire au bout du lac Saint-Sacrement un autre poste fortifié pour contenir une avance possible de l'ennemi et servir de base d'opérations contre ses positions. Dans les derniers jours d'août, Johnson pousse donc avec la plus grande partie de ses troupes jusqu'au bord du lac, dont il change le nom en celui de lac George, et il y établit un camp en attendant d'ériger le fort William-Henry. [79]

Le 3 septembre, une patrouille amène au camp de Dieskau un prisonnier britannique. Le général le fait parler. Le fort Edward, croit-il comprendre, est loin d'être terminé, il y campe environ 500 hommes, le gros de l'armée s'est replié sur Albany, mais on attend au Grand Portage 2,400 hommes que Johnson doit conduire au lac Saint-Sacrement, où il bâtira un autre fort. En somme, les Franco-Canadiens n'au-

---

[75] Ephraim Williams à Israel Williams, Massachusetts Historical Society, Williams Mss., 1 : 173.

[76] *The Maryland Gazette*, 28 août 1755.

[77] Sur l'emplacement du fort, voir Harry Gordon à Napier, 22 juin 1756, Pargellis, éd., *Military Affairs in North America*, 179. Sur Lydius, voir « Review of Military Operations, » 97.

[78] Conseil de guerre du 23 août 1755, NYCD, 6 : 1001.

[79] Johnson aux lords du Commerce, 3 septembre 1755, *ibid.*, 6 : 997; Wraxall à Fox, 27 septembre 1755, Pargellis, éd., *Military Affairs in North America*, 138; « Traduction d'un Journal anglois, » AC, F 3, 14 : 249.

raient devant eux que 500 provinciaux. L'occasion est belle de les tailler en pièces. Aussi Dieskau décide-t-il sur l'heure de transformer « la deffensive en offensive ». Il forme un corps d'élite de quinze cents combattants — 600 miliciens, 200 soldats et des Indiens —, persuadé qu'avec ces éléments il « culbuteroit Le camp des ennemis ». Le détachement s'embarque le 4. Il navigue jusqu'à la « Grande Baye » [South Bay], où il remise ses bateaux. Le 7, au coucher du soleil, le voici au bord de l'Hudson, à une couple de milles du fort Edward. Ses mouvements n'ont pas échappé aux éclaireurs de Johnson, qui viennent en avertir le camp de William-Henry, dans l'après-midi du 7. Le commandant britannique dépêche au fort de l'Hudson un cavalier chargé de le prévenir d'une attaque imminente. Le messager va atteindre sa destination lorsque des Indiens l'abattent; la lettre dont il est porteur vient ainsi sous les yeux de Dieskau. Celui-ci se jettera donc à l'improviste sur l'ennemi.

Les Indiens ne l'entendent pas de cette oreille. Il leur répugne de donner l'assaut à un fort, fût-il inachevé. La perspective d'être accueillis à coups de canons les terrorise : ils ne marcheront pas. Le général a commis la faute de diviser ses forces; il n'a pas assez de blancs pour passer outre aux représentations des indigènes. Puisqu'il ne peut pas s'en prendre au fort Edward, il ira porter l'attaque au camp de William-Henry, moins solidement fortifié, pense-t-on, et moins bien pourvu d'artillerie que le fort. Il ne paraît pas éprouver alors — plus tard, il exprimera un sentiment différent — un regret bien vif de revenir sur ses pas : il en sera quitte pour revenir sur l'Hudson quand il aura, au lac Saint-Sacrement, montré à ses alliés combien il lui est aisé de battre des Anglais. Les ennemis sont-ils plus nombreux au camp qu'au fort ? C'est égal : « Plus il y en aura, plus nous en tuerons. » Le 8 septembre, au petit jour, le détachement laisse derrière lui l'Hudson. Les troupes s'avancent sur trois colonnes : les Français au centre, sur « un chemin de toute beauté » que les Anglais ont aménagé, les Canadiens et les sauvages de chaque côté, « dans le bois et sur les montagnes,... ce qui les fatiguoit extraordinairement ».

Pendant ce temps, l'inquiétude de Johnson augmente. Il faut dégager le fort Edward. Si les Français s'y installent, le corps du lac George est isolé d'Albany, sans retraite possible. Le matin du 8, au moment où l'adversaire vient à lui, Johnson, d'accord avec ses lieutenants, décide d'envoyer au secours du fort 1,000 hommes sous les ordres d'un officier du Massachusetts, Ephraim Williams. Les Franco-Canadiens sont les premiers à être informés de l'approche de l'expédition ennemie. Dieskau veut prendre ces provinciaux au même piège qui a cassé les reins aux régiments de Braddock. Il ordonne aux indigènes de se jeter dans la forêt de manière à surgir sur les derrières du détachement britannique, tandis que les Canadiens le prendront de flanc et que lui-même l'attendra sur la route avec ses réguliers. Mais, soit par accident, soit par précipitation, les sauvages tirent avant que l'adversaire ne se soit engagé assez profondément dans l'embuscade. Williams se fait tuer, et ses hommes lâchent pied avant d'être enveloppés. La « panique », avoue le secrétaire de Johnson, gagna rapidement tout le corps, « qui s'enfuit en désordre en direction du camp » d'où il était parti. « L'ennemi, ajoute-t-il, le poursuivit, tirant sans interruption sur les plus rapprochés des fugitifs. Nos gens rentrèrent à la course dans le camp, horrifiés, tremblants de peur, exagérant le nombre des assaillants et communiquant leur crainte au reste de nos troupes. » Par bonheur, enchaîne Johnson, « la poursuite des Français ne fut pas très vigoureuse; autrement, la tuerie eût été plus grande et la panique, peut-être fatale ».

Ce défaut relatif de « vigueur » s'explique sans peine. Les Français marchent depuis le matin; les Canadiens et les indigènes sont exténués. Dieskau et ses soldats débouchent en vue de la position britannique sur les talons des fuyards. Derrière, apparaissent, par petits groupes, les miliciens « hors d'haleine ». Quant aux Indiens, « irrités d'avoir perdu quelques hommes » au cours de la bataille, ils se sont attachés à massacrer « 30. ou 40. prisonniers qu'ils avoient faits tant anglois que Sauvages, après avoir ouvert les entrailles aux chefs des Sauvages ». Si Dieskau disposait de tout son monde, il ferait une incursion meurtrière dans le camp, bien que la situation de ce dernier soit forte : couvert par des marais boisés, il est entouré d'une ceinture de bateaux renversés, de chariots, de gros troncs d'arbres, et Johnson y a fait monter plusieurs pièces d'artillerie. Les indigènes refusent de se battre, « étonnés » par les canons. Pendant que les réguliers exécutent les commandements qu'ils reçoivent du général, les Canadiens se déploient sur la droite de la colonne française, grimpent dans des arbres et s'établissent sur des élévations du haut desquelles ils peuvent viser à l'intérieur des retranchements. Ce combat ne saurait être qu'indécis : les Franco-Canadiens ne peuvent pas plus culbuter l'adversaire que celui-ci n'est en état de les anéantir. Au bout de cinq ou six heures de fusillade, les assaillants se retirent la tête basse, mais assez puissants encore pour n'être pas poursuivis. Wraxall reconnaît : « Je crois qu'une poursuite eût comporté des dangers. Le jour baissait, nous n'étions pas sûrs que l'ennemi fût en déroute, nous eussions été forcés d'opérer en forêt, nos hommes étaient épuisés, ils manquaient d'épées et de baïonnettes, outre qu'ils formaient une troupe indisciplinée et assez dépourvue d'ardeur. » Il a un mot révélateur : « Nos canons et nos retranchements nous sauvèrent. » Les Britanniques n'avaient nulle envie de se départir de ce double avantage.

Ce qui donne surtout à la journée du 8 septembre l'allure d'une victoire anglaise, c'est que Dieskau, gravement blessé, s'entête à ne pas vouloir être transporté par ses hommes, malgré les supplications de son second, Montreuil. Johnson le ramassera sur le champ de bataille. Cependant un troisième engagement se prépare. De William-Henry, les Canadiens gagnent le théâtre de leur victoire de la matinée sur Williams, dans l'intention d'y reprendre les bagages qu'ils y ont laissés. Mais, quelques heures plus tôt, prévenu à son tour de la présence de l'ennemi dans la région, le commandant du fort Edward avait détaché 250 hommes sous le capitaine McGinnis, avec mission de rallier Johnson à William-Henry. En route, McGinnis aperçoit les équipages canadiens, s'en empare et attend leurs propriétaires. Quand 300 miliciens et sauvages arrivent sur les lieux, il n'éprouve aucun mal, à la tête de ses troupes fraîches, à les surprendre et à les disperser. Un officier de valeur, le baron de Longueuil, y trouve la mort. [80]

L'insuccès de l'expédition, juge Montreuil, tient à ce qu'au lieu de reformer son armée après avoir battu Williams, Dieskau a « voulu tout de suite attaquer 3000 hommes retranchés avec 1500 hommes exténués de fatigue, qui ne tenoient plus aucun ordre de bataille et qui avoient jetté leur feu ». [81] Le général, estime Vaudreuil, a mal manœuvré. Il a divisé ses forces, contrairement à ses instructions : ainsi, il « n'avoit pas le tier de son armée » lorsqu'il s'est présenté devant Johnson; s'il s'était fait suivre de tout son corps, il aurait fait « un massacre des anglois ». Sa « témérité » et son insubordination lui ont

[80] Le récit des trois combats du 8 septembre 1755 s'appuie sur Dieskau à Machault, 14 septembre 1755, AC, F 3, 14 : 144-146; Vaudreuil à Machault, 8 juin 1756, *ibid.*, 241-245; *id.* à *id.*, 25 septembre 1755, *ibid.*, 150-154v; Montreuil à Argenson, 14 octobre 1755, AG, 3405 : no 125; « Relation depuis Le depart des trouppes de Quebec jusqu'au 30 du mois de 7bre 1755, » *ibid.*, no 106; « Dialogue Entre le Maréchal de Saxe Et Le Baron de Dieskau aux Champs Elysées, » AG, 3404 : no 54; « Relation de l'action qui s'est passée le 8 Septembre 1755 au Lac St Sacrement, » 4 octobre 1755, AC, F 3, 14 : 183-188; « Traduction d'un Journal anglois, » AC, F 3, 14 : 250-250v; Johnson aux gouverneurs de l'Amérique du Nord, 9 septembre 1755, *The Boston News-Letter*, 18 septembre 1755; *The New-York Gazette*, numéro spécial du 15 septembre 1755; « Review of Military Operations, » 107s; Johnson à Hardy, 16 septembre 1755, NYCD, 6 : 1013s; Pownall aux lords of Trade, 20 septembre 1755, *ibid.*, 1008; Wraxall à De Lancey, 10 septembre 1755, *ibid.*, 1003s; Wraxall à Fox, 27 septembre 1755, Pargellis, éd., *Military Affairs in North America*, 138-140; *The Maryland Gazette*, 16 octobre 1755.
[81] Montreuil à Argenson, 14 octobre 1755, AG, 3405 : no 125.

coûté la victoire. [82] On devait, pense une religieuse de Québec, s'attendre à un triomphe « d'un homme aussi expérimenté » que Dieskau.
« Mais, enchaîne-t-elle, comme on ne se bat pas en ce pays comme en
France, les choses changèrent bien de face ! » Après avoir supputé les
pertes encourues de part et d'autre, elle conclut : « La victoire n'a été
d'aucun côté. » [83] « Je crois, confirme Wraxall, que... nos pertes ne
sont pas beaucoup inférieures à celles de l'ennemi. » [84] En fait, elles
étaient un peu supérieures à celles des Franco-Canadiens. Ceux-ci eurent
100 à 120 tués et 133 blessés. « Les troupes reglées, rapporte Dieskau,
eurent tout le feu et y perirent presque toutes. » [85] Il exagère : les réguliers français perdirent en tout 78 hommes et officiers, dont 27
morts. [86] Les Britanniques se firent tuer 191 hommes; ils comptèrent
aussi 62 disparus et une centaine de blessés; les journaux racontaient
que la plupart de ces derniers succomberaient du fait que les Canadiens avaient utilisé des balles empoisonnées. [87] Dans les colonies
anglaises, on avait fait circuler la nouvelle que l'armée de Dieskau
avait perdu sept à huit cents hommes, peut-être mille. Prétention absurde, corrige, en 1756, une brochure new-yorkaise : l'ennemi ne s'est
pas fait tuer ou blesser plus de 200 combattants, « perte moindre que
la nôtre »; une altération aussi audacieuse de la vérité résulte du zèle
des panégyristes de Johnson, qui s'évertuent, pour des motifs politiques,
à exalter leur héros au détriment de Shirley et à faire croire que le
Nouveau Monde a enfanté « une espèce de nouveau Marlborough ». [88]

Beaucoup de Britanniques se rengorgeaient : la victoire qu'ils se
plaisaient à célébrer et à magnifier — était un triomphe colonial. Le
commandant français, souligne un Américain, prit à la fin le parti
d'ordonner la retraite parce qu'il « vit bien qu'il n'avait pas affaire à
un Braddock ». [89] Walpole attire l'attention sur le même fait : « Ce
qui rehaussa la gloire des Américains fut de capturer le baron de Dieskau, le général français, bon *élève* du maréchal de Saxe, envoyé de
France peu auparavant pour commander en chef, alors que le comman-

---

[82]   Vaudreuil à Machault, 25 septembre 1755, AC, F 3, 14 : 149v, 152, 156v.
[83]   *Les Ursulines de Québec*, 2 : 281-283.
[84]   Pargellis, éd., *Military Affairs in North America*, 140.
[85]   AC, F 3, 14 : 145v.
[86]   AC, F 3, 14 : 155; *ibid.*, 188; AG, 3405 : no 120; « Liste des Officiers et Soldats... tués ou blessés dans le combat... [du] 8 7bre 1755, » AC, F 3, 14 : 205.
[87]   *The Boston News-Letter*, 18 septembre 1755; *The New-York Gazette*, 6 octobre
1755; *The Maryland Gazette*, 9 octobre 1755; *The Pennsylvania Gazette*, 16 octobre 1755;
NYCD, 6 : 1006s.
[88]   « Review of Military Operations, » 114s. — Voir le numéro spécial de la *New-
York Gazette*, 19 septembre 1755.
[89]   « Traduction d'un Journal anglois, » AC, F 3, 14 : 251; voir aussi *The Virginia
Gazette*, 17 octobre 1755.

dant anglais était un certain colonel Johnson, émigrant irlandais établi en Amérique et totalement étranger à la discipline européenne. »[90] — Tous ne croyaient pourtant pas qu'il y eût lieu de crier Noël. Le gouverneur Hardy était persuadé que quand Johnson aurait tenté d'aller prendre Saint-Frédéric après le 8 septembre, il n'aurait pas pu se rendre au delà de Carillon, où toute son armée eût risqué la destruction. « En un mot, Milord, confiait-il à Halifax, je vais vous dire ce que je n'oserais pas déclarer en public : après la bataille et l'échec du baron *Dieskau*, je suis convaincu que l'armée [britannique] ne se souciait aucunement de s'exposer à une autre passe d'armes du même style. »[91] Effectivement, tout indique que les provinciaux de William-Henry n'étaient rien moins que rassurés. Non seulement n'osèrent-ils pas s'aventurer hors de leur camp avant le 9, mais même lorsqu'un détachement en sortit pour la première fois, il « prit l'allarme, rentra... et resortit peu après ».[92]

Bientôt, la *Gazette* de New-York rappelle que Johnson se prépare depuis le début du printemps à assiéger Saint-Frédéric. Il est encore loin de son objectif. Le journal demande : « Qu'avons-nous fait durant ces huit mois ? Nos hommes sont-ils allés boire et manger, sans penser à se battre ? Ont-ils cru que Saint-Frédéric viendrait à eux... ou que ses fortifications crouleraient au bruit de leur nom comme les murailles de Jéricho au son des trompettes ? Si c'est là ce qu'ils ont cru, ils auraient dû commencer par aller faire le tour de la place. »[93] Quel a été, s'enquiert un observateur, le résultat de cette grande campagne ? Il répond, ironique : « l'érection d'un fort de bois ».[94] Shirley ne voudrait pas qu'à cela se limitât l'activité de Johnson. Si, lui écrit-il, Crown Point est « inaccessible » à l'armée du lac George, « il le sera probablement plus encore l'an prochain à une expédition deux fois plus nombreuse que celle-ci ». Pour le fort William-Henry, l'utilité en est contestable, soit pour attaquer les Français, soit pour couvrir la vallée de l'Hudson.[95] Il faudrait pousser au moins jusqu'à Ticonderoga.

Pendant que les Britanniques paradent, récriminent et discutent, Vaudreuil charge Lotbinière de construire un fort précisément à Ticonderoga. Ce sera Carillon. Aux yeux du gouverneur général, aucun tra-

---

90 *Memoirs of the Reign of George II*, 2 : 46.
91 Hardy à Halifax, 27 novembre 1755, Pargellis, éd., *Military Affairs in North America*, 149s.
92 « Traduction d'un Journal anglois, » AC, F 3, 14 : 251.
93 *The New-York Gazette*, 27 octobre 1755.
94 « Review of Military Operations, » 114.
95 Shirley à Johnson, 19 septembre 1755, Sullivan, éd., *Sir William Johnson Papers*, 2 : 62.

vail ne paraît plus « pressant » que celui-là : il s'agit d'un ouvrage
« d'une consequence infinie ». Bigot a beau se récrier « qu'il n'est pas
possible de soutenir de pareilles dépenses », Vaudreuil ne se laisse pas
arrêter par ces considérations d'homme de plume : « J'ai ordonné qu'on
y travaillat sans perdre un instant. »[96] Le lac Champlain échappera
ainsi aux Anglais.

Mais le lac Ontario ? Vaudreuil a été encore plus préoccupé du
sort de Niagara que de celui de Saint-Frédéric. Ce n'était pas sans
raison. Le 26 juillet, dans le dessein d'encourager Dunbar à reprendre
l'offensive sur l'Ohio, Dinwiddie lui assure que Shirley s'est mis en
marche à destination de Niagara et que, déjà, il en a sans doute entrepris le siège.[97] Telle est bien l'intention du successeur intérimaire de
Braddock. Mais il y a loin de la coupe aux lèvres. C'est ce que le
Mercury de New-York laisse bientôt entendre à ses lecteurs. Shirley,
rappelle-t-il, ne manque certes pas de talent, mais il n'a sous ses ordres que 2,500 hommes, et encore s'agit-il de recrues non aguerries,
« bien capables d'imiter avant longtemps la conduite scandaleuse qu'ont
tenue les troupes régulières près de l'Ohio ». De plus, n'est-il pas à
craindre que, pendant que les provinciaux de la Nouvelle-Angleterre
seront occupés à enlever Niagara, les vétérans français stationnés à
Frontenac ne s'emparent d'Oswego et ne coupent la retraite au corps
de Shirley ?[98] L'attention se concentre sur l'avance de celui-ci, sur la
jonction des éléments de son armée, sur le développement de ses préparatifs.[99] Au début d'octobre, on annonce dans le Maryland que le
gouverneur du Massachusetts s'est embarqué à Oswego avec ses troupes; ses navires transporteraient tout ce qu'il faut pour un siège en
règle; on se demande seulement où porteront ses coups : sur Frontenac,
sur Niagara ?[1]

Ils ne porteront nulle part : il est trop tard pour frapper. Vaudreuil n'a pas perdu son temps. Il a fait retenir à Niagara tous les Canadiens et les sauvages qui descendaient du fort Du Quesne, maintenant que la menace anglaise se dissipait sur l'Ohio; il a ainsi réussi à
pourvoir de douze cents défenseurs l'importante place du lac Ontario.
On peut donc prévoir : « Il n'y a pas aparence que le corps de troupes
qui est à Chouaguen remue. »[2] Le gouverneur général ne se fie pour-

[96] Vaudreuil à Machault, 25 septembre 1755, AC, F 3, 14 : 157v; Bigot à Machault,
4 octobre 1755, *ibid.*, 178v.
[97] PRO, CO 5, 46 : 94.
[98] *The New-York Mercury*, 14 août 1755, reproduit dans le *Boston News-Letter*
du 21 août 1755.
[99] *The Maryland Gazette*, 11 septembre 1755.
[1] *The Maryland Gazette*, 9 octobre 1755.
[2] Bigot à Machault, 5 septembre 1755, AC, F 3, 14 : 140v-141.

ant pas à cette conjecture : il expédie aussi à Niagara le bataillon de Guyenne et des troupes de la colonie; il y envoie Pouchot avec l'ordre d'en perfectionner les fortifications; il y fait transporter la grosse artillerie prise aux Anglais sur la Monongahela. Afin d'enlever à l'ennemi l'intention de s'en prendre à Frontenac, « le premier entrepot de tous les postes des pays d'En haut », il y cantonne un régiment d'infanterie. [3]

Pendant que s'accroissent les défenses canadiennes du lac Ontario, le commandant britannique voit fondre ses effectifs. La maladie et la désertion les ont tellement réduits que, le 8 septembre, il ne dispose plus à Oswego que de quatorze cents hommes. Comme il devrait en laisser au moins quatre cents derrière lui pour assurer le maintien du fort, il ne pourrait conduire plus d'un millier de combattants à l'assaut de Niagara. [4] Shirley est désemparé : depuis son départ d'Albany, gémit-il, il n'a éprouvé qu'une suite de « déceptions »; surtout, les moyens de transport lui ont manqué. [5] Effectivement, il a perdu près de la moitié de ses troupes le long des 400 milles qui séparent Albany d'Oswego. Le 27 septembre, il convient qu'il faut mettre fin à la campagne. Il sait que les renforts français arrivés à Frontenac seraient à même de faire tomber Oswego pendant le siège de Niagara, que ce dernier poste serait capable de lui résister victorieusement du fait que la pression britannique a cessé de s'exercer sur le fort Du Quesne et qu'il vaut mieux remettre la partie à l'année suivante. [6] Dans les derniers jours d'octobre, une dépêche de Boston mande que Shirley « a renoncé à ses expéditions projetées » contre Frontenac et Niagara. « Cette nouvelle, déclare un journal, ne nous a pas peu alarmés... Sans vouloir scruter les motifs secrets d'une telle décision, nous aimons croire qu'ils sont très importants, étant donné l'intelligence et le courage bien connus de ceux qui ont dirigé cette campagne ainsi que les grandes dépenses qu'elle a occasionnées à la Couronne. » Ce n'est pas tout. Un exprès est aussi arrivé du lac George avec l'avis que Johnson n'irait pas « tout de suite » à Saint-Frédéric. Ce renseignement, poursuit la même feuille, « nous a jetés dans une profonde consternation ». Elle ajoute avec une colère contenue : « Il convient d'espérer que les quelques colonies qui ont pris part à cette entreprise si considérable et si coûteuse étudieront avec la plus vive attention les causes de cet *étrange* retard. » [7]

---

3 Vaudreuil à Machault, 25 septembre 1755, *ibid.*, 158-159v.
4 Shirley à Sharpe, 9 septembre 1755, *Sharpe Correspondence*, 1 : 280.
5 Shirley à Johnson, 12 septembre 1755, Sullivan, éd., *The Papers of Sir William Johnson*, 2 : 34.
6 « Review of Military Operations, » 120-122.
7 *The New-York Gazette,* 3 novembre 1757.

Le public est furieux. L'échec n'a pas moins exaspéré les chefs militaires. Ceux-ci paraissent chercher une certaine compensation dans l'élaboration de nouveaux plans pour 1756. Les projets de Shirley sont grandioses. Le commandant en chef les expose dans un conseil de guerre convoqué à New-York le 12 décembre 1755. Réunir 5,000 hommes à Oswego; en détacher 4,000 pour enlever Frontenac et la Présentation; réduire ensuite Niagara, le fort Presqu'île, celui de la rivière aux Bœufs, Détroit et Michilimakinac; lancer 3,000 hommes sur la route de Braddock contre le fort Du Quesne; en envoyer 6,000 autres sur le lac Champlain pour prendre Saint-Frédéric; en jeter enfin 2,000 sur le Kennebec et la Chaudière pour créer une diversion du côté de Québec, — telles sont les recommandations du gouverneur du Massachusetts. [8] Quant à Johnson, il veut se reprendre, recommencer son effort en liaison avec une flotte anglaise qui remonterait le cours du Saint-Laurent jusqu'à Québec : alors, « si... nos opérations se synchronisent, je ne fais aucun doute que, l'an prochain, nous ne nous rendions maîtres du Canada, mettant fin à la puissance française et nous emparant du commerce des fourrures, qui est d'une valeur inestimable, etc. ». [9]

Un Anglais tente d'expliquer qu'il se glisse là un malentendu. Il résume : si les Français s'étaient contentés de ce qui est au nord du Saint-Laurent, jamais la Nouvelle-Angleterre ne leur eût disputé un pouce de territoire, elle « leur aurait plutôt souhaité bonne chance ». Mais le sud du fleuve est si « agréable », surtout le pays des Lacs, que « Monsieur » en a eu envie. « Si la Nouvelle-Angleterre a menacé de chasser les Français du Canada, il faut entendre par cette expression seulement ce que les Français ont récemment, et à tort, appelé de ce nom, c'est-à-dire leurs établissements du lac Ontario et du lac Erié, Crown Point, etc. ...; car tant qu'ils se maintiendront sur ces points, la Nouvelle-Angleterre, le New-York, la Pennsylvanie et la Virginie doivent s'attendre à déplorer des empiétements et à ne pas goûter un seul jour de paix réelle. » [10]

On ne saurait poser plus mal le problème. Bien sûr, les Américains britanniques ne convoitent pas la colonie du Saint-Laurent, ses paroisses, ses seigneuries et ses villes; ils désirent toutefois ce qui fait vivre ces villes et les paroisses et les seigneuries évoluant dans leur orbite. Ils ne visent pas à renverser la société canadienne; ils sont ce-

---

[8] « Proceedings of the Council of War, » *Sharpe Correspondence*, 1 : 315-320; voir « Review of Military Operations, » 132s.
[9] Johnson à Orme, 18 septembre 1755, Sullivan, éd., *The Papers of Sir William Johnson*, 2 : 53.
[10] *The New-York Gazette*, 29 décembre 1755.

pendant déterminés à lui enlever la base territoriale (et économique)
à défaut de laquelle elle s'effondrera. Ils n'arriveront à leurs fins qu'à
condition de démembrer la Nouvelle-France. Et celle-ci, la première
grande campagne de la guerre le leur enseigne, ne se laissera pas disloquer que le Canada ne soit d'abord détruit. Ce que La Galissonière
disait en 1749 de la Louisiane s'applique rigoureusement à toute la
Nouvelle-France : elle « ne peut se soutenir qu'à l'ombre des forces
du Canada ». [11] L'Amérique britannique ne saurait effacer cette « ombre » qu'en éliminant les « forces » qui la projettent.

Résumons. Le Canada est le soutien de l'Amérique française. Pourquoi la société canadienne, enracinée dans le pays difficilement acces-
sible du Saint-Laurent, s'épuise-t-elle à « soutenir » cet empire déme-
suré ? Caprice ? Mégalomanie ? Nous savons déjà que non. Si cet immense domaine a besoin, pour ne pas se défaire, du Canada, ce dernier
a un besoin égal, pour rester debout, du reste de l'Amérique française :
de la Louisiane et de la région stratégique qui articule la Louisiane au
Canada, la vallée de l'Ohio. Le Canadien qui connaît le plus intime-
ment la structure de la Nouvelle-France, Vaudreuil, l'expliquera un
jour au gouvernement métropolitain : « La France ne sçauroit se passer de la Belle Riviere qui est sa communication naturelle, et la seule
directe du Canada avec la Louisiane. » La moindre concession que le
roi ferait à la Grande-Bretagne dans l'Ohio « lui couperoit entierement
la communication de ces deux Colonies, qui ne se soutiennent que par
un secours mutuel ». A la première secousse, la perte de tous les pays
d'en haut en résulterait. Voilà la situation qu'il est interdit de perdre
de vue : « Sans cela [le Canada] sera continuellement en guerre quoy-
qu'en paix; nous en avons une experience assés frappante puisque depuis
la dernière guerre [1744-1748] nous avons été constamment en mouvement pour ... rompre les vües et les démarches ambitieuses des anglois. » [12]

*

* *

L'équation est donc posée. Dans son terme britannique aussi bien
que dans son terme français, la même donnée apparaît. C'est le Canada. La preuve est ainsi faite qu'il constitue l'enjeu de ce conflit. Mais
il est presque hors d'atteinte. Même ses approches se hérissent de dé-

---

11   *Le Grand Marquis*, 332.
12   Vaudreuil à Moras, 16 février 1756 [1758], AC, F 3, 14 : 222-223v.

fenses naturelles et de redoutables armées. Il apparaît dès lors que l'Angleterre devra se charger d'effectuer sa conquête. Seule, elle possède le moyen de frapper au cœur — à Québec — parce qu'elle dispose seule de l'arme susceptible d'être employée à cette fin : sa flotte. Dans ces perspectives, il est significatif d'observer qu'un journal de New-York, au moment où s'achève l'année 1755, publie une liste des unités navales de la Grande-Bretagne. [13] Est-ce là un appel ? Il convient d'y voir au moins l'expression d'un espoir.

---

[13] *The New-York Mercury*, 22 décembre 1755.

CHAPITRE IV

L'ANNÉE DE CHOUAGUEN

1756

A la fin de 1755, tout autoriserait le monde britannique à éprouver le sentiment que les circonstances l'ont trahi. Loin d'être les promenades victorieuses qu'il avait prévues, ses campagnes d'Amérique ont échoué, à la réserve d'une seule, celle de l'Acadie. La flotte du comte du Bois de La Motte a échappé à Boscawen. La marche sur l'Ohio a tourné au désastre. La poussée dirigée contre le lac Ontario n'a pas eu lieu. Johnson ne s'est pas rendu maître de Saint-Frédéric. Avant cette grande offensive, l'Angleterre avait pu spéculer sur un effet de surprise; maintenant, ce précieux avantage ne lui appartient plus. Ce n'est pas à dire qu'elle s'en soit facilement départie. Dès qu'elle est au courant du résultat décevant des opérations confiées à Boscawen, elle médite un autre coup audacieux. Il s'agit, cette fois, de capturer sur toutes les mers les navires battant pavillon français. L'autorisation en est donnée en juillet au vice-amiral Hawke, qui écumera l'océan. Le gouvernement anglais poursuit toujours les mêmes fins : contraindre la France de s'incliner avant même une déclaration de guerre, réduire rapidement sa marine à l'impuissance et désorganiser son commerce de façon à provoquer chez elle une crise économique et une chute verticale du moral de la nation.[1]

---

[1] A. von Ruville, *William Pitt, Earl of Chatham,* 1 : 366; P. Muret, *La Prépondérance anglaise, 1715-1763* (Paris, 1942), 490.

Au début d'octobre 1755, une dépêche de Londres mande que les vaisseaux anglais ont emmené dans les ports du royaume 110 bâtiments français d'une valeur de 400,000 livres sterling. [2] Dans les derniers jours du même mois, un autre correspondant londonien révèle que le nombre des prises atteint « près de 170 ». Il constate non sans plaisir : « Quant aux négociants français, ils sont au bord de la ruine, tellement nous leur avons enlevé de vaisseaux richement chargés. » [3] C'est là, confirme en novembre une nouvelle en provenance de Paris, un « avantage ... considérable » que les Anglais « remportent tous les jours sur nous en Europe, & qui, s'il continuoit, nous ruineroit à la fin ». Ils ont déjà, de cette manière, mis la main sur « plus de 250 » navires. [4] Un Parisien déplorera au printemps de 1756 : « C'est la ruine et la chute de notre Commerce, qui ne se relévera peut-être jamais des pertes, presque innombrables, qu'il a faites depuis un an par la prise de plusieurs centaines de nos Vaisseaux Marchands ... que les *Anglois* nous ont enlevez partout. » Aussi les banqueroutes se multiplient-elles; on en mentionne une de sept millions à Marseille. [5]

Au lendemain du conflit, un historien britannique se félicite du succès de cette singulière politique : elle a, souligne-t-il, valu à la Grande-Bretagne, avant le jour de Noël 1755, la capture de 300 voiliers et de 8,000 matelots français. « Rien, assure-t-il, ne pouvait être plus à propos, étant donné l'échec des négociations » avec la France. [6] Réflexion du vainqueur désormais à l'abri des conséquences de ses agressions. Dans ses mémoires, lord Waldegrave exprime une tout autre opinion. Il aurait fallu, dit-il, ou bien déclarer la guerre à la France ou bien s'abstenir d'attaquer sa marine : « Au contraire, sans avis préalable, nous entamons les hostilités; en conformité avec ses ordres, Hawke se saisit de tous les navires marchands qui ont le malheur de le rencontrer; notre conduite devient une source de disputes et de récriminations, sans compter qu'elle nous expose peut-être à de lourdes représailles au cas où ce conflit tournerait mal; en attendant, nous nous faisons traiter de voleurs et de pirates. » [7] Ce dernier terme apparaît dans une note envoyée par le gouvernement français au secrétaire d'Etat Fox le 21 décembre. Après avoir souligné la gravité des « ordres offensifs » donnés à Braddock et à Boscawen, Rouillé mentionne, hautain, « les pirateries que les vaisseaux de guerre Anglois exercent

---

2   *The New-York Mercury*, 27 novembre 1755.
3   *The Boston News-Letter*, 22 janvier 1756.
4   *Mercure historique de La Haye*, 139 (1755) : 534s.
5   *Ibid.*, 140 (1756) : 403.
6   *An Impartial History of the War*, 17.
7   Texte cité par John Barrow, *Lord Anson*, 241.

epuis plusieurs mois contre la navigation & le commerce des sujets
e Sa Majesté, au mépris du droit des gens, de la foi des traités, des
.sages établis parmi les nations policées, & des égards qu'elles se doi-
ent réciproquement ». [8] Plus encore que le ton de ce message, ce qui
hoque pourtant les Anglais, c'est que, lorsque Fox répond au ministre
le Louis XV, il lui écrit en français, alors qu'il y va de « l'honneur »
lu cabinet britannique « de ne pas s'adresser à la Cour de France dans
ine autre langue qu'en bon anglais ». [9]

La nervosité de l'opinion anglaise n'est pas inexplicable. Malgré les
« mauvais coups » de Boscawen et de Hawke, les affaires de la Grande-
Bretagne vont à peine mieux sur l'océan — son élément — qu'au
Nouveau Monde. D'abord, la marine militaire de la France souffre
assez peu des attaques anglaises; en second lieu, si durement atteint
soit-il, le commerce du royaume ne s'effondre pas : les Anglais ne sauraient empêcher les neutres de fréquenter les ports français; bien plus,
les armateurs britanniques eux-mêmes trouvent profit — trop de profit
pour que l'Etat soit capable de les en empêcher — à ravitailler la métropole et surtout les colonies françaises. [10] Enfin, la puissance maritime de la France n'est pas négligeable. Au lendemain de la paix
d'Aix-la-Chapelle, Maurepas avait élaboré un vaste programme de construction navale qui devait, échelonné sur dix ans, pourvoir le pays de
110 vaisseaux de ligne et de 55 frégates. La marquise de Pompadour
l'avait, il est vrai, fait disgracier avant qu'il n'eût pu avancer beaucoup son ouvrage. Malgré tout, le nombre des grosses unités françaises
avait plus que doublé entre 1749 et 1755. Au commencement des hostilités, le ministère de la Marine dispose de près de 70 vaisseaux de
haut bord et d'un bon nombre d'unités légères. [11] En juin 1756, on
assure en Angleterre que l'adversaire est en mesure de faire opérer
cent onze vaisseaux et frégates. [12]

Sans doute, la flotte de guerre britannique reste-t-elle très supérieure à la flotte rivale. En septembre 1755, un Anglais énumère en
bombant le torse les navires de guerre de sa nation : 148 vaisseaux de
50 à 100 canons, 103 frégates et 80 autres voiliers de moindre force,
sloops, galiotes et brûlots; en tout, 336 unités et un effectif de 42,000

---

8 *Mercure de France* (février 1756), 226s.
9 *London Magazine* (janvier 1756), 46.
10 Pierre Muret, *La Prépondérance anglaise*, 491.
11 G. S. Graham, *Empire of the North Atlantic*, 153. Cf. A. T. Mahan, *The Influence of Sea Power Upon History* (1894), 291. Une brochure anglaise de 1761 donne
à la France 92 vaisseaux de plus de 50 canons et 47 unités de 30 à 46 canons (*Sentiments
Relating to the Late Negociation*, 30-36).
12 Entick, 2 : 31-35.

matelots. [13] Mais en dépit de son infériorité, ainsi que le note un his
torien de l'époque, la marine française va trouver, dans les première
années de la guerre, le secret d'accomplir d'excellente besogne, tou
en déjouant les plans de l'Amirauté anglaise. Pendant que de formi
dables escadres britanniques tiennent la mer par tous les temps, sur
veillant les mouvements de l'ennemi dans la baie de Biscaye et dans
la Méditerranée, les formations françaises, à l'abri des intempéries dan
les ports de Brest et de Toulon, attendent leur heure sans risquer d'ava-
ries et sans occasionner de grandes dépenses de ravitaillement. Puis,
une bonne nuit, elles s'échappent. Une fois en haute mer, elles sont en
sécurité. Elles gagnent l'Amérique, où des brumes propices les camou-
flent. Leurs missions remplies, elles rentrent à leurs bases d'opérations,
à la dérobée, comme elles en sont sorties. Avec un peu de chance, elles
ne subissent pas trop de pertes. [14] Les chantiers français s'efforcent de
combler ces vides. En novembre 1756, on rapporte que les ateliers
royaux de Brest travaillent « avec plus de vigueur que jamais », et l'on
s'attend qu'il en sorte, au printemps suivant, « des armements aussi
redoutables pour les Anglais que sous le règne de Louis XIV ». [15] A
force d'énergie et à prix d'or, la marine anglaise, dont il faut sans
cesse radouber les unités, conserve et accroît sa prépondérance numérique. Mais la France manie toujours son arme navale. Prudente, soucieuse d'éviter toute action décisive, son habile stratégie défensive
viendra bien près de réduire à l'impuissance l'énorme flotte de guerre
britannique. [16] Il faudra que celle-ci, après des années d'une exténuan-
te guerre d'usure, trouve des tactiques plus évoluées pour parvenir à
couper les communications entre l'Amérique et la métropole ennemie.
Elle n'y arrivera qu'à compter de 1758. [17]

William Pitt se verra attribuer ce succès. De fait, l'idole de l'empire aura eu, avant d'accéder au pouvoir, l'immense mérite de subordonner clairement la guerre européenne au conflit colonial, d'établir
un accord profond entre les appétits économiques et les ambitions politiques de sa nation et de coordonner avec précision les moyens qu'il
pouvait utiliser, ce qui impliquait une audacieuse mise à profit de la
marge de supériorité de la flotte anglaise. Il bénéficia cependant de
deux circonstances favorables. En premier lieu, il put tirer parti des

---

[13] *Mercure historique de La Haye*, 139 (1755) : 335.
[14] Entick, 2 : 35. Voir le curieux « Plan proposé Par le Sr De La Salle pour S'emparer de Quebec et de Montreal. Avec la lettre de M. le Cte d'affry du 26 mars 1757, »
AE, Mémoires et documents, Amérique, 10 : 272.
[15] Dépêche du 8 novembre 1756, *The Pennsylvania Journal*, 24 février 1757.
[16] Corbett, *England in the Seven Years' War*, 2 : 373.
[17] G. S. Graham, *Empire of the North Atlantic*, 150s.

perfectionnements que les amiraux apportèrent à leur stratégie; en même temps, il se trouva recueillir les fruits des efforts soutenus qu'avaient faits ses prédécesseurs. Car ceux-ci n'avaient pas perdu leur temps. Sous leur impulsion, la marine militaire s'était accrue de 54 voiles de 1752 à 1756. L'année 1756 en fut une d'extraordinaire activité, puisqu'en avril la Grande-Bretagne n'avait encore que 87 vaisseaux prêts à appareiller, contre 125 au mois d'août.[18] L'opinion, surexcitée, s'impatientait de ce que le ministère ne lui procurât point de victoires spectaculaires et elle s'irritait de ce qu'il n'osât définir nettement les fins qu'il poursuivait. Elle ne réfléchissait pas que le gouvernement avait fait de son mieux pour gagner, du premier coup, la partie par surprise en Amérique et sur mer; elle oubliait que, la guerre n'étant pas déclarée, il n'était pas libre de tout dire, même s'il cherchait à tout faire. Mais elle ne pouvait sans injustice accuser d'inaction l'équipe qui détenait le pouvoir.

Et la France se ressaisissait. Le public britannique avait été trop prompt à escompter la désintégration de ses forces navales et coloniales. Pendant qu'il exigeait des triomphes, les affaires d'Europe se compliquaient. « Ce qui aggrave nos difficultés », avouait un journaliste de Londres, « c'est que les *François* ... s'efforcent de faire accroire, à tous ceux qui veulent s'en rapporter à leurs discours, ... que la guerre, de leur part, est indispensable en *Europe,* surtout depuis que nous nous sommes mis à courir dans ces Mers sur leurs Vaisseaux ».[19] Plus perspicaces que d'autres, des observateurs avaient d'ailleurs prévu depuis longtemps l'éventualité de l'extension du conflit si « les fameux amiraux Anson, Hawke et Boscawen » ne parvenaient pas très tôt à anéantir la marine française.[20] D'autre part, l'opinion éprouvait une répugnance aussi vive que compréhensible à voir la nation s'engager « dans le labyrinthe de la politique continentale ». C'était un sentiment très répandu que l'Angleterre devait orienter son action d'après des « maximes différentes » de celles des autres puissances européennes. « Notre force, proclamait-on, est sur la mer, et c'est là qu'elle doit surtout se déployer. Le commerce est notre activité naturelle, et, dans ce domaine, nos ennemis invétérés, les Français, nous font une forte concurrence. Par une guerre maritime, nous sommes à même d'augmenter notre commerce et de détruire le leur. » Abandonner cette position avantageuse, gaspiller du bon argent pour acheter l'amitié de petits princes

---

18 A. von Ruville, *William Pitt, Earl of Chatham,* 2 : 77s.
19 *Mercure historique de La Haye,* 139 (1755) : 455.
20 « Extract of a private Letter from London ... dated February 3, » *The New-York Mercury,* 21 avril 1755.

allemands et, pis encore, sacrifier des vies britanniques sur les champs
de bataille du continent, ce serait faire le jeu de la France et combattre
sur le terrain qu'elle aurait elle-même choisi. [21]

Idées simples, simplistes même, et par conséquent populaires. Un
homme les incarne : William Pitt. L'Angleterre veut-elle régner sur
les eaux ? Qu'elle concentre son attention sur sa marine. Pour rester
riche et devenir plus riche encore, sent-elle qu'il lui faut l'Amérique ?
Qu'elle aille y porter la guerre. Ne voilà-t-il pas que la France se dispose à répliquer à une telle offensive par l'invasion du Hanovre ? Tant
pis; on le recouvrera plus tard, après avoir vu aux affaires sérieuses.
George II ne saurait admettre semblable doctrine. Il voudrait, à coups
de subsides, s'assurer des appuis en Allemagne. Quand le ministère, en
mai 1756, demande aux Communes de voter un million pour subvenir
aux dépenses de la guerre, Pitt se lève. Il foudroie la politique inconsé-
quente du gouvernement, qui a poussé la Grande-Bretagne à provoquer la France avant d'être en mesure de se défendre et qui, la provocation lancée, s'est endormi, tonne-t-il, dans la négligence : des fonds,
le parlement en a déjà accordés, mais ils ont été « détournés » au profit
du Hanovre ! [22] Ceux qui n'ont pas la mémoire trop courte se rappellent soudain que Mr Pitt a acquis une solide expérience des choses
d'Amérique au temps où il exerçait les fonctions de trésorier-payeur
général de l'armée (1746-1755) et qu'au surplus, alors que tout le
monde attendait mer et monde de l'expédition confiée à Braddock, il
en avait souligné la trop faible envergure. [23] Ceux qui font l'opinion
sont avec Pitt. En 1756, le *London Magazine* publie un dessin allé-
gorique lourd d'allusions mythologiques et accompagné des explications
suivantes : « Le très honorable Mr Pitt (représenté sous les traits de
Persée) vole au secours de Britannia qui, sous la figure d'Andromède,
est enchaînée au Continent, qui apparaît ici comme un rocher; tranchant ses liens, il la tire de la détresse dans laquelle l'ont plongée ses
alliances contre nature et la délivre du monstre de la corruption qui
avait failli la dévorer. » [24]

Malgré tout, personne ne peut faire que l'Angleterre ne soit amar-
rée au Continent. Il lui est impossible d'oublier l'Europe pour ne regarder que du côté de la mer et des colonies. L'Europe ne se laisse pas

---

[21] *An Impartial History of the War*, 73.
[22] Horace Walpole, *Memoirs of the Reign of George the Second*, 2 : 194. Sur le
mot souvent cité de William Pitt, faisant allusion à la conquête de l'Amérique « sur les
plaines d'Allemagne », voir les commentaires intelligents de J. A. Williamson, *History
of British Expansion* (2 vol., Londres 1951), 1 : 397.
[23] Kate Hotblack, *Chatham's Colonial Policy* (Londres, 1917), xiii.
[24] *London Magazine* (janvier 1756), préface.

oublier. Des diplomates donnent à entendre dans les cours étrangères que Louis XV prépare sans bruit l'invasion de l'Angleterre ou de l'Irlande; le 23 mars, un message du roi attire l'attention du Parlement sur l'activité insolite des ports français. [25] Un mois auparavant, le *Mercure* de La Haye a prévenu ses lecteurs : « La Guerre, qui avance à grands pas, nous prépare des Scènes bien Tragiques. Plus de 6000. Hommes travaillent jour & nuit à construire & à équiper des Navires de Guerre à *Brest.* L'Escadre de *Toulon* est composée de 12. Vaisseaux de Ligne & 6. Frégates; & l'on y arme encore 8. Vaisseaux, qui seront prêts dans une quinzaine de jours. C'est le Marquis de La *Galissonière,* qui commandera cette Flotte. » [26] Armement dont on entendra parler. Le sol britannique serait-il menacé ? L'Angleterre n'est pas, en tout cas, invulnérable. Le *London Magazine* rappelle que, depuis Guillaume le Conquérant, elle a été envahie vingt-trois fois, dont huit avec succès. [27] Le maréchal de Belle-Isle élabore des plans minutieux : passage de la Manche par les flottes de Brest et de Rochefort; diversions sur les côtes de l'Ecosse et de l'Irlande; en Méditerranée, opérations secondaires contre Minorque; outre-Atlantique, menace d'incursion à Halifax. Sur la côte nord de la France, il masse 118 bataillons d'infanterie et 28 escadrons. C'est beaucoup plus que toute l'armée anglaise. Cette pensée fait frissonner ceux qui ne comprennent pas jusqu'à quel point la sécurité du royaume est assurée par sa stratégie traditionnelle : la mer immobilise les puissants régiments français, — ou plutôt la fameuse « escadre occidentale » (Western Squadron) interdit l'accès de la Manche aux divisions navales de l'ennemi, cependant que des frégates et des sloops suffisent pour river à leurs ports d'attache les transports de troupes. [28] Un malheur, toutefois, est vite arrivé, et, à cette époque de navigation à voile, des concentrations navales ne s'effectuent pas à volonté, si bien que même la flotte la plus puissante du monde pourrait, dans certaines conditions, ne conserver qu'une valeur défensive assez aléatoire. [29] Mais Pitt ne s'affole pas. Ni en 1756 ni l'année suivante, quand reparaîtra la perspective d'une descente, il n'éprouve la moindre appréhension : une brève étude de la disposition des éléments français le convainc de l'impossibilité d'une invasion. [30]

Ceux qui partagent sa confiance ont une autre crainte. Ils se demandent si, absorbé par les questions européennes, le gouvernement

25 *London Magazine* (mars 1756), 146.
26 *Mercure historique de La Haye,* 140 (1756) : 166.
27 *London Magazine* (mars 1756), 152.
28 B. Tunstall, *William Pitt Earl of Chatham* (Londres, [1938]), 154s.
29 A. von Ruville, *William Pitt, Earl of Chatham,* 2 : 76s.
30 *Ibid.,* 2 : 374s.

ne serait pas tenté de s'accommoder d'un demi-succès au Nouveau Monde et, pour avoir les mains libres du côté de l'Allemagne, de conclure avec la France un accord hâtif qui, en échange de concessions sans importance, consacrerait la prépondérance canadienne dans la région essentielle des grands lacs. [31] Dans ce cas, le public anglais n'aurait pas sa guerre. Et il la veut plus que jamais. C'est ce que le duc de Cumberland a compris : en décembre 1755, soutenu par « la voix du pays », il décide le cabinet à ordonner le recrutement de dix nouveaux régiments d'infanterie; un mois plus tard, la résolution est prise, dans ses appartements, de distribuer 120,000 livres aux quatre provinces de la Nouvelle-Angleterre et de porter les troupes servant en Amérique, tant coloniales que métropolitaines, à 13,400 hommes. [32] A la mi-janvier, Machault confie au gouverneur général de la Nouvelle-France : « Quoiqu'il n'y ait point encore de Declaration de guerre, il faut s'attendre que les anglois feront de nouveaux efforts pour avoir cette année plus de succez qu'ils n'en ont eu l'année d[erniè]re dans l'ex[écuti]on de leurs projets contre le Canada. » [33]

Les Anglais étaient visiblement déterminés à se battre. Ils se montraient prêts à fournir les plus grands efforts financiers. La nation désirait des conquêtes et elle allait y mettre le prix : la dette nationale doublerait de 1755 à 1763, passant de soixante-douze à cent quarante-sept millions. [34] Mais, comme l'avait compris, dès la fin de 1755, un observateur clairvoyant, cet argent retomberait en très grande partie entre les mains des Anglais de Grande-Bretagne et d'Amérique. Les fournitures de matériel à la marine donneraient du travail à un grand nombre et en enrichiraient plusieurs. Tout le monde s'en ressentirait : l'agriculteur, l'éleveur, le charpentier, le cordier, le tisserand, — et, plus que tout autre, l'entrepreneur et le grand négociant. Quel stimulant pour l'industrie, la finance et le commerce que ce gonflement soudain de la consommation ! Cet esprit clair résumait : « Quelles que soient les sommes que nous affections à l'Amérique, elles se dépensent chez nos propres compatriotes et, après avoir circulé quelque temps parmi eux pour le plus grand bien de nos colonies, elles rentrent, en fin de compte, en Grande-Bretagne. » [35] Les commerçants des colonies recueillent avec avidité ces considérations séduisantes. Eux aussi sou-

---

[31] *London Magazine* (mars 1755), 120.

[32] Charteris, *William Augustus, Duke of Cumberland, and the Seven Years' War*, 194.

[33] Machault à Vaudreuil, 17 janvier 1756, AC, B 103 : 129. Voir Machault à Vaudreuil et à Bigot, 16 janvier 1756, *ibid.*, 129v.

[34] W. T. Selley, *England in the Eighteenth Century*, 94, note 2; B. Tunstall, *William Pitt*, 252.

[35] Londres, 21 novembre 1755, *The Boston News-Letter*, 18 mars 1756.

haitent un conflit. Ils sont, depuis 1750, victimes d'une grave dépression économique provoquée par la brusque contraction des affaires
dont la paix d'Aix-la-Chapelle a donné le signal. La belle époque de
la dernière conflagration internationale a laissé des souvenirs nostalgi-
ques. Maintenant, les marchés sont inactifs; l'argent, rare; le crédit,
paralysé. En juillet 1755, une simple rumeur d'hostilités généralisées
a occasionné une hausse éphémère des prix. Quand, l'été suivant, l'état
de guerre sera proclamé, on verra des marchands exprimer l'espoir que
ce conflit se révèle aussi « propice » que le précédent. [36]

L'Angleterre déclare la guerre à la France le 17 mai 1756. Elle
le fait pour riposter à l'invasion de Minorque, organisée, dit le gouvernement français, en représaille des « pirateries » britanniques. La déclaration de guerre est une formalité; George II prononce donc des
formules rituelles : « La conduite injustifiable des Français dans les
Indes Occidentales et en Amérique du Nord depuis le traité d'Aix-la-
Chapelle, les usurpations et les empiétements qu'ils ont commis sur
nos territoires et sur les établissements de nos sujets dans ces contrées,
en particulier dans notre province de la Nouvelle-Ecosse, ont été si
flagrants et si répétés qu'il est impossible de n'y pas voir la preuve
évidente de la résolution et du dessein, mûris à leur Cour, d'adopter
systématiquement toutes les mesures propres à promouvoir leurs vues
ambitieuses, sans le moindre égard aux traités et aux engagements les
plus solennels. » [37] Paroles sonores, mais le public veut des actes. Après
tout, les hostilités entrent dans leur deuxième année. Les journaux exigent que le gouvernement mette plus de vigueur à les poursuivre. Certains accusent le ministère d'incompétence. Le *Monitor* condamne
d'avance un traité de paix qui serait rédigé « en termes obscurs et
ambigus ». Devenue enfin officielle, il faut que la guerre aboutisse à
des résultats importants; autrement, le peuple l'assimilerait à un man-
teau de Noé, jeté sur la corruption politique. Qu'a-t-on fait, demande
ensuite le journal, des crédits votés pour secourir l'Amérique ? On les
a employés à lever des corps de mercenaires étrangers, à verser un gros
subside au roi de Prusse « afin de lui conserver sa belle humeur », à
maintenir en Angleterre une armée régulière, à armer des escadres qui
ne se battent guère et à distribuer des pensions aux favoris. [88] Prendre
l'Amérique, si la guerre comporte un objectif, c'est celui-là. Ce serait

---

36 Virginia Harrington, *The New York Merchant*. 289-291.
37 Richard Beatson. éd.. *Naval and Military Memoirs of Great Britain, from 1727
to 1783,* 3 : 102 (Londres, 1804).
88 D. E. Clark, « News and Opinions Concerning America in English Newspapers,
1754-1763, » *The Pacific Historical Review*, 10 (1941) : 78.

CARTE DE LA PROVINCE DE NEW YORK

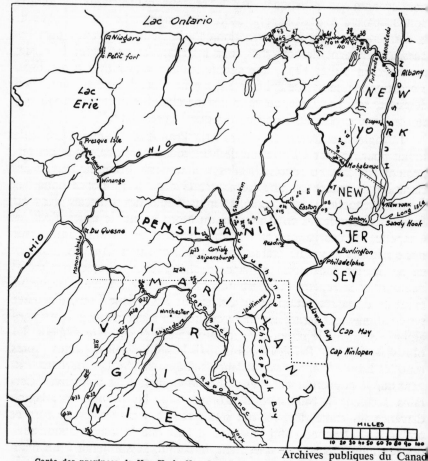

Archives publiques du Canad

Carte des provinces de New-York, New-Jersey, Pennsylvanie, Maryland et Virginie, montrant la ligne des forts construits récemment sur les frontières de ces colonies et leur situation en regard des forts français de l'Ohio et du lac Erié, ainsi que la route d'Albany à Oswego avec les forts construits et projetés pour en assurer la sécurité. Dessin fait sur l'ordre de Son Excellence, le général Shirley, par William Alexander.

Explications. 1, 2, 3 représentent des blockhaus construits par la province de New-York et contenant environ 30 hommes chacun; 4, 5, 6, 7, 8, 9, des blockhaus construits par la province du New-Jersey, contenant chacun 20 à 30 hommes; 10, 11, 12, 14, 15, 17, 18 et 20, d'autres blockhaus. Les numéros 13, 16, 19, 21, 22, 23, 24 sont tous des forts construits par la Pennsylvanie. — 13 est appelé le fort Allen; 16, le fort Heney; 19, le fort Lebanon; 21, Comfort Castle; 22, le fort Granville; 23, le fort Shirley, 24, le fort Lyttleton. 25 est un petit fort érigé par le Maryland. 26 est le fort Cumberland. Le gouvernement virginien a construit 27, 28, 29, 30, 31; 27 s'appelle le fort Lewis et 31, le fort Dinwiddie. 32, 33, 34, 35 sont des forts bâtis par les habitants de la Virginie. La plupart des blockhaus abritent 20 à 30 hommes et les forts, 50 à 70 hommes.

Explication des chiffres apparaissant sur la rivière Mohawk. 37 est un fort érigé par le New-York dans le canton des Agniers en 1755. — 38, 39, 40, 41, 42, 43, 44 ont été construits l'été dernier par le général Shirley; 38 et 39 sont à chaque bout du portage nécessité par une chute de la rivière; 40 est un entrepôt fortifié; 41 et 42 sont à chaque extrémité du grand portage qui va de la Mohawk au Wood Creek. 43 est le fort Ontario et 44, le fort Oswego. 45, 46, 47 et 48 sont des forts dont la construction se fera le printemps prochain en vue d'augmenter la sécurité de la route d'Oswego.

perdre son temps et ses peines que de tenter de l'atteindre en Europe. L'opinion commande aux hommes politiques d'aller droit au but. [39] Mais que se passe-t-il en Amérique ?

*

*   *

L'Amérique offre un spectacle invraisemblable. Les populeuses colonies anglaises se voient réduites à une pénible défensive, alors que partout les Canadiens et leurs bandes indigènes les harcèlent sans répit. Shirley fignole toujours ses plans. Ces derniers prévoient, entre autres opérations, une nouvelle attaque du fort Du Quesne; mais ni la Pennsylvanie, ni le Maryland, ni la Virginie ne consentent à participer à une telle entreprise. Toutes les provinces au sud du New-York s'inquiètent de construire une chaîne de fortins le long de leur frontière occidentale. [40] Leur argent, leurs troupes, leurs énergies y passent. L'Amérique britannique semble acculée au mur. L'automne de 1755 et l'hiver qui a suivi ont été terribles. D'innombrables raids se sont abattus sur les établissements du sud. En Pennsylvanie, quelqu'un assimile ces incursions à une grande invasion en conséquence de laquelle les ennemis se sont rendus maîtres « de presque tout le pays entre l'Oyo & la riviére Sasquehanna »; des « milliers » de colons ont dû fuir les agglomérations de l'ouest « pour se réfugier dans l'intérieur ». [41] Terrorisés eux-mêmes, des Indiens naguère encore amis des Anglais se détachent d'eux et vont grossir les rangs des alliés de la Nouvelle-France; afin de prouver à celle-ci leur zèle et leur fidélité, ils vont perpétrer des massacres « dans tout le pays qui s'étend de la Caroline au New-York ». [42]

Dans les journaux, les récits des déprédations indigènes s'accumulent avec une monotonie tragique. Ici, plus de cent colons se sont fait tuer, « et la route est pleine de femmes et d'enfants qui cherchent la sécurité dans la fuite ». [43] Là, à la nouvelle que les sauvages ont brûlé

---

39   Richard Pares, « American versus Continental Warfare 1739-63, » *The English Historical Review*, 51 (1936) : 449s.
40   Gipson, 6 : 185; Bigot à Machault, 12 avril 1756, AC, F 3, 14 : 235v.
41   [William Smith], *Etat présent de la Pensilvanie, où l'on trouve le détail de ce qui s'y est passé depuis la défaite du général Braddock jusqu'à la prise d'Oswego* [Paris, s. d.], 22-24. Sur les circonstances qui ont amené la traduction française de cet ouvrage, voir *ibid.*, 4.
42   Lewis Evans, *Analysis Number II*, 1756 (Gipson, éd.), 185.
43   *The New-York Gazette*, 20 octobre 1755.

des maisons à quinze lieues de distance, tout un village se vide, imité en cela par les bourgs voisins. [44] La campagne que le fort Cumberland devrait couvrir est le théâtre de raids incendiaires et d'exodes massifs. [45] On ne voit plus, en Pennsylvanie, « dans les cinq Comtés de Cumberland, York, Lancastre, Berks & Northampton, qui renferment plus de la moitié du territoire de la Colonie, que les tristes tableaux du desordre & de la desolation ». [46] On ne parle que de « villages réduits en cendres, d'hommes, de femmes et d'enfants cruellement mutilés et massacrés ». [47] De Bethléem, en Pennsylvanie, des voix crient au secours; d'autres en font autant du comté d'Augusta, en Virginie. [48] Car ces horreurs s'étendent dans la « Vieille Colonie », pendant que d'affreuses « boucheries » sont signalées au Maryland. [49] Le sang coule aussi dans deux comtés du New-York, ceux d'Ulster et d'Orange. [50]

Ces incursions ont des répercussions qui débordent de loin les agglomérations qu'elles affectent. L'afflux de « plusieurs milliers » de colons pennsylvaniens refoulés dans les villes de l'est de la province pose un délicat problème de ravitaillement : non seulement est-il désormais interdit de compter sur les récoltes des ruraux ainsi déplacés, mais il faut encore nourrir les réfugiés. Et où trouver maintenant la subsistance des armées ? Les plus pessimistes craignent une « famine ». [51] Au lieu de recruter les éléments du corps expéditionnaire qu'il faudrait lancer sur le fort Du Quesne, la Virginie doit se contenter de lever quinze cents hommes pour protéger sa propre frontière. [52] Mais ces considérations s'effacent devant l'impression de terreur qui se répand dans les territoires britanniques. Les Anglais apprennent ce que signifient « les horreurs de la guerre ». Une dépêche de Philadelphie mande qu'un planteur du comté de Cumberland a été si « affreusement mutilé » qu'un « souci de pudeur » rend impossible la description de ses tortures. [53] Un lieutenant du Connecticut, surpris à deux milles du fort Edward, a eu la bouche fendue jusqu'aux oreilles et la langue coupée; on lui a ensuite sorti les entrailles pour les lui fourrer dans la bouche. [54]

[44] *The Pennsylvania Gazette*, 16 octobre 1755.

[45] *The Maryland Gazette*, 9 octobre 1755.

[46] [William Smith], *Etat présent de la Pensilvanie*, 52s.

[47] *The Pennsylvania Gazette*, 25 décembre 1755; *The Boston News-Letter*, 9 janvier 1756.

[48] *The New-York Mercury*, 29 décembre 1755; *The Boston News-Letter*, 18 mars 1756.

[49] *The Maryland Gazette*, 4 mars 1756; *The Boston News-Letter*, 8 avril 1756; H. Baker-Crothers, *Virginia and the French and Indian War*, 99s.

[50] *The New-York Gazette*, 15 mars 1756.

[51] *The Pennsylvania Gazette*, 25 mars 1756.

[52] *The New-York Gazette*, 31 mai 1756.

[53] *The Boston News-Letter*, 24 juin 1756.

[54] *The New-York Gazette*, 7 juin 1756.

Atrocités systématiques. Vaudreuil dit s'attacher « particulièrement » à faire organiser des raids indigènes parce que « rien n'est plus propre à dégoûter les peuples de ces colonies [anglaises] et à leur faire desirer le retour de la paix »; il est fort aise de noter qu'à ce jeu terrible « les anglois ont perdu cent têtes contre nous une ».[55] Cette tactique permet à un peu plus de deux mille sauvages — des Loups, des Chaouanons, des Illinois, des Miamis, des Outaouais — et à un millier de Franco-Canadiens, peut-être, de faire trembler les provinces britanniques et de les réduire presque toutes à l'impuissance, excepté celles de la Nouvelle-Angleterre.[56] « La Pensilvanie Et La Virginie, confirme Montcalm, sont réellement désolées. » On a trouvé sur des officiers ennemis des lettres en provenance de ces colonies; elles décrivent « l'alarme » qui y règne. Leurs habitants, explique le général, « ne sont pas guerriers ».[57] Une de ces missives porte qu'après leur victoire sur Braddock les Canadiens et leurs alliés auraient pu, tant ils inspiraient de terreur, « s'emparer de la Pensilvanie, de tout le Merilande et de la Virginie Seulement en y entrant »; le colonel Washington, « que l'on prône si haut », ne les eût sûrement pas arrêtés : « ce n'est en verité autre Chose qu'un Marchand Indien âge d'environ 25. ans qui n'a jamais servi ».[58]

Dans les premiers mois de 1756, l'Amérique britannique est démoralisée. Le Sud paraît hors de combat : la Virginie tâche de se pourvoir d'une carapace; le Maryland, parce que ses frontières se trouvent couvertes par les provinces voisines, s'abandonne à l'inaction; la Pennsylvanie ne songe qu'à protéger peureusement ses établissements agricoles de l'ouest.[59] Un journal virginien fait des réflexions amères sur la vanité apparente de la supériorité numérique dont jouit l'empire anglais du Nouveau Monde. Il évoque la fière résistance que « les petits Etats de la Grèce » opposèrent à « toute la puissance du vaste empire perse ». Il rappelle comment les Hellènes surent « mortifier l'insolence de Xerxès » et « mettre en déroute » l'immense armée de Darius. Les Grecs ou les Franco-Canadiens; les Barbares ou les Britanniques : la comparaison ne laisse pas d'être désobligeante. Ces exemples, poursuit le journal, « suffisent pour altérer la confiance que nous mettons dans notre grand nombre ». Ce n'est pas la masse qui compte. « C'est le courage, mes compatriotes, ce sont le courage et une sage conduite, la

---

55 Vaudreuil à Machault, 8 juin 1756, AC, C 11A, 101 : 22-22v.
56 Voir Alfred P. James, « The Nest of Robbers, » *The Western Pennsylvania Historical Magazine*, 21 (1938) : 168.
57 Montcalm à Argenson, 12 juin 1756, AG, 3417 : no 139.
58 « Avec une lettre de M. le Mis de Bonnac du 25. may 1756. Traduction de l'anglois, » AE, Mémoires et documents, Amérique, 10 : 252.
59 « Review of Military Operations, » 152.

hardiesse, la résolution et l'unanimité qui décident du sort des nations. » [60] Le gouverneur du New-York s'exprime à peine autrement : il admire qu'un « ennemi si faible en nombre... nous jette un tel défi, à nous, pauvre million de colons divisés, en commettant au moyen de ses sauvages les cruautés les plus inouïes et en saccageant nos terres sans opposition de notre part ». [61] Les massacres et les dévastations des Français devraient attiser chez leurs victimes « un juste ressentiment »; hélas ! ils inspirent surtout « de la peur ». [62]

Un New-Yorkais considère avec lucidité les principes qui animent la politique canadienne : les Canadiens « se sont établis dans un pays froid et aride », trop éloigné de l'océan pour entrer avec profit dans les circuits du commerce extérieur. Par conséquent, ses habitants se sont vus amenés à concentrer leur attention sur la traite des fourrures. Cette activité les a naturellement attirés dans le Centre-Ouest, où ils sont entrés en collision avec plusieurs des provinces américaines. « Si la nation anglaise n'était pas venue à notre secours aussi à propos qu'elle l'a fait, nous avons toutes les raisons de craindre que nous n'eussions succombé à l'avidité et à l'ambition de nos perfides ennemis. » A présent, l'empire anglais veut empêcher la France de subjuguer l'Amérique et de dicter la loi au monde. Les Français réagissent avec la férocité d'ours à qui l'on enlèverait leurs petits. [63]

*
* *

Mais quels « secours » l'Angleterre se dispose-t-elle à envoyer à ses colonies ? A la mi-janvier, le gouvernement français n'est pas sûr qu'elle leur destine de nouveaux régiments; elle se contentera plutôt, croit-il, de leur expédier de l'argent pour subvenir au recrutement et au ravitaillement de troupes territoriales. La Cour est toutefois informée que les ennemis ne resteront pas inactifs : « ...On pretend qu'il est question de leur part d'une entreprise contre la Ville même de Quebec et qu'ils ont fait des préparatifs pour cela tant à Baston qu'à Hallifax. » [64] Cinq semaines plus tard, le ministre français de la Ma-

[60] *The Virginia Gazette*, 30 avril 1756; article reproduit dans *The New-York Gazette*, 14 juin 1756.
[61] Hardy à Halifax, 7 mai 1756, Pargellis, éd., *Military Affairs in North America*, 171.
[62] *The Boston News-Letter*, 15 avril 1756.
[63] *The New-York Gazette*, 23 février 1756.
[64] Machault à Vaudreuil, 17 janvier 1756, AC, B 103 : 129.

rine, dont les services de renseignements semblent excellents, prévient
le gouverneur général de la Nouvelle-France que les Anglais enverront
en Amérique non seulement des fonds, mais aussi des soldats « sous
le commandement du Lord Loudon [Loudoun] qui doit remplacer le
Général Braddock ». [65] La nomination du nouveau commandant en
chef ne devient officielle que le 17 mars. [66] Il y a plusieurs années que
Loudoun désire servir en Amérique : on parlait de lui dès 1752 comme titulaire possible du gouvernement de New-York; c'est un des seize
pairs d'Ecosse, très lié au duc d'Argyll, ami de Fox et de lord Halifax. [67]
Loudoun, observera un jour le caustique Franklin, fait penser aux ima-
ges du roi George que l'on voit si souvent sur les enseignes des auber-
ges anglaises, — « toujours à cheval, mais n'arrivant jamais nulle
part ». [68] Son navire n'atteint Sandy Hook que le 22 juillet. Pressé
comme d'habitude parce que, comme d'habitude, en retard, le général
fait son entrée à New-York le lendemain, à trois heures du matin. « Vu
que Son Excellence a débarqué de si bonne heure, le régiment de la
ville n'a pu être appelé sous les armes pour l'accueillir comme on l'avait
prévu. » [69] Ce sera la fatalité du pauvre général que de toujours s'es-
souffler inutilement à rattraper le temps perdu.

Puisque la Grande-Bretagne augmente ses troupes régulières au
Nouveau Monde, la France ne peut pas se dispenser d'en faire autant.
Vaudreuil avait demandé deux bataillons d'infanterie, la Cour les lui
fait passer. Il avait aussi sollicité dix compagnies de la marine, soit
500 hommes; le ministre lui en expédie 450, de quoi porter de 50 à 65
fantassins les effectifs des 30 compagnies déjà en service dans la colonie. Le gouverneur aurait aussi voulu avoir de la grosse artillerie;
Machault lui en promet pour 1757 et lui envoie tout de suite un renfort d'artilleurs. [70] Le gouvernement français destine encore au Canada
un officier général et un état-major pour les mettre à la tête des troupes
de terre. On mentionna d'abord, pour remplir ce poste, M. de La Mor-
lière. [71] En mars, on savait que la nomination irait au marquis de Montcalm. [72] A l'automne de 1755, Vaudreuil avait écrit à Machault qu'un

[65] Id. à id., 20 février 1756, ibid., 131.
[66] Pargellis, Lord Loudoun in North America, 60.
[67] Ibid., 42.
[68] F. W. Seymour, Lords of the Valley : Sir William Johnson and His Mohawk Brothers (New-York, 1930), 129.
[69] The New-York Mercury, 26 juillet 1756.
[70] Machault à Vaudreuil et à Bigot, 17 janvier 1756, AC, B 103 : 129v; « Ordonnance pour une augmentation de soldats dans les Compagnies du Canada, » 14 mars 1756, ibid., 137v; « Ordonnance pour l'augmentation de la Compagnie de Canoniers, » 14 mars 1756, ibid., 137.
[71] Mercure historique de La Haye, 140 (1756) : 167.
[72] Ibid., 276.

commandant des bataillons n'était pas « nécessaire ». [73] Le ministre lui répondit : « Quoique vous n'ayiez rien à desirer par raport a la confiance que le Roy a en vous, et que S. M. ait aussi tres bonne opinion des Officiers de Canada, Elle a cependant jugé necessaire de remplacer Mrs de Dieskaw & de Rostaing dans le commandement des troupes qu'elle fait passer dans cette Colonie. Ce sont Mrs de Moncalm [*sic*] marechal de camp et Ch[er] de Levy [*sic*] Brigadier qu'elle a choisis pour cette destination; Et elle y joint mesme le Ch[er] de Bourlamaque Colonel pour Commandant en 3me. » [74] Montcalm ne devait exercer « que les mesmes pouvoirs qu'avoit M. de Dieskaw ». Son rôle allait se borner « à executer et faire executer... tout ce qui lui Sera ordonné par le gouverneur général ». [75] De son côté, le ministre de la Guerre tenait à rassurer Vaudreuil : celui-ci aurait lieu de « se louer de la prudence » de Montcalm : « ... Vous trouverez en lui touttes les dispositions desirables pour concourir avec vous au bien du Service du Roy. » [76] Ces recommandations n'étaient pas une solution. Personne n'en fut content : ni Vaudreuil, dont les représentations étaient restées sans effet, ni Montcalm, qui s'estima fort malheureux de jouer le rôle équivoque « d'un espèce de général, quoique tres subordonné au Gouverneur général qui a come de raison la voix décisive et prépondérante » [77] — et qui, en attendant de supplanter son collègue, adopta la ligne de conduite suivante : « Je suis un général en chef subordonné, donant le mot ne me mêlant de rien dans certaines occasions, de tout dans d'autres. Estimé, respecté, aymé, jalousé, hay, haut, souple, difficile, liant, poly, dévot, galant, etc. — et bien désireux de la paix. » [78]

Conflit significatif, que celui qui va opposer Vaudreuil à Montcalm. En est-ce un de caractères ? Le tempérament vif du « méridional » contre le naturel lent du Canadien ? Serait-ce l'inévitable désaccord de « l'amateur » revêtu de l'autorité suprême et du soldat de carrière placé par des circonstances malheureuses au deuxième rang ? Ou, plus dramatique encore, la rivalité entre l'incompétence prétentieuse du gouverneur et les talents persécutés du général, ce dernier étant « l'officier supérieur le plus capable peut-être qu'ait produit cette guerre » ? [79]

[73] *François Bigot, administrateur français*, 2 : 119s.
[74] Machault à Vaudreuil, 20 février 1756, AC, B 103 : 131-131v.
[75] Machault à Vaudreuil, 15 mars 1756, AC, B 103 : 12 *bis* - 12 *bis* v; « Memoire du Roy pour Servir d'instruction au S[r] M[ls] de Moncalm Marechal de camp, » 14 mars 1756, *ibid.*, 7-7v.
[76] Argenson à Vaudreuil, 29 février 1756, AG, 3417 : no 42.
[77] Montcalm à sa femme, 16 avril 1757, « La Correspondance de Montcalm, » *Rapport sur les Archives publiques* [RAC] *pour 1929* (Ottawa, 1930), 56.
[78] *Ibid.*, 61.
[79] G. F. G. Stanley, *Canada's Soldiers, 1604-1954* (Toronto, 1954), 69s.

On a beaucoup brodé sur ce canevas. Pourtant, la division qui va déchirer le grand quartier général engage plus que des personnes. Elle met en cause des sociétés, — ce qui fait que des sociétés se créent et se cuirassent pour durer.

Comme tous les impérialistes attardés, Montcalm apporte avec lui son petit monde métropolitain dans la colonie où il est envoyé en mission. Il s'entoure d'un groupe fermé. Il s'installe au centre d'une coterie française. A ses yeux, les Français qui pensent, à l'occasion, comme Vaudreuil sont des transfuges. Il raille l'évêque, Pontbriand, parce qu'il ne met pas les « troupes de terre » en assez bonne place dans ses mandements, « et cela n'est pas surprenant, car le dit prélat, saint homme d'ailleurs et de bonnes mœurs, a tous les préjugés d'un Canadien, quoique né en France. Il ordonne de prier pour le rétablissement de la santé de notre gouverneur général »... [80] Le capitaine Pouchot, du régiment de Béarn, montre-t-il de la déférence pour Vaudreuil, de qui il est bien vu, Montcalm n'a plus que méfiance pour son subordonné et qu'ironie pour ses « raisonnements canadiens ». [81] Lévis s'entend bien avec le gouverneur; il pourrait, s'il le voulait, être encore mieux avec lui, mais, réfléchit-il, « je ne me soucie pas d'avoir plus de part que je n'en ai à sa confiance, parce que M. de Montcalm en seroit jaloux »... Si Lévis se range de l'avis de Vaudreuil contre Montcalm, celui-ci se plaint de « l'opiniâtreté » de son second, dont l'opinion prévaut ainsi sur celle de « l'armée » : [82] il faut que le gouverneur ait toujours tort. Petitesses révélatrices. Lévis est de taille à les dépasser parce qu'il n'a pas du tout envie de faire sa carrière au Canada : il est venu seulement y chercher de l'avancement. Montcalm, en revanche, a des vues sur le gouvernement général. [83]

Vaudreuil se défend et défend l'oligarchie canadienne dont il est lui-même la plus haute expression. Il convient de retenir les arguments qu'il emploie pour obtenir à son frère cadet, Rigaud, le gouvernement de Montréal. Gouverneur des Trois-Rivières depuis 1749, Rigaud devrait normalement recueillir la succession du baron de Longueuil dont la mort, au début de 1755, laisse vacant le poste de gouverneur de Montréal. Pourtant, en 1756, la Cour ne pourvoit pas au remplacement du baron. Machault explique à Vaudreuil pourquoi il n'a pas recom-

---

80 *Journal* de Montcalm, Casgrain, 7 : 163. Voir *ibid.*, 181.
81 R. de Kerallain, *La Jeunesse de Bougainville*, 87; Montcalm à Lévis, 16 juillet 1759, Casgrain, 6 : 190. Voir Vaudreuil à Argenson, 8 juin 1756, AG, 3417 : no 132; Vaudreuil à Machault, 7 novembre 1756, AC, C 11A, 101 : 154-154v, etc.
82 Lévis à Mirepoix, 4 septembre 1757, Casgrain, 2 : 155; Montcalm à Bourlamaque, 7 juillet 1759, Casgrain, 5 : 336.
83 *François Bigot, administrateur français*, 2 : 150-152.

mandé la nomination de Rigaud. C'est que le gouverneur de Montréal assure l'intérim si le gouverneur général meurt subitement. Rigaud, pense le ministre, n'est pas fait pour prendre en main la direction de la colonie en cas de besoin : « Pour remplir convenablement tous les objets de cette place il faut une certaine etendue de talents et de lumières que la nature ne donne pas a tout le monde, et que la meilleure volonté ne sauroit procurer. » [84] Mais, réplique Vaudreuil, si l'on écarte Rigaud, le poste ira à un Français. Il serait « fâcheux » que les officiers canadiens fussent exclus des gouvernements particuliers, car ce sont là « les seules perspectives qu'ils ayent et La plus haute recompense a Leurs Services apres avoir passé par tous Les Grades Militaires ». Les « colons » — entendons la bourgeoisie coloniale — partageraient la déconvenue de Rigaud; ils ne manqueraient pas de voir leur horizon se rétrécir; ils se sentiraient confinés aux seuls emplois subalternes, et la « sensibilité » qu'ils en éprouveraient « pouroit peutestre Ralentir [leur] Zele ». [85] Puisque Rigaud ne sauroit plus espérer de promotions, Vaudreuil demande pour lui « une Retraite honorable Eu Egard a Ces [ses] services a Ceux de Mon pere et de mes freres » ... [86] Précisément, la famille de Vaudreuil a vécu et vit encore de l'empire. Elle a servi l'empire partout : en France, aux Antilles, en Louisiane, au Canada. Le gouverneur général ne manifeste pas d'hostilité envers la métropole. Comme son père et ses frères, il est un agent de la métropole. Comme eux, il est impérialiste. Mais, intégré à la société canadienne, son impérialisme ne crée pas une petite France autour de lui; il crée un Canada. Dans les cadres de l'empire, Vaudreuil travaille à renforcer les structures sociales et l'armature politique du Canada. Si un Français cherche à les affaiblir, il combat ce Français. Sa position n'est pas exceptionnelle. Elle est normale. C'est celle de tous les grands coloniaux. Comme eux, le gouverneur général sait qu'un empire ne se bâtit pas en l'air, mais repose sur un ensemble de sociétés dont chacune a son dynamisme interne. Tout naturellement, ainsi que ses compatriotes qu'il représente, il ne peut que lier son propre sort à celui du Canada.

*

* *

A la fin de la campagne de 1755, Vaudreuil avait prévu qu'en 1756 l'ennemi reprendrait ses trois attaques manquées contre Saint-

---

84 Machault à Vaudreuil, 12 avril 1756, AC, B 103 : 24-24v.
85 Vaudreuil à Machault, 1756, AC, C 11A, 101 : 9-10.
86 *Id.* à *id.* [s.l.n.d.], AC, C 11A, 102 : 185-186.

'rédéric, Niagara et le fort Du Quesne. Il avait dès lors esquissé le
>rojet de contenir l'adversaire sur le lac Champlain et sur l'Ohio et
le prendre lui-même l'offensive sur la frontière du centre en faisant
mettre le siège devant Oswego, offensive qui sauverait Niagara. [87] En
évrier 1756, sa stratégie n'a pas changé. Elle peut désormais s'ap-
>uyer sur des positions plus solides qu'auparavant: Saint-Frédéric est
maintenant couvert par les fortifications qui commencent à s'élever à
Carillon, et Pouchot a fait de Niagara une place respectable, où une
garnison de 300 hommes a passé l'hiver. Le gouverneur se sent ras-
suré. « Je suis dans la confiance que [les Anglais] ne feront aucun
progrès et qu'ils perdront du monde. » [88] Bigot partage cet optimisme.
À la mi-avril, une expédition de secours est en route à destination de
l'Ohio, et les petites armées canadiennes sont sur le point de défiler
vers le lac Champlain et le lac Ontario. Les Anglais ont passé l'hiver
à se chercher des alliés, mais toutes les tribus des pays d'en haut, im-
pressionnées par la victoire de la Monongahela, ont repoussé leurs
avances. Même les Iroquois n'ont pas voulu se compromettre avec les
Britanniques; au contraire, ils se disposent à envoyer une grande am-
bassade à Montréal. [89]

Pendant que les Canadiens regroupent leurs forces, les provinces
britanniques s'évertuent à remplir au moins une partie de l'ambitieux
programme militaire qu'elles se sont tracé. Il serait compréhensible
qu'elles songeassent à détruire le fort Du Quesne : c'est de là que sont
parties plusieurs des bandes qui ont porté la terreur dans leurs établissements de l'ouest. Mais, sans la contribution du Sud, il ne saurait être
question de mettre sur pied une expédition contre les postes canadiens
de l'Ohio. Restent les plans élaborés contre Saint-Frédéric et Niagara.
Les colonies du centre et du nord ne se sentent pas en mesure de les
mettre à exécution en même temps. Sur les entrefaites, le principal
promoteur de la conquête du lac Ontario, William Shirley, tombe en
disgrâce. Seul subsiste le projet d'enlever Saint-Frédéric. Le haut commandement anglo-américain se prépare à le réaliser. Comme l'année
précédente, des espérances flatteuses s'expriment dans la presse coloniale, au moment de la mise en train de la campagne. Au commencement de juillet, les journaux ont la satisfaction d'apprendre au public
qu'un corps de 6,775 provinciaux, sous les ordres de Winslow, s'éche-
lonne depuis le camp de Half Moon, à dix milles au-dessus d'Albany,

---

87 Vaudreuil à Machault, 25 septembre 1755, AC, F 3, 14 : 160v-161.
88 « Canada, » 4 juin 1756, AC, C 11A, 101 : 373-375v. — C'est un résumé, fait
aux bureaux de la Marine, des lettres écrites par Vaudreuil les 2, 3, 4, 6, 7 et 8 février
1756.
89 Bigot à Machault, 12 avril 1756, AC, F 3, 14 : 235.

jusqu'au fort William-Henry. [90] Plus tard, une dépêche de l'armée révèle que tous les éléments provinciaux, dont les effectifs dépassent maintenant 7,000 hommes, sont massés autour des forts Edward et William-Henry; derrière eux, veillent 2,000 réguliers anglais, chargés d'aller les appuyer en cas de besoin et de maintenir les communications avec Albany. En voilà assez, espère-t-on à New-York, « pour nous valoir, inévitablement, la possession de Saint-Frédéric, sans compter que la chute de cette place peut, du même coup, faire tomber tout le Canada entre nos mains ». [91]

Le gouverneur du New-Hampshire, Wentworth, ne se laisse cependant pas gagner par cette belle assurance. Il réfléchit qu'entre l'armée d'invasion et son objectif se dresse un obstacle qui n'existait pas l'année précédente: le poste de « Carolong » [Carillon], où les ennemis se sont « puissamment retranchés et fortifiés ». [92] Même si les régiments métropolitains ne demandent qu'à suivre Winslow, prêts à intervenir, la marche sur Crown Point s'annonce extrêmement pénible. En raison de leur mobilité, que ne possèdent pas les provinciaux, les unités régulières devraient prendre la tête de l'offensive. Mais les Américains ne veulent pas partager avec les Anglais l'honneur de la victoire: il pourrait bien arriver qu'ils n'eussent rien du tout à garder pour eux. Pendant que Winslow s'empêtre à William-Henry, Vaudreuil fait passer à Carillon, pour lui barrer la route, trois bataillons de réguliers et un contingent formé de 800 Canadiens et indigènes. Lorsque des prisonniers révèlent que les Anglais négligent le lac Ontario pour porter presque toutes leurs forces vers le lac George, le gouverneur général dépêche au lac Champlain un quatrième bataillon, accompagné d'un nouveau corps de miliciens et de troupes de la colonie. Il donne aussi la même destination à Montcalm et à Lévis. On est alors dans la troisième semaine de juin. La mission de Montcalm à Carillon ne passera pas inaperçue des Anglais. C'est précisément ce que souhaite Vaudreuil: il veut leur donner à croire qu'il médite une attaque contre William-Henry. En juillet et en août, il ne se passe guère de semaine qu'un ou deux « partis », souvent assez considérables, n'aillent « incommoder l'ennemi » et sonder ses défenses; ils rentrent invariablement avec des renseignements, des prisonniers et des chevelures. [93] Au commencement de septembre, Montcalm s'étonnera « que

90   *The New-York Mercury*, 12 juillet 1756.
91   *The New-York Gazette*, 2 août 1756. Voir *The Virginia Gazette*, 27 août 1756.
92   Wentworth à Fox, 19 juillet 1756, PRO, CO 5, 17 : 536.
93   Vaudreuil à Machault, 12 août 1756, AC, F 3, 14 : 275-278v; Montcalm à Argenson, 12 juin 1756, AG, 3417 : no 137; *id. à id.*, 26 juin 1756, *ibid.*, no 175; *Journal de Montcalm*, Casgrain, 7 : 75-77; Lévis à Argenson, 21 août 1756, AG, 3417 : no 205; « Extrait des Nouvelles en Canada 1756, » AC, C 11A, 101 : 355-355v.

nilord Loudon, avec des forces très supérieures », n'ait pas osé tâter
« une armée qui n'avoit jamais été au plus [que] de trois mille cinq
ents hommes ». [94] Mais les Britanniques ne peuvent réellement pas
avancer. En août, ils ont quinze cents malades, ils en perdent une dizaine tous les jours, et plus ils en enterrent, plus leur armée se porte mal.
Aussi bien n'a-t-on jamais vu camps plus mal aménagés que les leurs.
Les cuisines, les latrines, le cimetière, l'abattoir, tout est ensemble,
pêle-mêle. La malpropreté est repoussante; l'air, fétide. Il flotte là-
dessus une telle senteur « que c'en serait assez, rapporte un officier
anglais, pour qu'éclate une épidémie ». [95] C'est ce qui arrive. La petite vérole se propage à Albany. Il faudra bientôt songer, écrit Wentworth, le 21 octobre, à faire prendre aux troupes leurs quartiers d'hiver, « sans qu'elles aient rien accompli de ce qui avait été projeté ». [96]
Encore une campagne manquée.

Montcalm n'a pas fait un long séjour à Carillon. Parti de Montréal
le 27 juin, il y reparaît le 19 juillet, fort surpris qu'en son absence
Vaudreuil ait « donné beaucoup d'ordres » pour mettre au point une
campagne contre Oswego. Avant son départ, le général avait bien
soupçonné que le gouverneur avait « quelque envie » de déloger les
Anglais du lac Ontario, mais il n'avait pas pris l'affaire au sérieux; il
s'était même arrangé de manière à laisser dans l'entourage de l'administrateur canadien des hommes à lui, Bougainville d'abord, Doreil
ensuite, « pour le presser sur divers arrangemens ». Maintenant, il
jugeait que Vaudreuil était allé trop vite en besogne. Pour lui, l'entreprise se révélait « bien remplie d'obstacles a surmonter »; il parlait
d'une modeste « diversion ». En un mot, avouait-il, « je pars sans en
etre ni assuré ni convaincu ». [97] Fidèle écho de son chef, Bougainville
avait confié à Bourlamaque le 29 juin: « M. de Montcalm restera peut
etre toute la campagne a Carillon. » [98]

C'était là méconnaître la volonté passionnée qu'avait le gouverneur
de détruire Oswego. Chouaguen, comme disaient les Canadiens, avait
instauré la concurrence britannique sur la plus grande voie commerciale
de l'ouest; ce fort avait aussi introduit la diplomatie ennemie au centre
du réseau d'alliances indigènes que la Nouvelle-France avait mis tant
d'énergie à forger. L'anéantissement de Chouaguen constituait le plus
canadien des objectifs que la colonie était à même de poursuivre. Vau-

---

94 *Journal* de Montcalm, Casgrain, 7 : 77.
95 Pargellis, *Lord Loudoun in North America*, 94s.
96 PRO, CO 5, 17 : 691s.
97 Montcalm à Argenson, 26 juin 1756, AG, 3417 : no 174; *id. à id.*, 20 juillet
1756, *ibid.*, no 187.
98 APC, Lettres de Bourlamaque, 1 : 13.

dreuil avait commencé, dès l'automne de 1755, à faire emmagasiner au fort Frontenac les approvisionnements nécessaires à un corps de « 4. ou 5,000 hommes qui seront employés au siege de Chouaguin le printemps prochain ». [99] Le 26 février suivant, il faisait partir de Lachine, sous les ordres du lieutenant Chaussegros de Léry, un corps d'un peu moins de 400 hommes, chargé d'aller enlever les entrepôts fortifiés que les Anglais avaient érigés aux deux bouts du grand portage reliant Schenectady et Oswego: expédition si pénible en cette saison « qu'il y avoit, rapporte un chroniqueur, impossibilité apparente » de la mener à bonne fin. Le gouverneur passa lui-même en revue les troupes de Léry, « visita les armes et renvoya les soldats ou habitants qui lui parurent trop foibles pour un voyage de cette nature ou n'avoir pas assez de volonté ». Le 7 avril, on apprenait à Montréal que la petite armée avait réussi, le 27 mars, à s'emparer du fort Bull, le poste le plus rapproché de Chouaguen. Le bilan de cet audacieux coup de main peut s'établir ainsi: les Canadiens avaient fait sauter un fort britannique, détruit d'énormes réserves de vivres et de poudre, brûlé toute une flottille de bateaux ennemis, et s'ils n'avaient fait que trois ou quatre prisonniers, c'est que « M. de Lery ne fut plus le maitre de son detachement, qui tua tout ce qu'il rencontroit ». [1] Ce raid fit sensation. [2] Si l'adversaire voulait toujours attaquer Frontenac et Niagara, il lui faudrait d'abord rebâtir son entrepôt et y reconstituer ses stocks de munitions, ce qui donnerait au Canada le loisir de réorganiser la défense du lac Ontario.

Mais Vaudreuil songe moins à repousser les Britanniques qu'à les mettre hors d'état de le repousser : « Je ne neglige rien pour empecher la reunion des forces ennemies a chouaguen ... Je vise à bloquer cette place et à me conserver dans cette position Jusqu'à ce qu'elle Soit Réduite... » [3] Il écrit au commandant de Niagara « d'Envoyer continuel-

---

[99] Bigot à Machault, 4 octobre 1755, AC, F 3, 14 : 180.
   [1] « Journal de la campagne de M. de Léry, » H.-R. Casgrain, éd., *Relations et journaux de différentes expéditions faites dans les années 1755 - 56 - 57 - 58 - 59 - 60* (Québec, 1895), 53-64 [à l'avenir, Casgrain, 11]; Vaudreuil à Machault, 1er juin 1756, P.-G. Roy, éd., *Inventaire des papiers de Léry* (3 vol., Québec, 1939-40), 2 : 135-138; Péan à ——, 19 mai 1756, *ibid.*, 134; Bigot à Machault, 12 avril 1756, AC, F 3, 14 : 231-234; « Envoyé copie aux Ambassadeurs et Ministre du Roy le 29 juin 1756, » AE, Mémoires et documents, Amérique, 10 : 256; *The New-York Gazette,* 19 avril 1756; *Journal des campagnes au Canada de 1755 à 1760 par le comte de Maurès de Malartic* (Dijon, 1890), 49; *Les Ursulines de Québec,* 2 : 291s; « Journal qui m'a été communiqué par M. de Charly, » *Journal* de Montcalm, Casgrain, 7 : 114-118.
   [2] *The New-York Gazette,* 29 mars 1756; *ibid.,* 5 avril 1756; *The Boston News-Letter,* 22 avril 1756.
   [3] Vaudreuil à Machault, 15 juin 1756, AC, C 11A, 101 : 29-29v.

ement des partis fraper du costé de Chouéguen ». [4] Au printemps, à
a vue des préparatifs qui s'accélèrent à Montréal, un témoin rapporte:
« Tout paroit prendre une bonne tourneure pour le Canada. » [5] C'est
bien ce que craint le gouverneur du New-York, qui a tout de suite
deviné la stratégie de Vaudreuil: l'activité grandissante des bandes
indigènes sur les routes fluviales lui fait comprendre que le plan des
Français « semble être de harceler les convois de vivres qui se rendent
à Oswego ». [6] Ces bandes viennent surtout de Niagara et de Toronto;
elles sont infatigables. [7] A compter du mois d'avril, la forteresse britannique est progressivement isolée du reste des établissements anglais.
Canadiens et sauvages viennent scalper des travailleurs et capturer
des soldats sous les murs mêmes de la place. Le 24 mai, des Indiens
font incursion jusque dans une rue de « la ville ». La forêt environnante
rententit sans cesse de coups de feu. [8]

Le gouverneur général ne se repose pas seulement sur ces petits
partis pour paralyser la défense d'Oswego. Le 19 mai, il confie à Coulon
de Villiers un corps de 600 hommes qui part de Montréal avec la mission de « couper la communication » de l'ennemi. Villiers se rend à
la baie de Niaouré [Sackett's Harbor] et, le 5 juin, il y établit sa base
d'opérations. Le 16, il est devant Chouaguen. Ses troupes se déploient
devant les positions britanniques et maintiennent durant plusieurs heures un feu auquel la garnison riposte avec son artillerie, sans cependant oser faire de sortie, bien que les Canadiens aient surpris à leur
arrivée une quinzaine de soldats, qu'ils ont tués ou capturés. Villiers
peut se retirer tranquillement, les Anglais ne cherchent même pas à
inquiéter sa retraite. Vaudreuil ne s'y méprend pas, c'est là un signe
de démoralisation. [9] Une dépêche du fort, datée du 12 juin, contient
ce mot qui en dit long : « Oswego fait encore partie des positions britanniques. » [10] Un correspondant d'Albany connaît l'état misérable de la
place : « ... Si nous en sommes encore les maîtres, cela tient unique-

---

4   Vaudreuil à La Valtrie, 22 avril 1756, Université de Montréal, Collection Baby,
dossier La Valtrie.
5   « Detail de ce qui s'est passé en Canada depuis le debarquement des troupes de
terre... Jusqu'au 1er may 1756, » AG, 3417 : no 122.
6   Hardy à Halifax, 7 mai 1756, Pargellis, éd., *Military Affairs in North America*,
176.
7   Vaudreuil à Machault, 1er août 1756, AC, C 11A, 101 : 72v-73.
8   *The Boston News-Letter*, 22 avril, 6 mai, 20 mai 1756; Patrick Mackellar, « A
Journal of the Transactions at Oswego from the 16th of May to the 14 of August 1756, »
Pargellis, éd., *Military Affairs in North America*, 189. — Voir *id., Lord Loudoun in
North America*, 156s; Gipson, 6 : 201.
9   Vaudreuil à Machault, 10 juillet 1756, AC, F 3, 14 : 257-259, 261v-262; « Journal de l'expédition de M. de Villiers, » Casgrain, 11 : 65s; journal de Mackellar, Pargellis,
éd., *Military Affairs in North America*, 195; *The Boston News-Letter*, 8 juillet 1756.
10   *The New-York Gazette*, 28 juin 1756.

ment à la maladresse et à l'incapacité de l'ennemi »...[11] A la fin d
juin, malgré l'insécurité croissante des abords du fort,[12] Bradstreet e
ses bateliers réussissent à y introduire un gros convoi de vivres en prc
venance d'Albany. Prévenu trop tard pour les intercepter, Villiers as
semble ses officiers, « et nous décidons ensemble », griffonne-t-il dan
son journal, « que ces canots qui sont descendus, faut qu'ils remontent »
Il les atteint sur la rivière Onondaga, le 3 juillet. Le combat dure troi
heures, accompagné de manœuvres compliquées. Les deux camps re
vendiquent la victoire. Villiers s'imagine avoir tué 500 Anglais, « e
ce qu'il y a de sûr, est que nous avions quarante prisonniers ». Les
Britanniques reconnaissent avoir eu quarante à soixante-dix tués ou
blessés, tout en se vantant d'avoir infligé une « défaite » aux Franco
Canadiens. Ces derniers n'ont toutefois perdu qu'un officier, deux mi
liciens et deux soldats « qui furent pris prisonniers en faisant le pilla
ge ».[13] Qu'en conclure ? Attaqué par surprise, il est clair que Brad
street n'a pas eu le dessus. Mais il a approvisionné Oswego, et si son
détachement a subi des pertes importantes, il ne l'a pas laissé tailler
en pièces. De retour à Albany le 10 juillet, il est mieux que tout autre
en mesure de donner au major général James Abercromby, qui exerce
le commandement suprême en attendant l'arrivée de Loudoun, des
renseignements précis sur la garnison britannique du lac Ontario et
sur les dangers qu'elle court. A juste titre, Abercromby s'inquiète. Il
ordonne à un régiment de se tenir prêt à courir au secours de la place.
Mais ce corps ne saurait se mettre en marche qu'il n'ait des vivres pour
le voyage; les munitionnaires de Shirley n'ont rien prévu : le dépôt de
Schenectady est vide, et, faute de voitures, il est impossible d'en faire
passer d'Albany.[14] Oswego ne sera pas secouru.

Pendant ce temps, des renforts successifs portent à douze cents hommes les éléments rassemblés au camp de Villiers. Rigaud y arrive et en
prend le commandement le 27 juillet. De plus, trois régiments d'infanterie se réunissent à Frontenac. Enfin, quatre navires canadiens patrouillent le lac Ontario entre Frontenac et Niagara; le 30 juin, ils

---

[11]   Harry Gordon à Robert Napier, 22 juin 1756, Pargellis, éd., *Military Affairs in
North America,* 177.
[12]   *The New-York Mercury,* 26 juillet 1756 (nouvelle datée du 2 juillet).
[13]   Journal de Villiers, Casgrain, 11 : 68s; Vaudreuil à Machault, 10 juillet 1756,
AC, F 3, 14 : 259-261; « Extrait des Nouvelles en Canada 1756, » AC, C 11A, 101 :
354-354v; *The New-York Gazette,* 19 juillet 1756; *The Pennsylvania Gazette,* 29 juillet
1756; *The New-York Mercury,* 2 août 1756; Franklin à Fawkener, 27 juillet 1756, Pargellis, éd., *Military Affairs in North America,* 185; voir *ibid.,* 155s, 200s. Cf. Francis
Parkman, *Montcalm and Wolfe* (2 vol., Boston, 1888), 1 : 394-396.
[14]   Pargellis, *Lord Loudoun in North America,* 162s; William H. Smith, « The
Pelham Papers — Loss of Oswego, » *Papers of the American Historical Society,* vol. 4
(4e partie) : 50.

s'emparent d'une goélette anglaise.[15] Voilà des forces relativement considérables. Elles ne raniment pourtant pas la confiance de Montcalm. Parti de Montréal le 21 juillet, le général débarque à Frontenac le 29. Dirigera-t-il une offensive contre Chouaguen ? Il n'y est pas résolu. Le 30 juillet, il laisse entendre à Lévis qu'il ne fera peut-être rien devant Oswego. Quatre jours plus tard, il déclare à son correspondant : « Je ne veux pas qu'il soit dit que j'ai marché à un siège, pour le lever, que j'ai exposé l'artillerie. Je pars après-demain au soir, ou le 5 au matin, avec quatre pièces de canon de campagne, des munitions pour deux mille hommes, des vivres, et, moins roi que pirate, je vais reconnoître, avec mes deux yeux, ce qu'il y a à faire, travailler à un chemin. »[16] A Carillon, Lévis recevra de son chef, jusqu'à la mi-août, des lettres qui ne lui donnent « aucune Certitude pour la réüssite du Siege de Chouaguen ».[17] Par bonheur, les officiers de l'expédition ont assez d'ascendant sur le général pour lui démontrer la nécessité de ne pas laisser à Frontenac ses canons, ses mortiers et ses obusiers. Il faut que l'armée ait une grande puissance de feu pour réduire les trois forts qui constituent les défenses d'Oswego. L'avance s'effectuera en trois étapes : d'abord, la baie de Niaouré, déjà occupée par les Canadiens; ensuite, l'anse aux Cabanes, à trois lieues de Chouaguen; en dernier lieu, une autre anse que Le Mercier a découverte à un mille et demi de la place : de là jusqu'aux fortifications britanniques, le chemin, selon l'ingénieur Desandrouins, « n'offroit aucunes difficultés ».[18]

Des difficultés, Montcalm en voit cependant partout. Arrivé à Niaouré, le voici encore hésitant. Il répète qu'il serait « plus prudent » d'y laisser l'artillerie; il ne veut pas « compromettre les armes du Roy ». A la dernière étape, tout recommence : l'anse est trop petite, le général estime que ses canons y courent des dangers; et puis, comment y rembarquer rapidement l'armée « si nous avions le dessous » ? Montcalm discute, ses objections multipliées sont sur le point de provoquer une « consternation générale ». Le Mercier trouve un argument décisif : l'action. Il fait déposer à terre quatre canons et les « étale sur le rivage ». La facilité de l'opération redonne au commandant « la sécurité ». Le Mercier, reconnaît Desandrouins, « rendit en cette occasion

15   « Extrait des Nouvelles en Canada 1756, » AC, C 11A, 101 : 353v-354.
16   Lettres du 30 juillet et du 2 août 1756, H.-R. Casgrain, éd., *Lettres du marquis de Montcalm au chevalier de Lévis* (Québec, 1894), 28, 29. A l'avenir : Casgrain, 6. Voir Vaudreuil à Machault, 1er septembre 1756, AC, F 3, 14 : 297v-298.
17   « Journal & livre d'ordres de Carillon, 1756-1760, » APC, Amherst Papers, liasse 55.
18   « Recueil et Journal » de Desandrouins, dans Gabriel, *Le Maréchal de camp Desandrouins*, 40. Voir *Journal* de Montcalm, Casgrain, 7 : 89-95; Vaudreuil à Machault, 1er septembre 1756, AC, F 3, 14 : 298; « Relation De La Campagne du Canada Jusqu'au 1er 7bre 1756, » AG, 3417 : no 222.

un service signalé. On convint au moins par la suite de la bonté du poste ». [19] On n'est plus qu'à une demi-lieue d'Oswego, mais le moyen de s'y rendre ? Rigaud propose de se porter à l'avant-garde et d'aller investir le premier fort anglais. Le général y consent, mais ne lui donne que 550 Canadiens; il garde les douze cents autres pour aménager un chemin carossable et transporter les canons. Il n'a pas l'intention d'épargner les miliciens : il a pris la résolution, au cas où ses convois de pain seraient interceptés, de réduire « les Canadiens à faire une espèce de bouillie avec de la farine, et le soldat françois à se contenter d'une moindre ration de pain avec une augmentation de pois ». [20]

Quand, à la pointe du jour, le 11 août, les éléments de Rigaud s'établissent devant le fort Ontario, les Anglais sont déjà battus. Ils ne connaissent que de la veille l'approche des envahisseurs. Harcelés depuis des mois, ils n'ont guère osé mettre le nez hors de leurs retranchements pour surveiller les mouvements des Franco-Canadiens. Rigaud installe ses hommes sur une éminence qui commande le fort; d'autres grimpent dans des arbres ou se postent dans des broussailles. Durant deux jours, le feu de ces excellents tireurs plonge dans la place et immobilise les assiégés. Le matin du 12, le commandant Mercer fait partir des courriers pour presser les régiments du New-York de venir le dégager. Les messagers sont capturés par des sauvages et les messages, remis à Montcalm. [21] Le même soir, un chemin relie le dernier camp français au fort; la tranchée s'ouvre, les canons arrivent, une batterie se monte. Le lendemain, Mercer réunit ses officiers en conseil de guerre, pendant que ses artilleurs font pleuvoir bombes, boulets et grenades sur la ligne française. C'est le sentiment unanime des chefs que la place deviendra intenable dès que la batterie de Montcalm sera en état d'ouvrir le feu. A la majorité des voix, le conseil convient qu'il vaut mieux replier tout de suite la garnison sur les deux forts érigés de l'autre côté de la rivière plutôt que de la laisser écraser par les projectiles ennemis. Un violent barrage d'artillerie couvre la retraite. A cinq heures du soir, le silence tombe sur la forteresse. Ses occupants l'ont évacuée. [22]

---

[19]   « Recueil et Journal » de Desandrouins, dans Gabriel, op. cit., 42-44; Vaudreuil à Machault, 1er septembre 1756, AC, F 3, 14 : 298v-299; Vaudreuil à Moras, 28 octobre 1757, AC, C 11A, 102 : 125. Voir La Rochebeaucour à Fontbrune, 4 août 1756, Casgrain, 6 : 31.

[20]   Journal de Montcalm, Casgrain, 7 : 89.

[21]   Journal de Montcalm, Casgrain, 7 : 95; voir Mercer à Craven, 12 août 1756, traduction française jointe à la lettre de Vaudreuil du 1er septembre 1756, AC, F 3, 14, 312-312v.

[22]   « Au Conseil de Guerre tenu le 13 d'aoust a Chouaguen, » ibid., 310-310v; « Dans l'assemblée de tous les officiers du fort Ontario, » ibid., 314-314v; Journal de Montcalm, Casgrain, 7 : 96s. Voir Pargellis, Lord Loudoun in North America, 159.

Montcalm comprend alors que le moral britannique s'est effondré et que la résistance « pourroit n'être point nerveuse ». Il ne faut pas donner aux Anglais le temps de se ressaisir. Dans la nuit du 13 au 14 août, le général fait préparer en toute hâte une nouvelle batterie, destinée à pilonner les murs du fort George. La veille, vers 5 heures du soir, il a aussi donné à Rigaud l'ordre de passer la rivière avec presque tous ses Canadiens et ses indigènes et d'aller déployer ses forces derrière les deux positions qui restent encore aux Anglais. Quand le jour se lève, les assiégeants ont aligné neuf canons sur leur côté du cours d'eau. Leur tir est d'abord dévastateur. C'est que le fort George est démuni de parapets du côté de l'eau, qui devrait être normalement couvert par le fort Ontario. Ainsi, les principales défenses de la garnison s'élèvent, inutiles, derrière elle : en avant, elle est « découverte jusqu'aux pieds ». Elle n'a d'autre refuge que les fossés de son fort, au fond desquels elle se jette.[23] Voilà cependant que, vers huit heures, le soleil se cache, un orage éclate. La pluie détrempe le sol. Pressé de monter sa batterie, Montcalm n'a pas pris le temps d'en asseoir les pièces sur des plates-formes. A chaque coup, les canons s'enfoncent dans la boue; les projectiles portent trop haut, trop bas, trop court. L'artillerie du fort ne subit pas le même inconvénient. Elle prend le dessus. Bientôt, une des pièces françaises est démontée, et le même danger guette les autres. Les défenseurs relèvent la tête; Mercer se dispose à faire une sortie. A neuf heures, il va donner ses ordres lorsque, par pur hasard, un boulet l'atteint. Le corps de Rigaud, qui a commencé à franchir la rivière à l'aube,[24] défile derrière les postes britanniques. Le successeur de Mercer au commandement, le lieutenant-colonel Littlehales, se sent pris au piège. A dix heures, « la crainte de tomber entre les mains de nos sauvages » lui fait arborer le pavillon blanc. A midi, il aura signé la capitulation.[25]

Les Anglais déposent les armes et deviennent prisonniers de guerre; ils le resteront jusqu'à ce qu'ils soient échangés contre un nombre correspondant de captifs français; les officiers, soldats et autres occupants des forts sont autorisés à conserver seulement « leurs Bagages et habits ».[26] L'Amérique britannique perd ainsi quinze à seize cents militaires; peu sont tués : environ quarante-cinq, dit Vaudreuil, « dont

23   « Lettre de M. Desandrouins sur une expedition contre le fort Ontario, » 28 août 1756, AG, 3417 : no 209; *The Boston Gazette*, 23 mai 1757.
24   Sur cette question, voir la note qui fait suite au présent chapitre.
25   *Journal* de Montcalm, Casgrain, 7 : 97s; Gabriel, *Le Maréchal de camp Desandrouins*, 58-60; « Declaration of some Soldiers belonging to Shirley's Regiment, » 21 août 1756, NYCD, 7 : 126; journal de Mackellar, Pargellis, éd., *Military Affairs in North America*, 211-213.
26   « Articles de la capitulation de la prise du fort chouaguen du 14e aoust 1756, » AG, 3417 : no 203.

12 dans l'action, les autres dans les bois par nos sauvages pendant qu'ils fuyoient ». [27] Car les Indiens n'ont pas manqué de se livrer à quelque massacre. « Je ne vous parle point, fait observer Desandrouins, des horreurs et des Cruautés des sauvages. L'idée que l'on en a en france est tres juste a cet Egard. Il est malheureux de faire la guerre avec de pareilles gens surtout quand ils sont ivres, situation ou rien n'arrete leur fureur. » [28] Malgré cet incident, Chouaguen n'aura pas été, dans l'ensemble, une victoire sanglante. Avec les forts, qui seront démolis, les Franco-Canadiens s'emparent de six navires et d'une puissante artillerie — 55 canons, 14 mortiers, 5 obusiers, 47 pierriers — qui renforcera celle de Frontenac, de Niagara et de Montréal. Les vainqueurs prennent aussi de grosses provisions de vivres et de munitions que Français et Canadiens s'accuseront mutuellement d'avoir pillées. [29]

Le siège fini, Montcalm se vante. Une relation qu'il a inspirée se clôt sur des considérations curieuses : « Cette entreprise est une des plus audacieuses que l'on voie à la guerre. Nous sommes arrivés devant Chouaguen avec 1,300 hommes de troupes réglées et pareil nombre de miliciens. Notre artillerie était fort inférieure à celle des Anglais; ils pouvaient nous disputer le débarquement; le transport des vivres très difficile et incertain si le siège eût été long : tous ces obstacles ont été surmontés par l'activité et les talents du général et par le zèle infatigable des troupes »... [30] Au ministre de la Guerre, le général écrit : « C'est peut etre la premiere fois qu'avec 3000 hommes et moins d'artillerie on en a assiege dix huit cens qui pouvoient etre promptement secourus par 2000"... Il s'excuse de son « audace » : « Toute la Conduite que J'ai tenu a cette occasion et les dispositions que j'avois arreté vis a vis dix huit cens hommes sont si fort contre les regles ordinaires que l'audace qui a eté mise dans cette Entreprise doit passer pour temerité en Europe; aussi je vous Supplie, Monseigneur, pour toute grace d'assurer Sa Majesté que si jamais elle veut, comme Je l'Espere, m'Employer dans ses armées Je me conduirai sur des prin-

[27] Vaudreuil à Argenson, 30 août 1756, AG, 3417 : no 214. Voir le témoignage de Littlehales, Gipson, 6 : 200, note 129, et The Boston News-Letter, 16 septembre 1756 (la même dépêche paraît dans The New-York Mercury, 6 septembre 1756). Le Journal de Montcalm (Casgrain, 7 : 107) fait perdre aux Anglais cent morts de trop, ce qui influe sur le total de 1,742 tués ou blessés.

[28] Lettre du 28 août 1756, AG, 3417 : no 209. Voir La Pause, « Mémoire et observations sur mon voyage en Canada, » RAPQ (1931-1932) : 34. A consulter : Th. Chapais, Le Marquis de Montcalm, 137s, note 1.

[29] « Liste des batimens qui ont esté pris sur les Anglois dans le port de Chouaguen, » AC, F 3, 14 : 325. Des états de l'artillerie et des approvisionnements se trouvent dans AG, 3417 : no 203; AC, F 3, 14 : 309, 324, 326. — Sur le pillage, Montcalm à Argenson, 28 août 1756, AG, 3417 : no 208; Vaudreuil à Machault, 1er septembre 1756, AC, F 3, 14 : 302v.

[30] AG, 3417 : no 222. — Nous avons uniformisé l'orthographe.

cipes differens » ... Montcalm ne veut pas que la Cour ignore à qui revient le mérite de cet invraisemblable succès. Il s'est servi, avoue-t-il, des Canadiens, mais en se gardant bien de les employer « aux travaux qui pouvoient etre Exposés au feu des Ennemis »; en cela, il n'a pas répété l'erreur du « malheureux Monsieur de Dieskau », vaincu en 1755 « pour avoir trop Ecouté les propos avantageux des Canadiens qui se croyent sur tous les points la premiere nation du monde »; il enchaîne : « Et mon respectable gouverneur general est né dans le pays, Il s'y est marié Et il est partout Entouré de parens. » Façon adroite de discréditer Vaudreuil, dont le général lorgne le poste. Mais il y pense : faire entendre que le peuple canadien ne l'aime pas ne serait pas pour lui une recommandation. Aussi affirme-t-il qu'il réussit auprès du populaire, bien que les dirigeants de la société coloniale souhaitent se débarrasser de lui : « Les Canadiens sont contens de moy, les officiers m'Estiment, me Craignent et voudroient bien qu'on pût Se passer des françois et de leur general et moy aussi. » [31]

Montcalm aimerait faire oublier la répugnance qu'il a manifestée depuis l'ouverture de la campagne à marcher sur Oswego. Mais, au Canada, tout le monde a compris, comme Bigot, que « si M. de Vaudreüil n'eut pas esté ferme dans l'ordre qu'il avoit donné d'en faire le siege, [ce fort] seroit encor aux anglois ». [32] Le gouverneur l'ignore moins que personne, et il ne le laisse pas ignorer à la Cour. Il se sait gré, mande-t-il au ministre de la Marine, d'avoir été « inébranlable » dans son projet, malgré « les oppositions que chacun s'empressoit à faire paroître et les propos inconsidérés qu'on [la coterie de Montcalm] tenoit à ce sujet ». Sans les officiers canadiens, sans Le Mercier, sans Rigaud surtout, tous les plans et les préparatifs de l'expédition n'eussent abouti qu'à une vaine démonstration et à une diversion inutile, « sans qu'il eut eté possible de reparer une semblable faute ». [33] Quelles en auraient été les suites ? Les Britanniques, qui allaient s'assurer la supériorité navale sur les grands lacs, [34] auraient « dés cette automne » dominé les eaux du lac Ontario; avec un mois d'hiver de moins que le Canada, le New-York aurait pu, au printemps de 1757, masser ses forces à Chouaguen avant que les Canadiens n'eussent eu le loisir d'intervenir, enlever Frontenac et Niagara, puis, maître incontesté du lac, détruire les forts de l'Ohio, s'emparer de Détroit et subjuguer les

31 Montcalm à Argenson, 28 août 1756, AG, 3417 : no 208.
32 Bigot à Machault, 3 septembre 1756, AC, F 3, 14 : 316v.
33 Vaudreuil à Machault, 1er septembre 1756, *ibid.*, 304-305.
34 Vue confirmée par Franklin à Fawkener, 27 juillet 1756, Pargellis, éd., *Military Affairs in North America,* 185.

pays d'en haut; les tribus indigènes se seraient jetées dans les bras des Anglais avec le même empressement qu'elles mettent actuellement à se rallier à la cause franco-canadienne. Si ce malheur est à présent conjuré, c'est que le gouverneur a suivi son idée sans s'occuper de ses contradicteurs. C'est aussi parce que les Canadiens, toujours à l'avant-garde, ont déconcerté, par l'audace et la rapidité de leurs mouvements, les mesures défensives de l'adversaire. « Les troupes de terre, reconnaît Vaudreuil, se sont comportées avec leur zèle ordinaire », mais il ne laisse pas dans l'ombre où Montcalm voudrait la reléguer, la part, prépondérante à ses yeux, que les Canadiens ont prise à ce triomphe français. [35] Ce sentiment, loin d'être seul à l'exprimer, le gouverneur le partage avec tout le pays. Bougainville note rageusement : « Les sauvages et les Canadiens seuls ayant pris Chouaguen. Facilité de cette expédition, suivant le peuple, le M[ls] de V. et l'évêque, qui l'eût repris, disait-il avec son clergé; sans doute comme Josué prit Jéricho, en faisant deux fois le tour des murs. » [36]

*
* *

Les hostilités ne se confinent pas au lac Ontario. Pendant que se produit le coup de théâtre d'Oswego, les Britanniques paraissent toujours menacer les positions canadiennes du lac Champlain. Aussi Vaudreuil s'empresse-t-il de faire passer à Carillon les vainqueurs de Chouaguen. Il se demande si, une fois réunis à la frontière méridionale, les régiments français et les troupes de la colonie ne pourraient pas « faire quelque chose de mieux » que d'attendre la venue des Anglais. [37] Il voudrait que, si la « situation » de l'adversaire le permettait, Montcalm et Lévis montassent contre lui une grande offensive. [38] Invité à donner son avis là-dessus, Lévis répond qu'un mouvement en avant lui semble « fort difficile dans la position qu'occupent actuellement les ennemis ». [39] Le gouverneur n'insiste pas, et le reste de la saison se passe surtout à perfectionner les fortifications de Carillon. [40] Mais l'armée

---

[35]   Vaudreuil à Argenson, 30 août 1756, AG, 3417 : no 214.

[36]   « Note détachée de Bougainville » citée par R. de Kerallain, *La Jeunesse de Bougainville*, 48. Voir Desandrouins, cité par Gabriel, *Le Maréchal de camp Desandrouins*, 34.

[37]   Vaudreuil à Lévis, 18 août 1756, Casgrain, 8 : 30s.

[38]   *Id.* à *id.*, 22 août 1756, *ibid.*, 32.

[39]   Lévis à Vaudreuil, 7 septembre 1756, Casgrain, 2 : 88.

[40]   Vaudreuil à Lévis, 13 septembre 1756, Casgrain, 8 : 37s; Bigot à Machault, 3 septembre 1756, AC, F 3, 14 : 319v; Montcalm à Argenson, 22 septembre 1756, AG, 3417 : no 240.

ne reste pas inactive. A la mi-septembre, un détachement de 700 Canadiens et sauvages va faire une incursion dans le voisinage immédiat de William-Henry. C'en est assez pour jeter « l'épouvante » chez les Britanniques. Loudoun croit le fort en danger et dépêche des renforts sur l'Hudson.[41] D'autres raids suivront jusqu'à ce que les troupes commencent à se diriger vers leurs quartiers d'hiver, dans la première quinzaine de novembre.[42]

Les opérations qui se déroulent dans l'ouest et le nord du New-York sont typiques de l'art militaire que l'Europe a mis au point vers le milieu du XVIIIe siècle. Ce sont des parties d'échec. Les généraux manœuvrent pour occuper des positions, enlever des entrepôts, couper des lignes d'approvisionnement, faire tomber des forteresses. Ils évitent les batailles rangées : en raison de l'armement dont on dispose à l'époque, il faut qu'elles soient livrées sur un terrain de petites dimensions — l'expression champ de bataille veut encore dire quelque chose — et à coups de décharges générales, terriblement coûteuses en hommes pour le vainqueur autant que pour le vaincu : on le verra sous Québec, en 1759 et en 1760.[43] Les audacieuses manœuvres combinées par Vaudreuil contre Oswego lui ont valu, au bout de six mois de patience et de petits gains accumulés, trois forts, des garnisons presque intactes et une très importante région stratégique; les savantes manœuvres élaborées par Lévis au lac Champlain ont tenu en respect les armées britanniques de l'Hudson et du lac George. Pendant ce temps, les Canadiens ont ailleurs l'occasion de pratiquer les méthodes de combat qu'ils ont apprises au cours d'une histoire qui a été un siècle et demi de conflit.

Ils exercent, au moyen de bandes indigènes auxquelles ils se mêlent, une pression constante sur les frontières occidentales des colonies anglaises du centre et du sud. Les forts érigés dans l'intérieur par les Virginiens et les Pennsylvaniens sont presque toujours en état d'alerte; un ennemi invisible ne cesse de guetter les mouvements de leurs occupants, profitant du moindre relâchement de vigilance. Dans ces postes, les Britanniques mènent une existence de prisonniers, et il n'est pas rare que des soldats se fassent massacrer sous leurs murs.[44] Erigés pour

41 *Journal* de Montcalm, Casgrain, 7 : 78; *The Boston News-Letter,* 7 octobre 1756; Montcalm à Argenson, 1er novembre 1756, AG, 3417 : no 287; Johnson au Board of Trade, 10 novembre 1756, NYCD, 7 : 170.
42 *Journal* de Montcalm, Casgrain, 7 : 79-81; Lévis à Belle-Isle, 9 octobre 1756, Casgrain, 2 : 96s.
43 Voir R. R. Palmer, « Frederick the Great, Guibert, Bülow : From Dynastic to National War, » dans E. M. Earle *et al,* éd., *Makers of Modern Strategy* (Princeton, 1943), 49-74 et, particulièrement, p. 51-57.
44 *The Boston News-Letter,* 12 août 1756.

protéger les campagnes environnantes, ils servent plutôt d'abris aux colons qui s'y réfugient. [45] Le 30 juillet, le détachement du chevalier de Villiers tombe sur un de ces blockhaus, le fort Granville, en Pennsylvanie, à vingt milles environ de l'embouchure de la Juniata. L'endroit est bien défendu : il devrait compter une garnison de 75 provinciaux; mais son commandant a répondu à l'appel d'une agglomération voisine, au secours de laquelle il a expédié cinquante hommes. Quand Villiers se retire du fort Granville, il n'en reste plus que des cendres et, au beau milieu, un drapeau blanc fiché en terre. [46] Aussitôt, la panique se répand aux alentours. Tout un comté se vide : cela fait une autre foule de « mendiants ». [47]

Du fort Dinwiddie, en Virginie, on apprend que quarante personnes ont été tuées ou prises en moins de huit jours : « chaque minute » apporte la nouvelle d'un « meurtre » ou d'un incendie. [48] En octobre, l'assemblée du Maryland adopte une mesure désespérée; elle versera une prime de cinquante livres à quiconque remettra un scalpe indigène à un magistrat. [49] En Virginie, sous le patronage du gouverneur, il se crée une société de 250 à 300 volontaires qui songent à aller exercer des représailles dans des bourgades indiennes; jeu dangereux : les Virginiens qui vont s'en prendre à Logstown se font couper la retraite par Normandville, qui, avec quelques Canadiens, les disperse dans les bois et en capture un grand nombre. [50]

En août, Vaudreuil raconte les prouesses de dix « partis » que le commandant Dumas, au fort Du Quesne, a envoyés « frapper » sur les Anglais. L'officier lui a écrit que « depuis huit jours, il n'est occupé qu'à Recevoir des chevelures » et que ces courses continuelles « ont mis la Virginie hors d'état non seulement de Rien entreprendre au dehors, mais même de faire aucun effort pour Se couvrir ». [51] Le mois suivant, le gouverneur général rend compte du travail abattu par treize autres détachements. Les officiers qu'il a mis à leur tête portent les plus beaux noms du pays : Du Buisson, Repentigny, Belestre... Toute-

[45] *The Pennsylvania Gazette*, 13 mai, 29 juillet 1756, etc.

[46] Vaudreuil à Machault, 19 septembre 1756, AC, F 3, 14 : 344v-345v; *Journal* de Montcalm, Casgrain, 7 : 111; Sharpe à Lyttleton, 23 août 1756, *Sharpe Correspondence*, 1 : 470; *The New-York Gazette*, 23 août 1756; *The Boston News-Letter*, 2 septembre 1756; *London Magazine* (novembre 1756), 563; Smith, *Etat présent de la Pensilvanie*, 100-106.

[47] Horatio Sharpe à John Sharpe, 15 septembre 1756, *Sharpe Correspondence*, 1 : 485.

[48] *The Boston News-Letter*, 21 octobre 1756.

[49] *The New-York Gazette*, 6 juin 1756.

[50] Dinwiddie à Loudoun, 14 janvier 1757, Brock, éd., *Records of Dinwiddie*, 2 : 584; *Journal* de Montcalm, Casgrain, 7 : 111.

[51] Vaudreuil à Machault, 8 août 1756, AC, C 11A, 101 : 88v-94.

fois Vaudreuil se plaint que cette guerre devient « difficile »; il faut maintenant « faire 100 lieues par des chemins affreux pour trouver l'ennemy », qui se sauve trop loin. Mais on le rejoint quand même et on lui porte des « coups fréquents ou plûtot journaliers ». [52] Les dernières nouvelles en provenance du fort Du Quesne, à l'automne de 1756, font encore mention de onze « partis »; elles arrivent à Montréal avec une collection d'une cinquantaine de scalpes. [53] Ce qui se passe dans l'Ohio se produit aussi à Niagara, où le commandant Pouchot reçoit de son côté des chevelures anglaises, notamment « 38 dans un sac » de la part des Iroquois. [54]

Au moment où la campagne va toucher à sa fin, l'ingénieur Desandrouins résume : « ... Nous apprenons de toute part que la desolation est on ne peut plus grande dans les Colonies angloises, les subsides immenses qu'elles ont eté forcées de payer pour entretenir des forces beaucoup plus nombreuses que les notres, bien loin de les avoir mis[es] jusqu'a present en Etat d'entreprendre Sur nous ne les ont pas meme garanties de toutes les horreurs d'une cruelle guerre, et de la perte du *Port Mahon* de l'amerique Septentrionale, je veux dire de chouaguen. » [55] Ce rapprochement entre la chute de Minorque (qui capitula le 28 juin) et celle d'Oswego s'opère spontanément au Canada. Il s'effectue aussi en Europe. Dans ses mémoires, Walpole n'assure-t-il pas que les Anglais estimèrent la perte de la forteresse du lac Ontario dix fois plus grave que celle de la citadelle de Port-Mahon ? [56] « Il était aussi important, s'il ne l'était pas davantage », juge un autre Anglais, « de maintenir ce poste [Oswego] sur le continent américain, pour impressionner les Indiens hésitants et hostiles, protéger nos alliés, couvrir nos établissements et châtier nos ennemis, que de conserver le fort Saint-Philippe [de Minorque] en Europe. » [57] La propagande française allait exploiter à fond ce succès. Non seulement le *Mercure de France* en publia-t-il une relation détaillée, mais on l'entoura de la plus large publicité en Hollande et, à vrai dire, dans toutes les cours de l'Europe; l'ambassadeur de Louis XV à Naples en fit diffuser un récit en italien. [58]

---

52   *Id.* à *id.*, 19 septembre 1756, AC, F 3, 14 : 341-350v; voir Montcalm à Argenson, 26 septembre 1756, AG, 3417 : no 243; *id.* à *id.*, 24 avril 1757, AG, 3457 : no 56.
53   Vaudreuil à Moras, 18 avril 1757, AC, F 3, 15 : 17v-18v.
54   *Id.* à *id.*, 19 avril 1757, AC, C 11A, 102 : 9v.
55   « Précis des Evenements de la Campagne de 1756 en la nouvelle france envoyé Le 28 aoust de laditte année, » AG, 3417 : no 209 *bis*. Voir *Journal* de Montcalm, Casgrain, 7 : 110.
56   Cité par Gipson, 6 : 200; voir *Memoirs of the Reign of George II*, 2 : 248.
57   Entick, 1 : 482s.
58   *Mercure de France* (décembre 1756), 220-223; *Mercure historique de La Haye*, 141 (1756) : 576-585; Entick, 2 : 8.

Si la victoire du lac Ontario fut bien accueillie en France, elle répandit l'allégresse au Canada. « Chouaguen est pris », écrit un Montréalais le 18 août, le jour même où Villiers entre dans la ville, précédé des « cinq beaux Drapeaux » enlevés aux défenseurs d'Oswego. « Chouaguen est pris » : il y avait trente ans que les Canadiens souhaitaient recevoir cette nouvelle. Il n'était pas besoin d'ajouter qu'elle provoquait une « Joye... bien vive et bien generale ». [59] Les drapeaux britanniques furent distribués entre les églises de Montréal, des Trois-Rivières et de Québec. En en prenant la garde, le clergé se disposa à rendre grâces au Ciel « de concert avec les guerriers défenseurs de la patrie ». [60] Le 20 août, à Québec, l'évêque présidait à « une procession la plus magnifique possible »; le cortège fit une station à plusieurs églises : à chaque endroit, deux chevaliers de Saint-Louis « abaissaient » les étendards ennemis « sur les degrés du sanctuaire ». Le 17 septembre, une autre procession parcourut les rues de la capitale avec le saint Sacrement « et les trois châsses de St Paul, de St Flavien et de Ste Félicité ». [61] Pour le Canada, l'année 1756 est bien celle de Chouaguen.

Elle l'est également pour les colonies britanniques. Au bruit de la capitulation d'Oswego, une vague de terreur les a submergées. Et cette grande peur n'affecte pas seulement les populations; les militaires anglais la partagent. Le 4 août, lord Loudoun avait ordonné au général Daniel Webb de mener le 44e régiment au lac Ontario. Parti d'Albany le 12, Webb apprit la reddition du fort six jours plus tard, à German Flatts, le village des « Palatins ». Il fut affolé. Sans attendre les directives de son chef, il prit sur lui de faire obstruer avec des troncs d'arbres le Wood Creek, cours d'eau qui aboutissait au grand portage de la Mohawk, dans la crainte que Montcalm ne le remontât pour s'enfoncer dans le New-York. Il démolit ensuite le fort Bull, que le major Craven était occupé à reconstruire à un bout du grand portage et, à l'autre extrémité, le fort William, que Léry n'avait pu atteindre au printemps. Décisions si extraordinaires que Bougainville, un mois plus tard, se refusait à y croire. [62] Quand elles arrivèrent aux oreilles de Loudoun, celui-ci fut furieux : Webb avait exhibé une frayeur inadmissible. Néanmoins, le général en chef écrivit à Winslow de ne rien entreprendre contre Carillon; il était bon d'avoir sous la main les troupes coloniales pour faire face aux Franco-Canadiens, au cas où ces

[59] « Coppie d'une Lettre écrite de Montreal le 18 Aoust 1756 à S.-Domingue, » PRO, CO 5, 48 : 103.
[60] *Journal* de Montcalm, Casgrain, 7 : 108s.
[61] *Les Ursulines de Québec*, 2 : 290s.
[62] Journal de Bougainville, RAPQ (1923-1924), 242.

derniers chercheraient à pénétrer dans la province par l'ouest. [63] Le
New-York craignit vraiment une invasion. Témoins de cette «affreuse
appréhension», [64] les indigènes comprirent jusqu'à quel point l'alliance britannique devenait dangereuse pour eux; ils s'empressèrent,
même les Iroquois, de s'en dégager. [65] Les Anglais se voyaient isolés
devant un adversaire victorieux et animé du feu sacré des conquérants.

Un New-Yorkais se lamentait : « Oswego est perdu, perdu peut-
être pour toujours » et avec lui la flotte britannique du lac Ontario,
ainsi que le commerce des fourrures, « depuis longtemps l'objet de
l'attention de notre nation et le soutien de notre ville-frontière d'Albany ». La cause de ces désastres ? La « division » qui débilite les provinces anglaises. Les voilà maintenant « presque épuisées », avec des
finances délabrées par de coûteux projets militaires qu'elles n'ont pu
mener à bonne fin. Sombreront-elles dans « le désespoir » ? Poursui-
vront-elles leurs efforts ? En tout cas, une chose est certaine : « Nous
avons jusqu'ici gaspillé notre force à vouloir ébrancher l'arbre, alors
qu'il eût fallu porter la hache à la racine. Le Canada, c'est le Canada
qui doit être détruit. *Delenda est Carthago,* ou c'en est fait de nous. » [66]
Il suffit, fait remarquer un autre, d'un coup d'œil sur la carte pour
voir qu'il n'est pas plus difficile d'attaquer Québec que Saint-Frédéric
ou le fort Du Quesne. « Il est très certain que lorsque nous aurons
coupé la tête, les membres inférieurs s'immobiliseront d'eux-mêmes.
Pourquoi donc ne pas viser cet objectif capital ? » [67] L'idée gagne du
terrain. Chaque revers la remet à l'ordre du jour. Loudoun la prend
à son compte : le seul moyen, écrit-il, de maîtriser l'ennemi est de
s'emparer de Québec, dont la chute entraînera nécessairement celle
de toute la Nouvelle-France. [68]

Battues, les colonies britanniques l'ont été en 1756. La campagne
qui s'achève, proclame Montcalm, est « la plus brillante... qu'il y ait
jamais eu dans ce continent ». [69] Cependant, à la différence du Canada,
l'Amérique anglaise peut se faire battre, et durant des années, sans

63   Pargellis, *Lord Loudoun in North America,* 164s. Voir John R. Alden, *General
Gage in America* (Bâton-Rouge, 1948); 37; *The Boston News-Letter,* 16 septembre 1756.
64   « La tres humble Remontrance du Gouverneur et de l'Assemblée générale de la
Province de la nouvelle york à Sa Majesté Sacrée, » 27 octobre 1756, AE, Mémoires et
documents, Amérique, 10 : 259 (traduction française).
65   Hardy au Board of Trade, 5 septembre 1756, NYCD, 7 : 124; Johnson au Board
of Trade, 10 septembre 1756, *ibid.,* 128; Th. Mante, *The History of the Late War,* 79s.
66   « Review of Military Operations, » 159-163. — Voir *The New-York Gazette,*
13 septembre 1756.
67   *The New-York Gazette,* 6 décembre 1756.
68   Loudoun à Cumberland, 29 août 1756, Pargellis, éd., *Military Affairs in North
America,* 233.
69   *Journal* de Montcalm, Casgrain, 7 : 114.

être écrasée. La force massive de ses gros peuplements ne lui épargne pas tous les échecs et toutes les souffrances. Elle la sauve de la défaite. Oswego tombe, les frontières brûlent, mais, dans les grandes villes provinciales, la vie continue. Un jeudi de septembre 1756, huit jours après la perte de Chouaguen, une brillante cérémonie académique se déroule au Collège de New-York. Il s'y prononce de beaux discours en anglais, et de jeunes gentlemen y défendent des thèses en latin. [70] Chez les vainqueurs, au contraire, apparaît une gêne qui confine à la misère. L'année 1757 verra se poursuivre la série des victoires canadiennes; mais, au début de l'été, contrairement à l'usage, le Séminaire de Québec se verra contraint de renvoyer ses élèves dans leurs familles, « faute de vivres », et en octobre, à la reprise des cours, les classes de grammaire resteront fermées : seuls, les grands séminaristes pourront rentrer, car ils sont les seuls que l'institution soit en mesure de nourrir. [71] Avec l'année de Chouaguen commence donc la dernière année scolaire au cours de laquelle le Séminaire ait fonctionné régulièrement sous le régime français. Perdu au milieu des manifestations d'allégresse, ce signe de malaise n'en reste pas moins révélateur. Lévis le comprend à l'automne de 1756 : malgré « le succès » des armes franco-canadiennes « la paix est à désirer ». [72] Le Canada est un nid de guêpes. Il se défend sauvagement. Il gagne des batailles. Mais, si le conflit dure, possède-t-il assez de ressources pour en sortir triomphant ?

NOTE

Quel a été au juste le rôle de Rigaud dans le dénouement aussi précipité que dramatique du siège d'Oswego ? Th. Chapais le minimise (*Le Marquis de Montcalm*, 132-134). Comme il se contente de suivre pas à pas « une longue et intéressante dissertation dans le livre de M. de Kérallain sur la *Jeunesse de Bougainville*, pp. 44, 45 », il vaut mieux négliger les dires de l'élève, si appliqué soit-il, et aller droit au maître, Kerallain, dont il répète fidèlement la leçon. Kerallain veut que le passage de la rivière par Rigaud n'ait eu aucune « importance ». Il cite le « Journal » de Bougainville : « 14 août... Ordre donné à M. de Rigaud d'aller avec les Canadiens et sauvages passer la rivière à ¾ de lieue et harceler les ennemis. J'ai été détaché pour passer avec

---

[70] *The New-York Gazette*, 27 septembre 1757.
[71] Marcel Trudel, *Le Séminaire de Québec sous le régime militaire, 1759-1764* (Québec, 1954), 3.
[72] Lévis à Belle-Isle, 9 octobre 1756, Casgrain, 2 : 97.

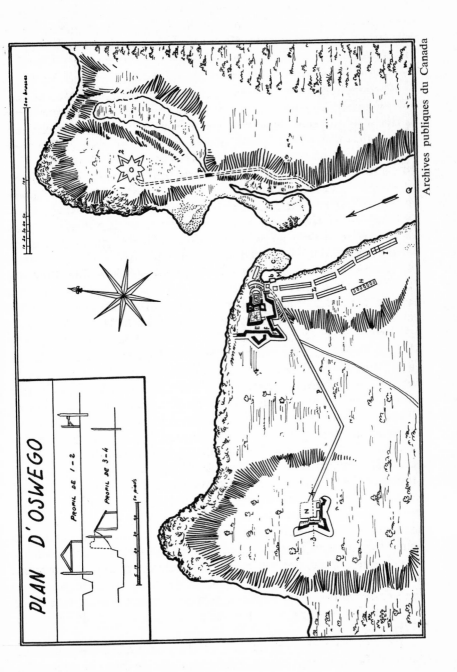

lui la rivière et sommer les ennemis à midi. » Si, raisonne l'auteur, Bougainville a été expédié du côté du fort George en même temps que Rigaud, ce mouvement n'a pu s'effectuer qu'après 9 heures du matin, c'est-à-dire après la mort de Mercer, qui a entraîné l'effondrement de la résistance britannique.

Certains textes embarrassent pourtant Kerallain. Un témoin oculaire, Pouchot, rapporte que les miliciens de Rigaud traversèrent à gué la rivière, « au point du jour ». Desandrouins, autre témoin oculaire, place cette manœuvre à quatre heures du matin (Gabriel, 58). Bigot invoque dans une lettre à Machault, le 3 septembre 1756 (AC, F 3, 14 : 316v-317), le témoignage d'officiers britanniques faits prisonniers à Oswego : « Ces derniers auroient tenu plus longtemps dans Choüaguin à ce qu'ils m'ont assuré, si les Canadiens et les Sauvages n'eussent traversé la riviere, ils les virent passer avec tant d'ardeur, quoiqu'ils eussent de l'eau jusqu'à la poitrine, qu'ils craignirent d'estre forcés et égorgés dans leurs retranchemens qui etoient battus à revers par nôtre artillerie. » Le *Mercure de France* de décembre 1756 (p. 221-233) publie une « Relation de ce qui s'est passé cette année en Canada, avec le journal historique du siège des Forts de Choüeguen ou Oswego, commencé le 11 Août 1756, & fini le 14 par la prise de ces Forts ». Voici ce que dit ce récit : « Le 14, à la pointe du jour, le Marquis de Montcalm ordonna au Sieur de Rigaud de passer à gué de l'autre côté de la Riviere avec les Canadiens & les Sauvages, de se porter dans les bois, & d'inquiéter la communication du Fort Georges où les Ennemis paroissoient faire de grandes dispositions. Le Sieur de Rigaud exécuta cet ordre sur le champ... A neuf heures, les Assiégeans eurent neuf pieces de canon en état de tirer; & quoique jusqu'alors le feu des Assiégés eût été supérieur, ils arborerent à dix heures le Drapeau blanc. Le Sieur de Rigaud renvoya au Marquis de Montcalm deux Officiers que le Commandant du Fort lui avoit adressés pour demander à capituler. La célérité de nos ouvrages dans un terrein que les Ennemis avoient jugé impraticable, l'établissement de nos batteries fait si rapidement, l'idée que ces travaux ont donnée du nombre des troupes Françoises, la mort du Colonel Mercer, Commandant de Choüeguen, tué à huit heures du matin, & plus que tout encore, la manœuvre hardie du Sieur de Rigaud, & la crainte des Canadiens & des Sauvages qui faisoient déjà feu sur le Fort, ont sans doute déterminé les Assiégés à ne pas faire une plus longue défense » (p. 232s).

L'auteur de cette « Relation » est l'historiographe du roi, Jean-Pierre de Bougainville; c'était le frère de l'aide de camp de Montcalm.

Après avoir lu ces lignes, l'aide de camp ne peut résister au désir de corriger son frère. Il lui écrit, le 3 juillet 1757 : « *Le sieur de Rigaud renvoya au marquis de M. deux officiers*, etc. Ces officiers vinrent directement à notre batterie, où était M. de Montcalm, et ne virent pas seulement M. de Rigaud. Je le sais, car je fus envoyé pour faire avec ce dernier ce fameux passage de rivière et sommer ensuite les Anglais à un signal convenu. Ce fut dans cet intervalle qu'ils arborèrent le drapeau blanc. Ainsi vous voyez qu'à tort avez-vous mis plus bas, *et, plus que tout encore, la manœuvre hardie du sieur de Rigaud*. Les officiers anglais étaient déjà à notre tranchée quand cette manœuvre fut exécutée » (Kerallain, 45). De plus, Montcalm mande à Lévis, le 17 août : « Enfin le corps de M. de Rigaud, après douze heures de retard, sur l'ordre qu'il en avoit, passe au gué, au-dessus de moi, pour investir la place de l'autre côté » (Casgrain, 6 : 34). Ce n'est pas tout. De retour en territoire anglais après un séjour à Québec, des membres de la garnison faite prisonnière à Oswego vont raconter que, le 14 août, « vers neuf heures du matin, 2,500 ennemis passèrent de la rive orientale à la rive occidentale du cours d'eau en vue de tomber sur nous. En apprenant que les assaillants franchissaient la rivière, le lieutenant-colonel Mercer, sans connaître leur nombre, ordonna au colonel Schuyler de s'opposer à leur avance avec 500 hommes, ce qui aurait été exécuté — et, par conséquent, ces 500 hommes se seraient vus enveloppés — si le colonel Mercer ne s'était fait tuer par un boulet quelques minutes après » (State of facts relating to the loss of Oswego collected from the information of some gentlemen lately arrived from Quebec who were made prisoners of war at Oswego, *Coll. de Mss.*, 4 : 63). Enfin, dans son journal (p. 73s), Malartic note la mort de Mercer, survenue à 9 heures. Il poursuit : « A la même heure, M. de Rigaud passa la rivière avec un corps de Canadiens et tous nos sauvages. Un quart d'heure après, le fort arbora pavillon blanc. On cessa de tirer de part et d'autre. »

Voilà donc quatre témoignages : le journal de Bougainville, les observations du même personnage à son frère en 1757, la lettre de Montcalm à Lévis et le rapport tiré des souvenirs de prisonniers britanniques. De ces pièces, Kerallain conclut : « Rigaud aura reçu l'ordre de traverser la rivière dès l'aube; mais, soit indolence, soit autre cause, il y eut un énorme retard dans l'exécution; plusieurs officiers, cependant, ayant connaissance de cet ordre, auront cru qu'il avait été exécuté sur le champ. En réalité, le passage n'eut lieu qu'entre neuf et dix heures ... Le colonel Mercer, averti du mouvement des Canadiens, se préparait à y faire face, par l'envoi du colonel Schuyler, lorsqu'il fut tué, ce qui désorganisa la défense. » Après en avoir délibéré rapidement avec ses collègues, Littlehales décida de se rendre « et envoya directement deux officiers à Montcalm, pendant que Rigaud, Bougainville et les Canadiens franchissaient la rivière sans opposition. De la sorte, Bougainville a pu croire que le mouvement de Rigaud était absolument inutile, tandis que les Anglais eux-mêmes auront avoué, par la suite, — du moins les hommes, sinon les chefs de la garnison, — qu'ils en avaient reçu quelque crainte, sans trop distinguer si cette impression n'a pas été produite après coup ». — En somme, si l'on accepte cette hypothèse, il faut convenir que le corps de Rigaud n'avait pas encore atteint le côté ouest de la rivière lorsque les Britanniques décidèrent d'entamer des pourparlers de capitulation; par conséquent, la manœuvre ordonnée aux Canadiens et aux indigènes n'aurait eu aucun effet sur la reddition d'Oswego.

Cela, Bougainville est seul à l'affirmer. Le témoignage de Malartic, bien que très sommaire, laisse tout de même entendre que les assiégés hissèrent le pavillon blanc tout de suite après le passage de la rivière par Rigaud. L'auteur du « State of facts » fait mourir Mercer seulement après l'avance des Canadiens : Kerallain tente d'expliquer que le commandant britannique avait été « averti » de ce mouvement; comment aurait-il pu l'être autrement qu'en le voyant s'opérer ? Au sujet de l'assertion de Montcalm, il n'est pas inutile d'observer qu'après Kerallain, Chapais, à qui les longues citations ne répugnaient pourtant pas, s'est contenté d'en transcrire trois lignes. Voici ce que Montcalm a écrit à Lévis : « Enfin, le corps de M. de Rigaud, après douze heures de retard, sur l'ordre qu'il en avoit, passe au gué, au-dessus de moi, pour investir la place de l'autre côté. L'ennemi s'effraie, demande à capituler; le canon venait de tuer les deux commandants » (Casgrain, 6 : 34). Ce texte, il est vrai, reste équivoque : pourquoi l'ennemi s'effraie-t-il ? Parce que Rigaud est allé « investir la place » ? L'interprétation de ces assertions reste douteuse tant qu'on ne les rapproche pas de ce que raconte le *Journal* de Montcalm. Que dit le *Journal* ? « Quasi tous les sauvages et Canadiens avoient passé à la pointe du jour la rivière à six cents toises du fort, sous les ordres de M. de Rigaud, pour achever d'investir les ennemis. Cette manœuvre se fit d'une façon brillante et décisive, y ayant beaucoup d'eau qui n'arrêta personne. M. le marquis de Montcalm avoit gardé cent Canadiens pour pouvoir faire passer à l'entrée de la nuit [du 14 au 15], par le large du lac, le bataillon de Béarn, avec quelques pièces de canon, pour se joindre à M. de Rigaud et former une attaque du côté du fort George... Mais la promptitude de nos travaux dans un terrain qu'ils avoient jugé imoraticable, la manœuvre du corps qui avoit passé la rivière, leur fit juger, suivant ce que nous ont dit les officiers prisonniers, que nous devions être six mille hommes. Le colonel Mercer venoit d'être tué. La crainte de tomber entre les mains de nos sauvages, toutes ces raisons déterminèrent le lieutenant-colonel du régiment de Pepperel, M. Littlehales, qui commandoit depuis la mort du colonel Mercer, à envoyer proposer de leur accorder une capitulation. Ils arborèrent sur les dix heures le drapeau blanc » (Casgrain, 7 : 98). Dans une autre lettre, adressée le 28 août au ministre de la guerre (AG, 3417 : no 208), Montcalm précise que Rigaud avait accompli sa manœuvre avant que les Anglais ne prissent le parti de se rendre. Après avoir mentionné la mort soudaine de Mercer, il ajoute que, même si celui-ci n'avait pas été tué, la chute du fort « eut eté retardée d'un jour ou deux au plus ». Pourquoi ? « Vous verrés par le Journal que j'avois fait passer au dela de la rivière les Canadiens et les Sauvages, que dés le 14. au matin j'avois neuf pieces de Canon en Batterie. » Ici, le vainqueur confirme le récit inscrit dans son journal. Ce dernier document dissipe donc les obscurités que contient la fameuse lettre à Lévis : l'ennemi « s'effraie » parce que Rigaud a traversé la rivière.

Il reste à comprendre ce que le général veut dire lorsqu'il écrit : « après douze heures de retard ». L'exégèse de Chapais est la suivante : « L'ordre avait probablement été donné dans la soirée [du 13], et s'il ne fut exécuté que vers neuf heures le lendemain matin, cela fait environ douze heures de retard. » Mais comment concilier cette assertion avec ce que porte le *Journal* de Montcalm : « Quasi tous les sauvages et Canadiens avoient passé à la pointe du jour la rivière » ... ? S'il n'avait pas été ébloui par la prestidigitation de Kerallain, Chapais aurait compris qu'il était cinq heures du soir, le 13, lorsque Montcalm avait ordonné à Rigaud de se porter sur la rive ouest : n'était-ce pas à cette heure-là que les Français s'étaient aperçus de l'évacuation du fort Ontario par les Anglais ? Ainsi, Rigaud aurait opéré sa traversée vers 5 heures du matin, « à la pointe du jour », le 14 août, une douzaine d'heures après le repli de la garnison britannique; d'autant qu'il était naturel que Montcalm conçût son double plan de bombardement et d'investissement tout de suite après avoir appris le retraite des ennemis.

Par conséquent, Montcalm, Pouchot et Desandrouins sont d'accord pour écrire que Rigaud exécuta sa manœuvre au point du jour. Ce qui est sûr, c'est que les éléments canadiens commencèrent à opérer avant la mort de Mercer (NYCD, 7 : 127; journal de Mackellar, Pargellis, éd., *Military Affairs in North America*, 212). Mais à quelle heure ?

Un récit britannique rapporte : « Vers 8 heures [du matin, le 14], nous aperçûmes l'ennemi engagé dans la traversée de la rivière, sur trois colonnes; et nous avons quelque raison de croire qu'il avait fait passer de notre côté plus de cinq ou six cents hommes la nuit précédente. Le colonel Mercer ordonna immédiatement de former un détachement pour attaquer l'adversaire; mais avant qu'on ne pût lui obéir, il fut coupé en deux par un coup de canon. A dix heures, nous observâmes que l'ennemi défilait de manière à nous encercler »... (*The Boston Gazette,* 23 mai 1757). Ce texte nous amène à considérer un autre point qui a son importance. Si Rigaud avait avec lui « quasi tous les sauvages et Canadiens », comme dit le journal de Montcalm, son corps comptait plus de quinze cents hommes. Tout ce monde a dû mettre un temps considérable à traverser à gué la rivière. Il n'est pas impossible que le passage se soit effectué par divisions : il serait tout à fait normal que, commencé à la fin de la nuit — ou « au point du jour », — il se fût encore poursuivi vers 8 heures du matin. D'où l'impression fort compréhensible que cinq ou six cents Canadiens avaient atteint la rive ouest dès « la nuit précédente ». C'est ce qui fait dire à un autre chroniqueur anglais que la reddition rapide de Chouaguen a moins tenu à l'efficacité du bombardement français « qu'à une audacieuse manœuvre d'un corps de 2,500 [*sic*] Canadiens et sauvages qui traversèrent la rivière à la nage dans la nuit du 13 au 14 et coupèrent la communication entre les deux forts [George et Oswego] » (Entick, 1 : 477).

Ces divers témoignages concordent avec un autre fait. Un orage soudain, nous l'avons vu, réduisit, au cours de la matinée du 14, la précision et l'effet de la canonnade française. Les Britanniques allaient avoir le meilleur du duel d'artillerie lorsqu'ils proposèrent de capituler. Desandrouins l'a bien remarqué : « Les Anglois il faut l'avouer sont des gens qui entendent bien peu la guerre; ils se sont rendus prisonniers, au moment qu'ils nous assommoient de leur artillerie » (lettre du 28 août 1756, AG, 3417 : no 209). Pourquoi se sont-ils rendus au moment où ils semblaient avoir la partie si belle ? Evidemment parce que le mouvement des Canadiens et des indigènes les a terrorisés.

Chapais ne disposait pas de tous les documents que nous venons de citer. Ceux qu'il a vus auraient dû, néanmoins, suffire pour qu'il ne commît pas l'erreur d'écrire : « Il y a une grande diversité d'affirmations quant à l'heure du passage de la rivière par M. de Rigaud, et à l'influence de ce mouvement sur le dénouement final du siège. » Comparées entre elles, les affirmations auxquelles l'auteur fait allusion ne

sont pas d'une aussi « grande diversité » qu'il le croit : un peu de
réflexion méthodique l'établit. Et « l'influence » de la marche de Rigaud sur la reddition précipitée d'Oswego saute aux yeux. Moins pas-
sionné que Kerallain, il est regrettable que Chapais se soit laissé prendre au jeu du polémiste français, pour qui la grande affaire était
d'exalter Bougainville.

CHAPITRE V

REVERS BRITANNIQUES

1757

L E Canadien qui, à la fin de la campagne de 1756, se fût arrêté à mesurer les conséquences possibles d'une défaite pour son pays et pour lui-même eût sans aucun doute risqué de se faire taxer de pessimisme par quelque raisonnable compatriote. Tout allait bien. Depuis deux ans, la Nouvelle-France repoussait victorieusement les assauts des Anglais. Ceux-ci, malgré d'impressionnantes démonstrations de force, n'avaient atteint aucun de leurs objectifs, sauf en Acadie, et même là ils éprouvaient de la difficulté à exploiter leur succès. Bien pis, ils avaient subi sur le lac Ontario un revers qui prenait les proportions d'un désastre, et il ne se passait point de jour que l'Amérique britannique ne perdît un peu de sang et de prestige sur ses frontières ravagées. C'est ce qui faisait écrire à un négociant québecois dans une lettre à un ami des Iles : « Les Anglois de ce continent sont aux abois, tant nous les avons malmenés; les pauvres Diables ne savent plus à quel saint se vouer car, comme vous savés, ils n'en connaissent Guère. On fait etat que depuis l'annee d[erniè]re nous leur avons tué 4,000 Hommes sans compter ceux que la misere et la Desertion leur enlevent tous les jours. » [1] Les affaires de l'ennemi avaient aussi mauvaise

---

1 « Copy of the last Paragraph of a Letter from A Merchant at Quebec, to his Correspondent at Cape Françoise [*sic*] 20th August 1756. Taken from on board the Prize Snow Spring time, » PRO, CO 5, 48 : 101.

mine en Europe qu'en Amérique. La chute de Minorque avait fait sensation et, tout autant, le repli de Byng devant l'escadre de La Galissonière. L'empire britannique en frémit de rage et de honte. [2] Un poète
représentait « Britannia en larmes », dépouillée de ses armes et soupi-
rant à l'ombre d'un chêne :

> *Why with reproach do now my fleets,*
> *Inglorious run away?*
> *Why, tho' superior, leave to France,*
> *The Empire of the sea?* [3]

L'Angleterre n'avait pourtant pas perdu sa suprématie navale. Au
moment même où paraissaient ces vers éplorés, l'Amirauté disposait
de 125 vaisseaux de ligne, de 79 frégates et de 126 autres navires de
guerre, et un recrutement intense lui assurait 50,000 matelots. [4] De
plus, la marine royale trouvait des auxiliaires extrêmement actifs chez
les armateurs de New-York, de Philadelphie, d'Antigoa et de la Jamaïque, qui « couvraient l'océan de leurs croiseurs » armés en course
et qui, à l'automne de 1756, « récoltaient », disait-on, les fruits de
« leur patriotisme ». [5] Le commerce français en souffrait : par la voie
de la Hollande, toute l'Europe avait vent de faillites qui faisaient crouler de grandes et respectables maisons, provoquant la « décadence de
l'industrie » et l'effondrement du crédit. [6] A l'automne de 1757, une
dépêche de Londres assurait que, du fait de l'insécurité croissante des
routes de la mer, le taux des assurances maritimes atteignait maintenant en France 75 pour cent, « entrave qui, à elle seule, suffirait à
ruiner le trafic » de cette nation. [7]

La médaille avait pourtant son revers. Malgré son infériorité, la
marine française n'était pas hors de combat. S'il lui arrivait, à l'occasion, de perdre des unités militaires, ses chantiers, travaillant à un
rythme accéléré, réussissaient à faire mieux que de remplir les vides
créés par les hostilités : en quelques semaines, à la fin de 1756, cinq
nouveaux vaisseaux de haut bord et une frégate furent lancés dans le
seul port de Toulon. [8] Etant donné le volume supérieur du tonnage
marchand de l'Angleterre, il n'y avait rien d'étonnant à ce que les

---

[2] Voir, par exemple, *The Boston Gazette*, 1er novembre 1756.
[3] *London Magazine* (août 1756), 397.
[4] Charteris, *William Augustus Duke of Cumberland*, 237.
[5] *London Magazine* (octobre 1756), 507.
[6] *The Pennsylvania Journal*, 10 février 1757.
[7] *The Boston Gazette*, 21 novembre 1757.
[8] *The Pennsylvania Journal*, 24 mars 1757.

corsaires français, aussi affamés que leurs adversaires, eussent une certaine facilité à faire des prises nombreuses. Les Anglais avaient, il est
vrai, pris de l'avance à cet égard au cours des mois qui précédèrent la
déclaration de guerre, mais, en juillet 1757, les Français semblaient
en bonne voie de les rattraper. On calculait à ce moment que, depuis
le début du conflit, ceux-ci s'étaient emparés de 637 voiliers, cependant
que leurs rivaux leur avaient enlevé en tout 681 navires marchands
et 91 corsaires. [9] A la fin de 1757, la Grande-Bretagne mesura les
pertes qu'elle avait subies au cours de l'année : 571 unités, petites et
grandes; de son côté, elle en avait capturé 364. [10] Le mois de mars
avait été particulièrement désastreux pour elle : de 21 navires partis
de la Caroline du Sud, presque tous chargés d'indigo, 19 étaient tombés entre les mains de l'ennemi. [11] N'y avait-il pas jusqu'aux « petits
armateurs » de Louisbourg qui avaient leurs corsaires et qui en tiraient
un abondant butin ? Montcalm écrivait au printemps de 1757 qu'ils
avaient ramené pour 250,000 livres de prises. Chiffre modeste : une
liste officielle, arrêtée en octobre de la même année, énumère 39 bâtiments ennemis, d'une valeur de 806,776 livres, interceptés depuis
quinze mois. [12] On conçoit l'étonnement et la déception des Anglais
devant la belle figure que la France parvenait à faire sur l'océan. Au
fond, ce fait n'avait rien de bien surprenant. Vu la stratégie française,
la guerre maritime ne pouvait avoir qu'un caractère, celui d'une guerre
d'usure. Seuls, le temps et des méthodes nouvelles allaient éventuellement donner à la Grande-Bretagne un avantage décisif. Dans les derniers mois de 1758, un observateur londonien, sage après l'événement,
écrirait bien que « les *François*, avec leur tactique d'envoyer de petites
Escadres en Mer, perdent toute leur Marine en détail ». Que n'avaient-
ils plus d'audace ? « De tous les Vaisseaux de guerre qu'on leur a pris
depuis deux ans, ils pouvoient former une Flotte qui nous eût donné
bien de l'inquiétude » ... [13] Précisément, ces « petites escadres » avaient
formé une flotte, dispersée mais agressive, que l'adversaire pouvait
grignoter, mais qu'il lui avait été interdit de happer en une seule et
magnifique opération.

La puissance de cette Angleterre qui viendra bientôt à bout de la
France ne se déploie pas tout entière sur la mer. Elle se manifeste en-

9   *London Magazine* (août 1757), 410.
10   Entick, 3 : 33; voir *The Boston News-Letter*, 15 septembre 1757.
11   *London Magazine* (avril 1757), 202.
12   Montcalm au ministre de la Guerre, 24 avril 1757, AG, 3457 : no 60; « Liste
des differens batimens Anglois qui ont été conduits a Louisbourg par les Corsaires... à
compter du mois d'Aoust 1756... jusqu'au 24 8bre 1757, » AM, B 4, 76 : 90v-91.
13   *Mercure historique de La Haye*, 145 (novembre 1758) : 540.

core dans la colère froide, la résolution acharnée et le sens aigu de
l'empire qui animent l'oligarchie anglaise et, avec elle, la nation. A
l'automne de 1756, lors de la rentrée des Chambres, la Cité de Londres, creuset de la finance, de la politique et de l'opinion, remet à ses
représentants au Parlement des instructions significatives. « Nos compatriotes de l'Amérique du Nord », dit-elle, ont été les victimes de
cruautés et de pertes qui exigent « depuis longtemps » réparation.
Jusqu'à présent, les tentatives qu'on a faites pour les soutenir ont été
si mal engagées, et si mal choisi le moment de leur envoyer des secours
que ceux-ci ont tout au plus « servi à rendre méprisable le nom anglais ». Il importe de dénicher tous ceux dont la trahison ou la lâcheté
« ont contribué à ces grands malheurs » afin que le roi, comme il s'y
est engagé, fasse bonne justice de ceux qui auront manqué à leur devoir envers lui-même et envers la patrie. [14] Ce ressentiment, on le sait,
atteindra son point culminant au moment de l'exécution du malheureux Byng. Il a pour premier effet de précipiter la chute de Newcastle
et de provoquer la formation du premier ministère Pitt. Newcastle et
les professionnels de la politique qui l'entourent — Pitt héritera de
plusieurs d'entre eux — pourraient faire à peu près tout ce qu'accom-
plira le fameux ministre; ce dernier, à bien des égards, continuera leur
œuvre et il aura des retournements caractéristiques. Il reste toutefois
qu'il exprime mieux que personne les tendances nouvelles de l'impérialisme britannique; il peut prendre la tête du mouvement et l'orienter
vers des objectifs précis. Ses vues sont celles mêmes de ces Anglais
et de ces Américains pour qui l'enjeu véritable de la guerre est la destruction complète de la puissance coloniale et maritime de la France.
Comment atteindre ce but ? Il répond : par la conquête du Canada.
A ses yeux, s'emparer du Canada, c'est promouvoir à la fois la sécurité
de l'Amérique britannique et son épanouissement normal : épanouissement nécessaire à l'Angleterre, dont la grandeur repose sur le commerce et le commerce, sur l'élargissement de sa base américaine. [15]
Idées très cohérentes et très simples; idées efficaces aussi parce qu'elles
expriment les ambitions fondamentales de ceux qui travaillent à augmenter la richesse de la Grande-Bretagne en même temps qu'à renforcer sa prépondérance.

Le message royal par quoi s'ouvre la session de 1756 contient une
déclaration propre à satisfaire ceux que passionnent les affaires du Nouveau Monde : « Le secours et la conservation de l'Amérique ne peu-

---

[14]   « The Instructions from the City of London to its Representatives in Parliament, »
London Magazine (novembre 1756), 543.
[15]   Voir W. T. Selley, *England in the Eighteenth Century*, 79.

vent que constituer un objet capital de mon attention et de ma sollicitude, et les dangers grandissants auxquels nos colonies peuvent être
exposées par suite des pertes que nous avons subies naguère dans cette
partie du monde exigent des décisions vigoureuses et rapides. » Le discours du Trône souligne ensuite la nécessité d'assurer la défense des
Iles britanniques et d'éliminer les sujets de mécontentement dans la
nation. [16] Dans sa réponse au souverain, la Chambre des communes
évoque « avec peine » les revers subis en Méditerranée et en Amérique
et approuve d'avance l'envoi de « prompts secours » aux « inestimables
possessions » du nouveau continent. [17] Vers le même temps, des dépêches de Londres, que les journaux américains s'empressent de publier,
laissent entrevoir un tout prochain redressement de la situation. Le
gouvernement, assurent-elles, met au point de « nouveaux moyens »
de protéger les colonies des incursions franco-indiennes, car « on a
compris que la perte de ces établissements porterait au commerce de
la Grande-Bretagne des coups plus durs que celle de Gibraltar ajoutée
à celle de Minorque ». [18] Le cabinet, affirme-t-on ailleurs, « a résolu
de donner le pas à l'Amérique » dans les objectifs et les préparatifs de
la prochaine campagne. [19]

Pendant que Pitt, mal vu du roi, qui ne lui pardonne ni la pro-
lixité de son éloquence ni surtout sa position naguère hostile au Hanovre, manœuvre au milieu de mille difficultés pour se maintenir au
pouvoir, tout en s'acheminant vers la chute inévitable de son premier
cabinet, — qui tombera dans les premiers jours d'avril — de puissants
intérêts économiques se concertent pour faire pression sur le souverain en faveur de l'empire américain. Le 1er janvier 1757, « les négociants de la Cité de Londres engagés dans le trafic des colonies de la
Virginie et du Maryland » présentent à George II une « pétition et
remontrance » qui met en lumière les rapports de l'activité économique et de la politique coloniale. Ces marchands ont des intérêts per-
sonnels à faire valoir et ils ne s'en cachent pas : les malheurs qui
s'abattent sur l'Amérique leur font craindre « les plus fatales conséquences pour eux-mêmes », oui, mais aussi « pour le plus important
commerce du royaume ». Ils sont bien placés pour réclamer des mesures
de protection « proportionnées au danger imminent » qui guette les
possessions d'outre-mer. [20]

---

16 *The Pennsylvania Journal*, 10 février 1757.
17 *Ibid.*, 17 février 1757.
18 *The Boston Gazette*, 21 février 1757.
19 *The Boston News-Letter*, 17 février 1757.
20 « To the King's Most Excellent Majesty, » PRO, CO 5, 18 : 2; texte reproduit
dans *The Pennsylvania Journal*, 2 juin 1757.

L'opinion se range de leur côté. En janvier 1757, l'influent *London Magazine* rappelle qu'avant la chute d'Oswego le New-York exportait de gros chargements de fourrures et que la même province fabrique assez de fer pour en écouler de grandes quantités sur les marchés extérieurs. [21] Le mois suivant, c'est le tour de la Pennsylvanie : quel sol fertile, quel heureux climat ! Aussi l'agriculture y fleurit-elle et donne-t-elle lieu à un commerce intense, que révèlent les statistiques du port de Philadelphie. [22] Et le palmarès s'allonge. Voici les deux Carolines. Comme celles de la Pennsylvanie, leurs productions — les registres de leurs douanes en font foi — alimentent de fructueux échanges qui contribuent à maintenir dans un équilibre favorable la balance commerciale de la métropole. La prospérité de ces laborieuses colonies se traduit dans la mère-patrie par un accroissement de fortune chez les négociants et par une augmentation de bien-être dans les classes populaires. [23] Une telle propagande, soutenue mois après mois, ne peut pas rester sans effet.

* *

Voilà donc que circule en Grande-Bretagne un large courant d'enthousiasme impérial, grossi par des bilans d'exportations, des tableaux de navigation et des courbes d'embauchage. Non, ce n'est pas, comme le pense un observateur hollandais, à l'excessive « précipitation », au « peu de réflexion » et à « l'impétuosité naturelle... de la nation Angloise » qu'il faut attribuer l'extension et la violence tenace d'un conflit qui se développe maintenant sur une échelle mondiale, [24] c'est aux calculs d'une société attentive à ne pas perdre de vue les fins complexes qu'elle poursuit et amenée par les circonstances à miser sur la guerre pour les atteindre. Il s'agit pour l'Angleterre de faire affluer les richesses des continents dans ses Iles qui s'industrialisent et, pour y arriver, d'ouvrir les vastes espaces américains à sa colonisation — c'est-à-dire à sa puissance d'organisation politique et d'exploitation économique.

En conséquence, une action décisive s'impose en Amérique. Le 23 décembre 1756, le duc de Cumberland fait tenir à lord Loudoun un projet d'opérations comportant comme élément principal une expédition sur le Saint-Laurent; l'objectif : Québec. [25] Rien ne saurait cor-

---

[21] *London Magazine* (janvier 1757), 19.
[22] *Ibid.* (février 1757), 74.
[23] *Ibid.* (août 1757), 399.
[24] *Mercure historique de La Haye*, 142 (janvier 1757) : 5.
[25] Charteris, *William Augustus Duke of Cumberland*, 205 **et** 267, note.

respondre plus parfaitement aux vues du commandant en chef. Un mois auparavant, il avait élaboré un plan de campagne conçu en vue de transformer radicalement l'allure de la guerre. Il est impératif, avait-il déclaré, de passer de « la défensive — que l'étendue de nos frontières et la situation de l'ennemi nous rendent impossible de soutenir sans de grandes dépenses et de très lourdes pertes — à l'offensive, en attaquant Québec par la voie du fleuve Saint-Laurent ». A cette stratégie, l'officier supérieur voit trois avantages : elle le mettrait à même de poursuivre les hostilités avec succès; elle serait de nature à procurer aux colonies septentrionales la paisible possession de tout leur territoire et la possibilité d'étendre leurs nouveaux établissements; enfin, elle ferait tomber entre les mains de l'Angleterre « tout le commerce des fourrures du nord, dont elle avait pris une part si importante et dont, effectivement, il ne lui reste plus rien ». [26]

Pitt serait assez de cet avis, mais il craint, semble-t-il, qu'il ne soit téméraire de s'en prendre à la capitale canadienne avant d'avoir réduit Louisbourg. Chasser d'abord la France de sa position avancée de l'île Royale, telle est donc la consigne qu'il donne au général le 22 décembre. En même temps, il lui annonce l'envoi d'une forte escadre et de 8,000 hommes. Ce corps expéditionnaire et les régiments déjà cantonnés dans les colonies donneront en tout à Loudoun quelque 17,000 soldats réguliers : forces suffisantes, estime Pitt, pour enlever rapidement Louisbourg, puis tomber sur Québec. [27] Visiblement contrarié, le commandant en chef se dit tout de même heureux que les ordres du ministre « coïncident dans une grande mesure » avec les projets qu'il avait lui-même mûris : après tout, l'objectif de la campagne demeure Québec; l'expédition de Louisbourg n'est qu'une opération préliminaire. Dans ce cadre, voici les dispositions qu'il se propose de prendre : réunir à New-York une armée de 5,500 réguliers, passer avec elle à Halifax, y opérer sa jonction avec les 8,000 hommes que Pitt lui a promis, aller donner l'assaut à la forteresse de l'île Royale, puis se porter sur la capitale de la Nouvelle-France. Outre les garnisons indispensables, il laissera derrière lui tout juste ce qu'il faut pour monter la garde sur le front du lac George et de l'Hudson, soit 1,700 réguliers et six mille provinciaux de la Nouvelle-Angleterre et du New-York. [28]

---

26   Loudoun à Fox, 22 novembre 1756, PRO, CO 5, 48 : 23-27.
27   Gipson, 6 : 92; Pargellis, *Lord Loudoun in North America*, 231.
28   Loudoun à Pitt, 10 mars 1757, PRO, CO 5, 48 : 210s. Voir Pargellis, *op. cit.*, 211; cf. *id. Military Affairs in North America*, introduction, xviii-xix.

Le plan est bon, mais difficile à mettre en œuvre parce que le succès tiendra à des facteurs divers et à des mouvements compliqués : il faudra que la flotte anglaise paraisse tôt pour dominer les eaux américaines, que sans retard le corps d'armée d'Angleterre et celui de New-York se donnent la main et que la conquête de l'île Royale soit rapide pour que la menace de l'invasion fige les éléments franco-canadiens sur le Saint-Laurent. Sinon, toute la puissance offensive des Anglais étant réunie sur un cap avancé de l'Amérique britannique, le Canada aura beau jeu de frapper ailleurs. Et Québec n'est-il pas déjà suffisamment éloigné sans en allonger la route par une station à Louisbourg ? C'est peut-être ce que l'on se dit dans les milieux du gouvernement anglais, où le plan d'une attaque directe contre Québec a ses partisans. Toujours est-il que le cabinet de Londres revient sur la décision de Pitt et permet à Loudoun de porter le premier coup, à son choix, sur la capitale de l'île Royale ou celle du Canada. Le général a les mains libres : il ne prendra, dit-il, de résolution définitive qu'à Halifax, une fois qu'il aura reçu ses renforts et conféré avec le commandant de l'escadre, le contre-amiral Holburne. [29]

Pendant ce temps, les commentaires vont leur train dans la presse : enfin, s'écrie-t-on à New-York, une « poussée audacieuse » ! [30] Un mouvement de grand style sur le Saint-Laurent, prévoit-on à Boston, « nous rendra maîtres de Québec et par conséquent du Canada, au lieu que la pratique suivie jusqu'ici de conduire la guerre dans d'épaisses forêts... pourrait faire traîner le conflit en longueur durant des années et des années ». [31] Ainsi, le public s'attend à une bataille décisive.

De son côté, le gouvernement français suit de près les préparatifs des Anglais. Très bien renseigné, [32] le ministre de la Marine, Moras, prévient Vaudreuil dès la fin de février que l'ennemi doit faire embarquer à destination de l'Amérique sept régiments réguliers et deux bataillons de montagnards écossais. Il sait aussi qu'une escadre forte de quinze ou seize vaisseaux escortera ces troupes. Sur quel point précis de l'Amérique française la Grande-Bretagne lancera-t-elle ces puissants effectifs, il l'ignore encore (les Anglais aussi, d'ailleurs), mais il conclut que ce ne peut être que sur Louisbourg ou Québec. Réglant ses mesures sur celles de l'adversaire, la France se dispose à dépêcher au Canada des renforts importants et à Louisbourg des forces navales con-

---

[29] Loudoun à Pitt, 3 mai 1757, PRO, CO 5, 48 : 369s.
[30] *The New-York Gazette,* 2 mai 1757.
[31] *The Boston Gazette,* 16 mai 1757.
[32] Voir « État Des forces de terre et de mer Destinées a faire la désente et le siege de louisbourg en 1757, » AM, B 4, 76 : 25-25v.

sidérables qui « pourroient servir aussy pour la deffense de Quebec, si les Ennemis entreprenoient de l'attaquer ». [33] Au début d'avril, informé que ceux-ci ont maintenant dessein « d'attaquer le Canada du côté de la mer en meme tems qu'ils l'attaqueront par les terres », le ministre ajoute deux bataillons du régiment de Berry aux troupes de secours qu'il avait promises à la colonie, sans rien changer toutefois aux dispositions déjà prises pour assurer à l'île Royale une solide défense navale. [34] Décision dont il n'aura pas à se repentir.

On connaît la suite : l'immobilisation des transports de troupes britanniques dans les eaux européennes par suite de vents contraires qui persistent durant des mois, la lenteur de leur traversée, qui retarde d'autant la flotte de guerre chargée de les convoyer, l'attente de plus en plus fiévreuse dans laquelle Loudoun se morfond à New-York, puis la décision désespérée du général de mener son armée en Nouvelle-Ecosse, malgré la pénurie d'unités navales qui met ses propres transports à la merci d'une rencontre possible avec une escadre française, [35] enfin, son arrivée à Halifax le 30 juin, suivie, le 10 juillet, de celle de Holburne. Cependant que s'écoule ce temps précieux, trois groupes de vaisseaux français convergent sur l'île Royale : celui de Beauffremont s'y présente le 31 mai, celui de du Revest le 19 juin et, le lendemain, celui de Du Bois de La Motte. Ce dernier officier prend en main la direction des opérations maritimes. Il dispose de 18 vaisseaux et de cinq frégates. Tout heureux, il envoie un brigantin porter à Brest « la nouvelle de la Reunion des escadres » à Louisbourg. [36]

Louisbourg est sauvé et Québec « hors de tout Risque », triomphe Vaudreuil. « Les grands preparatifs des anglais seront... infructueux », prévoit-il justement, « leur flotte... n'osera pas vraisemblablement sortir d'alifax ». [37] Que fera Du Bois de La Motte ? C'est un vieux marin chargé d'honneurs et d'expérience, de trop d'expérience peut-être. Cinquante-neuf ans de service pèsent sur ses calculs prudents. Il aurait pu, ayant devancé Loudoun, le foudroyer sur la route de Halifax, puis attendre Holburne, que des navires chargés de soldats encombraient, et l'attaquer avec des forces supérieures. Il semble y avoir songé un moment. Mais pourquoi risquer des combats ? N'a-t-il pas atteint son but, qui est de rendre inaccessible la forteresse de l'île Royale ? Il res-

33 Moras à Vaudreuil, 28 février 1757, AM, B 4, 76 : 198-199.
34 Moras à Vaudreuil et à Bigot, 2 avril 1757, *ibid.*, 200-200v; Moras à Drucour et à Prévost, 2 avril 1757, *ibid.*, 209; Moras à Vaudreui!, 11 avril .1757, *ibid.*, 203.
35 Voir Gipson, 7 : 102s.
36 Bulletin de Brest, 22 juillet 1757, AC, C 11A, 102 : 93.
37 Vaudreuil à Moras, 20 juillet 1757, AC, C 11A, 102 : 89.

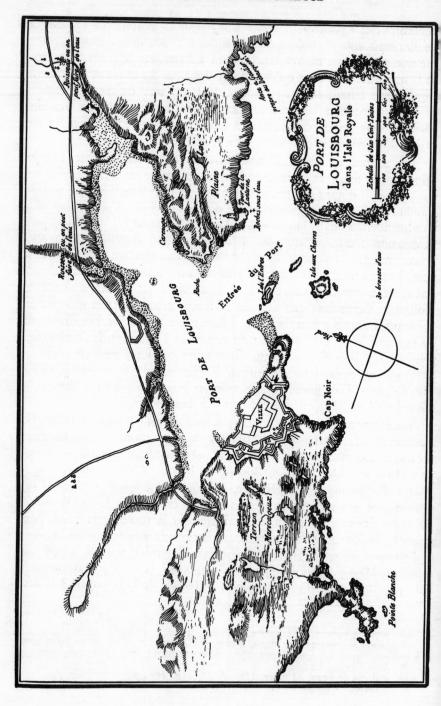

tera enfermé dans son port, où une épidémie fauchera ses équipages. [38]
Pendant que les canons silencieux de la marine française se massent sous les murs de Louisbourg, Loudoun, en Nouvelle-Ecosse, discute avec ses collègues et, excellent administrateur, administre son escadre et son armée. Dix-huit vaisseaux de haut bord, une douzaine de frégates et près de deux cents transports s'alignent en rade de Halifax : flotte splendide, si bien équipée et si bien manœuvrée « que, peut-on penser, rien d'humain ne saurait tenir devant nos forteresses flottantes ». A terre, assis sur une hauteur « dont la surface est aussi unie qu'un parquet », se dessine un camp formidable, d'une propreté méticuleuse. Le général emploie une partie de ses soldats à cultiver un vaste potager qui fournira des légumes frais à ses malades — et à ses blessés, si jamais ses troupes vont se battre. [39] Car il les prépare soigneusement à marcher au feu. Attentif à les familiariser « avec les choses qui risqueraient de les jeter dans la confusion, advenant un assaut », il leur fait livrer des combats simulés d'un remarquable réalisme : des régiments défendent des retranchements, tandis que d'autres s'y ruent, repoussant des sorties, faisant des « prisonniers », le tout en présence d'une nombreuse galerie de « spectateurs », chez qui ces belles manœuvres « répandent beaucoup de gaieté ». [40] Que de bruit pour rien ! Non pas que le commandant en chef abandonne aisément la partie. Le 2 août, ses troupes s'embarquent. Leur effectif s'établit à 11,288 hommes, sans compter les artilleurs, les fusiliers marins et les rangers. Tout ce monde est à l'étroit : il a fallu réserver un grand nombre de bâtiments au transport des fascines, des gabions, des bateaux plats et du matériel nécessaire au siège. Au siège de Louisbourg, bien entendu. [41] Au dernier moment, Loudoun doit reculer devant la probabilité d'un désastre. De plus, un danger pressant le rappelle à New-York.
Si, comme il l'avait prévu, de grandes batailles s'étaient déroulées à l'île Royale et surtout devant Québec, tous les autres fronts seraient restés inactifs, et les sept ou huit mille hommes à qui il avait confié la garde du lac George et de l'Hudson auraient suffi à contenir des mouvements offensifs qui, dans cette hypothèse, eussent pu très difficilement être autre chose que des diversions de médiocre importance. Il avait cependant été tenu en échec, et Vaudreuil en avait profité pour

38   Richard Waddington, *La Guerre de Sept ans. Histoire diplomatique et militaire* (5 vol., Paris, [1899-1914]), 1 : 253; G. S. Graham, *Empire of the North Atlantic*, 165.
39   *The Boston News-Letter*, 4 août 1757; *ibid.*, 29 décembre 1757; Doughty, éd., *Journal* de Knox, 1 : 35.
40   Doughty, éd., *Journal* de Knox, 1 : 38; [Loudoun], *The Conduct of a Noble Commander in America Impartially Reviewed* (Londres, 1758), 27.
41   Doughty, éd., *Journal* de Knox, 1 : 41.

se retourner contre le nord-ouest du New-York. Il y avait d'ailleurs
plusieurs mois que le gouverneur général s'y préparait. Dès la fin de
la campagne de 1756, il s'était fixé comme prochains objectifs la prise
du fort William-Henry, au bout du lac George, et celle du fort Edward
[« Lydius »], qui s'élevait à cinq ou six lieues de là, sur l'Hudson. Positions qui, certes, ne se laisseraient pas emporter toutes seules, d'abord
parce que, du fait de leur valeur stratégique, il fallait s'attendre à ce
que l'ennemi les défendît avec ténacité et en second lieu parce que
Montcalm, encore surpris de sa victoire pour lui incompréhensible
d'Oswego, avait déjà décidé, le 1er novembre 1756, que le siège de
William-Henry serait « difficile » et celui d'Edward, « impossible ». [42]
Mais Vaudreuil comptait sans doute réussir en appliquant de nouveau
la stratégie qui lui avait valu tant de succès sur le lac Ontario.

De même qu'il avait commencé par isoler Oswego en lançant une
expédition préliminaire contre le fort Bull, il entreprit, dès les premiers mois de 1757, d'affaiblir William-Henry, où il craignait au surplus que l'ennemi ne fût occupé à préparer lui-même une poussée destinée à enfoncer les défenses de Carillon et de Saint-Frédéric — les défenses, en définitive, de Montréal. [43] Il mit sous les ordres de son frère,
Rigaud, un détachement de 1,500 hommes qui, parti de Saint-Jean,
près de Montréal, dans la troisième semaine de février, arriva en vue
de William-Henry le 17 mars et s'en retira le 23, après avoir brûlé
plus de 300 bateaux, quatre grandes barques, deux galères, deux han-
gars remplis de matériel de campagne et de bois de construction, un
hôpital, deux entrepôts de vivres, un moulin et un pâté de maisons
« qui formoient sous le fort une espèce de basse ville ». [44] Rigaud avait
rempli sa mission. Les Anglais allaient se vanter d'avoir empêché les
Franco-Canadiens d'enlever leur forteresse. [45] Les Canadiens, de leur
côté, se targueraient d'avoir « eu un Succès complet » et en monte-
raient en épingle le résultat capital : « Le fort George est par ce moyen
resté isolé. » [46] Quant à Vaudreuil, il exulte : « Cet événement change
la situation de la colonie et la rend pour ainsy dire aussy avantageuse
qu'elle étoit critique. » [47]

[42]   Montcalm au ministre de la Guerre, AG, 3417 : no 288.
[43]   Vaudreuil à Moras, 13 août 1757, AC, C 11A, 102 : 98v-99; *Mercure de France*
(novembre 1757), 185s.
[44]   « Relation de la Campagne sur le Lac St Sacrement en Canada pendant l'hyver
1757, » AC, F 3, 15 : 25-28v.
[45]   *Mercure de France* (août 1757), 214.
[46]   « Amérique nouvelles du Canada, » 5 juillet 1757, AE, Mémoires et documents,
Amérique, 10 : 280v, 282v.
[47]   Vaudreuil à Moras, 22 avril 1757, AC, C 11A, 102 : 39.

Pas autant qu'on le pense, rétorque Montcalm qui, toujours grondant entre ses dents, se moque de « la brûlure » infligée à l'ennemi sur
le lac George. C'est qu'il a son plan et que ce plan est évidemment
différent de celui du gouverneur : « faire une diversion par la Riviere
de chouagen pour ravager vers corlar » [Schenectady] — idée contre
laquelle il s'élèvera avec fougue quand Vaudreuil la reprendra en
1758 —, continuer les fortifications de Carillon et de Niagara, rendre
plus respectable « le petit fort Saint-Jean », en somme, bouger le moins
possible. [48] Malgré son peu d'enthousiasme pour l'entreprise, il n'en ira
pas moins, poussé dans le dos par le gouverneur, sur la frontière du
New-York, où, comme c'était à prévoir, les envahisseurs ne font qu'une
bouchée de William-Henry (9 août 1757). Le commandant militaire
de la région, Webb, réside au fort Edward. C'est un autre Montcalm :
il a laissé tomber le poste assiégé, « ne croyant pas prudent », explique-t-il, d'aller à la rescousse, parce qu'il n'a sous ses ordres que seize
cents hommes aptes au combat. [49] Entre l'armée victorieuse et la riche
vallée de l'Hudson, ne s'interpose donc plus maintenant que le fort
Edward, et le chef qui s'y abrite est un faible.

L'alarme est générale dans les colonies britanniques. Les Français
vont sans aucun doute pénétrer profondément dans le New-York,
appréhende-t-on en Pennsylvanie. [50] A moins que les milices des provinces du nord ne rallient sans retard le fort Edward, sa chute est certaine, prédit le gouverneur Sharpe, du Maryland : les vaincus de William-Henry auront sûrement décrit à l'ennemi la précarité de la position de Webb, qui ne saurait tenir longtemps devant une attaque résolue. [51] Et Sharpe est si pénétré du danger que court le fort Edward que,
le surlendemain, il écrit que Montcalm a mis le siège devant cette
place dès le 10 août. [52] C'est ce que répète Dinwiddie, en Virginie, et
il ajoute que le fort a dû céder sous la pression de la supériorité numérique des assaillants. [53] « Je suis en peine pour le New-York », avoue
encore le même gouverneur; « j'ai peur que l'ennemi n'ait atteint Albany, à l'heure qu'il est... Je prie Dieu qu'il nous protège et j'espère
qu'on a dépêché des exprès à lord Loudoun, qui est probablement en
mesure de nous envoyer des secours en hommes et en vaisseaux ». [54]

---

48 Montcalm au ministre de la Guerre, 24 avril 1757, AG, 3457 : no 60.
49 Webb à Loudoun, 5 août 1757, PRO, CO 5, 48 : 542s.
50 The Pennsylvania Journal, 11 août 1757.
51 Sharpe à Denny, 14 août 1757, Sharpe Correspondence, 2 : 73.
52 Sharpe à Dinwiddie, 16 août 1757, ibid., 74.
53 Dinwiddie à Lyttleton, 26 août 1757, Brock, éd., Records of Dinwiddie, 2 : 690.
54 Dinwiddie à Sharpe, 26 août 1757, Sharpe Correspondence, 2 : 75.

De fait, Webb n'a pas négligé de lancer un appel au généralissime. Celui-ci est au désespoir. Il a la certitude que William-Henry est perdu avant même qu'on lui en ait confirmé la nouvelle. Et le fort Edward ? Le commandant en chef pense qu'il sera abandonné par un Webb tout à l'idée de se replier. Où son subalterne entend-il s'arrêter et bloquer l'avance de Montcalm ? « En voilà plus, conclut Loudoun, que je n'en peux conjecturer si je m'en rapporte à ce qu'il mécrit. » [55] Le fort Edward, reprend-il deux jours après, a dû subir le même sort que William-Henry; il faut tout tenter « pour sauver Albany ». [56] Tout tenter ? Oui et non. Le général veut dire ceci : organiser la défensive en vue de retarder l'avance franco-canadienne, mais éviter de jeter dans un engagement décisif les milices américaines parce qu'une fois battues rien ne pourrait plus les ramener en face de l'ennemi. En revanche, faire sauter tous les ponts, multiplier les obstacles sur les routes, détruire les bateaux afin qu'ils ne servent pas à l'adversaire, amorcer des escarmouches dans les passes de la Mohawk, faciles à défendre, voilà les directives de Loudoun. [57] Il tremble, et Holburne avec lui. [58] Les Anglais auront eu peur.

Par bonheur pour eux, plus de peur que de mal. Montcalm a tout simplement décidé de s'arrêter à William-Henry. Vaudreuil a beau insister pour que le général aille de l'avant, celui-ci trépigne de colère, mais ne marche pas. Le 11 août — trop tard, toutefois, pour épargner à son chef une terrible angoisse — Webb a mandé à Loudoun qu'il « a des raisons de croire » que l'ennemi ne poussera pas son avantage, « et ce sera heureux pour la province » de New-York, souligne-t-il. [59] Voilà qui dépasse l'entendement du gouverneur Sharpe : « Quel a bien pu être le motif pour lequel M. Montcalm a refusé d'attaquer le fort Edward, nous l'ignorons; certains sont enclins à penser qu'il craignait que Québec ne fût assiégé en son absence, d'autres,... qu'il se reprendra et réduira ce fort dès que les milices [britanniques] auront quitté la frontière. » [60] Non, Montcalm ne se reprendra pas. Ses amis, Bougainville et Desandrouins, tenteront de défendre cette décision indéfendable. [61] Cependant, rapporte Bigot, « plusieurs principaux officiers de l'armée prétendent que si ce Général y eut esté [au fort Edward], les milices loin de se deffendre auroient décampé et je serois

[55] Loudoun à Holderness, 16 août 1757, PRO, CO 5, 48 : 487s.
[56] Loudoun à Pownall, 18 août 1757, ibid., 561s.
[57] Loudoun à Webb, 20 août 1757, ibid., 571s.
[58] Holburne à Holderness, 20 août 1757, ibid., 658.
[59] Webb à Loudoun, 11 août 1757, ibid., 559s.
[60] Sharpe à Calvert, 5 septembre 1757, Sharpe Correspondence, 2 : 77s.
[61] Voir Th. Chapais, Le Marquis de Montcalm (Québec, 1911), 294s.

de cet avis ». [62] Lévis, au dire de Vaudreuil, serait allé enlever le fort de l'Hudson s'il avait eu le commandement en chef, « mais subordonné à M. le Marquis de Montcalm, il n'a pu suivre son zele, et je sçai positivement que M. de Montcalm trouvoit difficile tout ce qu'il lui proposoit, quoique tres à propos ». [63] Le gouverneur en reste inconsolable. [64] Le fait est que Montcalm avait ébranlé sans s'en rendre compte le front du New-York occidental et qu'il eût pu l'enfoncer : « Il tenait à sa merci le New-York, le New-Jersey et le Connecticut »; ce fut « la chance » de ces provinces qu'il choisît de se replier « doucement » sur Carillon. [65] Tout donne à penser que « l'approche de l'armée française eût été le signal de la retraite des Anglais ». [66] « Il eût suffi d'attaquer le fort Edward pour l'emporter, et devant Montcalm se serait ouvert le chemin d'Albany et même de New-York. » [67] C'est ce qui avait donné des sueurs froides à Loudoun et à ses compagnons d'armes.

A ce frisson de peur, va succéder un frémissement d'horreur. Le matin du 10 août, se déroule le « massacre » d'une partie de la garnison anglaise de William-Henry, atrocité perpétrée par les Indiens attachés à l'armée française. Il n'entre pas dans le cadre de notre étude d'examiner de près cet épisode. Il souleva une clameur d'indignation. Avec un humour sinistre, un témoin américain décrit dans son journal comment « les médecins indigènes procédèrent, avec leurs casse-têtes, à guérir nos malades et nos blessés », puis firent main basse sur les épées, les montres, les chapeaux, les habits et jusqu'aux chemises des officiers et des soldats avant de s'enhardir à lever des chevelures. [68] La presse n'est pas lente à s'emparer de l'incident. Elle jette la lumière la plus crue sur les détails de cette affreuse journée : « Les assaillants coupèrent la gorge à la plupart des femmes sinon à toutes, leur ouvrirent le ventre, leur arrachèrent les entrailles et les jetèrent en tas sur la face de leur cadavre... Ils prenaient les jeunes enfants par les talons et leur écrasaient la tête contre les arbres et les pierres; pas un ne fut sauvé. » [69] Y eut-il jamais plus horrible provocation à la ven-

62   Bigot à Moras, 24 août 1757, AC, F 3, 15 : 59. Voir *François Bigot, administrateur français*, 2 : 222s, note 9.
63   Vaudreuil à Moras, 16 septembre 1757, AC, F 3, 15 : 82.
64   *Id.* à *id.*, 26 et 30 octobre 1757, AC, C 11A, 102 : 113-113v, 145v.
65   B. Tunstall, *William Pitt Earl of Chatham* (Londres [1938]), 199.
66   R. Waddington, *La Guerre de Sept ans*, 1 : 270.
67   Corbett, *England in the Seven Years' War*, 1 : 175. Cf. Osgood, *The American Colonies in the Eighteenth Century*, 4 : 402.
68   I. M. Hays, « A Journal Kept During the Siege of Fort William Henry, August, 1757, » American Philosophical Society, *Proceedings*, 37 (1898) : 150.
69   *The New-York Mercury*, 22 août 1757

geance ? demande la *Gazette* de New-York : « Dorénavant, ne sera-t-il pas d'une rigoureuse justice et d'une nécessité absolue... de faire des exemples sévères de nos ennemis inhumains lorsqu'ils nous tomberont entre les mains ? » [70] Une autre feuille s'exclame : « A quelle extré-mité de perfidie et de cruauté la nation française n'est-elle pas arri-vée ! ... Serait-ce le Roi *Très Chrétien* qui donne de tels ordres ? Les peuplades les plus sauvages pourraient-elles jamais vaincre les Fran-çais en barbarie ? » [71] Plus tard, quand les esprits se seront calmés, le *Mercury* de New-York aura l'honnêteté de convenir que le massacre a été moins étendu qu'on ne l'avait cru d'abord, « mais il reste indis-cutable que les Indiens ont abattu tous les malades et les blessés ». [72] Loudoun est sidéré. Il fait remonter jusqu'à la cour de France la res-ponsabilité de ces brutalités. Avant de passer en Amérique, il a vu à Londres les papiers que Vaudreuil avait rapportés de son gouverne-ment de la Louisiane; c'est l'espion français Pichon qui les lui a pro-curés après maintes aventures. [73] Dans ces documents, réfléchit le gé-néralissime britannique, Vaudreuil exprime « cette maxime que la paix est le meilleur temps de s'en prendre aux Anglais » et il raconte avec complaisance « les barbaries qu'il a perpétrées » contre ceux-ci dans la vallée du Mississipi, entre les deux guerres : « les ministres de France » l'ont approuvé ! « Cette maxime, conclut-il, a été appliquée lors de la prise d'Oswego... et elle l'a été de nouveau cette année, sous les yeux mêmes de M. Montcalm. » [74]

L'excessive nervosité des Anglais se conçoit. Si spectaculaire soit-il, le massacre de William-Henry n'est qu'une atrocité de plus. Les bandes indigènes, parfois conduites par des officiers canadiens, continuent sans relâche à répandre la terreur et la destruction sur les frontières britan-niques. Les colonies ont eu beau se construire des forts pour protéger leurs établissements avancés, [75] rien n'y fait. Il suffit de quelques cen-taines d'Indiens, observe-t-on, « pour tenir en haleine trois populeuses provinces, ravager et dépeupler des contrées entières, égorger et traîner en captivité des centaines de familles... et cela presque avec impunité, en dépit de tous nos forts et de nos garnisons » ... [76] Vaudreuil tâche d'atteindre de cette façon tous les pays ennemis. « Je n'avois pas ex-

[70] *The New-York Gazette,* 22 août 1757.
[71] *The Pennsylvania Gazette,* 25 août 1757.
[72] *The New-York Mercury,* 29 août 1757. Voir *ibid.,* 24 avril 1758.
[73] Voir *Le Grand Marquis,* 15-17.
[74] Loudoun à Holderness, 16 août 1757, PRO, CO 5, 48 : 502s.
[75] Vaudreuil à Moras, 19 avril 1757, AC, C 11A, 102 : 10v; *id.* à *id.,* 12 juillet 1757, *ibid.,* 56v-57.
[76] *The Boston News-Letter,* 17 mars 1757.

cepté des incursions de nos sauvages La Nouvelle Gersey », [77] mande-
t-il un jour à la Cour et, tout de suite après, on entend un cri de dou-
leur monter du New-Jersey. [78] La Nouvelle-Ecosse n'y échappe pas, ni
même la lointaine île de Terre-Neuve. [79] L'affreuse découverte qu'on
fait tous les jours de cadavres mutilés dans les campagnes virginiennes
inspire à un poète des lamentations. [80] Le gouvernement canadien organise méthodiquement cette guerre de surprise : il en établit la principale base d'opérations au fort Du Quesne, « monstrueux entrepôt de
chevelures », [81] cependant qu'en pays iroquois, le fort Niagara joue
un peu le même rôle : car des bandes de jeunes Iroquois, des Tsonnon-
touans surtout, se joignent à la fête sanglante, « ce que nous n'aurions
pas osé esperer il y a un an ». [82]

Les territoires les plus durement frappés sont ceux de la Pennsylvanie et du New-York. On n'a qu'à ouvrir un journal pour tomber sur
des récits de tueries et d'enlèvements : les Pennsylvaniens ne paraissent
« capables ni de se défendre... ni de prendre la fuite ». [83] Après avoir
énuméré une série de « partis » revenus avec des prisonniers et des
scalpes de la province des Quakers, Vaudreuil rapporte que des colons,
« ne pouvant plus soutenir la guerre », ont tâché de s'épargner les
coups des sauvages en leur déclarant « que Jamais ils ne Leur avaient
fait de mal, quils etoient si fatigués de la guerre cruelle quils leur fesoient quils ne pouvoient eviter de leur demander la paix, et quils
comptoient la demander aussi aux françois ». [84] Une lettre interceptée en
Pennsylvanie reflète la peur que les habitants ont des sauvages, même
des « sauvages neutres », parce que tous, sans distinction, rôdent « comme des ours sur les frontières » pour « assassiner, tuer et capitiver des
familles qui sont sans deffense ». Et la menace s'étend à perte de vue

---

77   Vaudreuil à Moras, 19 avril 1757, AC, C 11A, 102 : 34-34v.
78   « Extract of a Letter from Minisink, in New-Jersey, April 25, » *The Boston
News-Letter*, 26 mai 1757.
79   *The Boston News-Letter*, 18 août 1757; « Porté au Roy, » octobre 1757, AC,
C 11A, 102 : 272.
80   « Extract from a Poem on the Barbarities of the French and their Savage Allies
and Proselytes, on the Frontiers of Virginia. By Samuel Davies, A.M., » *The New-York
Gazette*, 9 janvier 1758.
81   Claude de Bonnault, *Histoire du Canada français* (Paris, 1950), 250; A. P. James,
« The Nest of Robbers, » *The Western Pennsylvania Historical Magazine*, 21 (1938) :
172; « The Examination of Monsr. Belestre a French Ensign, » 20 juin 1757, NYCD,
7 : 282.
82   Montcalm au ministre de la Guerre, 23 mai 1757, AG, 3457 : no 71; *id. à id.*,
18 septembre 1757, *ibid.*, no 143; Vaudreuil à Moras, 9 septembre 1757, AC, C 11A,
102 : 104-104v.
83   *The New-York Mercury*, 12 septembre 1757; *The Boston News-Letter*, 6 octobre
1757; *The Boston Gazette*, 10 octobre 1757; *The New-York Mercury*, 18 juillet 1757,
etc., etc.
84   Vaudreuil à Moras, 13 février 1758, AC, C 11A, 103 : 17-18v.

vers le nord. « Je pense, écrit le même personnage, que si les françois ont une armée superieure, comme je le crois, ils pourront sans beaucoup de peine, prendre la province de la nouvelle yorck. » [85]

Montcalm ne prendra pas la Nouvelle-York, mais, derrière le front principal, des petits détachements opèrent constamment. Vaudreuil les emploie à ravager les agglomérations de la Mohawk et de l'Hudson. Des Mississagués, des Loups, des Iroquois vont « faire coup » jusqu'à quatre journées de New-York. Ils font « grand Dommage à l'Ennemi » : les prisonniers et les chevelures qu'ils ramènent constituent autant de preuves qu'ils réussissent « parfaitement ». [86] « Nous sommes ici dans une situation épouvantable ! » porte une nouvelle venue du comté d'Ulster; « ...on n'a encore rien fait pour nous secourir; les colons de nos frontières refluent vers l'intérieur, abandonnant leurs petites habitations pour sauver leur vie ». [87]

L'épisode le plus important de cette guerre de partisans est la destruction de German Flatts, établissement formé sur la rive nord de la Mohawk par d'industrieux agriculteurs et traitants tirés du Palatinat. Sur de vagues rumeurs que les « Palatins » étaient « très mecontents du gouvernement anglois » et qu'ils entretenaient des rapports suivis avec des Hollandais — des « Flamans » — eux-mêmes si impatients de la domination britannique qu'ils en seraient « venus aux mains avec les troupes de la vieille Angleterre » dans le New-York, Vaudreuil avait tenté de les gagner à la cause française et de leur faire « Secouer le joug du Gouvernement de L'anglais ». [88] Ses démarches n'ayant pas abouti, il se mit en tête de leur faire « experimenter » que leur « ruse » ne pouvait « contribuer qu'à leur perte ». [89] Leur village était bien gardé : presque en face, sur la rive sud, s'élevait le fort Herkimer, que les Canadiens appelaient Kouari, occupé par 200 réguliers anglais. Précédé de plusieurs petits « partis » qui se déployèrent dans la région, [90] l'enseigne Picoté de Belestre, à la tête de 300 hommes, gagna l'anse de la Famine [Hungry Bay], sur le lac Ontario, obliqua vers le lac Oneida, puis s'avança le long de la Mohawk, reconnaissant au passage cinq postes abandonnés par l'ennemi, dont l'ancien fort Bull. Arrivé à un mille environ du fort Herkimer, Belestre se jeta du côté de German Flatts. Le 13 novembre, à trois heures du matin, il investit le

[85] « Extrait d'une Lettre angloise écritte de la Pensilvanie le 1er novembre 1757, » AC, C 11A, 102 : 287v.
[86] Vaudreuil à Moras, 22 juillet 1757, AC, C 11A, 102 : 91-91v; id. à id., 9 septembre 1757, ibid., 103-103v; id. à id., 12 septembre 1757, ibid., 105-105v.
[87] The Boston News-Letter, 27 octobre 1757.
[88] Vaudreuil à Moras, 18 avril 1757, AC, C 11A, 102 : 3v-5.
[89] Id. à id., 12 février 1758, AC, F 3, 15 : 91v.
[90] Vaudreuil à Moras, 13 février 1758, AC, C 11A, 103 : 20-20v.

village endormi sous la protection illusoire de ses cinq blockhaus. Il n'y eut de résistance que sur un point et elle fut courte. Les Palatins pouvaient être au nombre de trois cents. Cent cinquante se livrèrent aux envahisseurs. Trente-deux furent scalpés. Plusieurs se noyèrent en voulant passer au fort Herkimer, dont le commandant n'osa sortir de crainte de voir emporter son poste s'il le dégarnissait. Le pillage dura deux jours. Il fut « riche ». Il donna plus de 100,000 livres en espèces; un sauvage allait revenir avec des pièces d'or pour 30,000 livres. Porcelaines, argenteries, marchandises de traite, tout ce qui pouvait se transporter fut enlevé. Le reste fut détruit. Les pertes infligées à l'ennemi furent énormes. [91] Prévenu, mais trop tard, Loudoun lança lord Howe à la poursuite de Belestre. A ce moment, ce dernier était déjà loin. Il laissa derrière lui une telle désolation que l'on crut d'abord y voir l'œuvre de 800 hommes. [92] Les Palatins étaient bien « punis ». [93]
— Leur crime mérite réflexion. Leur crime ? Il a consisté à opter pour l'empire britannique, après avoir été invités à se rallier à l'empire français. Crime qui évoque un peu celui des Acadiens. En principe, quand un seul empire dominera l'Amérique du Nord, ces conflits d'assimilation n'auront plus lieu.

*

* *

Pour en arriver là, il faudra que l'un des deux empires défasse l'autre. Au bout de cette année 1757, marquée pour lui de tant de revers et de déceptions, c'est l'empire britannique qui médite sur l'éventualité d'une défaite. La nation est en péril, avoue Pitt, et « les circonstances se prêtent mieux à la réflexion qu'aux discours ». Horace Walpole ironise amèrement : « Il est temps pour l'Angleterre de larguer ses propres amarres et de se laisser dériver dans quelque océan inconnu. » Au sentiment de lord Chesterfield, l'hiver de 1757-58 amènera la paix : « ... Une mauvaise paix pour nous, sans aucun doute, et cependant meilleure que celle que nous aurons l'année qui suivra. » [94] L'opinion s'exaspère. « L'effondrement et la ruine des nations, déclare

91   « Precis de la Campagne de M. de Belestre du 28. 9bre 1757, » AC, C 11A, 103 : 443-446v; Vaudreuil à Moras, 12 février 1758, AC, F 3, 15 : 86-96v; « Itineraire partant de L'embouchure de la Riviere de Chouëgen, » 1757, AC, C 11A, 102 : 325, 331; J. de Lancey au Board of Trade, 5 janvier 1758, NYCD, 7 : 341; *The Boston Gazette,* 5 décembre 1757; *The Boston News-Letter,* 8 décembre 1757; *ibid.,* 11 mai 1758.
92   *The Boston News-Letter,* 1er décembre 1757.
93   Massiac à Vaudreuil, 24 juin 1758, AC, B 107 : 42.
94   Textes cités par B. Tunstall, *William Pitt Earl of Chatham,* 199.

un journal, ont généralement été précédés par des défaites militaires, la prise de villes et la dévastation de territoires... ; la Grande-Bretagne connaîtra ce singulier destin de périr sans perdre ses flottes et ses armées. » Pourquoi ? Parce que les unes et les autres ne se battent même pas; parce que, « malgré leurs talents exceptionnels », amiraux et généraux britanniques « sont si prodigieusement malchanceux » ! C'est ce qui fait que le sol américain et l'océan « rougissent du sang des braves » tombés sur l'Ohio, à Oswego, au fort William-Henry, devant Minorque et ailleurs. [95] La vie est deux fois plus chère que naguère, reprend le *Centinel* de Londres; la misère du peuple augmente et n'a pas fini de s'aggraver; « chaque courrier nous apporte la nouvelle de quelque victoire ennemie »; voilà le pays chargé d'une dette publique de 80 millions, « dont nous pouvons à peine défrayer l'intérêt »; nous plions sous le fardeau des impôts; l'avenir s'annonce plus sombre encore que le présent : à la vérité, il nous menace « de tous les fléaux dont le Ciel peut frapper une nation vouée à la destruction ». [96] Pendant ce temps, la fortune de la France prend un caractère presque insolent. Le public du royaume reçoit d'Allemagne et d'Amérique de si bonnes nouvelles qu'il hésite à y ajouter foi, « car on accuse nos Guerriers, & nos Nouvellistes, après eux, d'exalter un peu trop, & d'exagérer même quelquefois, nos moindres Avantages ». [97]

L'historien Entick peint alors un sombre tableau de l'Angleterre en « détresse,... sans un allié qu'il ne lui faille aider puissamment », en présence de « l'ennemi le plus redoutable de l'Europe », piétinant sur place, ayant à sa tête un ministère désorienté ainsi qu'une cour insouciante du danger et grouillante d'intrigues. [98] C'est avant le retour de Pitt au pouvoir, à la fin de juin 1757. A ce moment, le pays vit dans la terreur d'une invasion. [99] Pitt, avec raison, ne croit pas à l'éventualité d'une descente des Français sur le sol britannique. [1] L'heure n'en est pas moins critique. Il y a un an que l'état de guerre existe officiellement : « Il faut convenir, note un journal, que ce fut l'année la plus déshonorante pour la Couronne, la plus malheureuse pour les citoyens et la plus honteuse pour la nation, qui ait jamais terni l'histoire de la Grande-Bretagne. » [2] L'Angleterre, lit-on dans un autre périodique, ne s'est jamais vue en face de dilemmes plus graves : « honneur ou déshon-

[95] Article daté de Londres, 24 octobre 1757, *The New-York Gazette,* 6 février 1758.
[96] Reproduit par la *New-York Gazette,* 31 octobre 1757.
[97] *Mercure historique de La Haye,* 143 (août 1757) : 156.
[98] Entick, 2 : 167.
[99] *Gazette de France,* 22 (26 mai 1757) : 257.
[1] Gipson, 7 : 17.
[2] *The New-York Gazette,* 6 juin 1757.

neur, opulence ou pauvreté, liberté ou esclavage », telles sont les alter-
natives que proposent ces temps troublés. [3]

Que signifie ce langage ? Qu'effectivement, une crise se développe,
assez proche sans doute de son dénouement, mais dont la fin demeure
encore imprévisible. Nous savons ce que représente Pitt : l'empire; en
gros, l'idée séduisante que la maîtrise incontestée des mers et la possession de l'Amérique constituent les facteurs de la prospérité et de la
grandeur britanniques. Le grand politique a la nation derrière lui; cet
appui, toutefois, ne lui donne pas nécessairement celui du parlement,
et le roi ne l'aime pas. Si Pitt, c'est l'empire, le bloc de favoris et de
politiciens qui l'ont fait tomber le 5 avril 1757, c'est l'Europe. Pitt
ou le roi, ce Hanovrien : l'empire ou l'Europe, la mer ou la terre étrangère, des dividendes américains ou des subsides aux roitelets du continent. Au fond, tout cela n'est pas vrai, parce que trop grossièrement
simplifié. Il y a, en réalité, du politicien chez Pitt, il y en a même beaucoup; il y a de l'impérialisme chez ses adversaires, et certes plus qu'on
ne veut le croire. Mais l'opinion n'a que faire des nuances, elle ne retient que les contrastes.

Il s'était formé depuis 1755, dira plus tard le *London Magazine,*
un parti britannique — « British party »; nous préférerions aujourd'hui
l'expression « parti nationaliste » — qui répugnait à s'engager dans
une guerre continentale, forcément coûteuse et susceptible de déceptions fréquentes, et qui voulait que le royaume concentrât ses efforts
là où il détenait déjà la supériorité du matériel et de l'organisation :
sur mer et dans les colonies; lancée dans cette voie, arguait ce groupe,
l'Angleterre pourrait sans fatigues excessives soutenir un conflit jusqu'au jour où, bloquée chez elle et saignée à blanc, la France serait
« forcée de se soumettre à une paix raisonnable ». [4] Une feuille londonienne est catégorique : « Que l'Angleterre poursuive donc ses propres intérêts en Amérique, qu'elle déploie sa puissance navale sur les
côtes de la vieille France, et le jour viendra où le commerce et la navigation de celle-ci auront baissé au point qu'elle ne sera plus en état
d'entretenir ses formidables armées. » C'est là, affirme-t-elle, l'aide la
plus efficace que la Grande-Bretagne puisse fournir à ses alliés européens. Comme si l'allusion avait manqué de transparence, l'article était
signé : « Un Hanovrien. » [5] Un autre journal ne mâche pas davantage
les mots : « Si les sommes que nous avons versées aux armées merce-

---

3 « To the People of England, » *The Boston Gazette,* 11 juillet 1757.
4 *London Magazine* (1759), appendice, 695.
5 Article du *Monitor,* reproduit par le *London Magazine* (septembre 1757), 421,
la *New-York Gazette.* 9 janvier 1758. etc.

naires destinées à couvrir le Hanovre avaient été affectées à notre marine, celle-ci eût pu protéger notre commerce, anéantir celui de l'ennemi
et détruire ses vaisseaux de guerre. »[6] En somme, paraît-on se demander, l'Angleterre va-t-elle perdre la guerre faute de tirer parti de ses
avantages naturels ?

Ce n'est pas par hasard que la presse américaine reproduit ces
commentaires. Ce débat est vital pour le Nouveau Monde. Les colonies sont les premières à souffrir des déficiences et de l'orientation douteuse de la stratégie métropolitaine. En outre, elles ont besoin d'une
direction aussi ferme qu'éclairée. Et que se passe-t-il ? En juin, avant
l'embarquement de Loudoun et de Hardy pour Halifax, le lieutenant-
gouverneur de la Pennsylvanie, Morris, expose en résumé la situation
de l'Amérique britannique. Il observe que, dans l'ensemble, les préparatifs militaires avancent « aussi lentement que l'ennemi pourrait le
désirer ». Dans le sud, les colonies sont toujours sans défense, les assemblées législatives toujours aussi tenaces dans leur volonté d'inaction
et les Indiens « toujours aussi rapides à lever des chevelures ». Le nord
ne fait guère meilleure figure que le sud. Par exemple, « le New-Jersey
a encore l'honneur d'être gouverné par Mr. Belcher, qui ne peut ni se
tenir debout, ni marcher, ni écrire. La toute petite parcelle d'intelligence qu'il eut jadis est maintenant annihilée, et les affaires du gouvernement... reposent entre les mains de sa femme et des quelques
pasteurs psalmodiants de la Nouvelle-Angleterre qui forment son entourage. » Il y a pourtant des années que la métropole est au courant
de tout cela. Elle ne s'inquiète pas d'y mettre ordre. C'est précisément
par suite de l'insouciance du ministère à l'égard des colonies que « les
Français nous battent partout, quoique vingt fois moins nombreux que
nous ». Bien plus, voici que le New-York va s'engager sur les traces
du New-Jersey : l'éloignement de Hardy, l'ancien gouverneur qui rentre dans le service de la marine, livre la province « aux mains des De
Lancey ».[7] Les affaires vont si mal, confirme un autre témoin, « que
les Anglois n'auront dans peu d'années, ny peuple ny Colonies dans
le nord de l'amerique... La pauvre Colonie afamée du Canada... con-
quiert tout ce qu'elle attaque ».[8]

L'impuissance manifeste de la Grande-Bretagne dans le Nouveau
Monde fait frémir les Anglais capables de dégager l'enjeu du conflit.
Ces esprits avertis ne sont pas rares. Le gouverneur du Massachusetts

---

[6] *The New-York Gazette*, 6 février 1757.
[7] Morris à ——— ———, 9 juin 1757, AM, B 4, 96 : 97v-98.
[8] « Extrait d'une Lettre écritte de la Pensilvanie le 1er novembre 1757, » AC,
C 11A, 102 : 288.

exprime leur sentiment à la mi-août 1757 : « La guerre ne se fait plus à propos d'une frontière, pour déterminer si les usurpations des Français s'étendront jusqu'à telle ou telle montagne, jusqu'à telle ou telle rivière, mais bien pour décider si les Français nous enlèveront notre puissance économique et nous chasseront de ce continent. » Question d'hégémonie à laquelle le destin de deux empires est suspendu; question d'une infinie complexité, dans les cadres de laquelle chaque élément ne prend tout son sens qu'en relation avec l'ensemble. « Si nos colonies et notre trafic sont ruinés, où est notre puissance navale ? Si notre flotte tombe au second rang, où est notre empire ? Et si nous perdons notre empire de la mer, la Grande-Bretagne cesse d'être libre, en même temps que les colonies britanniques cessent de constituer un peuple. » [9] A Londres, on se rend compte de ce que l'Angleterre est menacée de perdre en mesurant ce que l'ennemi veut gagner : « Il est certain que le développement des colonies britanniques est depuis longtemps le grand objet de l'envie des Français. » [10] A ce moment de l'histoire du monde britannique — et l'on en pourrait dire autant du monde français — tout se tient : la défaite des colonies ferait perdre son rang à la métropole; l'abaissement de la mère-patrie entraînerait la désintégration des peuplements qu'elle a jetés outre-mer.

Rien de plus facile alors de concevoir la détresse et la rage que les revers américains peuvent inspirer à des hommes si bien préparés à en saisir toutes les répercussions. On voit lord Chesterfield perdre, contrairement à ses préceptes, son ton de bonne compagnie et déchirer à belles dents la réputation de Loudoun, à « l'avarice dégoûtante » de qui il impute l'échec humiliant de Louisbourg. [11] Certains parlent beaucoup, écrit un collaborateur désabusé du *London Chronicle,* de chasser les Français des territoires sur lesquels ils ont empiété en Amérique, mais il semble que ce soit plus tôt dit que fait : « Il y a trois années entières que nous les attaquons, et ... partout ils gagnent du terrain à notre détriment, pendant que nous avons l'air de nous contenter de les regarder faire. Nous nous reposons, paraît-il, sur notre force numérique dans ce continent. C'est bien le seul avantage que nous ayons sur l'ennemi, mais tout indique que nous sommes loin de nous en servir pour faire contrepoids aux nombreux avantages qu'il a sur nous. » [12] Le rédacteur du *Monitor* de Londres n'en revient pas : le gouverne-

---

9 *The Boston Gazette,* 22 août 1757.
10 *The London Magazine* (octobre 1757), 495.
11 Chesterfield à son fils, 7 janvier 1758, cité par A. von Ruville, *William Pitt,* 2 : 168.
12 Article du 30 juillet 1757, reproduit par le *New-York Mercury,* 21 janvier 1758.

ment a eu beau expédier en Amérique la plus grosse flotte et la plus grande armée qui y aient jamais paru, l'adversaire n'en a pas été dérangé, ses éléments mobiles n'en ont pas moins, encore une fois, exercé leurs cruautés sur les colonies anglaises. « Il eût mieux valu ne rien entreprendre plutôt que de devoir rentrer sans avoir agi. » Mais comment s'attendre qu'il en soit autrement, tant que le ministère aura l'esprit de confier des opérations aussi importantes aux soins d'officiers et de munitionnaires « qui ont amassé d'immenses fortunes à tromper leurs maîtres, à ruiner leurs mesures et à piller la nation » ? [13]

Ce que les observateurs ne peuvent admettre, c'est qu'au lieu de tirer parti de la supériorité massive de ses régiments et de la puissance de sa « flotte prodigieuse », Loudoun ait concentré ses forces là où l'on ne s'est pas battu et n'ait mis que peu de troupes là où se sont effectivement déroulés des combats. [14] La vérité est que le général a voulu jouer un coup de partie et qu'il a perdu. Il y a à cela un aspect ironique qui ne va pas échapper aux contemporains. Un ministre du cabinet Pitt ne ménage pas ses sarcasmes à Loudoun et à Holburne; il éclate : « Quel pays voulons-nous acquérir au prix de tant de sang et d'argent ? Suivant le rapport de ces messieurs, il serait inaccessible et en été, et en automne, et en hiver. » [15] La fin de novembre met le comble à l'humiliation de l'Angleterre : quand Du Bois de La Motte revient de Louisbourg avec son escadre intacte, il amène une foule d'Anglais capturés dans les colonies, « étant donné que nous n'avons en Amérique aucun prisonnier français à donner en échange ». [16] Ce seul fait suffirait pour indiquer qui a eu le dessus.

Le Canada ne s'accorde pourtant qu'un triomphe modeste. Malgré son optimisme volontiers glorieux, Vaudreuil comprend que, manquée en 1757, l'attaque de Louisbourg et de Québec n'est que partie remise. Les vaisseaux qui hivernent à Halifax ne lui en laissent aucun doute, les ennemis « reprendront leur entreprise dès le petit printemps prochain ». Si la métropole veut que ce soit « encore en vain », il faudra qu'elle devance une fois de plus les Anglais à Louisbourg. Il faudra aussi qu'elle envoie beaucoup de vivres en Nouvelle-France. [17] Ce n'est pas sans raison que le gouverneur fait cette demande. En octobre, le Canada connaît une « rigoureuse famine », conséquence d'une récolte presque nulle et de la perte d'une « grande quantité de bâtimens » aux

[13] Article du 10 septembre 1757, reproduit par la *Boston Gazette*, 14 novembre 1757.
[14] Entick, 2 : 403.
[15] Cité par Stanley M. Pargellis, *Lord Loudoun in North America*, 338, note 2.
[16] *London Magazine* (décembre 1757), 622.
[17] Vaudreuil à Moras, 30 octobre 1757, AC, C 11A, 102 : 162.

mains de l'adversaire. Bigot rationne les habitants à quatre onces de pain par jour. Ce n'est pas tout. Les bataillons reçus de France ont débarqué à Québec ravagés par la maladie et ont provoqué une épidémie dans une population déjà affaiblie par l'insuffisance du ravitaillement. Une religieuse de la capitale résume : « Trois fléaux règnent dans notre pays : la peste, la famine et la guerre; mais la famine est le plus terrible fléau. »[18]

Situation d'autant plus tragique que les Anglais la connaissent et se proposent de l'exploiter. En octobre, quelqu'un rédige sur le Canada un mémoire qu'Amherst rangera dans ses papiers avant de s'embarquer à destination de Louisbourg — et aussi, espère-t-il, de Québec — l'année suivante. Ce document fortement charpenté, fruit de la mise en œuvre de copieux renseignements, comporte une description de l'état de la colonie avec les éléments d'un projet de campagne. Les Canadiens, assure l'auteur, sont maintenant si fatigués de la guerre qu'ils paraissent « mûrs pour la révolte », au point que « beaucoup » d'entre eux souhaitent que les Anglais viennent les « délivrer de leur misère », dans l'espoir d'obtenir des vainqueurs un gouvernement « doux ». Leurs récoltes n'ont réussi ni en 1756 ni en 1757. De plus, presque tous les navires qui venaient leur porter de la nourriture ont été pris. D'autre part, le pays est si peu mis en culture, le climat si dur et les habitants si accaparés par le service du roi que, depuis le commencement des hostilités, il s'est révélé impossible de produire assez de vivres pour tenir constamment en campagne une armée de 6,000 hommes. C'est pourquoi, d'ailleurs, les Français entament toujours si tard leurs opérations militaires : ils ne peuvent marcher qu'après l'arrivée d'approvisionnements de la métropole. (Tout cela est vrai, à la réserve des dispositions d'esprit des Canadiens; les envahisseurs l'apprendront à leurs dépens : mais se croire désiré d'un peuple qui, ne jouissant pas de la Liberté anglaise, s'estime nécessairement opprimé, n'est-ce pas là une illusion constante des conquérants britanniques ?) Il existe, poursuit l'auteur, deux moyens de venir à bout de cette colonie épuisée : une expédition par terre et par eau contre Québec et une marche sur Montréal. Québec est l'unique forteresse du Canada, et encore sa force de résistance tient-elle bien plus à ses défenses naturelles qu'à ses fortifications. Bâtie sur un rocher, la ville peut soutenir sans tomber un bombardement naval. C'est pourquoi une flotte ne suffirait pas à la

---

18 *Les Ursulines de Québec*, 297-299; Montcalm au ministre de la Guerre, 18 septembre 1757, AG, 3457 : no 143; voir *François Bigot, administrateur français*, 2 : 226-233.

réduire. Il sera indispensable d'en faire un siège « régulier ». Seulement, un siège se compliquera de difficultés extrêmes, parce que les troupes de débarquement n'auront ni le choix de la tactique à suivre ni celui du terrain à occuper : elles ne pourront prendre pied qu'entre la rivière Saint-Charles et la chute de Montmorency, espace facile à défendre au moyen de fortifications de campagne. Montréal n'est entouré que d'un mauvais mur. Comme c'est le centre du commerce des fourrures, activité essentielle à l'économie du pays, et que les campagnes environnantes, les plus productives de la colonie, en font le grenier du Canada, celui-ci tomberait tout entier avec cette agglomération. Seulement, le difficile est de l'atteindre. En résumé, « ce ne sont pas ses fortifications comme les difficultés d'y accéder qui constituent la force du Canada ». Voilà ce qu'ont enseigné trois campagnes achevées sans grands résultats. [19]

Exaspérés par cette série d'échecs, les Anglais ne lâchent donc pas le morceau. Ils attendent leur heure. A la fin de novembre, le gouverneur Pownall revient devant les législateurs du Massachusetts. Il ne leur demande pas, déclare-t-il, de reprendre tout de suite l'offensive contre la Nouvelle-France. « Je vous conseille de ménager votre énergie, de rassembler vos forces, de réorganiser vos ressources financières en attendant le jour où Dieu, dans sa providence, nous commandera de marcher en un seul corps pour faire éclater sa vengeance contre les destructeurs de la paix, les contempteurs de la foi jurée, les ennemis de la Liberté, les Français du Canada. Quand en sonnera l'heure, nous savons que, tous ensemble, nous aurons la détermination, tous ensemble, nous aurons les moyens de les écraser. » [20] Quelques jours après, à Londres, par la voix de George II, l'Angleterre s'engage à faire ses plus grands efforts pour le « recouvrement » de ses droits ainsi que pour la « protection de ses possessions et de ses sujets » en Amérique. [21] Au moment où les chefs s'expriment ainsi en Grande-Bretagne et en Nouvelle-Angleterre, voici les forces que les deux métropoles alignent au Nouveau Monde, en vue de la lutte suprême : au Canada, 6,800 soldats réguliers; en Amérique britannique, 23,000. [22] Et quelle disproportion numérique entre les populations ennemies ! Une telle supériorité, écrit un jeune officier promis à un grand destin, James Wolfe, dans les premiers jours de 1758, devrait assurer à l'Angleterre la con-

---

[19] « State of Canada, in October 1757, with some thoughts on the Manner of Reducing it, » APC, Amherst Papers, liasse 57.
[20] *The Boston Gazette*, 28 novembre 1757.
[21] *London Magazine* (décembre 1757), 592.
[22] Waddington, *La Guerre de Sept ans*, 1 : 272s.

quête du Canada en deux campagnes. [23] Il en faudra trois. A ce fil, tient le destin du peuple canadien.

Malgré les revers répétés de la Grande-Bretagne et de ses colonies, le Canada est au bord du désastre. Que ses adversaires regroupent leurs énergies, et ils le briseront. Comment ? Les Canadiens n'ont pas à porter leurs regards très loin pour le voir. Aux portes mêmes de leur pays, se poursuit la dislocation rapide de l'Acadie. A l'automne de 1757, celle-ci n'existe plus, bien qu'il survive encore des Acadiens. Les Canadiens veulent-ils comprendre ce que c'est qu'une défaite ? A l'est de la Nouvelle-France, l'histoire leur en présente déjà le tableau brutal.

---

[23] James Wolfe à Walter Wolfe, 21 janvier 1758, Beckles Willson, *The Life and Letters of James Wolfe* (New-York, 1909), 351.

TROISIÈME PARTIE

UNE DÉFAITE

CHAPITRE VI

LA DÉPORTATION
DES ACADIENS

1755-1762

L'IMMENSE intérêt des événements qui se précipitent en Acadie au moment de la guerre de la Conquête tient à ce qu'ils constituent, dans leurs lignes essentielles, une préfiguration de ceux qu'une défaite pourrait alors provoquer au Canada. Entre les deux pays que de comparaisons ne serait-il pas possible d'établir ! Voici des territoires dans lesquels s'est poursuivie une expérience de colonisation française : colonisation lente et restreinte, plus lente et plus restreinte encore en Acadie qu'au Canada; d'où l'occasion qui s'offre, plus belle encore dans le premier cas que dans le second, de mesurer les conséquences d'une insuffisance de peuplement. Voici, au surplus, deux pays américains qui portent ombrage à d'autres pays, nés d'une colonisation rivale, et qui en compromettent le développement rapide moins à cause de leur richesse, de leur puissance et de leur valeur propre — limitées par les dimensions mêmes de la politique coloniale de la France — qu'en raison d'évidents facteurs stratégiques. Arrive la guerre, ils tombent tous les deux, l'Acadie d'abord, le Canada ensuite. Ils tombent; nous vou-

lons dire : ils sont défaits. Vu de haut et de loin, après un recul de
deux siècles, leur cheminement apparaît comme analogue : partiellement semblable en ce qu'il va aboutir au même point; partiellement
différent en ce que l'Acadie est entraînée plus vite que le Canada vers
ce qui l'attend. Entre les deux, une distinction s'impose donc, mais on
voit de quel ordre : l'Acadie, plus petite et plus faible, plus tôt conquise
et plus tôt défaite, défaite selon un procédé radical — retenons ce mot
— et inapplicable au Canada, court plus vite que celui-ci vers son inévitable destin.

Constatons-le une fois de plus, on ne saurait comprendre ce qui se
passe en Amérique au milieu du XVIIIe siècle sans remonter au traité
d'Utrecht. Celui-ci aurait dû sceller le sort du Canada en le réduisant
à un petit pays agricole, promis à la détérioration économique et, par
conséquent, à la désintégration sociale. Pourtant le Canada, parce qu'il
n'a pas été arraché dès lors à l'empire français, a pu se maintenir durant
près d'un demi-siècle encore. De son côté, en 1713, l'Acadie devient une
conquête britannique. Ce n'est pas la première fois que l'Angleterre
s'empare en Amérique d'une colonie européenne. Au siècle précédent,
elle a construit le New-York sur un socle hollandais. Seulement, alors
que la population étrangère du New-York, prise au centre de la masse
britannique, ne peut en aucune manière échapper à l'absorption, il en
va autrement du peuplement acadien, qui, placé dans le prolongement
de la Nouvelle-Angleterre, sur une espèce de voie de garage, est d'autant mieux situé pour résister à l'assimilation que, d'une part, le développement anglais y démarre avec une extrême lenteur et que, d'autre part, la fondation du gros port militaire et commercial de Louisbourg, en perpétuant la présence française dans le voisinage immédiat
de la colonie perdue, y fait contrepoids à l'influence de l'Angleterre.

La génération acadienne qui passe entre 1713 et 1744 reste debout
grâce à ce jeu d'équilibre. Jeu serré, équilibre instable, la guerre de la
Succession d'Autriche va le démontrer. En 1745, les Anglo-Américains
enlèvent Louisbourg. En 1746, le gouvernement français expédie au
Nouveau Monde le duc d'Anville avec la mission de reprendre l'Acadie
et l'île Royale. Recouvrer l'Acadie sera « aisé », prévoit le ministre de
la Marine, car ses habitants « n'ont jamais cessé de desirer de rentrer
sous la domination de S. M. ». Tous ses habitants ? La Cour n'en est
pas sûre. Aussi ordonne-t-elle au duc : « S'il y en a sur la fidélité desquels il juge qu'on ne puisse pas compter, il les fera sortir de la Colonie, et les enverra soit à la vieille Angleterre soit dans quelqu'une des
Colonies de cette Nation suivant les facilités qu'il pourra avoir pour
cela. » Quant aux autres, ceux « qui devront rester », il leur adminis-

trera « le serment de fidélité à S. M. »[1] Serment de fidélité, déportation : tels sont, en Acadie, les instruments d'un impérialisme, de n'importe quel impérialisme.

La paix d'Aix-la-Chapelle n'altère pas la position des deux métropoles au nord-est du continent. La France rentre à Louisbourg, et l'Angleterre reste en Acadie. La guerre vient toutefois de mettre en lumière
la vulnérabilité de l'île Royale, facile à isoler et donc facile à prendre.
Comment renforcer sur ce point capital les défenses de l'Amérique
française ? Il n'y aurait rien de mieux, pour la France, que de se rétablir en Acadie, rivant ainsi le seul anneau qui manque à la chaîne de
positions fortifiées qu'elle a jetée en écharpe sur le continent, entre
Louisbourg et la Nouvelle-Orléans. Mais c'est une impossibilité manifeste. Il faudra alors se contenter de moins : réduire les cadres de
l'Acadie aux dimensions de la presqu'île néo-écossaise, tenir les Anglais
refoulés au delà de l'isthme de Chignectou et leur interdire tout accès
au territoire qu'ils réclament plus à l'ouest; c'est que, explique La
Galissonière, « si nous abandonnons à l'Angleterre ce terrain qui comprend plus de cent quatre-vingts lieues de côtes..., il faut renoncer à
toute communication par terre de Canada avec l'Acadie et l'isle Royale
et à tout moïen de secourir l'une et de reprendre l'autre ».[2]

Cette liaison entre Québec et Louisbourg par la voie de l'Acadie
occidentale, voilà justement le cauchemar des Anglais. « Si, raisonne-
t-on à Londres, la France allait occuper plus de territoire que les traités
ne lui en accordent dans cette partie de l'Amérique, elle pourrait, en
s'appuyant sur la colonie contiguë du Cap-Breton [île Royale], renforcer par là sa puissance plus que par toutes les autres acquisitions qu'elle
a pu effectuer jusqu'ici au Nouveau Monde. »[3] Il ne serait guère possible de mieux poser la question. On peut toutefois la poser aussi bien,
et c'est ce que l'on fait en France. Taxés de convoiter en Acadie plus
que du territoire, les Français retournent l'accusation contre leurs adversaires. Le véritable « objet » des Anglais, disent-ils, ce ne sont pas
les espaces de l'Acadie occidentale, « qui la plûpart sont ingrats, stériles & sans commerce »; non : les Anglais cherchent à s'étendre du
côté du Canada; en vue de mettre la main sur celui-ci ? non encore :
afin « de se préparer par-là le chemin à l'empire universel de l'Amérique & des richesses dont elle est la source la plus abondante ».[4]

Tel est le fond du débat. Au Massachusetts, Shirley l'a déjà exposé
en termes moins larges, mais plus précis. La Nouvelle-Écosse, a-t-il dé-

---

1 *François Bigot, administrateur français*, 1 : 240.
2 *Ibid.*, 304s.
3 *London Magazine* (mai 1755), 216. Voir *ibid.*, (juillet 1759), 355.
4 *Mercure de France* (octobre 1755), 229.

claré, — et par Nouvelle-Ecosse il entend évidemment, comme tous
les Anglais, plus que la péninsule — « est la clef de toutes les colonies de l'est sur le continent septentrional ». Elle compte de nombreux
ports et possède de fertiles contrées. Aux mains de la France, elle pourrait accueillir et faire subsister un gros corps expéditionnaire envoyé
directement d'Europe. Dans cette éventualité, qu'est-ce qui s'ensui-
vrait ? « La perte *immédiate* des parties les plus orientales de la Nouvelle-Angleterre et de toute la province du New-Hampshire. » De plus,
disposant de cette énorme base d'opérations, la France pourrait à longue échéance resserrer sa prise sur l'Amérique à tel point qu'elle réus-
sirait peut-être à étouffer une à une les colonies britanniques. [5] En somme, comme sur le lac Ontario et dans la vallée de l'Ohio, deux straté-
gies nées d'impérialismes ennemis s'affrontent en Acadie.

A considérer les mouvements qu'elle combine savamment dans
les années consécutives au traité d'Aix-la-Chapelle, il apparaît que la
stratégie française [6] comporte quatre aspects : bloquer l'isthme de Chignectou; à côté de la Nouvelle-Ecosse, constituer une « Acadie française » que l'émigration des Acadiens alimentera en ressources humaines; lancer des sauvages (et des Acadiens) contre les établissements
britanniques de la province; à l'intérieur de cette dernière, entretenir
de l'agitation au moyen des missionnaires.

Bloquer l'isthme, c'est de quoi La Jonquière charge le chevalier de
La Corne à l'automne de 1749. Deux fois en 1750, au printemps et
à la fin de l'été, La Corne y rencontre Charles Lawrence; la première
fois, leurs détachements échangent des défis, la seconde, des coups de
feu. Commander l'isthme de Chignectou, qui relie au continent la presqu'île acadienne, c'est prendre à la gorge la Nouvelle-Ecosse. C'est aussi
s'assurer une voie de grande communication : resserrée entre la baie
Verte et la baie de Beaubassin, prolongement de la baie de Chignectou,
qui s'ouvre elle-même sur la baie de Fundy, cette langue de terre est
sillonnée de rivières qui permettent de la traverser moyennant un portage de moins de deux lieues; c'est la route que l'on emprunte pour
aboutir à la rivière Saint-Jean, où Boishébert est allé se poster, et, de
l'autre côté, à l'île Saint-Jean ainsi qu'à l'île Royale. Il y a plus. Cet
important réseau s'articule lui-même au Canada grâce au chemin que
Bigot vient de faire accommoder entre le lac Temiscouata et la rivière
du Loup et qui réduit à dix ou douze jours le trajet de Québec à Chignectou et à huit jours le voyage de la rivière Saint-Jean à la capitale

---

[5] Shirley à Robinson, 24 mars 1755, NYCD, 6 : 944.
[6] Pour le détail de ce qui suit, voir, sauf indications contraires, *François Bigot, administrateur français*, 1 : 353-355; 2 : 23-38.

de la Nouvelle-France. Sur l'isthme, les adversaires ne mettent pas de temps à choisir leurs positions et à s'y retrancher : les Anglais, sur les ruines du village acadien de Beaubassin, où ils érigent le fort Lawrence; les Français en face, sur la colline de Beauséjour et, du côté de la baie Verte, à Gaspareau.

Beauséjour prend très tôt l'allure d'un foyer de colonisation française. La Corne et l'abbé Le Loutre ont mission de gagner les Acadiens à émigrer autour du fort et plus à l'ouest. Ce mouvement de population ne se dessine pas spontanément. Il faut le stimuler avec vigueur, et dès le début La Jonquière prévoit que cela n'ira « pas tout à fait sans difficulté » parce que depuis trop longtemps les habitants se regardent « comme aux anglois » : vue assez compréhensible, après tout, puisque toute une génération acadienne est née sous le régime britannique. Les faits ne justifient que trop les appréhensions de La Jonquière à cet égard, et Le Loutre devra étayer ses beaux discours d'arguments lumineux et frappants : les torches incendiaires et les casse-têtes de ses terribles Micmacs, pour persuader à bien des Acadiens de passer en territoire « français ». Ce qui se produit dans la région de Beauséjour se répète, mais sur une plus petite échelle, vers la rivière Saint-Jean : quelques familles acadiennes s'y transportent de leur plein gré, bien que la plupart « soient trop attachées à leurs terres pour les quitter ». [7]

Les Indiens jouent, semble-t-il, un rôle vraiment considérable dans cette « transplantation ». Des Acadiens le déclarent à plus d'une reprise à des fonctionnaires britanniques : ils resteraient tranquillement sur leurs terres et, pour y demeurer, se plieraient aux désirs des Anglais, s'ils ne craignaient d'être, par suite de leur soumission, molestés par les sauvages alliés des Français. [8] On verra même, à l'été de 1754, des habitants qui sont passés dans l'Acadie « française » entamer des pourparlers en vue de rentrer dans leurs anciennes fermes, mais ne pas oser donner suite à leurs démarches en raison « du risque qu'ils courraient journellement de se faire couper la gorge et de se faire tuer leur bétail », évidemment par les indigènes de Le Loutre. [9] Ce ne sont là, pourrait-on objecter, que des témoignages anglais. Sans doute, mais témoignages que corrobore celui de Bigot. « Les Sauvages, affirme l'intendant, Etant en guerre avec l'Anglois ont aussi contribué à la

7   Lawrence au Board of Trade, 15 janvier 1754, BTNS, 15 : H-244.
8   Cornwallis au duc de Bedford, 23 juillet 1749, Th. B. Akins, éd., *Selections from the Public Documents of the Province of Nova Scotia* (Halifax, 1869), 564 [à l'avenir : Akins]; Hopson au Board of Trade, 23 juillet 1753, *ibid.*, 199; Lawrence au Board of Trade, 5 décembre 1753, *ibid.*, 206.
9   Conseil de la Nouvelle-Ecosse, 21 juin 1754, Akins, 211. — Voir Lawrence au Board of Trade, 1er août 1754, *ibid.*, 214.

transplantation des Acadiens sur les terres françoises. Ils En ont même forcé à rompre toute Liaison avec luy. » [10] Et à l'instigation de qui ? Des administrateurs coloniaux du Canada, qui s'en vantent. [11] — Les mêmes Indiens, il va sans dire, s'en prennent aux établissements anglais de la Nouvelle-Ecosse. La rétrocession de Louisbourg à la France est le signal de ces raids. Le gouverneur Cornwallis sait bien qui les organise : il « fulmine contre nous », ricane Bigot. [12] Et La Jonquière en profite pour frapper d'une pierre deux coups. Aux bandes indigènes, il ordonne de joindre « quelques accadiens habillés et matachés comme les sauvages » afin de compromettre encore davantage la population blanche et de provoquer contre elle de violentes répressions anglaises, ce qui « ne contribüera pas peu a nous attirer les familles acadiennes sur nos terres ». [13]

Pendant que se multiplient incidents de frontières et raids indigènes, l'agitation grandit en Acadie. Les Anglais reviennent à leur vieille idée d'imposer à la population un serment de fidélité sans réserve. Tout de suite, un message arrive entre les mains du gouverneur anglais : les Acadiens refusent de s'engager à « porter les armes... quand même la Province seroit attaquée »; autrement dit, ils ne défendront pas les intérêts de la Grande-Bretagne contre la France. C'est ce qu'ils répètent dans les déclarations qu'ils font parvenir au gouvernement français et au gouvernement canadien, dont ils demandent la protection. Dans ces pièces et dans d'autres semblables, il n'est pas difficile de voir la main des agents de la politique française. Leurs auteurs ont parfois des lettres. Une requête signée par cent vingt-cinq habitants de Port-Royal souligne combien les Acadiens ont « tenu icy, sans secours » et en appelle au témoignage d'un élégant écrivain : « ...On n'a qu'à lire l'histoire du Père Charlevoix » ...

Devant la résistance acadienne, les Anglais se raidissent. Ils songent moins que jamais à relâcher leur emprise sur le pays. Quelle indignation Cornwallis n'éprouve-t-il pas lorsqu'il prend contact avec la Nouvelle-Ecosse en 1749 ! « Il y a 34 ans qu'on la désigne sous le nom de province anglaise, et le roi n'a pas un seul vrai sujet en dehors du fort d'Annapolis [Port-Royal]. Je n'y peux trouver la moindre trace d'un gouvernement anglais. » Toute l'administration passée à l'égard des Acadiens et des garnisons britanniques a été « scandaleu-

---

[10]   Bigot à Rouillé, 18 octobre 1750, *Rapport des archives canadiennes* pour 1905 (2 vol., Ottawa, 1909), 2 (3e partie) : 380. — A l'avenir, RAC.
[11]   La Jonquière et Bigot à Rouillé, 5 octobre 1750, *ibid.*, 379.
[12]   Bigot à Puysieulx, 1er août 1750, AE, Mémoires et documents, Amérique, 9 : 278. Voir Cornwallis au Board of Trade, 17 octobre 1749, Akins, 591s.
[13]   La Jonquière à Rouillé, 1er mai 1751, RAC pour 1905, 2 (3e partie) : 405.

e ». [14] Cornwallis vient tenter de rattraper le temps que ses prédéces-eurs ont perdu à ne pas coloniser. Il vient avec un plan d'action précis, dont l'origine remonte à un projet du grand impérialiste, William Shirley.

La guerre de la Succession d'Autriche a ouvert les yeux de Shirley. Au lendemain des campagnes de 1746 et de 1747, au cours desquel-les un corps expéditionnaire canadien a pénétré sans peine en territoi-re néo-écossais, le gouverneur du Massachusett a préconisé une réac-tion vigoureuse, propre à parer aux menaces immédiates et à entraîner des résultats à longue portée. Qu'a-t-il conseillé ? De débarquer sur l'isthme de Chignectou 2,000 provinciaux de la Nouvelle-Angleterre pour en déloger les détachements ennemis, de déporter au Massachu-setts et dans les colonies voisines les Acadiens de l'isthme, chez qui les envahisseurs ont trouvé trop d'actives sympathies, et de distribuer les terres ainsi évacuées aux familles des provinciaux appelés à servir dans la région; il espère qu'avec le temps, les relations d'affaires et les ma-riages, ce noyau de population britannique absorbera les groupes aca-diens gravitant autour de cette zone stratégique, de façon qu'au bout de trois ou quatre générations la Nouvelle-Angleterre parvienne à di-gérer la conquête acadienne. [15]

Propositions assurément cohérentes, mais prématurées, car il sem-ble bien que ni l'opinion ni le gouvernement britanniques ne soient prêts à favoriser l'expulsion même partielle des « Français neutres », nom qu'on donne aussi aux Acadiens. Non pas que l'opinion s'insurge à priori contre cette solution. Au contraire, en avril 1749, le *London Magazine* l'examine sérieusement. Elle serait, estime l'influente revue, défendable « en bonne justice et en bonne politique ». Elle n'en com-porte pas moins des inconvénients : d'abord, elle « passeroit pour une action tyrannique et contre la foy des traités »; ensuite, comme la ri-chesse d'un pays se mesure à l'ampleur de son peuplement, ce serait appauvrir la Nouvelle-Ecosse que de provoquer le départ « d'un aussi grand nombre » de ses habitants. [16] Quant au gouvernement impérial, rien n'indique qu'il envisage alors l'éventualité de la déportation.

Il a un autre plan : briser l'homogénéité ethnique et religieuse de la province sans en expulser personne, mais bien plutôt en y introduisant une grosse population protestante (britannique et étrangère). [17] Pro-sélytisme ? Non pas. Il se trouve simplement que les principaux agents

---

14 Cornwallis à Bedford, 11 septembre 1749, Akins, 586.
15 Gipson, 6 : 261.
16 Traduction de ce texte dans AC, C 11B, 28 : 233-235.
17 Gipson, 5 : 179-181.

français sont les missionnaires; en modifiant le caractère religieux de
la colonie, l'Angleterre la rendrait moins perméable à leur propagande.
Et les éléments nouveaux, où les implanter ? Shirley avait désigné la
région de l'isthme, Londres choisit celle de Chibouctou. Il n'est pas difficile de comprendre pourquoi. La baie de Chibouctou, où le duc d'Anville avait mouillé sa flotte en 1746, offre à la Grande-Bretagne un
port splendide : « Tous les vaisseaux du roy d'angleterre y tiendraient »,
assure Bigot. En y édifiant la base navale de Halifax — mission qui in-
combe au nouveau gouverneur, Cornwallis, — le gouvernement britannique cherche visiblement à s'ancrer à une position stratégique qui
le mette à même de venir rapidement à bout de Louisbourg. En même
temps, il entend ainsi raffermir sa domination sur la Nouvelle-Ecosse.
Bigot voit tout cela d'un coup d'œil : « Si cet etablissement reussit,
nous pouvons renoncer à l'acadie. » [18]

Est-ce bien sûr ? Halifax a certes ses avantages, et le principal consiste à pouvoir servir de tremplin à une offensive; c'est dire, par conséquent, que la marine britannique ne saurait en exploiter toutes les possibilités qu'en temps de guerre. De plus, si ce port militaire couvre
assez bien la Nouvelle-Ecosse du côté de l'océan, il se trouve lui-même
isolé par terre de Port-Royal, qui a été jusqu'ici le pivot de l'occupation anglaise, et isolé par mer de la Nouvelle-Angleterre, si bien que
la résistance qu'il pourrait opposer à un envahisseur correspondrait rigoureusement à la force des unités navales ancrées sous ses canons.
Enfin et surtout, cette place militaire est mal située pour opérer, dans
la composition ethnique de la Nouvelle-Ecosse, le brassage et le mélange nécessaires aux fins de la colonisation britannique. La côte orientale sur laquelle elle s'élève ne renferme presque pas de population
acadienne. Dans ces conditions, comment escompter que les éléments
que l'Angleterre y déversera à grands frais parviennent à absorber,
comme Shirley l'avait voulu, les restes tenaces du peuplement français ?
Bien sûr, Anglais et Allemands pourront y être installés sans qu'on ait
à déplacer d'anciens occupants, mais le résultat sera simplement la création d'une nouvelle colonie britannique, non pas au cœur de l'Acadie,
mais à côté, en marge de celle-ci.

Du reste, même les plans de Shirley, mieux adaptés pourtant aux
nécessités de la colonisation, auraient exigé du temps pour développer
leurs effets, et le temps est court. Si les Lords du Commerce répliquent
à l'impérialisme agressif de La Galissonière par un fait de colonisation :
la fondation de Halifax, — c'est par un fait de même nature que les

---

[18] *François Bigot, administrateur français*, 1 : 354s.

agents de la politique française entreprennent de leur riposter. Ces derniers savent ce que veulent leurs adversaires. Ecoutons l'abbé Le Loutre : « ... Je vais partir en conséquence pour l'Acadie, je feray mon possible pour rassembler mes Sauvages, ... mon dessein est d'engager les Sauvages de faire dire aux anglois qu'ils ne souffriront pas que l'on fasse de nouveaux établissements dans l'Acadie, qu'ils prétendent qu'elle doit rester où elle étoit avant la guerre ... » [19] Mais Le Loutre sait aussi ce qu'il veut. Dès que La Corne est venu se poster sur l'isthme de Chignectou, le fougueux missionnaire s'adresse à la Cour. Il lui demande d'assurer aux Acadiens « la liberté de sortir de l'Acadie et les moyens de s'établir sur les terres françoises »; il entend par là celles de la rivière Saint-Jean et celles dont La Corne, sur l'ordre de La Jonquière, vient de « prendre possession ». Puis il trace son programme : « Les Acadiens soutiendront aux depens de leur vie cette prise de possession, travailleront avec courage à cultiver les terres, feront fleurir le commerce ... » Qu'est-ce que cela, sinon un plan de colonisation ? Et pourquoi cette entreprise de peuplement et de développement économique ? Pour servir l'empire français. Ces colons de la nouvelle Acadie, promet Le Loutre, « fourniront l'Isle Royale de rafraîchissemens de toute espèce, et en cas de guerre on trouvera plus de mille hommes portant les armes soit pour la défense de Louisbourg, soit pour reprendre l'Acadie, et dans ces circonstances on verra les Acadiens marcher contre l'Anglois et se battre en braves contre l'ennemi de l'Etat ». [20]

On assistera donc à un conflit de colonisations. Or, tandis que les agglomérations britanniques de l'est de la Nouvelle-Ecosse restent à l'état de tentatives intéressantes, « l'Acadie française » que Le Loutre, La Corne et Boishébert ont découpée à même le territoire qui s'étend à l'ouest de la Mesagouèche fait des progrès rapides. Où en sont ces deux unités en 1754 ? Les Britanniques ont mis sur pied Halifax et Dartmouth, la colonie allemande de Lunenburg et le fort Sackville; en outre, à douze milles de Halifax, ils jettent les fondements de Lawrencetown, sur une concession de 20,000 acres de terre. [21] Et les Français ? En août 1754, Lawrence, qui vient d'apprendre sa promotion au rang de « lieutenant-gouverneur », reçoit le rapport d'un agent qu'il a envoyé aux renseignements sur l'isthme de Chignectou et à la rivière Saint-Jean. Il pousse un cri d'alarme. Sans doute le poste de la rivière Saint-Jean est-il encore assez peu de chose : trois mauvais petits canons,

---

19   Le Loutre à Rouillé, 29 juillet 1749, dans Henri d'Arles, éd., E. Richard, *Acadie; reconstitution d'un chapitre perdu de l'histoire d'Amérique* (3 vol., Québec et Boston, 1916-1921), 2 : 448 (appendice IV). — A l'avenir : H. d'Arles, *Acadie*.
20   Le Loutre à Rouillé, 14 octobre 1749, *ibid.*, 453.
21   Gipson, 5 : 201.

moins de vingt militaires franco-canadiens et un peu plus de 150 Indiens. Mais Beauséjour grandit. Bien que peu spacieux, le fort paraît
solide, il se hérisse de canons, et 66 officiers et soldats de l'armée régulière l'occupent, outre 400 indigènes; ce n'est pas tout : les Français
pourraient y rassembler en quarante-huit heures quatorze à quinze
cents combattants acadiens, tirés de la baie Verte, de l'île Saint-Jean,
de Chipoudy, de Petcoudiac, de Memramcouk, etc. [22] La suite montrera
que ce dernier calcul n'a presque rien d'exagéré. A ce moment, la situation de l'Acadie pourrait se résumer de la façon suivante : sur la
côte est, dans une région isolée, s'appuyant sur une terre pauvre, la
colonisation britannique prend un nouveau départ; à l'ouest, dans un
territoire sur lequel des soldats du Canada montent la garde, se constitue rapidement une « Acadie française »; entre ces deux pôles d'attrac-
tion, un peuple attend, hésite, déchiré entre son bien-être et sa « fidélité » française.

Pour l'arracher à son sol, les Français ont trouvé un nouveau
moyen : le priver de secours spirituels et lui faire voir qu'il lui suffira,
pour en trouver, de sortir de la péninsule. Telle est la politique que
le vicaire général de l'évêque de Québec en France, l'abbé de L'Isle-
Dieu, expose à monseigneur de Pontbriand : « On ma mandé de Louisbourg et de l'acadie que les acadiens françois qui sont encore dans la
peninsule, sous la domination des anglois, vous solicitoient fortement
Monseigneur pour leur envoyer des Prêtres,... mais je suis chargé de
vous mander sur cela l'esprit et les vues de la cour... Il me parû quon
etoit bien plus occupé a en fournir a ceux qui lavoient evacuée, dans
l'idée que les prêtres qu'on enverroit a ceux qui y sont encore, ne fissent
que les y retenir, c'est meme la reflexion qu'en a fait faire a la cour
M. Le Loutre, qui vous l'aura sans doute communiquée » ... [23] Trois
mois plus tard, le vicaire général revient sur le sujet. Il est déjà assez
difficile, dit-il, de faire émigrer les Acadiens pour que la Cour ne leur
donne pas, en leur expédiant des missionnaires, un motif supplémentaire de ne pas bouger, « y etant d'ailleurs solicités par leur propre cupidité et par l'envie de conserver leurs petites possessions dans cette
peninsule qu'ils ont d'autant plus de peine à quitter qu'ils ont employé
de tems de peines et de soin a la cultiver et qu'ils la voyent plus en
état de les payer des depenses qu'ils y ont faites ». [24]

On s'en rend compte, la France a dans son jeu des atouts formidables. Elle semble avoir la partie belle dans le nord-est de l'Amérique,

---

[22]   Lawrence au Board of Trade, 1er août 1754 (post-scriptum du 29 août), BTNS,
15 : H-256.
[23]   L'Isle-Dieu à Pontbriand, 17 avril 1752, RAPQ (1935-36), 332.
[24]   L'Isle-Dieu à Rouillé, 24 juillet 1752, *ibid.*, 352.

à ce point que le gouvernement anglais paraît ne plus savoir quelle tactique adopter. Au printemps de 1754, les Lords du Commerce répondent à Lawrence, qui leur avait posé cette question : comment l'autorité britannique peut-elle régler les différends qui s'élèvent tous les jours entre les Acadiens, gens processifs, au sujet de leurs terres ? Porter des jugements, ce serait implicitement reconnaître à ces habitants un titre juridique à leurs concessions. D'autre part, ils ne sauraient posséder ce titre qu'ils ne prêtent d'abord, et sans aucune réserve, le serment d'allégeance que l'Angleterre exige d'eux. Seulement si, d'un côté, l'insécurité à laquelle les condamnerait une telle politique peut les porter à émigrer et à renforcer d'autant « l'Acadie française », d'un autre côté, sanctionner la propriété de leurs biens avant qu'ils ne soient soumis au serment les encouragerait à persévérer dans leur résistance. Comment sortir de ce dilemme ? Leurs Seigneuries laissent la question pendante. [25]

En 1749, le *London Magazine* avait mis de l'avant une solution. Parlant des Acadiens, un de ses collaborateurs avait écrit : « Je ne vois pas de raison pour ne pas les astreindre à des loix capables de les réduire à une certaine obéissance, je veux dire à la condition de bucherons et de tireurs d'eau sous le joug de nos sujets naturels de la mère patrie. » [26] Même s'il s'exprimait sans ménagements — et peut-être à cause de cela — cet écrivain politique pensait juste. Les relations normales de vainqueurs à vaincus sont celles de maîtres à esclaves. Un peuple qui subit la conquête en devient fatalement un « de scieurs de bois et de porteurs d'eau ». Encore faut-il, et c'était là le seul point que l'auteur de l'article oubliait, que la conquête se traduise réellement par une défaite. Conquise depuis quarante ans, l'Acadie de 1754 n'est pas encore défaite. Il reste à la disloquer.

*

* *

Comment y arriver ? Par un rigoureux effort de réflexion suivi d'une action décisive. L'artisan de la défaite acadienne sera Charles Lawrence. Il voit clair et ne recule devant rien. A l'été de 1754, il expose à ses chefs le problème acadien. Les habitants français, il les connaît. Depuis cinq ans, les diverses fonctions qu'il exerce dans la colonie l'ont mis en rapports avec eux. Jusqu'ici, on a cru pouvoir les gagner par « la douceur d'un gouvernement anglais ». Quelle erreur ! Loin

---

[25] Le Board of Trade à Lawrence, 4 avril 1754, BTNS, 36 : 15.
[26] Traduction dans AC, C 11B, 28 : 235.

de se rapprocher de leurs conquérants, ils ont toujours conservé de la « partialité » pour la France. Au moment même où le lieutenant-gouverneur écrit, un grand nombre d'entre eux sont allés se mettre à l'emploi des Français à Beauséjour. Lawrence a eu beau leur interdire ce voyage et, pour les en détourner, leur offrir lui-même du travail : peine perdue. Il y a longtemps qu'ils n'ont rien apporté aux marchés britanniques, bien qu'ils ravitaillent régulièrement les établissements français. Et non seulement fournissent-ils à ces derniers des vivres et du travail, mais ils font de l'espionnage pour le compte de leurs commandants. L'Angleterre ne doit pas se faire d'illusion : il en ira de même tant qu'ils auront parmi eux des « prêtres incendiaires » et qu'ils n'auront pas prêté serment de fidélité, « ce qu'ils ne feront jamais à moins d'y être forcés ». Que faire ? Fonder des agglomérations britanniques dans le pays qu'ils habitent ? « Comme ils possèdent les meilleures et les plus grandes terres de cette province, il ne sera pas possible d'y mettre en train une colonisation efficace tant qu'ils demeureront dans leur situation; et, bien que fort éloigné de vouloir prendre une telle décision sans l'approbation de Vos Seigneuries, je ne peux m'empêcher de penser qu'il vaudrait beaucoup mieux, s'ils refusent de prêter serment, qu'ils fussent loin d'ici. » C'est à quoi le lieutenant-gouverneur voulait en venir. Leur départ, poursuit-il, n'entraînerait qu'un inconvénient : ils prendraient les armes et se joindraient aux sauvages pour nous harceler. « Je crois pourtant qu'une très grande partie des habitants se plieraient à n'importe quelle condition plutôt que de prendre les armes pour un parti ou pour l'autre; ce n'est là toutefois que mon opinion, et il ne faudrait pas se fonder seulement sur cette conjecture dans un moment aussi critique. » En attendant de résoudre toute la question, il serait toujours bon de construire un fort sur la rivière Chibenaccadie afin de gêner les communications des Acadiens avec les Français. Il serait également nécessaire de patrouiller la baie de Fundy pour empêcher les armateurs bostonnais et ceux de Louisbourg de procurer des vivres à l'Acadie française. [27] En voilà suffisamment pour jeter du jour sur la situation singulière de la Nouvelle-Ecosse, province britannique à population en majorité étrangère et réfractaire à l'assimilation.

La parole est maintenant à Londres. Mis en présence des faits, le Board of Trade and Plantations en reconnaît la gravité : la « douceur » du gouvernement britannique n'est pas parvenue à « sevrer » les Acadiens de la France; à l'égard des Français et des Anglais, la population

---

[27] Lawrence au Board of Trade, 1er août 1754, BTNS, 15 : H-256.

maintient en général la même attitude qu'avant la conquête. Il est certain cependant qu'après le traité d'Utrecht les Acadiens ne pouvaient continuer d'habiter le pays qu'à condition de devenir en fait sujets de la Grande-Bretagne et qu'ils ne pouvaient prendre cette qualité de sujets qu'après avoir prêté les serments requis par l'autorité anglaise. « Par conséquent, il devient très important de considérer dans quelle mesure ils peuvent être traités comme des sujets s'ils ne se soumettent pas à ces serments et de voir si leur refus n'aura pas pour résultat d'annuler leurs titres à leurs terres. » Cette question, Leurs Seigneuries ne prennent pas sur elles de la trancher, mais elles souhaitent que le lieutenant-gouverneur la soumette au juge en chef de la colonie, « dont l'opinion pourra servir de base aux mesures éventuelles que l'on jugera à propos de prendre à l'égard de l'ensemble de ces habitants ». Les Lords du Commerce répugnent à prendre une attitude très nette. Ils en disent toutefois assez pour autoriser en principe une déportation massive : si les Acadiens n'ont pas le statut de sujets anglais, ils n'ont pas droit aux terres qu'ils exploitent, puisque ce sont des terres britanniques; et s'ils n'ont aucun droit à leurs terres, il ne sera pas illégal de les en déloger. Il suffira de la décision d'un magistrat colonial pour donner un caractère juridique à ce raisonnement.

Ce qui précède concerne les Acadiens en général. Voici qu'un cas particulier se présente : celui des habitants de la région de Chignectou qui sont passés à Beauséjour. Il sera loisible, si telle est l'opinion du juge en chef, de concéder à des colons britanniques les terres qu'ils ont quittées : dans cette zone stratégique, une agglomération anglaise ne pourrait être que d'une grande utilité, « s'il était possible d'en fonder une dans l'état actuel des choses ». Précisément, est-ce possible ? D'une part, Shirley a écrit à lord Halifax qu'il se trouve en Nouvelle-Angleterre un grand nombre de personnes prêtes à émigrer dans le voisinage de l'isthme. D'autre part, ajoutent les Lords du Commerce, « il nous paraît qu'il serait absurde de mettre sur pied tout projet d'établissement anglais à cet endroit à moins que ne soient détruits les forts français de Beauséjour, de la baie Verte, etc., que les Indiens ne soient dispersés et que les Français ne soient contraints de chercher refuge dans l'île aride du Cap-Breton, à l'île Saint-Jean et au Canada ». Isolée, cette seconde déclaration ne manquerait pas d'importance. Articulée à la première, elle prend une force singulière. L'Angleterre commence par établir son droit à déporter toute la population acadienne. En même temps, elle affirme que la colonisation du pays ne saurait être entreprise méthodiquement que « l'Acadie française » ne soit d'abord éliminée. Tout se tient.

Le Board of Trade n'a pas fini. Il élabore sa politique néo-écossaise dans les perspectives de la politique internationale et de la politique américaine en général. Sur le premier plan, la tension monte entre la France et l'Angleterre. Sur le second, le gouvernement britannique a pris la décision de recourir à la force : il enverra des troupes au Nouveau Monde; la nomination de Braddock au commandement de ce corps expéditionnaire remonte au 24 septembre 1754; le parti de la guerre combine les plans des campagnes qui devront se dérouler en 1755. Lawrence reçoit l'ordre de se tenir prêt à tout événement et de faire monter avec la plus grande diligence les batteries du fort de Halifax. La conjoncture actuelle est critique, écrivent Leurs Seigneuries, et Sa Majesté se dispose à soutenir les justes droits de son empire; chacun des gouverneurs « doit apporter une attention particulière à la sécurité et à la défense de la colonie qui lui est confiée ». [28] Il serait superflu de souligner l'extrême importance de cette dépêche : tout le destin d'un peuple s'y dessine déjà.

Avant même de pouvoir en prendre connaissance, Lawrence, impatient d'agir, court à ce qui lui paraît être le plus pressé : la réduction de Beauséjour, pivot de « l'Acadie française ». Nous savons combien le développement de cette dernière lui inspire d'inquiétude. Les progrès des Français sont constants. Il est vrai qu'ils n'ont pas esquissé de nouveaux « empiétements » depuis quelque temps, mais leur immobilité apparente ne peut tenir qu'à deux causes. En premier lieu, ils en sont à consolider leurs positions : ils améliorent leurs ouvrages de défense à Beauséjour et à Gaspareau, ils viennent de construire une très belle route entre ces deux forts, ils continuent à faire tout en leur pouvoir pour attirer les Acadiens de leur côté. En second lieu, ils semblent tellement occupés ailleurs sur le continent qu'ils doivent modérer leur allure au nord-est : circonstance dont il importe de savoir profiter. [29] C'est ce que le lieutenant-gouverneur répète à Shirley, au début de novembre 1754. Il lui confie, de plus, qu'il a formé le projet de « déplacer les Français de l'isthme de Chignectou et de la rivière Saint-Jean ». Cependant il ne pourrait y réussir sans l'aide de la Nouvelle-Angleterre. Il lui faut des troupes. Il demande 2,000 hommes, qu'il voudrait mettre en campagne dès le printemps de 1755, avant l'arrivée des vaisseaux de guerre que la France envoie tous les étés à l'île Royale. Le plan de Lawrence repose sur une considération fondamentale : la nécessité d'agir vite pour profiter de la situation particulièrement délicate des Acadiens et de l'extrême complexité de la politique française

---

[28] Le Board of Trade à Lawrence, 29 octobre 1754, BTNS, 36 : 59.
[29] Lawrence au Board of Trade, 1er juin 1754, BTNS, 15 : H-252.

en Amérique. « Votre Excellence, chuchote-t-il à son collègue de Boston, doit sans aucun doute se rendre compte de l'avantage que nous assurera sur les Français le fait de mener l'attaque, vu qu'il leur faut compter surtout sur les Indiens et sur les habitants qui sont passés dans leur camp : il est infiniment probable que ceux-ci les abandonneront dès qu'ils les verront incapables de tenir devant notre offensive, alors qu'ils les appuieraient infailliblement si c'étaient eux qui venaient nous attaquer. » Il y a plus. Presque tous les yeux se tournent vers l'Ohio. C'est donc le temps de déclencher un assaut contre Beauséjour. Au reste ce mouvement tournera au bénéfice de toute l'Amérique britannique; il créera une diversion, contraindra l'adversaire de diviser ses forces. Le lieutenant-gouverneur envoie porter son message par le colonel Monckton, qu'il se propose de mettre à la tête de l'expédition. [30]

Pendant que Lawrence organise sa campagne de 1755 en liaison avec Shirley, le gouvernement anglais met au point le vaste plan d'opérations qui devrait, croit-il, disloquer en une saison la Nouvelle-France et refouler les Canadiens sur le Saint-Laurent. Moins de trois semaines séparent la lettre de Lawrence à Shirley et les « Instructions secrètes » du ministère britannique à Braddock. Le général, on le sait, reçoit la mission de nettoyer la vallée de l'Ohio, le lac Ontario et le lac Champlain. Il reçoit aussi — c'est le huitième point de ses instructions — l'ordre de « détruire le fort français de Beauséjour, ce qui nous permettra de recouvrer notre province de la Nouvelle-Ecosse », et de se mettre à ce sujet en rapport avec le lieutenant-gouverneur, qui a ses projets. [31] Observons l'entente parfaite qui règne entre le gouvernement impérial et celui de la Nouvelle-Ecosse. Il n'existe pas deux politiques acadiennes, celle de Lawrence et celle du Board of Trade and Plantations. Il n'y en a qu'une, et elle s'élabore en même temps à Londres et à Halifax. Halifax et Londres tombent d'accord sur les principes comme sur les moyens de les appliquer. Avant de donner à Braddock ses instructions, le secrétaire d'Etat Robinson a eu en main une lettre du Board of Trade soulignant l'importance des agglomérations et des forts français de la rivière Saint-Jean, de Beauséjour et de la baie Verte. Cette lettre contient un extrait de la dépêche de Lawrence en date du 1er août. [32] Les Lords du Commerce insistent sur les « conséquences fatales » des « empiétements » de l'adversaire. La colonie, ajou-

---

30 Lawrence à Shirley, 5 novembre 1754, BTNS, 15 : H-278. Voir les instructions de Lawrence à Monckton, 7 novembre 1754 et 29 janvier 1755, *The Northcliffe Collection*, 25-27.
31 « Secret Instructions for our Trusty and Wellbeloved Edward Braddock Esqr. Major General of Our Forces, » 25 novembre 1754, A & W. I., 604.
32 Voir plus haut, note 27.

tent-ils, ne pourra progresser, « comme le colonel Lawrence le fait observer pertinemment », aussi longtemps qu'elle restera menacée par
les indigènes, et ce mal ne cessera pas « tant que les Français posséde-
ront le côté nord de la baie de Fundy ». [33]

Ce sera seulement à la mi-janvier 1755, après avoir reçu la réponse
de Shirley, que Lawrence mettra ses chefs au courant de ses démarches
auprès du gouverneur du Massachusetts. Un fort sur la rivière Chibenaccadie, explique-t-il maintenant, ne procurerait pas à la province
assez de sécurité. Il a « découvert » qu'aucune mesure de protection
ne serait vraiment efficace à moins que les forts français à l'ouest de
la Mesagouèche ne soient « absolument extirpés ». Il y revient : il faut
culbuter l'ennemi « avant qu'il n'ait eu le loisir de réunir ses forces ».
Mais il a été inquiet. N'aurait-on pas pu lui reprocher de s'engager
trop avant avec son collègue de la Nouvelle-Angleterre sans attendre
l'approbation des Lords du Commerce ? Par bonheur, une récente lettre de Sir Thomas Robinson le rassure : le secrétaire d'Etat lui recommande justement de s'assurer le concours de Shirley et d'aller de l'avant.
Quant au gouverneur du Massachusetts, il n'hésite pas. Tout sera prêt
au printemps de 1755. Et les Acadiens ? « Conformément aux ordres
de Vos Seigneuries, annonce Lawrence, j'ai communiqué au juge en
chef la question juridique concernant les droits des habitants français :
le magistrat en poursuit actuellement l'étude, et je vous ferai tenir son
rapport à la première occasion. » [34] En vérité, tout sera bien prêt.

Il ne manque plus au lieutenant-gouverneur que l'approbation explicite du Board of Trade and Plantations. Il ne l'attendra pas longtemps. Au commencement de mai, les Lords du Commerce lui déclarent qu'il pourra compter sur leur « aide » et sur leur « appui » dans
toutes les « mesures justes et nécessaires » qu'il croira bon de prendre
en vue de promouvoir « le bien-être et la sécurité » de la Nouvelle-
Ecosse. Voilà qui est très général. Voici qui est très précis. Beauséjour
et Gaspareau ont un « effet nuisible » sur le développement de la colonie; ces deux forts répandent du malaise dans les provinces voisines :
par conséquent « l'à-propos et l'utilité » de l'assaut préparé contre eux
ne sauraient faire le moindre doute. Il ne reste qu'à souhaiter bonne
chance à ceux qui dirigeront les opérations et à espérer « que le succès
de cette campagne soit un joyeux présage de futures victoires dans toutes les autres campagnes que Sa Majesté trouvera nécessaire d'entreprendre pour le soutien de ses justes droits et la protection de ses territoires ». Belles paroles ? Oui, mais aussi expression d'une profonde con-

---

[33] Le Board of Trade à Robinson, 31 octobre 1754, A. & W. I., 597 : 18.
[34] Lawrence au Board of Trade, 12 janvier 1755, BTNS, 15 : H-277.

viction, et elles s'accompagnent d'un témoignage tangible : l'envoi d'un vaisseau chargé d'armes et de transports pleins de vivres.[35] L'expédition de Beauséjour sera le point tournant de l'histoire de la défaite acadienne. Lawrence l'a décidée, c'est clair. Il est non moins clair que sa décision ne faisait que prévenir les désirs du gouvernement impérial.

Pendant que s'échange cette correspondance, les événements vont leur train en Nouvelle-Angleterre. A Boston, Shirley se multiplie. Dans la dernière semaine de mars 1755, il peut déjà annoncer que les préparatifs de la campagne d'Acadie sont fort avancés. Il les pousse avec toute la diligence possible parce qu'il lui tarde de se mettre lui-même en route à destination d'Alexandria, en Virginie, où Braddock a donné rendez-vous aux gouverneurs; c'est là que l'Amérique britannique va s'efforcer de coordonner ses efforts contre la Nouvelle-France.[36] A la réunion d'Alexandria, on discutera naturellement l'offensive de Beauséjour. Braddock étudie les plans qu'ont arrêtés Lawrence et Shirley, les approuve et confirme la nomination de Monckton à la tête de l'entreprise.[37] Le reste sera l'affaire de trois semaines.

Sous l'escorte de trois frégates, un convoi d'un peu plus de trente voiles quitte la baie de Boston le 26 mai et aborde le lendemain à Annapolis. Après y avoir opéré sa jonction avec une autre escadre venue de Halifax, la flotte poursuit sa route jusqu'au fort Lawrence, où elle s'arrête le 2 juin. Deux jours plus tard, 2,000 provinciaux et 250 soldats anglais campent sur « la très belle route » qui relie Beauséjour à Gaspareau. Le 5, ils sont à un mille de Beauséjour. Le 8, ils se retranchent sur une hauteur à un demi-mille du fort. Le 14, leurs mortiers ouvrent le feu. Le 16, Beauséjour capitule. Le 17, Gaspareau se rend à son tour.[38] Episode d'histoire militaire d'un déploiement très modeste, même pour l'Amérique; mais les Anglais y gagnaient un immense avantage stratégique. L'Acadie « française » croulait.[39]

Comment expliquer un tel effondrement ? Par la lâcheté du commandant de Beauséjour, Louis Du Pont du Chambon de Vergor ? A la nouvelle de l'approche des Anglais, Vergor avait envoyé à tous les Acadiens qu'il pouvait atteindre, peut-être douze à quinze cents hommes, l'ordre d'accourir à la défense de l'isthme. Ils vinrent en grand nombre. Conscients, toutefois, de la gravité de l'aventure dans laquelle ils s'engageaient, ils exigèrent du commandant un ordre écrit leur en-

35   Le Board of Trade à Lawrence, 7 mai 1755, BTNS, 36 : 118.
36   Shirley à Robinson, 24 mars 1755, NYCD, 6 : 942.
37   Braddock à Napier, 19 avril 1755, dans Pargellis, éd., *Military Affairs in North America*, 81.
38   Gipson, 6 : 228-233.
39   Osgood, *The American Colonies in the Eighteenth Century*, 4 : 361.

joignant de porter les armes sous peine de mort. S'ils tombaient aux mains de l'ennemi, ils pourraient établir qu'ils avaient servi contre leur gré. C'était mauvais signe. Le bombardement du 14 juin commença à les démoraliser. Le lendemain, ce fut de l'épouvante; ils voulaient s'en aller avant l'investissement de la place. Le 16, quand une grosse bombe eut démoli une casemate, tuant tous ses occupants, ce fut le coup de grâce. Vergor dut entamer des pourparlers de capitulation. La fin était d'ailleurs prévisible depuis le moment où un corps de 450 Acadiens et sauvages, retranchés dans un avant-poste au bord de la rivière Mesagouèche, avaient cédé sous la pression britannique après une résistance d'une heure. [40] Il est remarquable que Vergor ait utilisé à fond tout le matériel dont il disposait; son artillerie fit un feu d'enfer sur les envahisseurs : « On ne pouvait entendre que le rugissement des canons », rapporte un témoin anglais. [41] Il ne put cependant se servir aussi bien de ses hommes. Ceux-ci ne voulaient pas se battre. Quand Beauséjour se rendit, il n'y restait que 150 soldats et 300 Acadiens, dont plusieurs blessés. Les autres avaient disparu. Ils n'avaient pas osé pousser à bout la résistance de crainte de trop se compromettre et de risquer la corde pour haute trahison.

Quant à Vergor, « la resistance qu'il a faitte a été proportionnée à sa situation », jugeait le gouverneur de l'île Royale, Drucourt. Pour le commandant de Gaspareau, Villeray, il ne pouvait pas songer à défendre son poste : c'était un simple entrepôt; on lui reprocha seulement de ne l'avoir pas brûlé au lieu de le livrer, et Drucourt voyait dans sa conduite « plus de deffaut de tête que de cœur ». [42] Machault aurait aimé faire un exemple au début des hostilités, il ordonna de passer les deux officiers en conseil de guerre et recommanda « la sévérité ». [43] L'un et l'autre en sortirent justifiés. [44] Boishébert plaçait ailleurs la responsabilité de la défaite. Faisant allusion à la déportation et aux atrocités dont elle s'accompagna, il disait des Acadiens : « Il faut espérer que le mauvais traitement qu'ils ont leur fera sentir combien il leur est avantageux d'être sous notre domination, ils seroient beaucoup plus à plaindre s'ils ne s'étoient pas comportés en vray lâches, lorsque M. de Vergor a été attaqué. » [45] C'était vite dit. En réalité, « l'Acadie française » se désinté-

40   Lawrence au Board of Trade, 28 juin 1755, BTNS, 15 : H-300.
41   *The New-York Mercury*, 6 juillet 1755.
42   Drucourt à Machault, 10 novembre 1755, AC, C 11B, 35 : 118-119.
43   Machault à Drucourt, 5 septembre 1755, AC, B 101 : 204-204v; Machault à Vaudreuil, 20 février 1756, AC, B 103 : 2-2v; « Lettre du Roy à M. de Vaudreuil, » 20 février 1756, *ibid.*, 2v.
44   Vaudreuil à Massiac, 12 juin 1758, AC, C 11A, 103 : 76 (copie aux APC); voir *Journal* de Montcalm, 314.
45   Boishébert à Drucourt, 10 octobre 1755, AC, C 11B, 35 : 154.

grait au premier choc. Pourquoi ? Sa structure n'avait jamais été solide. Elle avait été une création artificielle. La peur l'avait fait naître. La peur la brisa.

Comme il fallait s'y attendre, un article de la capitulation du 16 juin concernait les Acadiens. Il stipulait que, puisqu'ils avaient été « forcés de prendre les armes sous peine de Vie », ils seraient « pardonnés ». [46] Le vainqueur souscrit à cet engagement. Pourtant, dès le 28 juin, en envoyant au Board of Trade la nouvelle que les Acadiens qui ont servi sous Vergor remettent leurs armes à Monckton, Lawrence déclare : « De toute façon, je lui ai donné l'ordre de les chasser du pays. » Si toutefois, précise-t-il, le lieutenant-colonel a besoin de leurs services pour construire des casernes à l'usage des troupes britanniques, il lui sera loisible de commencer par « leur faire faire tout le travail qu'ils pourront ». [47] Quelques mois plus tard, le lieutenant-gouverneur explique sa décision. A l'égard du mot « pardonnés », inscrit au 4e article de la capitulation, il signifiait simplement « que les habitants français pris dans le fort les armes à la main ne seraient pas mis à mort ». Monckton, ajoute-t-il, n'avait jamais entendu que cet article voulût dire davantage car, avant son départ pour l'isthme, Lawrence l'avait prévenu qu'il faudrait expulser les Acadiens qu'il trouverait chez les Français. Par ailleurs, le vainqueur de Beauséjour a bien fait de laisser croire à ces habitants qu'ils seraient « pardonnés » : il s'agissait de ne pas les pousser au désespoir, de ne pas « provoquer leur fuite au Canada ». [48] Cela était dit en langage de politicien. En termes clairs, c'eût été beaucoup plus simple : si l'on avait fait croire aux Acadiens de Beauséjour qu'ils seraient « pardonnés », c'était pour ne pas leur inspirer le courage du « désespoir », pour les empêcher de s'évader et pour se servir de leurs bras avant de sévir contre eux.

Voilà la hache portée à la racine de la petite Acadie des Français. Il n'y reste que des groupes de partisans avec Boishébert, qui a détruit son poste de la rivière Saint-Jean plutôt que de le rendre et s'est replié dans l'intérieur. [49] Mais la véritable Acadie, celle des Acadiens ? Son sort se décide en juillet 1755.

Lawrence commence par travailler un groupe représentatif d'habitants. Des députés du bassin des Mines arrivent à Halifax. Le 3 juillet, le lieutenant-gouverneur les convoque devant le conseil de la province et discute avec eux, article par article, un mémoire « arro-

---

46   « Capitulation du fort de Beauséjour, » AC, F 3, 14 (Supplément) : 65.
47   BTNS, 15 : H-300.
48   Lawrence à Robinson, 30 novembre 1755, PRO, CO 5, 17 : 46s.
49   Lawrence au Board of Trade, 18 juillet 1755, BTNS, 15 : H-307; Boishébert à Drucourt, 10 octobre 1755, AC, C 11B, 35 : 152-155.

gant » qu'ils avaient remis, le mois précédent, au commandant militaire de leur région. Ensuite, le conseil leur propose de jurer allégeance à George II. Les délégués hésitent, demandent d'aller consulter les habitants qu'ils représentent. A chacun de décider pour soi, répliquent les conseillers, qui leur donnent vingt-quatre heures pour réfléchir. [50] Le lendemain, les Acadiens reparaissent devant Lawrence et ses collègues. Ont-ils modifié leur attitude ? Non; ils tiennent toujours à se voir exemptés de porter les armes contre les Français. La réponse du conseil est toute prête : ils ne peuvent plus être regardés comme des sujets britanniques, ils seront détenus à l'île George, dans la baie de Chibouctou, en attendant qu'on les déporte en France. Quinze jours plus tard, Lawrence rapporte que, depuis, les prisonniers ont « vivement désiré » prêter leur serment, mais n'en ont pas reçu la permission; ils ne la recevront d'ailleurs pas, précise le haut fonctionnaire, « tant que nous n'aurons pas constaté les dispositions du reste des habitants ». [51]

Ainsi commence, à petit bruit, le « grand dérangement ». Sans doute y manque-t-il encore une formalité. Elle ne tardera pas. Le Board of Trade and Plantations, on s'en souvient, avait prescrit au lieutenant-gouverneur de consulter le juge en chef pour définir le droit des Acadiens à l'occupation de leurs terres. Ce magistrat s'appelle Jonathan Belcher, c'est un Bostonnais, il occupe son poste à Halifax depuis l'automne de 1754. Non pas que ces détails prennent beaucoup d'importance : tout autre acteur que Belcher eût pu jouer le même rôle. Après les deux décisions qui sont intervenues coup sur coup — déporter les habitants de l'Acadie française, déporter les délégués du bassin des Mines — la sentence de Perrin Dandin ne saurait être que la déportation, et le procès qu'il instruit peut difficilement apparaître sous un autre jour que celui d'une « mise en scène judiciaire ». [52] S'il est vrai, comme Lawrence l'indique, que le juge en chef a déjà entamé l'étude de la question acadienne à la mi-janvier 1755, [53] la cause ne peut qu'être entendue lorsque le magistrat dépose son rapport sur la table du conseil provincial, le 28 juillet. [54] Néanmoins, ce texte est du plus haut intérêt. Presque perdu au milieu des récriminations souvent vaines qui s'y

---

[50]   Procès-verbal de la séance du 3 juillet 1755, Akins, 247-255.
[51]   Lawrence au Board of Trade, 18 juillet 1755, BTNS, 15 : H-307.
[52]   C'est le titre du chapitre XIII de *la Tragédie d'un peuple* (2 vol., Paris, 1924) d'Emile Lauvrière.
[53]   Voir plus haut, note 34.
[54]   « Copy of Mr. Chief Justice Belcher's Opinion in Council as to the removal of the French Inhabitants in Nova Scotia dated Halifax 28 July 1755, » A. & W. I., 597. On trouvera une traduction de cette pièce dans H. d'Arles, éd., *Acadie*, 2 : 456-460 (appendice V). M. Lauvrière (*La Tragédie d'un peuple*, 1 : 430-434) a emprunté cette traduction sans en indiquer la provenance et l'a truffée de commentaires.

expriment, émerge le motif fondamental de l'expulsion des Acadiens. Ce motif, c'est une volonté farouche de colonisation; colonisation qui, succédant à un développement antérieur, devra s'édifier sur des ruines, par l'exploitation à fond d'une défaite.

Que dit Belcher ? « La question maintenant soumise au gouverneur et à son conseil quant au droit de séjour ou au déplacement des habitants français de la province de la Nouvelle-Ecosse est de la plus grande importance pour l'honneur de la couronne et le développement de la colonie; de plus, comme il pourrait bien ne plus se trouver de conjoncture aussi favorable que la présente pour apporter à ce problème une solution efficace, j'estime qu'il est de mon devoir d'exposer pourquoi nous ne devons pas permettre aux habitants français de prêter serment et de demeurer dans la province. » Et le juge d'énumérer ses considérants : 1. depuis 1713, les Acadiens n'ont eu d'autre attitude que celle de « rebelles »; 2. les tolérer plus longtemps dans la colonie serait contraire aux instructions du roi à Cornwallis et comporterait le risque « d'encourir le déplaisir de la couronne et du parlement »; 3. ce serait « ruiner l'objectif visé par l'expédition de Beauséjour »; 4. ce serait « paralyser le progrès de la colonisation », œuvre pour laquelle la métropole s'est livrée à de grandes dépenses; 5. il faut s'attendre, de la part des Acadiens, à une recrudescence de « perfidie » et de « trahison » après le départ de la flotte anglaise et le retrait des troupes de la Nouvelle-Angleterre, et à ce moment la Nouvelle-Ecosse ne disposera plus des moyens de leur faire évacuer leurs terres.

Belcher développe un à un ces cinq points. Son petit historique des « rébellions » acadiennes aurait tout au plus un intérêt de curiosité s'il ne soulignait que, depuis la fondation de Halifax, les Acadiens ont toujours poussé les sauvages à harceler la ville naissante et n'ont cessé de ravitailler et de renseigner les troupes françaises qui sont venues se retrancher dans le pays. Qu'en est-il résulté ? Les colons britanniques ont dû s'enfermer dans des postes fortifiés et n'ont pu s'adonner à la culture des terres que le gouvernement leur avait concédées. Voilà pourquoi la moitié des colons amenés à grands frais dans le pays s'en sont retirés pour s'établir dans d'autres colonies « où ils pouvaient gagner leur pain sans risquer leur vie ».

L'analyse que fait le magistrat des instructions de Cornwallis aboutit à la conclusion que ce serait « les observer à la lettre » que d'expulser les Acadiens. Cette assertion ne signifierait pas grand-chose si elle n'était que de Belcher. Mais les Lords du Commerce et le gouvernement anglais eurent en main ce texte du juge,[55] et il ne paraît pas

---

[55]   Belcher à Pownall, 24 décembre 1755, BTNS, 16 : I-10.

qu'ils l'aient désavoué en aucune manière, donnant ainsi une approbation implicite à son interprétation des fins que poursuivait l'Angleterre dès 1749.

La chute de Beauséjour, observe le fonctionnaire, aurait dû entraîner l'effondrement de la résistance acadienne. Ne voilà-t-il pas, au contraire, que les habitants ont refusé, « même en présence des amiraux »
[Boscawen et Mostyn], de se soumettre aux serments exigés d'eux ?
« Si tel est leur langage maintenant que la flotte et les troupes sont
avec nous, je ne sais quel sera leur ton et à quelle extrémité ils porteront leur insolence et leurs actes d'hostilité lorsque les vaisseaux et les
soldats seront partis. » — Cette réflexion rejoint le cinquième considérant du magistrat : il faut profiter de la présence du corps expéditionnaire venu de la Nouvelle-Angleterre pour effectuer une expulsion
que la colonie, réduite à ses seules forces, ne pourrait pas mener à bien.

Le quatrième point du rapport en complète le premier. Le gouvernement ne saurait permettre aux Acadiens de prolonger leur séjour
dans le pays sans « retarder le progrès de la colonisation et probablement le compromettre tout à fait ». Ici, le facteur démographique, élément capital de tout développement colonial, entre en jeu. Belcher
calcule que la province peut compter 8,000 Acadiens contre seulement
3,000 Anglais. Ces chiffres ne sont pas exacts, mais la proportion de
l'un à l'autre semble exprimer assez bien l'écart qui existe entre les
deux populations. L'échec relatif des établissements de la côte orientale
enseigne aux Anglais combien il sera difficile de rattraper le peuplement français, d'autant que la supériorité numérique de ce dernier ne
peut avoir pour effet que « d'inquiéter » les colons britanniques déjà
installés en Nouvelle-Ecosse et d'écarter ceux qui songeraient à venir
les rejoindre. Il faut donc expulser les Acadiens.

Question de colonisation, et l'on voit comment elle se pose. Reprenons. L'empire américain de l'Angleterre doit s'ancrer à la Nouvelle-
Ecosse parce qu'ainsi l'exige la structure géographique du continent.
S'il laissait rentrer la France en Acadie, ou plutôt s'il ne l'en faisait
pas sortir, il livrerait à un empire rival une énorme tête de pont sur
l'Atlantique et lui abandonnerait un réseau de communications ininter-
rompues entre Louisbourg et la Nouvelle-Orléans. Dans ces conditions,
toutes les colonies britanniques subiraient une pression constante sur
leurs flancs ou sur leurs derrières, et leur développement normal s'en
trouverait gêné. Or, une longue et pénible expérience l'a démontré, la
puissance britannique ne peut s'enraciner ni s'étaler en Nouvelle-Ecosse
sans s'y substituer à ce qui reste de la colonisation française; cela veut
dire qu'à peine de se voir condamnée à construire à prix d'or une colo-

iie qui ne sera de longtemps viable et qui court risque de ne l'être amais, en marge de la vieille société française — qui a naturellement poussé ses racines dans les régions les plus propices à l'accroissement d'une collectivité vigoureuse, — il est impératif qu'elle commence par arracher l'Acadie du sol qui lui donne sa cohésion, c'est-à-dire sa vie, après quoi, mais après quoi seulement, elle se sera mise en position de créer un pays anglais. Où l'on touche du doigt la naïveté de l'écrivain qui fait la petite bouche en reprochant à Belcher de se soucier de colonisation et qui jette de haut ce commentaire : « Ainsi prime toujours chez ce peuple marchand la question d'intérêt pécuniaire. »[56] Mais toute l'histoire de l'Amérique en est alors une de rivalités coloniales. Tous les colonisateurs se ressemblent. L'affreux épisode de la dispersion des Acadiens ne se conçoit que dans le cadre d'un conflit de colonisations; précisons, bien que ce soit superflu : de colonisations qui entrent en conflit précisément parce qu'elles visent en même temps les mêmes objectifs.

Belcher a résumé les principes de la politique anglaise en Acadie. C'est le 28 juillet 1755. Le même jour, le conseil de la Nouvelle-Écosse prend sa décision; ou plutôt, car son rôle est modeste, il se contente de déclarer : « Comme il avait été décidé antécédemment d'expulser les habitants français de la province s'ils refusaient de prêter le serment, il n'y avait plus par conséquent qu'à prendre les mesures nécessaires pour opérer leur expulsion et à décider à quels endroits les expulser. » Lawrence et les conseillers, avec qui siègent les amiraux Boscawen et Mostyn, recommandent « à l'unanimité » de « disperser » les Acadiens dans les colonies américaines : il faut éviter qu'ils ne puissent se regrouper et rentrer dans la province, déterminés à « malmener les colons qui pourraient s'être établis dans leurs fermes ».[57] Déplacement, dispersion, remplacement : tels sont les trois aspects de la grande opération commencée en 1755, et ces trois aspects, il n'est pas inutile de le souligner, ont une égale importance.

C'est aussi ce qui ressort des explications que Lawrence fournira aux Lords du Commerce à la mi-octobre. Vu leur attitude, il a fallu contraindre les habitants français de quitter le pays. Le conseil provincial « s'est mis immédiatement en quête de la méthode la plus rapide, la moins coûteuse et la plus sûre de donner suite à cette décision nécessaire ». Expédier les Acadiens à l'île Royale ou au Canada, c'eût été donner des miliciens à ces deux colonies françaises. On est donc con-

---

56 E. Lauvrière, *La Tragédie d'un peuple*, 1 : 431.
57 « Séance du Conseil tenue chez le gouverneur, à Halifax, le lundi, 28 juillet 1755, » RAC pour 1905, 2 (3e partie) : 63s.

venu de les distribuer dans les territoires anglais, depuis la Georgie
jusqu'à la Nouvelle-Angleterre, en observant, le lieutenant-gouverneur
y insiste, la plus stricte économie. Le bétail des déportés — sur cela
il insiste moins — a été confié à ceux des habitants britanniques qui
pourront le nourrir durant l'hiver. Ce n'est là qu'un premier pas. Il
reste maintenant à introduire dans la Nouvelle-Ecosse une population
qui héritera des fermes acadiennes; ces nouveaux éléments mettront
la colonie à même de subvenir à ses propres besoins et au ravitaillement
de ses garnisons anglaises : voilà un des « heureux résultats » que le
fonctionnaire attend de sa politique, celle-ci « nous procurant une
grande quantité de sol fertile », prêt à fournir un rendement immédiat.
Le Board of Trade and Plantations reçut cette dépêche le 20 novembre
et en prit connaissance le 25. [58]

La suite ne manque pas d'intérêt. Le 25, les Lords du Commerce
apprennent de Lawrence la nouvelle de la déportation. Le 26, ils recommandent au roi de nommer Lawrence « gouverneur en chef » de
la Nouvelle-Ecosse, « attendu qu'il nous paraît avoir toutes les qualités
et tous les mérites requis pour occuper ce poste ». [59] Le 18 décembre,
le ministère se rend à leur désir. [60] Ils transmettent à leur subordonné
sa commission le 25 mars 1756, et c'est à cette occasion qu'ils lui
confient : « Nous avons communiqué au secrétaire d'Etat de Sa Majesté le passage de votre lettre qui a rapport au déplacement des habitants français et à la façon dont vous y avez procédé. » Leurs Seigneuries sont satisfaites : « Nous ne doutons pas que Sa Majesté n'approuve
votre conduite. » [61] Après cette promotion, qui eût pu en douter ?

Bien vue des milieux politiques de Londres, comment la déportation sera-t-elle accueillie par les divers gouvernements américains ?
Lorsqu'il en annonce la nouvelle à ses collègues des autres provinces,
Lawrence leur donne des éclaircissements semblables à ceux qu'il fournira à ses chefs. Il était devenu nécessaire, leur dit-il, de « nous débarrasser d'un élément de population qui aurait toujours fait obstacle à
notre intention de développer cette colonie »; c'était une mesure indispensable « à la sécurité de cette province, de la conservation de
laquelle dépend, dans une large mesure, la prospérité de l'Amérique
du Nord ». [62] Le lieutenant-gouverneur du Massachusetts y voit tout
de suite une « sage précaution ». [63] Partout ailleurs, on manifeste de

---

[58] Lawrence au Board of Trade, 18 octobre 1755, BTNS, 15 : H-311.
[59] Le Board of Trade au roi, 26 novembre 1755, BTNS, 36 : 135.
[60] BTNS, 16 : I-1.
[61] BTNS, 36 : 273.
[62] Lettre circulaire de Lawrence aux gouverneurs, 11 août 1755, BTNS, 15 : H-312.
[63] Spencer Phips à Monckton, 20 août 1755, *The Northcliffe Collection*, 37.

'embarras. En Pennsylvanie, Morris se contente de communiquer son conseil la lettre de Lawrence et d'en donner un résumé à l'assemblée législative. [64] Il ne sait que faire des proscrits que la Nouvelle-Écosse lui envoie; il les laisse entassés dans les vaisseaux qui les avaient transportés à Philadelphie jusqu'à ce que les médecins le préviennent du danger d'une épidémie. [65] En Virginie, leur apparition cause de la « surprise », au dire de Dinwiddie, qui se demande où les mettre : à l'intérieur de la colonie, toutes les terres sont prises, il ne saurait être question d'en réquisitionner pour eux; il n'est pas davantage possible de les établir sur les frontières, où ils pourraient donner la main aux bandes indigènes et canadiennes qui y sèment déjà le massacre et la destruction : rien d'étonnant, donc, à ce que le gouverneur ait du mal à persuader à la majorité de son conseil d'ouvrir les portes du pays aux déportés. [66] Entr'ouvrir serait plus exact : Dinwiddie finira par renvoyer en Angleterre tous les Acadiens qu'il a sur les bras, au grand mécontentement du gouvernement impérial. [67] La Caroline du Sud, où il en afflue un peu plus d'un millier en 1755 et dans les premiers mois de 1756, en laisse disparaître près de la moitié, dont une partie aboutissent en Grande-Bretagne et de là en France. [68] En France comme partout, on en sera fort encombré. [69]

Néanmoins, tout à son triomphe, Lawrence qui, quelques mois auparavant, voyait se dessiner devant la Nouvelle-Ecosse de « brillantes » perspectives, maintenant qu'il avait « extirpé ces perfides et vils Français Neutres », au prix d'une opération « coûteuse », mais « heureuse », [70] — Lawrence, au printemps de 1756, se donne « le plaisir d'informer Leurs Seigneuries que les diverses provinces ont accueilli les habitants français qui leur avaient été expédiés ». [71] Plaisir éphémère. Car voilà que des groupes de déportés, surtout en Georgie et en Caroline du Sud, organisent leur évasion sous l'œil distrait et parfois sympathique des pouvoirs publics : il y a même, dit-on, des gouvernements locaux qui leur procurent des bateaux. Les proscrits s'efforcent

---

64 *Pennsylvania Colonial Records*, 6 : 712s; message à l'assemblée, 24 novembre 1755, PRO, CO 5, 17 : 115.

65 Message de Morris à l'assemblée, 24 novembre 1755, *Pennsylvania Colonial Records*, 6 : 730.

66 Dinwiddie à Fox, 24 novembre 1755, PRO, CO 5, 17 : 1-2.

67 *Id.* à *id.*, 9 novembre 1756, *ibid.*, 733; *Mercure historique de La Haye*, 141 (juillet 1756) : 97.

68 Lettre du Board of Trade, 14 avril 1756, A. & W. I., 597; Lyttleton à Fox, 16 juin 1756, PRO, CO 5, 17 : 531-532.

69 *François Bigot, administrateur français*, 2 : 144, note 164.

70 Lawrence à Halifax, 9 décembre 1755, dans Pargellis, éd., *Military Affairs in North America*, 155.

71 Lawrence au Board of Trade, 28 avril 1756, BTNS, 16 : I-15.

de rentrer chez eux. Le gouverneur de la Nouvelle-Ecosse prend peur
Il demande à ses collègues de tout tenter pour contrecarrer de si « pernicieux desseins » : le retour des exilés serait « fatal » aux intérêts britanniques « dans cette partie du monde ». [72]

Il n'y a rien d'inattendu à ce que des gouvernements envisagent
la dispersion acadienne sous l'angle des intérêts publics qu'elle favorise
ou qu'elle dérange. Pour eux, elle constitue une question politique.
L'opinion cependant s'en est-elle émue ? Winslow transcrit dans son
journal le petit discours qu'il a fait aux habitants de Grand-Pré, le 5
septembre 1755, pour leur apprendre qu'il va les déporter : « Le devoir
que j'ai à remplir, quoique nécessaire, m'est très désagréable et contraire à ma nature et à mon caractère, car je sais que cela vous affli-
gera puisque vous possédez comme moi la faculté de sentir. » [73] Cette
niaiserie est une des très rares considérations humanitaires qui se
soient exprimées en Amérique, à l'époque, sur le sort des Acadiens. A
New-York et ailleurs, des journaux publient la dépêche suivante, datée
de Halifax, le 9 août 1755 : « Nous voici avec un grand et noble dessein : l'expulsion des Français neutres de cette province... Si nous y
réussissons, ce sera une des plus grandes choses que les Anglais auront
jamais faites en Amérique; car, tout le monde en convient, la partie
du pays qu'ils possèdent offre d'aussi bon sol qu'il y en ait dans le monde : si nous pouvions mettre de braves agriculteurs anglais à leur place,
cette colonie abonderait en denrées de toutes sortes. » [74] Le plus souvent, les périodiques américains se contentent de rapporter presque sans
commentaires la nouvelle de l'expulsion et de ses péripéties : nous dis-
perserons sept mille habitants, dit l'un; [75] d'ici trois semaines, nous
les aurons tous déportés, assure un autre; [76] ailleurs, on enregistre des
arrivages de « Français neutres » ou des « Français (faussement appelés) neutres »; [77] on suit l'opération à mesure qu'elle se déroule. [78] Dans
un sermon prononcé à Boston en 1760, le Révérend Nathaniel Appleton évoquera la déportation des Acadiens, expliquant que leur présence

---

[72] Lettre circulaire de Lawrence aux gouverneurs, 1er juillet 1756, BTNS, 16 :
I-24; Lawrence au Board of Trade, 5 août 1756, *ibid.*, I-17; Sharpe à Lawrence, 24 août
1756, *Sharpe Correspondence*, 1 : 471; Vaudreuil à Machault, 7 août 1756, AC, C 11A,
101 : 85v-86; *id.* à *id.*, 6 août 1756, *ibid.*, 81-82.
[73] RAC pour 1905, 2 (3e partie) : 76.
[74] *The New-York Gazette*, 1er septembre 1755; *The Maryland Gazette*, 11 septembre 1755.
[75] *The Maryland Gazette*, 4 septembre 1755.
[76] *The New-York Mercury*, 15 septembre 1755; *The Maryland Gazette*, 25 septembre 1755.
[77] *The Pennsylvania Gazette*, 13 novembre et 4 décembre 1755; *The New-York
Mercury*, 2 février 1756.
[78] *The New-York Mercury*, 3 mai 1756; *The Pennsylvania Gazette*, 6 mai 1756.

:n Nouvelle-Ecosse eût constitué « un obstacle à toute colonisation
britannique dans cette province ». [79]

En Grande-Bretagne, dès qu'il apprend la chute de Beauséjour, le
London Magazine prévoit qu'il sera désormais possible de « réduire »
les dix à quinze mille Acadiens à la condition de « sujets de la couronne d'Angleterre ». [80] L'opinion métropolitaine ne semble pas s'attendre à la dispersion. Une fois au courant, elle ne manifeste pas de
déplaisir. Au début de 1756, un correspondant anglais du *Mercure* de
La Haye communique à sa revue une lettre de Halifax, pleine de
« choses vues » : les régiments qui servent en Nouvelle-Ecosse s'emploient à mettre les Acadiens dans des navires à destination des colonies britanniques; pour les mieux « extirper » — expression fréquente
dans la documentation anglaise — « on a brûlé & détruit leurs Maisons, leurs Granges, leurs Fermes, & leurs Villages; et leur Bétail a
été chassé par milliers dans les Bois, où les prendra qui voudra. Ainsi,
l'un des plus beaux Pays du Monde se trouve à présent ravagé & désert ». [81] En 1760, le *London Magazine* fait paraître une série d'articles
sur l'histoire de la guerre. Ce récit mentionne en passant l'expulsion
entreprise en 1755 et en donne cette explication : « Car, comme
c'étaient tous des papistes fanatiques, on ne jugea pas qu'on pût attendre d'eux la moindre fidélité tant qu'ils demeureraient aussi près de
leurs compatriotes du Canada et du Cap-Breton. » [82] Dans la chronique
qu'il mit en librairie au lendemain du conflit, le Révérend Entick raconte que Lawrence ne se borna point à « poursuivre ces dangereux
habitants l'épée et la torche à la main », ravageant leur pays, brûlant
leurs demeures et dispersant leurs troupeaux, mais estima qu'il était
du service du roi de les « transporter » ailleurs, « mesure fort louable »
dont l'exécution, toutefois, ne fut pas assez « prudente », puisqu'il les
dispersa « au milieu des rigueurs de la saison d'hiver, presque nus, sans
argent et sans effets »; ce ne fut pourtant pas là la plus grave imprudence du gouverneur : « il ne les refoula pas assez loin » ... [83]

Dans les deux mondes, la conscience britannique est tranquille.
On l'aura pourtant observé, l'opinion d'Amérique pose mieux la question que l'opinion d'Angleterre. Celle-ci ne paraît pas toucher à l'aspect
capital de la politique poursuivie en Nouvelle-Ecosse : l'idée de coloniser. Politique, en effet, et qui se développe systématiquement durant

---

[79] *A Sermon Preached October 9. 1760*, 22.
[80] *London Magazine* (août 1755), 359.
[81] *Mercure historique de La Haye*, 140 (février 1756) : 217.
[82] « An Impartial and Succinct History of the Origin and Progress of the Present
War, » *London Magazine* (juin 1760), 291.
[83] Entick, 1 : 385.

des années. Ce serait une erreur grossière que d'assimiler la déportation des Acadiens à un brusque accès de violence, à une monstrueus[e]
saute d'humeur qui aurait un moment secoué Lawrence et ses collabo[]
rateurs — à l'insu du gouvernement britannique. Non; la dispersio[n]
va durer jusqu'en 1762. Elle n'est ni un incident ni un accident. Encor[e]
un coup, on ne peut la décrire autrement que comme une politique
Politique réfléchie, amorcée avant juillet 1755. Politique qui se déploi[e]
durant sept, huit ans. Politique que la métropole n'a pu ignorer e[t]
qu'elle a, on le sait déjà, approuvée et adoptée. Politique cependan[t]
qui n'est pas spécifiquement britannique : politique de conquête, poli[]
tique impérialiste que la France s'était révélée prête, neuf ans plus tôt
à mettre en œuvre dans la mesure où ses besoins l'eussent exigé.

*

* *

L'immense coup de filet de l'été et de l'automne de 1755 prit six
ou sept mille Acadiens. [84] Pendant que ceux-ci se faisaient enlever,
d'autres réussissaient à s'éloigner de leurs agglomérations avant l'arrivée des détachements britanniques destinés à les capturer. C'est ainsi
que tout un village, celui de Cobequid, gagna l'île Saint-Jean où, dans
les derniers mois de 1755 et les premiers de l'année suivante affluèrent
environ deux mille réfugiés. [85] Si, à l'été de 1755, la Nouvelle-Ecosse
comptait, comme on le croit, à peu près 16,000 Acadiens, y compris
les 3,000 habitants passés depuis six ou sept ans du côté de l'Acadie
« française », ces données nous permettent de constater combien, malgré son étendue, le succès de Lawrence était partiel. Mais attention !
Nous devons ici nous mettre en garde contre une erreur trop facile.
Tandis qu'il est juste d'observer que la besogne du gouvernement néo-
écossais n'est pas encore terminée en 1756, un fait s'impose tout de
même : l'Acadie a reçu son coup de mort dès l'année précédente. Il
reste tout au plus à l'achever. Quel intérêt alors, peut-on se demander,
y a-t-il à suivre, même en raccourci, le reste de cette histoire ? Celui-ci :
le développement de la dispersion nous aidera à préciser les objectifs
et les méthodes de la colonisation britannique aussi bien que l'ampleur
et la signification de la défaite acadienne.

Les habitants d'origine française qui restent en Nouvelle-Ecosse
après 1755 causent de graves inquiétudes à Lawrence et à ses chefs.

---

[84] Il est très difficile de donner des chiffres précis sur la déportation de 1755. E.
Lauvrière écrit qu'elle toucha 7,000 personnes, bien que le total des divers nombres
qu'il établit lui-même se rapproche plus de 6,000 que de 7,000 (*La Tragédie d'un peuple*, 1 : 482-484, 492). L. H. Gipson (6 : 282) dit « plus de six mille ».
[85] D. C. Harvey, *The French Regime in Prince Edward Island* (New Haven, 1926),

Quand les deux bataillons provinciaux affectés à la campagne de Beauséjour et à la déportation rentrèrent en Nouvelle-Angleterre, le gouverneur s'en plaignit au secrétaire d'Etat Robinson. Plainte tout à fait
justifiée, opinèrent les Lords du Commerce, qui regrettaient qu'on en-
levât ainsi à leur subordonné les moyens « d'exécuter l'excellent projet » qu'il avait formé de compléter son œuvre en « enlevant les Français de leurs possessions de la rivière Saint-Jean » et qui déploraient
encore davantage que s'effondrât l'espoir de convertir en colons ces
militaires et de les établir tout de suite sur les terres évacuées par les
Acadiens. Il ne devait pas être bien difficile, réfléchissaient-ils, d'y attirer des agriculteurs des provinces voisines, à court de sol défriché; et
il fallait se hâter : chaque jour de retard diminuait la valeur de ces
fermes, rendait plus ardu le repeuplement de la colonie. [86]

C'était vrai, plus encore peut-être que ne le croyait le Board of
Trade and Plantations. Le pays devenait dangereux. En Nouvelle-Angleterre et dans le New-York, la nouvelle circulait que des proscrits
ayant échappé à l'expatriation s'étaient cachés dans les bois et rôdaient
maintenant par petites bandes; désespérés, la rage au cœur, « plus
barbares que les Indiens », ils avaient déjà scalpé plusieurs Anglais. [87]
A Montréal, Vaudreuil suivait ces événements avec une extrême attention. L'automne précédent, il avait fait écho aux récits d'atrocités qui
lui parvenaient de la Nouvelle-Ecosse : des soudards britanniques auraient fait mourir deux Acadiennes sous le fouet et en auraient cruellement « fustigé » plusieurs autres; et il avait encouragé Boishébert,
qui, de son quartier de la rivière Saint-Jean, conduisait sur l'adversaire
des incursions audacieuses, à « se venger de ces cruautés » en livrant
aux sauvages les prisonniers qu'il ferait. [88] A l'été de 1756, il a le
plaisir d'envoyer à la Cour le bulletin suivant : les Anglais se sont fait
brûler un navire dans la rivière Gaspareau et ont perdu vingt hommes,
tués sur la Mesagouèche; les Indiens ont frappé à Port-Royal, à la baie
Verte et aux environs du fort Cumberland [l'ancien Beauséjour]; les
ennemis piétinent sur place; ils « n'osent pas Sortir de leurs forts »;
Boishébert accueille des réfugiés et en renforce ses effectifs : il a eu
600 personnes avec lui durant tout l'hiver de 1755-56. [89] Ce jeune

---

180s. — Voir Vaudreuil à Machault, 7 août 1756, AC, C 11A, 101 : 85.
  [86] Le Board of Trade à Lawrence, 8 juillet 1756, BTNS, 36 : 287.
  [87] *The Boston News-Letter*, 5 août 1756; *The New-York Mercury*, 16 août 1756.
  [88] Vaudreuil à Machault, 30 octobre 1755, AC, C 11A, 100 : 158; *id.* à *id.*, 18
octobre 1755, AC, F 3, 14 : 201v-202. Voir A. G. Doughty, éd., *An Historical Journal
of the Campaigns in North America For the Years 1757, 1758, 1759, and 1760, by
Captain John Knox* (3 vol., Toronto, 1914-1916), 1 : 61, note.
  [89] Vaudreuil à Machault, 6 août 1756, AC, C 11A, 101 : 78-80; « Porté au Roy
Le 15 janv. 1757 — Canada, » AC, C 11A, 102 : 230.

officier fait des merveilles. Il remplit au mieux sa double mission :
réorganiser la résistance des Acadiens et conserver à la France un pied
dans leur territoire, en prévision du traité qui, un jour ou l'autre, mettra fin aux hostilités. [90]

Pendant ce temps, Lawrence ronge son frein. Oui, répond-il aux
Lords du Commerce, il fait de son mieux pour reprendre la colonisation de la province et « repeupler » les agglomérations qu'il a vidées
d'habitants français. Mais les agriculteurs de la Nouvelle-Angleterre
sur qui il comptait ne sont pas venus. Une compagnie de peuplement,
formée à New-York, a dû abandonner ses projets, faute de colons. La
raison en est simple : personne ne viendra s'établir dans un pays où
l'on « risque de se faire couper la gorge à tout instant par les ennemis
les plus implacables », familiers avec un terrain qui leur assure une
retraite inaccessible après qu'ils ont commis « les actes barbares que
leur dictent la vengeance et la cruauté ». Avant de pouvoir installer
une nouvelle population, il faut des troupes pour nettoyer complètement la colonie et surtout étouffer l'important foyer de résistance de
la rivière Saint-Jean. Comment voudrait-on que des paysans fussent
capables de tenir dans les régions évacuées quand celles-ci sont tellement infestées de guérillas que même des détachements de soldats anglais s'y font surprendre en se portant d'un poste à l'autre ? Dans de
telles conditions, les plus grands encouragements à l'immigration sont
condamnés à rester sans effet. Ce n'est point par hasard qu'il n'a pas
été possible de mettre en train un seul établissement britannique depuis celui de Lawrencetown, fondé avant la dispersion. [91] A mesure
que le temps passe, la situation empire. A l'automne de 1757, il faut
même se résoudre à abandonner Lawrencetown, où il ne restait qu'une
garnison et quelques habitants qui n'osaient pas s'aventurer dans leurs
champs, de crainte de tomber entre les mains des partisans acadiens. [92]

Terre promise, la délicieuse Acadie se défend contre les convoitises britanniques. Bien que l'Angleterre soit censée la posséder, elle n'y
occupe que quelques forteresses, et des bandes ennemies viennent, à
l'occasion, opérer jusque sous les canons de ces places. [93] Des colons,
il est vrai, pourraient se fixer dans le voisinage immédiat de Halifax,
mais, observe John Knox, cette contrée est trop « dure », elle « ne vaut
pas la peine d'être cultivée ». A Halifax même, les citadins ne vivent

---

[90]   Vaudreuil à Machault, 18 octobre 1755, AC, F 3, 14 : 203-204.
[91]   Lawrence au Board of Trade, 3 novembre 1756, BTNS, 16 : I-22; le Board of
Trade à Lawrence, 10 mars 1757, BTNS, 36 : 300. Voir « Remarks relative to the Conven-
ing of an Assembly, » août 1758, BTNS, 16 : I-25.
[92]   Monckton au Board of Trade, 13 octobre 1757, BTNS, 16 : I-42.
[93]   Doughty, éd., Journal de Knox, 1 : 99.

que d'expédients — la vente de frusques et de boisson — qui ne seront plus praticables dès que partiront les grosses unités militaires et navales que la guerre y a amenées.[94] Et pourtant, songe Lawrence, il y aurait place pour vingt mille familles dans les régions de Chignectou, de Cobequid, des Mines, de Piziquid, de Port-Royal, si seulement elles pouvaient s'y implanter sans risquer leur vie. De « riches particuliers de la Nouvelle-Angleterre » devraient envoyer cinquante familles au Cap de Sable. Hélas ! « il y a encore des Neutres et des Indiens au large dans cette partie du pays ».[95] Ce n'est que dans deux ans que les Anglais les feront prisonniers.[96] Cette épave de peuple acadien, il en surnage toujours quelque débris. A la fin de mars 1758, non loin du fort Cumberland, surgissent une quarantaine « d'amis de Beaubiere » [Boishébert]; ils sautent dans des bateaux anglais, les pillent, les désemparent, tuent les matelots qu'ils y trouvent et disparaissent.[97]

Ainsi, la colonisation britannique marque le pas entre 1755 et 1758. Il ne peut en être autrement tant que subsistent Louisbourg et l'île Saint-Jean, celle-ci pleine de réfugiés de la Nouvelle-Ecosse. Si les Anglais n'avaient joué de malheur, l'île Royale fût tombée entre leurs mains en 1757. L'année suivante, Londres combine avec plus de soin ses plans d'invasion, les Lords du Commerce ne doutent guère de l'issue de la campagne. La prise de Louisbourg, annoncent-ils à Lawrence dès les premiers jours de février, supprimera un obstacle au peuplement de la colonie, et ils lui ordonnent d'étendre à toutes les provinces américaines la propagande que le gouverneur avait jusque là limitée à la Nouvelle-Angleterre. « Nous vous en avons déjà tellement dit sur ce point capital, rappellent Leurs Seigneuries, et vous paraissez vous-même si conscient des grands avantages qui découleraient [d'une immigration britannique] qu'il est inutile que nous ajoutions aujourd'hui à nos propos beaucoup d'autres considérations. »[98]

A la fin de juillet, comme il fallait s'y attendre, l'île Royale capitule. De Louisbourg, Lord Rollo passe à l'île Saint-Jean avec la mission d'en déporter la population. Il y trouve, selon ses calculs, 4,100 habitants[99] répartis en cinq agglomérations principales. Il y trouve aussi, et il s'en scandalise, des scalpes britanniques jusque dans la maison du commandant local, Villejouin : les Acadiens de l'île sont fami-

94   *Ibid.*, 1 : 51.
95   Lawrence au Board of Trade, 9 novembre 1757, BTNS, 16 : 1-46.
96   « A Return of the Number of french Prisoners taken at Cape Sable, » 9 novembre 1759, BTNS, 17 : K-3.
97   *The Boston News-Letter*, 13 avril 1758.
98   Le Board of Trade à Lawrence, 7 février 1758, BTNS, 36 : 223.
99   Villejouin établit la population à 4,700 âmes, AC, C 11B, 38 : 271.

liers avec « la pratique inhumaine » d'aller chercher en Nouvelle-Ecosse
des chevelures anglaises, qu'ils vendent aux officiers français. [1] La dispersion reprend donc de plus belle. Pressé d'entasser tous ces gens dans
les bâtiments dont il dispose, Rollo démembre les familles, rapporte
Villejouin, qui remarque : « Le traitement anglois... ne donne point
envie à aucun habitant de rester sous cette domination. » [2] Pourtant,
le vainqueur ne va pas encore assez vite en besogne. Pendant qu'il vide
les plus gros établissements, les colons des petits villages éloignés
fuient par centaines avec leurs effets sur la côte nord de l'île, où quatre
navires français les embarquent et les transportent à Miramichi ou à
Québec. Les envahisseurs n'en mettent pas moins la main sur 3,500
Acadiens, qu'ils envoient en Europe. Mais dans quelles conditions !
Ils les jettent dans de mauvais voiliers, si délabrés qu'il s'en perdra
dans l'Atlantique. [3] Si les événements de 1755 ont porté à l'Acadie
un coup mortel, ceux de 1758 lui donnent le coup de grâce.

Dès le printemps de cette dernière année, Lawrence et son conseil
avaient redoublé d'activité en vue de préparer le repeuplement de la
Nouvelle-Ecosse. [4] Après la campagne, le 12 octobre, le gouverneur
publie une proclamation qu'il fera répandre dans toute l'Amérique britannique. Maintenant, déclare ce message, que les victoires anglaises
ont amené la réduction de Louisbourg et culbuté « l'ennemi qui jusqu'ici avait harassé la Nouvelle-Ecosse et troublé son développement »,
l'occasion est excellente de venir occuper les terres enlevées aux Acadiens; une aguichante description du pays accompagne cette invitation. [5]
Les agents de la province se mettent à l'œuvre surtout dans le Connecticut, le Rhode-Island et le Massachusetts. Leur propagande porte. Les
fermiers de la Nouvelle-Angleterre ont plus d'un motif d'émigrer au
nord : chez eux, la bonne terre se fait rare; un effort de guerre considérable s'y traduit maintenant en impôts de plus en plus lourds; enfin,
on leur offre gratuitement un sol fertile, déjà déboisé et irrigué par des
générations de paysans. Mais, déplore Lawrence, la chute de Louisbourg n'a pas automatiquement entraîné la destruction de tous les
groupes acadiens qui errent en territoire néo-écossais; ils restent assez
importants, à son dire, pour terroriser les « prometteuses » agglomérations britanniques qu'il s'inquiète de mettre sur pied. [6] Au lendemain
de la capitulation de l'île Royale, les Anglais ont bien entrepris de

---

[1] *The Boston News-Letter*, 11 janvier 1759.
[2] Villejouin à Massiac, 8 septembre 1758, AC, C 11B, 38 : 271-272.
[3] D. C. Harvey, *The French Régime in Prince Edward Island*, 190-198. Cf. E.
Lauvrière, *La Tragédie d'un peuple*, 2 : 44-67.
[4] Lawrence au Board of Trade, 2 mai 1758, BTNS, 16 : I-69.
[5] BTNS, 16 : I-84; *The Boston News-Letter*, 2 novembre 1758.
[6] Lawrence au Board of Trade, 28 décembre 1758, BTNS, 16 : I-85.

pourchasser les éléments français de la rivière Saint-Jean; l'opération se solde par un demi-échec. [7] Un officier originaire du Massachusetts, Moses Hazen, la reprend dans une saison plus propice. Au cœur de l'hiver, à la mi-février 1759, il monte le long de la rivière Saint-Jean jusqu'à Sainte-Anne [auj. Fredericton], brûle 147 maisons, deux églises, des granges, des étables. Il s'agit visiblement d'empêcher ceux qui échapperont au fer et au feu de survivre au froid et à la faim. Son travail accompli, Hazen rentre dans sa garnison avec six scalpes et quelques prisonniers. [8]

Malgré ces mesures radicales, les Acadiens s'avèrent fort difficiles à supprimer. Depuis quelques mois, « ils nous ont infestés plus que jamais », gémit Lawrence, en septembre 1759 : de « voleurs de grands chemins », ils se sont transformés en « pirates » et ils arment des embarcations pour croiser le long des côtes, où ils ont enlevé plus de quinze bâtiments britanniques; ce qui ne les empêche pas de paraître par petites bandes un peu partout, massacrant des Anglais isolés. [9] A ce moment, Québec vient de tomber. L'année suivante, tout le Canada s'effondre, et Lawrence meurt dans la nuit du 18 au 19 octobre. [10] Le gouverneur ne verra donc pas le couronnement de la politique dont il a été le principal artisan. Car tous les Acadiens ne sont pas disparus. Six mois plus tard, Belcher donne des chiffres. Le nord-est de la Nouvelle-Ecosse, dit-il, compte encore 280 familles d'origine française; en tout, près de seize cents âmes. Ces gens-là vivent surtout de piraterie. Il y en a qui viennent, de temps à autre, se livrer à des officiers anglais, mais ils ne le font jamais de leur plein gré; seules, la faim et la terreur les y contraignent. Parmi eux, on remarque quelques anciens habitants du pays de Beaubassin qui n'ont pas perdu l'espoir de reprendre un jour possession de leurs fermes. Ceux-là sont les plus dangereux, ils menacent vraiment la « sécurité » de la colonie. D'ailleurs, fait observer Belcher, ce n'est pas sans raison que, malgré les instances de Vaudreuil, [11] ils ont été exclus de la capitulation générale du Canada, en septembre 1760. Comment « disposer » d'eux ? [12]

Comment ? Il y a cinq ans que le magistrat le sait : par les armes, par la déportation. A la fin de 1761, il envoie le capitaine Frederick

---

7 *The Boston News-Letter*, 26 octobre 1758.
8 Doughty, éd., *Journal* de Knox.
9 Lawrence au Board of Trade, 20 septembre 1759, BTNS, 16 : 1-93.
10 Green au Board of Trade, 19 octobre 1760, BTNS, 18 : L-12; Belcher au Board of Trade, 26 octobre 1760, *ibid.*, L-8.
11 Voir les articles 38 et 39 de la capitulation du 8 septembre 1760, *Histoire du Canada par les textes*, 95s.
12 Belcher au Board of Trade, 14 avril 1761, BTNS, 18 : L-43; Belcher à Amherst, 15 avril 1761, A. & W. I., 597; Belcher au Board of Trade, 17 avril 1761, *ibid.*

McKenzie surprendre, avec deux petits navires de guerre, les Acadiens de la rivière Ristigouche. L'officier en trouve près de huit cents et en emmène 335 à Halifax. Comme le reste de leurs compatriotes, dit Belcher, ces vaincus « ne peuvent redevenir habitants de la province sans mettre celle-ci en danger ». [13] Danger qui, toutefois, diminue tous les jours, surtout après la conquête de l'île Royale et celle du Canada. Le temps travaille contre les Acadiens, maintenant privés d'appuis extérieurs. Au printemps de 1759, le groupe du Cap de Sable — un peu plus de 150 personnes — entre en pourparlers avec les pouvoirs publics et se rend à discrétion; il est enfermé dans l'île George en attendant d'être acheminé vers l'Angleterre. [14] D'autres vont imiter ces désespérés. En novembre de la même année, ce sont deux cents habitants de la rivière Saint-Jean qui offrent de se soumettre; Lawrence et son conseil décident de les traiter en « prisonniers de guerre » : écroués à Halifax, ils seront ensuite expédiés en Grande-Bretagne. [15] Presque en même temps deux délégations se présentent au fort Cumberland. La première représente 190 Acadiens de Petcoudiac et de Memramcouk, la seconde, sept cents autres de Miramichi, de Richibouctou et de Bouctouche. Le commandant comprend bien le motif de leur démarche : « depuis que leur Canada leur a été enlevé », ils connaissent une affreuse misère; ils arrivent d'ailleurs en mendiant. Le conseil provincial décide de leur faire distribuer « ce qui paraîtra absolument nécessaire à leur subsistance » : on disposera d'eux au printemps, quand les conditions de la navigation permettront de les rassembler. [16] De semblables délégations marchent sur leurs traces. En mars 1760, Lawrence estime que douze cents proscrits de la région de Chignectou se sont livrés au commandant de Cumberland. Que faire d'eux ? On ne peut que les expatrier, décide le conseil, si l'on veut faciliter la mise en valeur des terres qu'ils possédaient aux Américains qui viennent les prendre : « autrement, ceux-ci risqueraient toujours de voir le progrès de leurs exploitations menacé par les incursions de ces habitants français ». [17]

De fait, les Américains arrivent pendant que se dissolvent les petites concentrations acadiennes éparses sur le territoire néo-écossais. Ce mouvement d'immigration n'a pas été spontané. A la fin de 1758, déjà, la campagne publicitaire amorcée par Hancock au Massachusetts commençait à porter des fruits. L'agent de Lawrence à Boston était assiégé

---

[13] Belcher au Board of Trade, 9 janvier 1762, Colonial Correspondence of Nova Scotia [CCNS], 1 : 1.
[14] Akins, 308.
[15] Akins, 309s.
[16] Akins, 311-313.
[17] Akins, 313.

de demandes de renseignements. Désireux de profiter de ce courant d'intérêt, le gouverneur de la Nouvelle-Ecosse publie, dans les premiers jours de janvier 1759, une proclamation expliquant les conditions auxquelles les colons néo-anglais seront accueillis dans sa province. On crée à leur intention des cantons [«townships»] de 100,000 acres, où chacun pourra obtenir une concession de 1,000 acres. Les redevances s'établiront à un shilling par cinquante acres, mais ne commenceront à être exigibles qu'au bout de dix ans d'occupation : charges minimes, souligne Lawrence, puisqu'il s'agit de terres cultivées depuis plus d'un siècle et « ayant toujours produit des récoltes sans qu'il ait été nécessaire de les engraisser artificiellement ». Ce n'est pas tout. Les Néo-Ecossais ne paieront pas d'impôt personnel. Ils bénéficieront d'un régime politique semblable à celui de la Nouvelle-Angleterre. Liberté de conscience pour tous, sauf pour les catholiques. Aucun droit à verser pour se faire concéder une exploitation. Que veut-on de plus ? Une tranquillité assurée ? Eh bien ! le gouvernement érigera des postes fortifiés pour protéger les cantons qui se peupleront. [18] C'est beaucoup, c'est trop, protestent d'abord les Lords du Commerce, qui comprennent mal que leur subordonné s'apprête à distribuer les terres acadiennes gratuitement, sans tenir compte qu'elles valent infiniment plus que du sol non défriché. [19] Avant même de recevoir leurs observations, Lawrence s'explique : il lui fallait faire vite; et puis, argument suprême, il a du succès. Des colons se sont engagés à mettre en culture six ou huit cantons de plus qu'il n'avait osé prévoir. Il n'y aura bientôt plus une seule ferme acadienne qui ne sera réoccupée. De plus, des habitants britanniques s'échelonneront bientôt sur toute la côte depuis Halifax jusqu'au Cap de Sable. [20] Le Board of Trade and Plantations comprend tout de suite et donne raison à Lawrence. « Votre zélé gouverneur », écrit-il à George II, a su attirer sur la Nouvelle-Ecosse l'attention de l'Amérique. Treize cantons de 100,000 acres vont incessamment se remplir d'immigrants. La colonie promet de sortir presque tout d'un coup de l'enfance. D'ici quelques années, elle cessera d'être un fardeau pour la métropole et aura suffisamment d'activité pour donner lieu à un grand commerce d'exportation, profitable à la Grande-Bretagne et au reste de l'empire. [21] Effectivement, dès 1759, les Américains arrivent

18   « A Proclamation, » 11 janvier 1759, BTNS, 16 : I-90; Lawrence au Board of Trade, 5 février 1759, *ibid.*, I-89.
19   Le Board of Trade à Lawrence, 1er août 1754, BTNS, 36 : 361.
20   Lawrence au Board of Trade, 20 septembre 1759, BTNS, 16 : I-93. Voir aussi *id.* à *id.*, 10 décembre 1759, BTNS, 17 : K-7; le Board of Trade à Lawrence, 14 décembre 1759, BTNS, 36 : 368.
21   Le Board of Trade au roi, 20 décembre 1759, BTNS, 36 : 381.

trop nombreux en certains endroits pour que les fermes acadiennes puissent leur suffire. [22] Et le gouverneur poursuit sans relâche sa propagande coloniale. [23]

Destiné à prendre très tôt de grandes proportions, ce mouvement de peuplement doit quand même surmonter certaines difficultés, des appréhensions fort naturelles et des malchances imprévisibles. A l'automne de 1759, un raz de marée détruit les aboiteaux, ces digues construites par les Acadiens pour protéger leurs prairies des grandes marées de la baie de Fundy : désastreux accident qui empêchera durant trois ans les terres inondées d'eau salée de produire du blé. [24] Il y a pis, les agriculteurs américains ne sont pas assez adroits pour réparer ces ouvrages. Le gouvernement néo-écossais en est réduit à faire appel aux prisonniers acadiens, qui doivent fournir du travail pour relever les aboiteaux ! Mais on n'avait pas le choix des moyens, explique Belcher, aux yeux de qui aucune considération ne doit retarder « le développement de ces établissements, vu qu'ils attirent à un tel point l'attention du public et celle du ministère de Sa Majesté ». [25] Il y a aussi la peur assez compréhensible provoquée par la victoire que Lévis remporte près de Québec en avril 1760. Au bout de quelques semaines, toutefois, la nouvelle que les Canadiens ont été forcés de lever le siège de leur capitale fait pousser un soupir de soulagement à la Nouvelle-Ecosse. [26] Il y a surtout le malaise que cause la persistance de plusieurs centaines d'Acadiens à s'accrocher au sol de leur pays.

A vrai dire, ces expatriés de l'intérieur constituent un ennui plutôt qu'un danger grave. Mais il faut penser à l'avenir. Comme James Murray le confie à Belcher, il serait délicat de laisser ces familles spoliées recommencer leur vie dans l'ancienne Acadie, « car la seule vue des lieux leur rappellera, au cours des générations qui suivront, les misères que la génération actuelle aura dû subir, et ce souvenir aliénera peut-être toujours leur affection au gouvernement de la province, tout juste et équitable qu'il pourra être ». [27] Simple ennui et ennui passager, Lawrence lui-même s'en est rendu compte avant de mourir. Au printemps de 1760, il fait clairement entendre à ses chefs que les perspectives de la colonisation s'élargissent. [28] « Les établissements vont bon train », ajoute-t-il deux mois plus tard. [29] Il a raison. Sans doute l'agriculture

22   Mémoire à Lawrence, 3 décembre 1759, BTNS, 17 : K-10.
23   The Boston News-Letter, 10 juillet 1760.
24   Mémoire à Lawrence, 11 décembre 1759, BTNS, 17 : K-11.
25   Belcher à Forster, 18 juin 1761, Akins, 319s.
26   Lawrence au Board of Trade, 16 juin 1760, BTNS, 18 : L-1.
27   Lettre du 20 septembre 1761, Akins, 322.
28   Lawrence au Board of Trade, 11 mai 1760, BTNS, 17 : K-26.
29   Id. à id., 24 juillet 1760, ibid., L-5.

réussit-elle mal dans l'est de la province, mais il en a toujours été ainsi, cela tient à la pauvreté du sol; par ailleurs, la pêche y est florissante, et la construction navale y fait de rapides progrès. En revanche, l'activité agricole augmente dans les terres acadiennes, bientôt prises par des immigrants du Massachusetts, du Rhode-Island, du New-York et du Connecticut. A compter de l'automne de 1761, on peut dire que les éléments britanniques ne campent plus dans la colonie. Ils s'y sont vraiment installés à demeure. [30] La Nouvelle-Ecosse a, pour toujours, pris la succession de l'Acadie.

Les débris de celle-ci sombrent petit à petit. En 1762, Belcher dit avoir sur les bras 950 habitants d'origine française, dont 400 en état de porter les armes. Il ne songe qu'à s'en débarrasser. Tel n'est pas l'avis d'Amherst, à qui il en écrit. Le généralissime verrait plutôt d'un bon œil ceux de l'intérieur rester en Nouvelle-Ecosse, où, soumis à « une réglementation appropriée », ils contribueraient à la prospérité générale : après tout, réfléchit le vainqueur de Montréal, vu la condition à laquelle ils se trouvent réduits, ils ne peuvent pas être assez « insensés » pour esquisser « la moindre tentative contre l'établissement de la province »; pour ceux qui vivent près de la frontière occidentale, du côté du Canada, il favoriserait le plan de Murray, qui est de les transporter dans ce dernier pays. [31] Mais Belcher ne veut rien entendre. Il envoie à Boston tous les Acadiens qu'il a sous la main. [32] Cependant l'assemblée législative du Massachusetts ne manifeste aucunement l'intention de se plier au caprice du magistrat de la province voisine. Elle renvoie les déportés à Halifax. [33] Le sentiment général paraît bien être celui qu'exprime le Board of Trade and Plantations lorsque l'affaire vient à sa connaissance : il pouvait être « expédient » de déporter les Acadiens pendant la guerre, alors qu'ils étaient à même d'agir en liaison avec l'ennemi qui menaçait de l'extérieur la colonie; depuis que la fin des hostilités a écarté ce danger, il n'est « ni nécessaire ni politique » de les disperser : en leur inspirant de bonnes dispositions, ce serait « promouvoir l'intérêt de la colonie » que de travailler à les transformer en « membres utiles de la société ». [34]

En d'autres termes, Belcher qui, en 1755, avait vu nettement que les Acadiens demeureraient inassimilables tant qu'ils formeraient la ma-

30   E. Lauvrière, *La Tragédie d'un peuple*, 2 : 19-21.
31   Amherst à Belcher, 22 mars 1761, Akins, 326; *id.* à *id.*, 28 avril 1761, *ibid.*, 328; *id.* à *id.*, 30 août 1762, *ibid.*, 330.
32   Belcher à Amherst, 12 août 1762, Akins, 331; Belcher à Bernard, 13 août 1762, CCNS, 1 : 109.
33   Séance du conseil de la Nouvelle-Ecosse, 18 octobre 1762, Akins, 331-334.
34   « Extract of the Minutes of the Proceedings of the Lords Commissioners of Trade and Plantations, » 3 décembre 1762. Akins, 337.

jorité de la population néo-écossaise, n'a plus, en 1762, assez de lucidité
pour comprendre qu'en sept ans la situation s'est modifiée du tout au
tout : les Acadiens qui restent ne sont plus que le résidu d'une société
désintégrée, et la province aurait maintenant profit à digérer cette minorité inoffensive. C'est ce dont se rendent compte Amherst et les Lords
du Commerce, colonisateurs intelligents. Le gouverneur Montague
Wilmot prend en 1764 la succession de Lawrence et de Belcher. Lui
aussi voudrait voir les anciens colons français aussi loin que possible :
aux Antilles, par exemple. [35] Aussi ne fait-il rien d'efficace pour les
retenir quand 150 d'entre eux passent à l'île française de Saint-Pierre,
au sud de Terre-Neuve. [36] Quand 600 autres s'embarquent à leurs propres frais à destination des Antilles françaises, il écrit à Lord Halifax :
« Ainsi, Milord, nous voici en bonne voie d'être soulagés de ces gens,
qui ont toujours été la peste de la colonie et la terreur de ses établissements. » Que le gouvernement impérial se rassure, la France ne gagnera
rien à leur ouvrir ses Iles, « car leur climat est mortel aux personnes
originaires des pays du nord ». [37]

La Nouvelle-Ecosse expulse de son organisme les Acadiens comme
autant de particules étrangères. Etrangers, ces gens le seront désormais
partout. C'est vrai de ceux qui vont se retrouver en France aussi bien
que des autres. Le 26 août 1768, le ministre français de la Marine,
Praslin, écrit qu'il serait très urgent de pourvoir à l'établissement de
quatre à cinq cents familles acadiennes — à peu près 2,400 âmes —
dispersées depuis plusieurs années dans les provinces maritimes du
royaume. L'Etat les entretient plus ou moins : il donne six sous par
jour aux adultes, trois aux enfants; pas assez, on le conçoit, pour les
faire vivre, « notament depuis la cherté du pain ». Qu'ils travaillent,
alors ! Ils ne demandent pas mieux; mais, poursuit Praslin, les inten-
dants peuvent à peine trouver « de l'occupation pour les gens du Pays
à qui on incline naturellement à donner la préférence; en sorte que les
Acadiens que la persévérance de leur fidélité a engagés à s'expatrier
et à abandonner leurs biens pour rentrer sous la domination du Roy,
demeurent livrés à la plus affreuse indigence et au désespoir ». [38]

Indigence et désespoir, voilà les suites normales de la défaite.

*

*   *

---

[35]   Wilmot à Halifax, 22 mars 1764, Akins, 345s.
[36]   Id. à id., 29 août 1764, ibid., 349.
[37]   Id. à id., 18 décembre 1764, ibid., 350s.
[38]   AC, B 131 : 272 bis.

Il n'arrive pas souvent que l'histoire présente un exemple aussi net de la façon dont une société peut être émiettée. Non pas que ces exemples soient rares. Toutes les sociétés se construisent sur les ruines d'autres créations humaines. Un remplacement ne saurait s'opérer qu'à la suite d'un déplacement. Le déplacement, toutefois, peut s'effectuer sans projeter ses victimes hors de leurs cadres territoriaux. Dans ce cas, on assiste à l'absorption plus ou moins lente du groupe subjugué, brusquement privé de moyens et de direction, par le groupe victorieux qui doit précisément son triomphe à la supériorité de son outillage et à ses possibilités d'organisation; on observe aussi l'édification d'une économie nouvelle à laquelle s'inféodent les éléments désarticulés d'un ancien système que rien ne soutient plus; on voit enfin le développement d'une puissante structure sociale que le vaincu commence par parasiter, en attendant de se fondre en elle : alors, on est témoin d'une défaite qui ne s'accomplit certes pas sans crises, mais qui se complique de tant d'épisodes et s'étale si largement sur une suite de générations qu'il en devient impossible de la reconnaître autrement qu'à ses conséquences très diverses, — et ces dernières peuvent comporter des aspects tellement déroutants qu'on n'arrive pas sans un immense effort d'analyse à en toucher l'explication de fond : le déplacement, l'assimilation, le remplacement d'une civilisation par une autre. Autrement dit, la défaite d'un groupe humain organisé peut s'achever au moyen d'une transformation. C'est ce qui se produit le plus souvent. Exceptionnellement, elle se réalise par voie d'éradication. C'est ce qui s'est passé en Acadie. Nous l'avons remarqué, les auteurs de la dispersion acadienne prononcent fréquemment le mot « extirper ». Littéralement, et ils en ont conscience, ils arrachent du sol une population. Pourquoi ? Pour le plaisir de la déraciner ? Mais, nous le savons, ce fut tout autre chose qu'un plaisir.

Pourquoi donc ? Pour que la Nouvelle-Ecosse joue son rôle dans l'empire britannique. Ce rôle, il aurait été absurde de prétendre qu'elle eût pu le tenir lorsque, pour reprendre les termes d'une brochure anglaise de 1755, les trois quarts de son territoire étaient occupés par les Français [39] et que les trois quarts de sa population n'étaient même pas britanniques d'allégeance. Il fallait qu'elle devînt une véritable colonie anglaise et, vu les circonstances, qu'elle le devînt rapidement. Or, pas de colonie sans colonisation. La colonisation anglaise se heurte à un obstacle : le vieux peuplement français de l'Acadie. Elle manœuvre d'abord pour l'absorber. L'espace et, plus encore, le temps lui manquent pour mener cette tâche à bonne fin. Il ne lui reste alors qu'à supprimer

[39] *State of the British and French Colonies in North America* (Londres, 1755), 19.

l'Acadie. Elle y procède. Pas de colonie sans colonisation. Pas de colonisation sans colonisateurs. Ces colonisateurs, ce sont Lawrence et Belcher, le conseil de la Nouvelle-Ecosse et le Board of Trade and Plantations, la maison Apthorp et Hancock, le gendre de Shirley, Erving, Baker et son agent, Saul, et d'autres encore : des politiciens, des marchands, des hommes qui sont à la fois marchands et politiciens; les uns ont des idées, d'autres des ambitions, plusieurs des convoitises. C'est dire qu'ils sont semblables à tous les personnages qui se mêlent de colonisation.

On pourrait s'arrêter là, et tout serait dit. On le pourrait si des historiens n'avaient déjà soulevé à leur façon — pour les dénoncer ou pour tenter de les replonger dans l'ombre où elles ont agi [40] — les convoitises qu'une étude de la dispersion acadienne met à nu. Il nous semble que ces auteurs ont eu tort, non pas d'essayer de débrouiller cette question — son intérêt est certain — mais de la poser comme ils ont fait. Au moment de la première phase de la déportation, dès 1755, ce fut, a-t-on dit, « la curée ». [41] Résumant les griefs qu'il a ramassés dans le livre d'E. Lauvrière, L. Le Jeune s'en prend à Lawrence : « Sa curée personnelle dura deux mois. Il chargea un maquignon huguenot, Moïse des Derniers, de Jersey, de lui procurer six des meilleurs étalons; il fonda sur un territoire de 20,000 acres la ville de Lawrencetown qu'il pourvut généreusement du bétail enlevé. » [42] Ce résumé a un mérite : celui de faire émerger d'un déluge de mots une accusation précise et, du même coup, de réduire celle-ci à ses justes proportions. Qui aurait la fantaisie de soutenir que le fameux gouverneur expulsa les Acadiens pour se procurer six chevaux et distribuer des bêtes aux habitants du village qu'il avait fondé ? Insister sur « la curée » pour se donner l'honneur de crier au voleur peut être de bonne polémique, ce n'est sûrement pas de bonne histoire : c'est dissimuler l'essentiel sous l'accessoire. Que Lawrence ait trahi de l'avidité, c'est possible; qu'il se soit trouvé des crapules dans son entourage, c'est certain. Est-ce là, toutefois, le point important ? Nous pensons que non. Ce qui compte, c'est que Lawrence ait été l'artisan d'une entreprise — cruelle, nous n'en doutons pas, — de colonisation. Ajoutons ceci : tout conflit armé a ses « marchands de mort », et toute société, à plus forte raison en période d'équipement, a ses profiteurs. La Nouvelle-Ecosse est en guerre et elle s'engage dans un mouvement de colonisation intensive. La dispersion des Acadiens constitue un épisode de cette guerre et de ce mou-

---

[40] Gipson, 6 : 284, note 112.

[41] Tel est le titre qu'E. Lauvrière donne au chapitre XV de *La Tragédie d'un peuple.*

[42] *Dictionnaire général... du Canada* (2 vol., Ottawa, 1931), 2 : 119, col. 1.

vement. Comment ne donnerait-elle pas lieu à des opérations véreuses ? Imaginer le contraire serait se donner l'illusion que Lawrence et ses collaborateurs étaient des petits saints.

Ce n'étaient que des petits hommes. En pays britannique, il existe une institution bien faite pour contenir dans des limites raisonnables les abus des gouvernants. C'est le régime représentatif. La première fois que Lawrence y fait allusion, c'est pour souligner « les inconvénients innombrables » que son application entraînerait en Nouvelle-Ecosse. Ainsi s'amorce, le 12 janvier 1755, un dialogue qui va se prolonger pendant quelques années entre le fonctionnaire et les Lords du Commerce. Le 7 mai suivant, Londres exprime le désir que le lieutenant-gouverneur fasse « immédiatement » étudier la question par le juge en chef. La méthode va toutefois entraîner des résultats moins décisifs qu'en matière de déportation. Une assemblée législative, répond Lawrence en transmettant à ses chefs le rapport de Belcher, tomberait aux mains des marchands puisqu'il n'y a pas assez de grands propriétaires pour faire contrepoids à leur influence électorale, et les négociants « peuvent quelquefois avoir des vues et des intérêts incompatibles » avec le « bien-être » d'une province aussi menacée que celle-ci par les Français; de plus, l'établissement d'une législature provoquerait des dépenses que la population n'est pas en état de défrayer. Ces représentations n'émeuvent pas le Board of Trade and Plantations, qui continue, en 1756 et en 1757, à préconiser la convocation d'un corps législatif. A la fin de cette dernière année, Lawrence, évidemment à court d'arguments, se voit réduit à déclarer que « les plus riches de nos propres habitants » l'ont « supplié » de ne pas laisser instituer d'assemblée tant que la guerre durera; à l'en croire, les partisans d'une chambre basse sont des agitateurs uniquement inspirés par l'intérêt personnel et des calomniateurs acharnés à ruiner le crédit du gouverneur parce que celui-ci a dû leur refuser les « places et les emplois » qu'ils briguaient. Cette fois, Leurs Seigneuries sont à bout de patience. Elles ordonnent à leur subordonné de faire élire sans délai une législature. L'officier supérieur s'exécute, d'assez mauvaise grâce à la vérité, exprimant l'espoir que les représentants des électeurs ne s'opposeront ni au service du roi ni à la prérogative royale — entendons : à la politique du gouverneur. [43]

Isolées de leur contexte historique, ces réticences n'auraient pas une bien grande portée : Lawrence n'est pas le seul gouverneur d'Amérique à qui les assemblées ne disent rien qui vaille. Seulement, au moment

---

[43] Voir la correspondance de Lawrence et du Board of Trade au sujet de l'assemblée de la Nouvelle-Ecosse dans Akins, 709-729.

même où il élude les recommandations de ses chefs et où il donne l'impression très nette de manœuvrer pour gagner du temps, des plaintes graves s'élèvent contre lui et ses collaborateurs. On attire l'attention de la métropole sur le fait que les quelques fonctionnaires qui trônent au sommet de la colonie ont « toute latitude de perpétrer des fraudes et de se livrer à la corruption ». Chacun d'eux, assure-t-on, présente les comptes du service qu'il dirige au gouverneur, qui les vise « sans l'avis, le consentement ou même la connaissance du conseil ». Des « favoris » ont reçu d'énormes troupeaux enlevés aux Acadiens; il conviendrait d'instituer une enquête sur ce qui est advenu de ce bétail, évalué à 20,000 livres sterling. On constate que malgré l'importance des sommes affectées par la métropole aux fortifications de Halifax, les défenses de la capitale restent d'une faiblesse lamentable. On va, à ce propos, jusqu'à se demander si ceux qui sont à la tête de la Nouvelle-Écosse ne seraient pas « contents de la voir tomber aux mains de la France, de manière à n'avoir jamais à répondre du détournement des fonds que la nation y a engagés ». [44] (Remarquons encore combien toutes les colonies se ressemblent; quel parallélisme entre l'observation que nous venons de citer et celle que Montcalm fera dans quelques mois sur les hauts fonctionnaires du Canada : « Il paroist que tous se hatent de faire leur fortune avant la perte de la Colonie, que plusieurs peut-être desirent comme un voile impenetrable de leur conduite. » [45]) On ne dirait pas d'une colonie, mais d'une garnison, lit-on dans un autre rapport. La caisse publique ne semble servir qu'à des officiers militaires, au gouverneur et aux quelques créatures de ce dernier, « entre autres Mr. Saul (l'agent de Mr. Baker), qui est très remuant et qui par ses conseils s'efforce d'empêcher les habitants de jouir de leurs droits civils et de tous les avantages du gouvernement; qui se fait attribuer tous les contrats, à lui et à ses amis; et qui, en sept ans, de commis subalterne de Mr. Baker est devenu détenteur d'une fortune estimée à 20,000 livres sterling ». (Autre parallèle : la carrière de Saul et celle de Joseph Cadet, boucher promu munitionnaire général, ce qui lui permet de « faire succéder tout d'un coup l'épée au couteau ». [46]) Rien de plus aisé, après des révélations de ce genre, que de comprendre pourquoi Lawrence ne tient pas à ce qu'une assemblée contrôle ses agissements et pourquoi l'on dit de lui qu'il n'aspire qu'à

---

44 « Nova Scotia. State of Facts relating to the Complaint of the Freeholders in Nova Scotia, » lu au Board of Trade le 27 janvier 1758, BTNS, 16 : 1-50.
45 Lettre du 12 avril 1759, dans A. Shortt, éd., *Documents relatifs à la monnaie*, 2 : 894.
46 Voir *François Bigot, administrateur français*, 2 : 171-183, 193.

aire des colons « les esclaves » d'un gouverneur « dont la volonté
st notre loi et la personne, notre dieu ». [47]

La principale opération de son gouvernement, la prise de Beausé-
our suivie de l'expulsion des habitants de cette région, a coûté en
ournitures près de £100,000 au gouvernement anglais. Et à qui sont
llés ces profitables contrats ? A Apthorp, Hancock et Erving, qui ont
ouché £77,080, alors que William Baker touchait £11,500 et Th. Saul
£10,000. [48] Il ne faudrait pas comprendre dans ces fournitures les vivres que l'Etat aurait fournis aux déportés de l'isthme pendant leur
captivité ou leur voyage. Comme Lawrence l'expliquait à Monckton,
le conseil provincial avait commencé par confisquer tout le bétail et
les récoltes des proscrits afin « de rembourser le gouvernement des dépenses qu'entraînerait leur transport en dehors du pays », et 832 barils
de farine trouvés au fort Beauséjour devaient servir à « nourrir tous les
habitants français durant leur passage aux lieux où on les expédiait »;
le gouverneur prévoyait même qu'il resterait un excédent de farine
après l'évacuation et il le destinait aux colons de Lunenburg. [49] Les
entrepreneurs en déportation ne faisaient pas mal leurs affaires. De
ces affaires, Apthorp et Hancock prenaient la part du lion. C'étaient
des négociants qui avaient l'habitude de jouer serré : Cornwallis avait
déjà reculé devant leurs exigences exorbitantes. [50] Cependant, s'ils
étaient de gros personnages aux yeux d'un gouverneur de la Nouvelle-
Ecosse, leur stature baissait devant un gouverneur du Massachusetts.
Shirley disait avoir de « l'amitié » pour l'un et l'autre, mais il rappela
délicatement à Lawrence qu'ils remplissaient leurs fonctions sans y
avoir été désignés par le Board of Trade. Non moins délicatement, il
ajouta : « J'ai une fille, et je l'ai mariée récemment à un marchand
d'ici, jeune gentleman d'un excellent caractère... fils aîné d'un marchand qui est à la tête d'une des plus grosses fortunes de Boston. »
C'était John Erving. Shirley voulait que son gendre entrât pour un tiers
dans les approvisionnements que nécessiterait la campagne de 1755
et que la colonie eût pareillement recours à ses services dans l'avenir.
« Je ne crois pas, soulignait le beau-père, que cela serait désagréable à
Lord Halifax. » Voilà comment le nom d'Erving était venu s'ajouter
à ceux d'Apthorp et de Hancock. [51]

---

47   « Additions to the Freeholders Schedule of Grievances, » 1758, BTNS, 16 : I-51.
48   « Abstract of the Money which is to be Accounted for, For the Expedition of the
Bay of Fundi under Colonel Monckton and the removing the French Inhabitants and
Carrying on the Works at Fort Cumberland, » 9 mai 1758, BTNS, 16 : I-66.
49   Lawrence à Monckton, 31 juillet 1755, Akins, 268s.
50   Séance du conseil, 6 juillet 1750, *ibid.*, 619s.
51   Shirley à Lawrence, 6 janvier 1755, *ibid.*, 399s.

La seule richesse monnayable des Acadiens était leur cheptel. Comment les conquérants en disposèrent-ils ? Mystère que l'on tenta d'éclaircir dès cette époque. Le bétail ne fut apparemment pas distribué aux colons britanniques, puisque, lit-on dans une déposition faite au Board of Trade le 18 mars 1760, des agriculteurs en demandèrent en vain, tandis que d'autres, qui en avaient emmené sur leurs fermes, se le virent enlever d'autorité. On rapportait aussi que Saul avait fait saler plusieurs milliers de barils de porc. Pour ravitailler les habitants de Lunenburg, que l'Etat nourrissait ? Non, car le gouvernement provincial avait toujours fait venir à grands frais de la Nouvelle-Angleterre les provisions qu'il donnait à ses colons allemands.

Il était donc assez naturel de soupçonner de tripotages l'oligarchie néo-écossaise. Elle ne paraissait pas dénuée de fondement, « l'opinion qu'il y avait eu collusion entre le gouverneur et Mr. Saul dans cette affaire ». [52] Intrigués, les Lords du Commerce menèrent sur ces faits une enquête discrète. Elle révéla qu'une « part considérable » du bétail acadien avait servi à la nourriture des garnisons anglaises de la Nouvelle-Ecosse, pour l'entretien desquelles le munitionnaire Baker et son agent Saul en avaient vendu à l'Etat; les deux compères avaient également vendu de cette viande aux vaisseaux de Sa Majesté. Mais alors, vu que les troupeaux des Acadiens avaient été confisqués par la province, les munitionnaires avaient dû acheter eux-mêmes de celle-ci la viande qu'ils avaient fournie à l'armée et à la marine. Il fallait que ces opérations eussent laissé des traces dans les comptes de la colonie. Les Lords du Commerce s'en enquirent auprès de leurs collègues du Trésor. Ces derniers répondirent que rien n'apparaissait à cet égard au crédit de la Nouvelle-Ecosse dans les comptes de 1756, de 1757 et de 1758. [53] Ainsi, d'habiles intermédiaires avaient vendu à l'Etat ce qui lui appartenait déjà par droit de confiscation.

Ce qui donne de l'intérêt à ces prévarications, c'est qu'elles jettent du jour sur un aspect — le plus petit — d'un gouvernement colonial semblable à d'autres. Elles prennent un sens du fait qu'elles entrent dans une série : celle des concussions, des pillages et des grapillages qui accompagnent partout la colonisation, en Amérique française aussi bien qu'en Amérique britannique. De même qu'il serait inepte de supposer que les Etats s'engageaient dans des œuvres coloniales afin de donner occasion à des profiteurs de faire fortune, de même ce serait faire preuve d'un jugement dérangé que de prétendre que l'empire

---

[52] BTNS, 68 : 86.
[53] Le secrétaire des Lords du Trésor au Board of Trade, 25 mars 1760, BTNS, 36 : 228.

britannique organisa la dispersion des Acadiens pour satisfaire la rapacité d'une poignée de négociants et de politiciens. En Acadie, il y eut pillage et il y eut déportation : ce fut la déportation qui donna lieu au pillage et non le pillage qui provoqua la déportation.

Puisqu'elle avait été conquise, l'Acadie était vouée à la défaite. La conjoncture que nous avons vue fit que sa défaite fut achevée par la déportation. En d'autres circonstances — autres temps, autres lieux — cette société eût pu être désintégrée autrement. Collectivité coloniale articulée de force à un empire étranger, il fallait qu'elle fût libérée, assimilée ou brisée. La libération était impossible; la France tenta bien de reconquérir partiellement le pays acadien, mais cet effort mal engagé, trop tardif et soutenu avec des moyens insuffisants aboutit à un désastre. L'Acadie n'avait plus qu'à mourir, soit que le conquérant l'extirpât, soit qu'elle continuât à pourrir lentement dans le sol du monde britannique, ce qui, en définitive, serait revenu à peu près au même.

Aux Canadiens que menaçaient, en ces terribles années 1755, la conquête et ses suites inévitables, l'exemple acadien pouvait enseigner ce que signifie nécessairement la défaite.

QUATRIÈME PARTIE

LA DÉSINTÉGRATION
DE LA RÉSISTANCE

CHAPITRE VII

RETOURNEMENT DE FORTUNE

1758

APRÈS 1757, l'Angleterre et ses colonies semblent prendre un nouveau départ vers la conquête de l'Amérique du Nord. A première vue, on est frappé par le contraste spectaculaire dans lequel s'opposent les années de revers que les Anglais ont connues depuis 1755 et l'époque triomphale qui s'ouvre pour eux en 1758. Pour peu toutefois que l'on aille plus loin que cette impression superficielle, on s'aperçoit que la solution de continuité est moins nette qu'il n'y paraît entre les deux phases de la guerre de la Conquête : ce n'est pas qu'il faille attacher beaucoup d'importance aux quelques réussites britanniques qui ont marqué la première étape du conflit non plus qu'aux quelques succès français qui vont s'insérer dans la seconde; mais, d'une part, la nouvelle conception impérialiste qui donne à la conquête tout son sens a encore presque autant de peine à s'imposer en 1758 qu'au commencement des hostilités — on le verra bien à la violence du grand débat qu'elle déchaînera en 1760 — et, d'autre part, la série de victoires qui commence avec la chute de Louisbourg découle de causes profondes qui se sont mises à jouer bien avant que les forteresses américaines de la France aient cédé l'une après l'autre

sous la poussée des vainqueurs. Ces causes? Une supériorité navale
qui, disputée durant trois ans, s'affirme soudain avec éclat; une intense
activité économique qui permet de financer une guerre extrêmement
coûteuse; une industrie lourde capable de fournir aux stratèges et aux
combattants les instruments de la victoire. Conflit moderne, la guerre
de la Conquête ne se sera pas gagnée uniquement sur les champs de
bataille. La partie se sera jouée également dans les cabinets des manieurs d'argent et des percepteurs d'impôts, dans les comptoirs de
change et de commerce, dans les ports et les chantiers de construction
navale, dans les forges et les fabriques d'armements, jusque dans les
exploitations agricoles et les établissements de salaison. Parce qu'il
aura produit et échangé, parce qu'il aura pu conduire en première ligne
ses régiments bien nourris et sa formidable artillerie, l'empire britannique aura eu raison de l'empire rival.

Malgré tout, l'impression qu'une période est bien révolue et qu'un
jour nouveau se lève en 1758 repose sur un fondement de réalité. Les
contemporains en ont le sentiment. Cinq ans après, un écrivain politique évoque les heures sombres de 1757, alors que l'empire « se ré-
trécissait » et que les Anglais de tout rang, affolés par la crainte d'une
invasion, sombraient dans un tel abattement qu'ils eussent été prêts à
conclure la paix à tout prix, heureux « de conserver la vie et la liberté ».
Qui eût dit, alors, que les territoires britanniques allaient s'élargir
jusqu'aux dimensions qu'ils devaient prendre en 1763 ?[1] Dès le milieu de 1758, on éprouve la sensation d'un retournement de fortune.
Quelqu'un, à Londres, demande avec hauteur « quand l'Angleterre est
jamais apparue plus terrible à ses ennemis, plus digne du respect de
toutes les nations ». Sa marine a un regain de puissance, la nation se
révèle en mesure de défendre ses possessions dispersées sur tous les
points du globe. « Nos hommes, notre argent, nos vaisseaux, sous la
direction de chefs fidèles et sages pour qui l'intérêt de la Grande-Bretagne passe avant tout, pourraient défier le monde entier. »[2] Aux yeux
de cet observateur, on le notera, le grand facteur de ce changement
subit est une nouvelle orientation de la politique, celle que Pitt incarne
et qui subordonne tout — c'est-à-dire toute la stratégie européenne — à
l'intérêt de la Grande-Bretagne; ou encore, comme Pitt le rappelle à
Newcastle pendant les fêtes du temps de Noël, politique d'après laquelle c'est en Amérique qu'il faut « combattre pour l'Angleterre et
l'Europe ».[3]

---

[1] *Thoughts on Trade in General, Our West-Indian in Particular, Our Continental Colonies, Canada, Guadaloupe, and the Preliminary Articles of Peace* (Londres, 1763), 66s.
[2] Article daté de Londres, juillet 1758, *The New-York Gazette*, 16 octobre 1758.
[3] Corbett, *England in the Seven Years' War*, 1 : 305.

Le fait capital de cette période, c'est qu'elle démarre en trombe. Pitt imprime aux hostilités un élan qu'il trouvera le secret de maintenir jusqu'à la chute de son ministère. Il y met le prix. C'est ainsi que, soucieux de lier les mains de la France en Europe, il conclut tout de suite avec le roi de Prusse un traité par lequel celui-ci s'engage à avoir toujours 55,000 hommes sous les armes, moyennant un subside annuel de £670,000 : près de dix-sept millions de monnaie française. Le budget de la Grande-Bretagne, qui se chiffrait par dix millions et demi en 1756, aura presque doublé en 1760.[4] Le trait de génie du ministre aura été de saisir, malgré les gémissements assez compréhensibles du contribuable anglais, que la nation a des ressources financières infiniment plus considérables qu'elle ne l'avait cru jusqu'ici et de les utiliser à fond pour lui procurer une victoire qui donnera bien ses compensations. Pour la guerre, Pitt dépense presque sans compter. Un des critiques du gouvernement s'exclamera en 1761 : « La conquête du Canada nous a réellement coûté quatre-vingts millions ! »[5] Et le calcul est à peu près juste. Cette somme, fantastique pour l'époque, représente deux milliards de livres de France, à quoi l'on peut comparer le total des budgets du Canada de 1755 à 1760 : 115,556,767 livres.[6]

Aux dépenses de la métropole, il conviendrait d'ajouter celles qu'ont effectuées les diverses colonies anglaises pour réduire la Nouvelle-France. Inégalement réparties entre les provinces, ces contributions ont au surplus varié d'une année à l'autre au gré des assemblées, d'où une instabilité qui, jusqu'en 1758, a eu ses effets sur le rythme des hostilités. Déterminé à éliminer ce caractère imprévisible et aléatoire de l'aide coloniale, Pitt va mettre au point la pratique, déjà suivie dans une certaine mesure par ses prédécesseurs, non seulement de remettre aux gouvernements coloniaux le prix des armes, des munitions et des approvisionnements qu'ils auront fournis aux régiments levés dans leurs provinces, mais même de les rembourser des frais qu'auront entraînés le recrutement et la solde de ces unités proportionnellement, leur promet-il, à la vigueur et à l'ampleur de leur effort de guerre.[7] La métropole va tenir sa promesse, avec une certaine lenteur, attribuable au fonctionnement du régime parlementaire, mais aussi avec une rigoureuse exactitude. C'est ainsi qu'en janvier 1759, arriveront d'Angleterre au port de Boston sept caisses pleines de pièces d'or et

4 W. T. Selley, *England in the Eighteenth Century*, 87.
5 *Sentiments Relating to the Late Negociations* (Londres, 1761), 12.
6 « Tableau des Dépenses faites en Canada depuis 1750, jusques et compris l'année 1760, » AE, Mémoires et documents, Amérique, 11 : 97. Le chiffre que nous donnons ne couvre que la période 1755-1760.
7 Gipson, 7 : 176, 290.

d'argent : la mère-patrie dédommage le Massachusetts des frais de la campagne de 1756. [8]

Ce système aura naturellement l'adhésion enthousiaste de la plupart des colonies. Il entraînera des résultats immédiats et remarquables. En 1758, il met 21,000 combattants dans l'uniforme bleu des provinciaux. Il en coûtera, il est vrai, £200,000 à la Grande-Bretagne. On a calculé que pour le même prix elle eût pu, cette année-là, maintenir 27,000 soldats réguliers sous les armes durant cinq mois ou quelque 10,000 durant douze mois. Les provinciaux, moins efficaces pourtant au combat que les réguliers, lui revenaient en somme plus cher que ceux-ci. A quoi attribuer ce fait ? A la munificence des gouvernements coloniaux, prêts à toutes les générosités aux dépens de l'Angleterre. On les voit verser à leurs recrues des soldes bien supérieures à celles que reçoivent les soldats anglais, outre des primes d'engagement allant jusqu'à 8 livres sterling (huit livres sterling, c'est-à-dire 200 livres françaises : un officier — mais jamais un milicien ou un soldat — qui reçoit à la même époque pareille gratification au Canada doit s'être signalé ou être protégé). Qu'en résulte-t-il ? Cet argent facilement acquis circule dans les collectivités coloniales. Et les gouvernements ne laissent pas passer l'occasion d'envoyer des factures rondelettes à l'Etat impérial, ce qui leur permet de remettre de l'ordre dans leurs finances. Le cas du Connecticut, entre autres, ne manque pas d'intérêt. Cette colonie, qui a peut-être fourni le plus grand effort de toutes les colonies anglaises, est aussi celle qui a tiré le meilleur parti du système de Pitt. Pendant toute la durée des hostilités, elle se voit capable de maintenir un régime d'impôts très modérés, de régler presque toutes ses dettes de guerre avant 1763 et d'accumuler en même temps, dans des banques de Londres, des crédits suffisants pour défrayer le fonctionnement de ses institutions gouvernementales durant plusieurs années après le conflit. [9]

Il y a plus. Les corps expéditionnaires anglais d'Amérique s'approvisionnent en très grande partie sur place. Le commerce colonial y trouve profit. Cette année en a été une d'abondance, affirme le Révérend Jonathan Mayhew, D. D., vers la fin de 1758. Le Massachusetts a eu des récoltes opulentes, il a vendu quantité d'approvisionnements aux vaisseaux et aux armées du roi, « au moyen de quoi nous avons à la fois contribué au succès des opérations militaires comme à celui de la cause commune qui nous tient tant à cœur et ouvert le pays, ou mieux la collectivité, à un flot de richesse ». Et ce sont les ruraux, laisse-

---

[8] *Ibid.*, 312.
[9] Pargellis, *Lord Loudoun in North America*, 353.

t-il entendre, qui en ont tiré le plus grand bénéfice.[10] Sur ce dernier point, l'éloquent docteur peut s'être fait illusion. Si l'on en juge par la crise agricole consécutive à la guerre, les populations rurales de l'Amérique britannique ont fait, semble-t-il, pendant les hostilités des dettes considérables que, tout de suite après le conflit, des mauvaises récoltes et la contraction des marchés extérieurs les mettront dans l'impossibilité de régler; il en résultera une dépression qui se traduira par une période de malaise généralisé dans les colonies septentrionales.[11] Il convient peut-être de voir dans ces troubles économiques la conséquence d'un élargissement soudain et excessif des bases du crédit pendant la guerre : ce serait bien là le signe de l'euphorie économique à laquelle Mayhew fait allusion; dans ce cas, toute la société se serait ressentie des pulsations accélérées de l'économie, provenant d'une injection soudaine de capital métropolitain, mais ceux qui en auraient surtout profité auraient été d'un côté les gouvernements et de l'autre les munitionnaires, les entrepreneurs, les négociants — toujours la même aristocratie de l'argent — auprès de qui les producteurs de denrées alimentaires ont contracté de trop lourdes obligations. Quoi qu'il en soit, les colonies anglaises, contrairement au Canada, n'auront pas connu la faim au cours des hostilités. Si, au bout du conflit, leur économie subit certains dérangements, il paraît fort possible qu'il s'agisse d'une indigestion de prospérité : de toute manière, ce dérangement est hors de proportion avec la banqueroute qui va disloquer, sur les entrefaites, l'économie canadienne et en faire une énorme ruine qui jamais ne sera relevée.

Dans l'ensemble, la politique financière de Pitt se sera révélée à la fois audacieuse et sensée. Audacieuse parce que le grand ministre aura pris le risque de grever d'impôts la Grande-Bretagne et d'en doubler la dette nationale; mais sensée quand même parce que, désireux d'obtenir une victoire rapide et complète, il n'aura pas hésité à y mettre le prix. On doit le reconnaître, les résultats qu'il va obtenir sont moins étonnants encore par leur ampleur que par celle des moyens financiers mis en œuvre pour y arriver. Il reste possible d'ajouter encore ceci. Pitt a puisé avec résolution dans les richesses de l'Angleterre. Il a tout subordonné à une fin : la conquête du Canada. Il a été compris et suivi d'enthousiasme. On trouve un écho de sa pensée dans le message du gouverneur Denny à l'assemblée législative de la Pennsylvanie au lendemain de la chute du fort Du Quesne : l'éviction des

---

10   *Two Discourses Delivered November 23d 1758* (Boston, [1758]), 26s.
11   William S. Sachs, « Agricultural Conditions in the Northern Colonies Before the Revolution, » *Journal of Economic History*, 13 (1953) : 276s.

Français de l'Ohio, déclare le fonctionnaire, a coûté beaucoup, « mais quand nous pesons et considérons froidement les conséquences qu'aurait entraînées pour nous le fait de souffrir que les Français jettent les fondements de notre esclavage futur en s'appropriant et en fortifiant l'intérieur des colonies de Sa Majesté... et qu'ils ouvrent une communication entre leurs établissements du Canada et du Mississipi, alors, j'en suis persuadé, aucun ami réel de la Liberté ne jugera que cette conquête aurait pu être payée trop cher ». [12] Des Anglais se montrent fiers de constater avec quel « zèle », quel « entrain » le peuple fait plus que se soumettre à de lourds impôts, « mais les sollicite presque », du moment que les armées britanniques font preuve « d'ardeur et d'intrépidité » — entendons : remportent des avantages — outre-mer. [13]

Les immenses mises de fonds de l'Angleterre se traduisent par un développement sensible de son potentiel militaire. Sur mer, la Grande-Bretagne accomplit en 1758 des prodiges dans lesquels il n'est que juste de voir les fruits de sa longue patience et de la supériorité matérielle qu'elle est attentive à maintenir et à augmenter. De fait, sa victoire la plus décisive de cette année-là, la prise de Louisbourg, qui marque vraiment le point tournant de la guerre, elle l'a remportée beaucoup plus sur mer que sous les murs de la forteresse française. L'organisation navale de cette campagne constitue proprement un chef-d'œuvre stratégique. Chef-d'œuvre toutefois que seule la suprématie maritime rendait possible. Ce dont les Français avaient du mal à se rendre compte, c'est que leurs vaisseaux avaient beau faire bonne figure, les succès individuels dont ils pouvaient à bon droit se sentir fiers n'empêchaient pas l'ennemi de se renforcer à un rythme constant. Au printemps de 1758, le *Mercure de France* publie des données qu'il dit provenir des « Gazettes d'Angleterre » : entre le 29 octobre 1757 et le 10 janvier suivant la France aurait capturé 152 navires britanniques et l'Angleterre cent navires français : « Ainsi, selon eux, nos prises excedent les leurs d'environ soixante vaisseaux. » [14] Il ne s'agit pas de reprocher aux Français leur stratégie navale; étant donné ce qu'ils ont en main, c'est la seule dont ils peuvent faire usage pour retarder l'échéance. Il n'en reste pas moins que celle-ci approche, et plus vite qu'ils ne croient. La voici presque atteinte en août 1758, quand une revue anglaise analyse l'état de la marine française et aboutit aux conclusions suivantes : des 89 vaisseaux de ligne qu'elle possédait, la France en a perdu 19; et de

---

[12]   Message, décembre 1758, PRO, CO 5, 54 : 53.
[13]   « On the Present State of Affairs, » reproduit dans la *New-York Gazette*, 23 décembre 1758.
[14]   Livraison d'avril 1758, p. 192.

ses 63 frégates, 19 également : [15] soit le quart de ses effectifs maritimes. Pris absolument, ces chiffres sont déjà importants; mesurés en
fonction des opérations militaires du Nouveau Monde, ils prennent
tout leur sens : en 1758, lorsqu'elle essaie de répéter son exploit de
l'année précédente et d'interdire aux envahisseurs l'accès de Louisbourg,
la marine française échoue misérablement. C'est à cette occasion qu'éclate son impuissance réelle.

Elle se manifeste aussi d'une autre façon : dans l'impossibilité où
se voit la France de protéger ses lignes de navigation. Quoique plus
élevées que celles de la France, les pertes de la marine marchande britannique sont moins sensibles que celles de sa rivale parce qu'elles affectent une proportion moins importante de son tonnage global, et voilà ce qui compte à la longue. Le message de George II à l'ouverture du
parlement, le 23 novembre 1758, souligne avec raison « que par la
puissante protection de la Flotte de S. M. le Commerce de ses Sujets, la
source de nos richesses, fleurit plus que jamais au milieu des troubles
présens ». [16] Quelques semaines auparavant, l'ambassadeur de France à
Saint-Pétersbourg fait entendre un tout autre son de cloche. A l'intention des puissances neutres, qu'indisposent les saisies que l'Angleterre
effectue en mer — les Français cherchent souvent à transporter leurs
cargaisons sous pavillon neutre — le diplomate attire l'attention de
l'Europe sur l'excessive puissance navale des Anglais : il y a un siècle,
déclare-t-il, qu'ils travaillent à tourner le monde contre la France sous
prétexte de maintenir l'équilibre des forces sur le continent, et pendant
tout ce temps, « ils travaillaient sans repos à détruire — malheureusement avec trop de succès, — l'équilibre des forces sur la mer, équilibre sans lequel celui des forces terrestres ne peut subsister : voilà un
point auquel les autres nations doivent faire la plus grande attention,
puisque ce qui les guette n'est rien de moins que la destruction entière
de leur navigation et l'usurpation de tout leur commerce par les Anglais. ». [17]

Avec les énormes moyens dont il dispose, le gouvernement anglais,
électrisé par l'ambition dévorante de Pitt, se décide à frapper un grand
coup. Il y est sollicité, encouragé, poussé par des plans d'action et des
projets de campagnes qui lui viennent des personnages et des milieux
les plus divers. En décembre 1757, c'est un négociant, Denys de Berdt,
qui soumet au ministre un projet détaillé de débarquement sur le Saint-
Laurent suivi d'une avance sur Québec, le tout accompagné d'indica-

15   *London Magazine* (août 1758) : 428.
16   *Mercure historique de La Haye,* 145 (décembre 1758) : 637.
17   *The Pennsylvania Gazette,* 15 février 1759.

tions sur le meilleur parti à tirer de la flotte, des régiments anglais et des unités provinciales. C'est aussi l'agent du Massachusetts à Londres, William Bollan, qui recommande d'assiéger Québec et transmet des renseignements d'après lesquels la capitale canadienne est à court de vivres. C'est encore le lord-maire de Londres, Sir Theodore Janssen, qui fait tenir à Pitt un plan élaboré en 1744 pour la prise de Louisbourg. Des propositions et des renseignements analogues sont encore fournis au ministère par le gouverneur du Massachusetts, l'agent de la Virginie en Angleterre et des porte-paroles de la Pennsylvanie. [18]

Plusieurs des pressions qui s'exercent sur le gouvernement métropolitain viennent donc des colonies. Aussi quelle joie en Amérique britannique lorsque la nouvelle se répand que l'objectif de la campagne qui s'ouvre n'est rien de moins que la réduction du Canada. « Sa Majesté, proclame le gouverneur du Massachusetts, pénétrée des misères que les peuples de ses possessions endurent tous les jours par suite des ravages et des massacres d'un ennemi perfide et sauvage, et touchée par la crise extrêmement dangereuse et urgente dans laquelle notre pays se débat, a décidé de mettre sur pied l'invasion générale du Canada et de porter la guerre au cœur du territoire ennemi. » [19] Enfin, le temps est venu pour les Anglais de réparer les fautes qu'ils ont commises jusqu'ici dans la conduite de la guerre : « Nous nous sommes efforcés, au prix d'immenses dépenses, de couper seulement les branches, sans porter la hache à la racine de l'arbre. » Il va dorénavant en aller autrement : au lieu de se perdre en des détours interminables, on va courir droit au but, « détruire d'un seul coup cette puissance qui depuis si longtemps nous harcèle et nous menace de destruction; *Delenda est Carthago,* il faut détruire le Canada, tel est le mot d'ordre du souverain : qu'il se propage le long de nos côtes, qu'il pénètre nos forêts » ... [20] Une nouvelle en provenance de Boston décrit l'enthousiasme qui règne au Massachusetts : on ne sait qui, du gouvernement colonial ou du peuple, a témoigné plus « d'alacrité », l'un à décréter une grosse levée de provinciaux, l'autre à offrir de prendre les armes : « tous semblent convaincus de la nécessité de subjuguer pour de bon ceux qui visent à nous extirper entièrement », et ce sentiment, « ce vieil esprit de la Nouvelle-Angleterre », reçoit un regain de vie de « l'attention que porte la mère-patrie à ses intérêts américains ». [21]

De fait, cette « attention » métropolitaine a quelque chose d'émouvant dans son empressement. Non contente de se surcharger d'impôts

[18] B. Tunstall, *William Pitt Earl of Chatham*, 201s.
[19] *The Boston News-Letter*, 23 mars 1758.
[20] *The New-York Gazette*, 3 avril 1758.
[21] Boston, 10 avril, *The New-York Gazette*, 17 avril 1758.

our financer le conflit américain, la mère-patrie procède à des envois ans précédent d'hommes et de matériel. Pitt veut jeter 50,000 hommes — sans compter 20,000 marins peut-être — dans la mêlée. Au iège de Louisbourg, il destine 14,000 réguliers et 600 rangers; 20,000 provinciaux et 9,500 réguliers à une irruption sur Montréal par la voie du lac Champlain et du Richelieu; enfin, au delà de 6,000 combattants, dont 5,000 Américains, à une poussée sur le fort Du Quesne.[22] « A moins d'accidents, écrit Wolfe, à la veille de son départ pour Louisbourg, nous aurons de grandes forces cette année en Amérique, et le pays a le droit d'escompter des efforts puissants, proportionnés aux armements. »[23] La distribution de ces troupes indique lequel des trois objectifs énumérés occupe le premier rang dans l'esprit de Pitt. C'est Louisbourg. Bien que l'armée chargée de la conquête de l'île Royale paraisse moins forte numériquement que celle qui doit opérer contre Montréal et ses avant-postes, elle est presque toute composée de troupes régulières et c'est à elle que vont l'appui et la « puissance de choc » de la flotte employée en Amérique, ce qui fait plus qu'en doubler les effectifs et l'efficacité. Aussi bien, cette formidable force expéditionnaire a-t-elle pour objectif non seulement Louisbourg, mais aussi Québec, si elle peut enlever assez tôt la forteresse qui garde l'entrée du Saint-Laurent.[24]

En même temps, pour donner encore plus d'élan aux mouvements qu'il prépare, Pitt renouvelle le haut commandement américain. A la tête des opérations, il s'installe lui-même. Véritable ministre de la Guerre sans en porter le titre, il prend en main la direction de l'armée, de la marine et de la diplomatie. Il fond ces trois éléments en un seul instrument de puissance et de précision. Assuré à toutes fins pratiques de sa suprématie sur mer, il ne s'attarde pas à pourchasser les unités françaises; il utilisera plutôt la bonne marge de supériorité qu'il détient pour faire collaborer étroitement la flotte à l'activité des régiments qu'elle transportera sur les points stratégiques. Telle est la clef de ce qu'il appelle son « système ». Pour reprendre une expression aussi juste que frappante, à ses yeux, l'armée et la marine constituent la lame et la poignée d'une seule et même arme.[25] Sous lui agiront les exécutants qu'il a choisis. Convaincu de l'impéritie de Loudoun, il le révoque, pour le remplacer par un officier à qui il ne laisse pas de latitude, James Abercromby. Le 10 décembre, il fait nommer cinq nou-

---

22 Gipson, 7 : 177.
23 Wolfe à Rickson, 7 février 1758, Doughty et Parmelee, éd., *The Siege of Quebec,* 6 : 25.
24 Corbett, *England in the Seven Years' War,* 1 : 307.
25 *Ibid.,* 1 : 8.

veaux généraux de brigade : John Stanwix, John Forbes, lord Howe
le gouverneur Charles Lawrence et Edward Whitmore. [26] Ces deux
derniers seront affectés à l'expédition de Louisbourg, qui occasionne la
nomination d'un autre général de brigade, James Wolfe, et celle d'un
major-général, Jeffrey Amherst. Amherst aura, de concert avec Boscawen, à diriger les opérations contre l'île Royale. [27]

Mener une triple offensive contre Louisbourg (et Québec), Montréal et le fort Du Quesne, tel est donc le plan de Pitt. Plan audacieux
mais, au fond, peu original. Car c'est celui que Loudoun, au lendemain
de sa campagne infructueuse, a présenté au gouvernement métropolitain. Pour le général, « le grand objet » d'une offensive demeure toujours Québec, dont la conquête procurerait tout de suite la paix aux
colonies britanniques du Nord. Cependant, pour réussir contre Québec,
il est de nécessité absolue de bloquer dès le début de la navigation
l'île Royale et l'entrée du Saint-Laurent, y compris le détroit de Belle-
Isle; quant à Louisbourg, ce serait une chimère que de tenter d'en forcer le port si une escadre française a eu le loisir d'y pénétrer; ce mouvement ne pourrait s'exécuter qu'avec de grandes pertes, même sans
la présence de vaisseaux français (leçon que Boscawen retiendra) : une
escadre anglaise ne saurait se présenter devant la forteresse qu'au moment où, attaquée par terre, elle serait sur le point de tomber. [28]

Ce ne sont là encore que des données d'ordre général. Au début
de 1758, Loudoun rédige un plan précis des mesures qu'il projette. Il
est maintenant le chef britannique le plus expérimenté d'Amérique,
ou plutôt de tout l'empire. Il a su organiser d'excellents services auxiliaires pour ses corps expéditionnaires : services de transport, de ravitaillement, de génie, d'artillerie; il a rendu ses troupes régulières
indépendantes des réticences et des fantaisies des gouvernements locaux; il a appris que, vu les conditions dans lesquelles la guerre doit
se mener au Nouveau Monde, ce n'est pas le nombre des combattants
qui compte, mais leur qualité, et qu'une petite armée professionnelle,
pourvue d'un bon matériel, capable d'opérer au bon endroit et au bon
moment, vaut mieux qu'une masse de combattants lente à se déplacer
et difficile à manier. [29] Il a compris en somme ce que d'autres avaient
saisi à la fin de la campagne précédente, que ce qui fait du Canada un
adversaire redoutable, ce sont les distances semées d'embûches derrière lesquelles il s'abrite. Les distances, voilà l'élément qu'il faut maî-

---

[26] Entick, 3 : 222. Sur Whitmore voir Wolfe à Sackville, 7 février 1758, Beckles
Willson, *Life and Letters of James Wolfe*, 358.

[27] Voir Horace Walpole, *Memoirs of the Reign of George II*, 3 : 91.

[28] Loudoun à Holderness, 17 octobre 1757, PRO, CO 5, 490-494.

[29] Stanley M. Pargellis, éd., *Military Affairs in North America*, xviii.

triser et, si c'est possible, retourner contre les Français. Il coordonne
ses mouvements en fonction de cette considération capitale. A l'est,
de même que des vaisseaux hivernent à Halifax en vue de fermer aux
Français l'entrée du Saint-Laurent et l'accès à Louisbourg, de même
six régiments restent en Nouvelle-Ecosse pour se trouver prêts au premier moment à débarquer sur l'île Royale en liaison avec 8,000 provinciaux de la Nouvelle-Angleterre et, s'il y a lieu, des renforts venus
de Grande-Bretagne. Au centre, le généralissime prendrait le commandement de douze bataillons cantonnés dans le New-York pour culbuter dès le début de mai — avant que l'adversaire, gêné par une
navigation intérieure plus tardive, n'ait pu y dépêcher des secours —
les forts de Carillon et de Saint-Frédéric et s'ouvrir ainsi la route de
Montréal, cependant que Bradstreet, à la tête d'unités entraînées à cet
effet, pousserait une pointe sur le fort Frontenac. A l'ouest, Stanwix,
avec deux régiments réguliers et des provinciaux du Sud, marcherait
de bonne heure sur le fort Du Quesne, de façon à y paraître dans la
première quinzaine de juin, avant que la vallée de l'Ohio n'ait pu recevoir des renforts de Montréal. Cette fois, la résistance canadienne
serait brisée. [30]

Entre le plan de Pitt et celui de Loudoun, donc, peu ou point de
divergence quant au fond. Mais que de différences dans les moyens !
Au lieu de faire parcourir aux provinciaux de la Nouvelle-Angleterre
des centaines de milles pour les amener dans l'ouest du New-York, le
général les eût fait servir à Louisbourg, où tout les disposait à se rendre utiles. Plutôt que d'encombrer de provinciaux fourbus l'armée du
lac Champlain — les régiments anglais d'Abercromby pourront à peine faire un pas sans se buter à des unités coloniales mal préparées à
l'emploi qu'on leur donne [31] — Loudoun eût brûlé les étapes avec
des forces très mobiles et douées d'une grande puissance de feu. Surtout, il n'aurait pas, par des déplacements inutiles, retardé au point
d'en compromettre le succès l'expédition du fort Du Quesne. Mettant
en regard des idées du général les ordres de Pitt, le major James Robertson souligne tout ce que les Anglais ont perdu en mettant de côté
les dispositions prévues par l'ancien commandant en chef; elles étaient,
juge-t-il, « conçues de façon à nous faire profiter de tous les avantages
que le climat, la géographie et notre supériorité pouvaient nous donner
sur l'ennemi, au lieu qu'en en adoptant d'autres, élaborées sans aucune
connaissance de ces avantages et fondées sur une utilisation défectueuse

---

30   Loudoun à Pitt, 14 février 1758, Gertrude S. Kimball, éd., *Correspondence of
William Pitt when Secretary of State with Colonial Governors and Military and Naval
Commanders in America* (2 vol., New-York, 1906), 1 : 192-194.
31   Stanley M. Pargellis, éd., *Military Affairs in North America*, xix.

de nos forces, même notre grand nombre et nos grosses mises de fonds ont saboté notre projet ».[32] Robertson n'est pas seul à raisonner de la sorte. « Vous ne pouvez pas imaginer, écrit à son frère le gouverneur du Maryland, combien l'Amérique regrette maintenant la perte qu'elle a faite du comte de Loudoun. »[33]

En un mot, rien de plus admirable que l'énergie et l'activité de Pitt; rien de mieux adapté aux intérêts permanents de l'Angleterre et de l'empire que les buts qu'il poursuit; rien de plus solide, enfin, que sa stratégie. Mais l'homme d'Etat n'est pas le brillant tacticien qu'il croit être et sa présomption à cet égard va limiter le rendement de l'extraordinaire machine de guerre qu'il met en action. Sans cette faiblesse, la prévision de Wolfe se fût justifiée, deux campagnes eussent réglé le sort du Canada.

*

*   *

Car le Canada est dans la misère la plus profonde. Après un hiver épouvantable, le peuple n'a presque plus rien à manger. Un fonctionnaire assure au printemps : « Les ouvriers, artisans et journaliers exténués par la faim, ne peuvent absolument plus travailler, ils sont si foibles qu'à peine peuvent ils se soutenir. »[34] L'intendant « nous à mis à la pesée » [à la ration], écrit une religieuse de Québec. Pesée légère : deux onces de pain par jour. Le temps est si mauvais qu'il ne faut pas compter sur une récolte normale : les pluies sont « continuelles » et le froid si vif qu'il faut chauffer les maisons le 15 juin. Naturellement, « rien ne pousse sur la terre ». Enfin, le 19 mai, des vaisseaux français paraissent à Québec. Explosion de joie : « ... on montait sur les toits et les cheminées ... pour s'en assurer, et l'annoncer à tout le monde. » Il en viendra d'autres, jusqu'en septembre. Mais ce ne sera pas l'abondance. Bigot portera la ration de pain à quatre onces, « afin d'approvisionner », écrit-on à la fin de juin, « les Pays d'en haut où tous ces messiers avec les troupes vont attaquer l'ennemi ».[35] Le peuple continuera à manquer du nécessaire : « Il est mort plusieurs personnes de faim », affirmera-t-on vers la fin de l'année.[36]

A quoi attribuer cette famine persistante malgré les efforts réels de la France pour la soulager ? Les manœuvres frauduleuses de la

[32] Robertson à Morton, 19 décembre 1758, *ibid.*, 429-432.
[33] Horatio Sharpe à William Sharpe, 27 août 1758, *Sharpe Correspondence*, 2 : 254; voir aussi *The Pennsylvania Gazette*, 6 juillet 1756.
[34] Daine à Moras, 19 mai 1758, AC, C 11A, 103 : 412.
[35] *Les Ursulines de Québec*, 2 : 301-303. Voir *Journal* de Montcalm, Casgrain, 7 : 356, 362, 366, 373, 451; Daine à Moras, 19 mai 1758, AC, C 11A, 103 : 412-412v.
[36] « Mémoire, » 15 novembre 1758, AC, C 11A, 103 : 366.

Grande Société n'arrangent sans doute rien.[37] Cependant il serait exagéré d'y voir une cause importante de l'insuffisance du ravitaillement. L'infériorité de la France sur mer a des conséquences autrement retentissantes. Un grand nombre de navires chargés de vivres destinés à Québec tombent aux mains de l'ennemi.[38] Perte prévue. En août, Moras informe Bigot qu'il est parti des ports métropolitains quelque 60,000 quintaux de farine pour le Canada sans compter d'autres comestibles, « de sorte qu'en supposant qu'il n'en arrivât que les deux tiers a Quebec, vous pourrés encore recevoir 36,000 quintaux de farine »...[39] C'est un aveu d'impuissance.

Souligner cette cause de détresse, ce n'est pourtant pas aller au fond du problème. En 1758, il y a près de quinze ans que l'activité économique du Canada roule en fonction de la guerre. Réfléchissons-y : près de quinze ans durant lesquels production, distribution et consommation des biens et des services ont été affectées par le conflit. Or l'armature de l'économie canadienne a toujours été fragile et insuffisantes ses ressources humaines. Et la structure de son organisation militaire se développe largement à même son peuplement. Qu'est-ce qui arrive ? Les hostilités provoquent une augmentation de la consommation, accentuée encore par l'arrivée d'un nombre important de soldats français. De plus, la construction géographique de la Nouvelle-France — son étendue très grande par rapport à sa population — jointe, en temps de guerre, à la nécessité absolue de défendre des frontières éloignées réserve un rôle capital au facteur de la distribution. Comme la géographie veut encore que le transport des hommes, du matériel militaire et des vivres soit extrêmement difficile, il en résulte qu'il faudra y employer beaucoup d'hommes et de moyens. Où puiser ces hommes ? Là où l'on prend déjà les miliciens : dans le peuple. Ce peuple trop peu nombreux ne dispose pas de réserves inépuisables.

Quatre à cinq mille hommes, rapporte quelqu'un, sont envoyés tous les ans dans les postes éloignés et occupés « aux convois pour le transport des subsistances d'une poignée de soldats enfermés dans ces divers fortins »; ils pourraient, ajoute le même observateur, faire « autant de guerriers », au lieu de « battre les eaux » et de « consommer inutilement les vivres de la Colonie ».[40] Quatre à cinq mille hommes, le chiffre semble un peu fort, mais là n'est pas l'essentiel : ce que

---

[37] Voir *François Bigot, administrateur français*, 2 : 239-241.
[38] *Les Ursulines de Québec*, 2 : 307s; Pouchot, *Mémoires sur la dernière guerre de l'Amérique septentrionale, entre la France et l'Angleterre* (3 vol., Yverdon, 1781), 1 : 130.
[39] Massiac à Bigot, 7 août 1758, AC, B 107 : 314-314v.
[40] « Mémoire, » AC, C 11A, 104 : 688s, 710.

l'auteur de ces remarques ne comprend pas, c'est qu'il est impossible
de maintenir les forts de l'Ouest sans un service de transports étendu
et compliqué et qu'il est tout aussi impossible de maintenir le Canada
sans conserver son immense ceinture de postes. C'est cependant un fait
que ce service accapare les hommes et les épuise. Par exemple, à l'été
de 1755, Vaudreuil a tremblé pour le fort Du Quesne en apprenant
la marche de Braddock sur l'Ohio : ce qu'il a craint surtout, c'est que
la place se fasse enlever « parce que les troupes et milices destinées à
le deffendre etoient occupées au transport des vivres et munitions »;
et si Contrecoeur ne put envoyer en avant, pour barrer la route à Braddock, que 250 blancs avec ses 650 sauvages, c'était que partie de ses
hommes étaient immobilisés dans le fort, « s'etant estropiés à trainer
les vivres et munitions de la riviere au Boeuf ». [41] En 1758, affirme
Bigot, « trois mille des meilleurs hommes » ont été affectés aux transports, [42] ce qui diminue d'autant, en quantité et, notons-le, en qualité,
les effectifs canadiens qu'on met sous les armes. [43] La conséquence en
est que tous ces bras enlevés à l'agriculture font baisser la production
en même temps que la consommation augmente.

Le pays pourrait corriger ce déséquilibre à condition qu'il soit tem-
poraire. La situation ne fait qu'empirer avec les années. La métropole
tente de combler au moyen de ses envois la marge qui s'élargit sans
cesse entre ce que la colonie produit et ce qu'elle mange. Même si sa
marine pouvait assurer le ravitaillement du Canada, il s'agirait là tout
au plus d'un palliatif, et non pas d'une solution du problème fondamental que la guerre pose au Canada : celui de subsister. Au milieu de
l'été de 1758, Bigot sait que la situation est désormais sans issue. Vaudreuil et Montcalm, il en prévient la Cour, demanderont encore des
soldats. Ce ne sera certes pas sans besoin. Pourtant, quelques précautions que prenne le gouvernement royal pour approvisionner ces troupes, « leur arrivée dans la Colonie y occasionnera une plus grande misère ». Que la métropole en soit persuadée, poursuit l'intendant, même
si le pays obtient une bonne récolte et que le munitionnaire Cadet fasse
venir d'Europe encore plus de vivres, « la disette régnera tant que la
guerre durera ». Il explique : « Le Canada est trop épuisé pour que
cela puisse être autrement. » [44]

La famine paralyse l'effort militaire du Canada. Loudoun avait eu
bien raison de conjecturer qu'une série d'offensives mises en train de

---

[41]   Vaudreuil à Machault, 5 août 1755, AC, F 3, 14 : 128-128v.
[42]   Bigot à Massiac, 21 juillet 1758, AC, F 3, 15 : 110v.
[43]   Voir Montcalm au ministre de la Guerre, 1er septembre 1758, *ibid.*, 194.
[44]   Bigot à Massiac, 21 juillet 1758, AC, F 3, 15 : 110v-111. Voir « Memoire »
[1758], AC, C 11A, 103 : 317v.

>onne heure eût enfoncé les défenses extérieures du pays. En mai, Montcalm esquisse un rapide croquis de la situation : « J'ai crainte que nous ne puissions rien faire cette campagne... la colonie peut périr manque de pain. » Tout ce qui est possible est l'envoi d'une partie des troupes de terre à Carillon, « le manque de vivres ne permet rien de plus ». [45] Et même ce mouvement est dicté par la misère plus que par des considérations stratégiques : « J'avois précieusement conservé à Carillon une petite quantité de vivres », raconte Vaudreuil, [46] et s'il y envoie du monde, c'est qu'on n'a « rien à leur donner dans la Colonie ». [47] Voilà autant de bouches que la région québecoise n'aura plus à nourrir pour l'instant. Mais ce n'est que « la dure nécessité » qui « force de toucher » à ces subsistances. [48] Les bras liés, le gouverneur gémit : « Dans Les Circonstances ou Je me trouve surtout par raport aux vivres Je ne puis m'occuper que de La defensive; encore ne puis-je me flater de conserver a Carillon pendant plus de deux mois Le corps de troupes que Je remets à Mr de Montcalm, a moins que nous n'ayons Le bonheur de recevoir des secours aussy abondans que nous avons Lieu de craindre qu'il nous En parviendra peu. » [49] Quand le général se dirige vers le lac Champlain, il n'entretient aucun espoir d'y faire une campagne fructueuse. Sa petite armée, il le sait, ne pourra s'y trouver rassemblée que du 5 au 10 juillet, assez tard pour que l'ennemi l'y ait devancée avec des forces supérieures : « Les vivres ne nous ont pas permis de faire autrement Et c'est un vrai malheur. » [50]

Ce n'est pas que Vaudreuil n'ait pas ses plans. Craignant que les Anglais ne soient en état d'entrer en campagne un mois avant les Franco-Canadiens, il se dispose à leur donner le change « par une manœuvre audacieuse » : attirer le gros des forces britanniques au lac George en laissant prévoir par l'avance de Montcalm sur Carillon la reprise de l'incursion suspendue la campagne précédente en direction du fort Edward, mais, pendant cette démonstration, envoyer Lévis sur le lac Ontario à la tête d'un corps d'élite, avec mission de contourner l'armée anglaise du New-York, de s'enfoncer dans la vallée de la Mohawk et de pousser jusqu'à Schenectady. Qu'attend-il de cette stratégie ? Jeter « l'indécision » chez les Anglais en déséquilibrant leurs

45 Montcalm au ministre de la Guerre, 9 mai 1758, AG, 3498 : no 80.
46 Vaudreuil à Massiac, 28 juillet 1758, AC, F 3, 15 : 113v.
47 « Relation de ce qui s'est passé en Canada du Commenc^t De la Campagne au 8 Juillet jour de L'affaire des abatis » [1758], AG, 3498 : no 154.
48 *Journal* de Montcalm, 9 mai 1758, Casgrain, 7 : 347.
49 Vaudreuil à Massiac. 10 juin 1758, AC, C 11A, 103 : 103v.
50 Montcalm au ministre de la Guerre, 23 mai 1758, post-scriptum du 12 juin, AG, 3498 : no 86.

dispositions, empêcher leur rétablissement sur le lac Ontario, où il y
a lieu de craindre qu'ils ne relèvent les ruines d'Oswego, s'assurer la
collaboration des Iroquois qui demandent, avant de frapper, que les
Canadiens déploient leurs forces, enfin avoir des éléments avancés dans
l'ouest afin de pouvoir défendre l'Ohio, où Lévis obligera s'il apprend
que le fort Du Quesne est menacé. Ce n'est pas tout. En prévision
d'une offensive contre Louisbourg, le gouverneur dépêche sur les glaces Boishébert à destination de Miramichi : le jeune et brillant officier
a l'ordre d'y recruter un détachement d'Acadiens et de sauvages en vue
de procurer à la garnison de l'île Royale l'appoint d'éléments mobiles
et connaissant bien la région. [51]

Ce plan a pour le recommander plus que son audace : le fait que
les Anglais porteront la guerre précisément sur les quatre points que
les dispositions arrêtées par Vaudreuil auraient couverts : à Louisbourg,
à Carillon, sur le lac Ontario et au fort Du Quesne. Même Montcalm,
qui dit savoir « Vaudreuil par cœur sur la campagne », ne peut s'empêcher de juger : « Son système général [est] bon. » Il ajoute, il est
vrai : « On manquera par les détails. » [52] Non, ce ne sont pas les détails qui vont ici disloquer l'ensemble. C'est la pénurie de moyens.
Disette de vivres, nous le savons, et aussi manque d'armes et de munitions de guerre. Sans le butin recueilli sur le champ de bataille de
la Monongahela en 1755 ainsi que dans les magasins des forts Oswego
et William-Henry, « je n'en aurois eu, avouera le gouverneur, ny assés
pour attaquer ny pour me deffendre ». [53] La disette irrémédiable reste
néanmoins celle des hommes. Montcalm touche juste lorsqu'il compare les effectifs britanniques et ceux dont il dispose lui-même : la dis-
parité est énorme. [54] Politicien prévoyant, il veut en tirer parti. Il demande à son ami Bourlamaque, qui a un almanach militaire dans ses
bagages, de faire un tableau des régiments anglais en Amérique; cette
compilation servira à dresser une liste qu'il a l'intention d'expédier en
France : « Comparée avec la petite poignée de Monde (4,800 hommes
de troupes reglées) Elle ne pourra qu'Effrayer La Cour Et la ville Et
c'est toujours bon pour rehausser La gloire du General ou Diminuer
Son Blame. » [55]

---

[51] Vaudreuil à Massiac, 28 juillet 1758, AC, F 3, 15 : 112v-113v. Voir « Relation
de ce qui s'est passé en Canada du Commenc^t De la Campagne au 8 Juillet..., » AG,
3498 : no 154.
[52] Montcalm à Bourlamaque, 7 mars 1758, Casgrain, 5 : 208.
[53] Vaudreuil à Berryer, 1er novembre 1758, AC, C 11A, 103 : 262v. Voir Moras
à Ruis, 16 mars 1758, AC, B 108 : 516.
[54] *Journal* de Montcalm, Casgrain, 7 : 340s.
[55] Montcalm à Bourlamaque, 16 mars 1758, APC, Lettres de Bourlamaque, 1 :
229.

Si le gouvernement canadien a ses plans — qu'il lui faudra éventuellement rajuster à ses moyens — le gouvernement français doit avoir les siens. Les Anglais, reconnaît en mars une dépêche de Paris, viennent de faire pour l'Amérique « le plus grand armement dont il ait été question chez eux depuis le commencement de la guerre », mais « la Cour paroit compter sur les mesures qu'elle a prises pour mettre l'*Ile-Royale* & ses autres possessions de ce côté-là en bon état de défense ».[56] Même si le ministre de la Marine, au mois d'août, encourage Vaudreuil à ne pas se réduire « à la simple deffensive »,[57] lui-même ne paraît pas soucieux de se jeter à l'assaut des positions britanniques du Nouveau Monde. Le plus qu'il semble pouvoir espérer des « mesures » qu'il prend est une répétition des événements de 1757 à l'île Royale. Apparemment persuadé comme Montcalm que l'ennemi reprenant sa stratégie de l'année précédente dirigera le gros de ses forces contre Louisbourg,[58] convaincu au surplus que le sort de la forteresse peut décider de l'issue du conflit,[59] il s'efforce de jeter dans son havre une puissante concentration navale. Mais les ports de France sont surveillés, la côte américaine aussi, ce qui interdit de faire partir de la métropole, d'un seul point et en même temps, une escadre considérable. Les vaisseaux qui défendront l'île Royale et qui profiteront de l'occasion pour y convoyer des secours en hommes et en matériel devront donc s'y rendre en plusieurs divisions. Les circonstances voudront qu'il en parte six.

La première, prélevée sur la flotte de la Méditerranée, quitte Toulon sous les ordres de La Clue; incapable toutefois de franchir le détroit de Gibraltar, trop étroitement gardé par le vice-amiral Osborn, elle se voit forcée de se réfugier dans le port espagnol de Carthagène. Afin de la dégager, le ministre envoie à son secours le marquis Du Quesne, l'ancien gouverneur général de la Nouvelle-France, maintenant chef d'escadre. La mission de Du Quesne n'est pas d'aller lui aussi à Louisbourg, mais de naviguer de concert avec La Clue jusqu'à une certaine hauteur au delà de Gibraltar, puis de revenir croiser dans la Méditerranée. Monté sur le plus fort vaisseau de la marine française, le *Foudroyant*, accompagné de deux autres vaisseaux et d'une frégate, il met à la voile à Toulon le 16 février et, avant que La Clue n'ait pu le rallier, rencontre l'escadre d'Osborn le 28. Battu lui-même par un navire d'un tonnage et d'un armement bien inférieurs, le *Monmouth*,

---

56 *Mercure historique de La Haye*, 144 (mars 1758) : 381s.
57 Massiac à Vaudreuil, 7 août 1758, AC, B 107 : 44v.
58 *Journal* de Montcalm, Casgrain, 7 : 340.
59 Voir le texte cité par R. Waddington, *La Guerre de Sept ans*, 2 : 336.

Du Quesne se fait capturer son escadre et débarque prisonnier à Spit-head, le 20 avril, avec ses officiers. Il ne reste à La Clue qu'à profiter de la première occasion pour regagner Toulon, où ses vaisseaux sont dé-sarmés. [60]

En même temps, de Rochefort, le marquis des Gouttes appareille avec le *Prudent,* de 74 canons, trois frégates et deux bâtiments de char-ge et atteint Louisbourg vers la fin d'avril, après d'infinies difficultés. L'équipage du *Prudent* est « dans le plus facheux etat », à peine s'y trouve-t-il cent matelots bien portants. Des Gouttes, à qui revient le commandement des forces maritimes, entre d'ailleurs de justesse dans le port, accompagné d'un seul de ses navires, et « à la vüe de sept vais-seaux ennemis »; deux autres unités de sa division le rejoindront plus tard. [61] Avant des Gouttes un autre vaisseau armé en flûte — allégé de ses canons et chargé d'approvisionnements — est parvenu à se glis-ser dans le port; heureuse arrivée : elle a sauvé la place de la disette. [62] Encore un autre vaisseau, le *Magnifique,* parti de France au commen-cement de février, était arrivé le 31 mars en vue de l'île Royale; après s'être engagé dans les glaces qui bloquaient la rade et s'être entêté à en forcer l'entrée, — « le chirurgien major ... nous assura que si nous restions seulement deux jours parmi les glaces, nous ne sauverions pas un malade » — il avait dû reprendre la route de France, où il mouilla au début de mai, après avoir jeté à la mer 340 corps pendant la tra-versée. [63]

A la mi-mars, le gouvernement français charge Beaussier de Lisle de conduire de Brest à Louisbourg une division de quatre vaisseaux, dont trois armés en flûte, et une frégate. Beaussier transporte un ba-taillon du régiment des Volontaires étrangers. Sa petite flotte doit sup-pléer en partie à celle de La Clue dont, reconnaît-on, « la mission est manquée ». Beaussier est chanceux. A Brest, le 5 avril, il échappe à Hawke, venu trop tard pour l'intercepter, et à Louisbourg, le 28 du même mois, il trompe la vigilance de Hardy, dont l'escadre — neuf vaisseaux — se montre une vingtaine d'heures après son entrée dans le port, « point si contente que Les habitants qui chanterent le te deum le Lendemain de notre arrivée ». [64]

[60] *Mercure historique de La Haye,* 144 (mars 1758) : 383; *ibid.* (avril 1758) : 513s; Osborn à Clevland, 12 mars 1758, *London Magazine* (avril 1758) : 210, 211; Entick, 3 : 60; A. von Ruville, *William Pitt,* 177; R. Waddington, *La Guerre de Sept ans,* 2 : 334.
[61] « Campagne de 1757 et 1758, » AM, B 4, 80 : 61; « Bordereau General des depenses de L'Escadre Commandée par M. le Mis Desgouttes, » *ibid.,* 95; Prévost à Moras, 4 mai 1758, AC, C 11B, 38 : 219, 223.
[62] *Ibid.,* 219-220.
[63] La Villéon à Moras, 4 mai 1758, AM, B 4, 80 : 40-41v.
[64] Louis XV à Beaussier de Lisle, 10 mars 1758, AM, B 4, 80 : 173; Beaussier

Si appréciable soit-il, ce secours, à défaut duquel il eût été oiseux
d'envisager d'organiser la résistance de l'île Royale, n'est pourtant pas
suffisant pour la sauver. Aussi le ministère de la Marine, qui s'en rend
compte, prépare-t-il à Rochefort une autre expédition de secours. Le
2 mai, une division de quatre vaisseaux, commandée par Du Chaffault
de Besné, s'éloigne de l'avant-port de Rochefort avec un bataillon de
renfort. Quatre semaines plus tard, elle se présente à l'île Royale, où
le commandant apprend que dix vaisseaux britanniques bloquent le
port. Il mouille dans un autre havre de l'île, y débarque ses soldats et
en part le 10 juin à destination de Québec, pour patrouiller le Saint-
Laurent jusque dans la troisième semaine de septembre. [65] Si, disait des
Gouttes, la division Du Chaffault avait atteint Louisbourg, son « renfort de monde et de forces maritimes » eût rendu « les projets des
ennemis inutils »; et même les Anglais eussent pu être « battus ». [66]

Auparavant, une faible division, composée d'un seul vaisseau, le
Bizarre, armé en flûte, et de deux frégates armées en guerre, l'*Echo*
et l'*Aréthuse,* celle-ci commandée par le fameux Vauquelin, ont trouvé le moyen de se rendre au Cap-Breton. Les deux frégates abordent
à la forteresse le 29 et le 30 mai. Quant au *Bizarre,* il poursuit sa route
jusque dans le Saint-Laurent, où Du Chaffault le rencontrera, puis, sur
le chemin du retour, il se sépare de cette dernière division et fait plusieurs prises, dont la plus précieuse est une frégate ennemie de 24 canons. [67]

Jusqu'ici, la Cour a expédié à l'île Royale des vaisseaux, des troupes, des munitions de guerre et de bouche. En mars, elle a encore décidé de lui envoyer un chef, le comte de Blénac, lieutenant général des
armées navales, à qui elle donne, avec le titre de commandant des troupes de terre et de mer à Louisbourg, des instructions détaillées pour la
défense de cette colonie et du Canada. Mais Blénac, sur le *Formidable,*
ne met à la voile, de Brest, que le 11 mai. Parti en compagnie du
Raisonnable, il est atteint, le 13, par quatre navires ennemis qui le
poursuivent durant trois jours. Le *Raisonnable* succombe, la brume

---

à Moras, 4 mai 1758, *ibid.,* 176; Beaussier à Massiac, 10 juin 1758, *ibid.,* 180; « Campagne de 1758. Escadre Commandée par M. Beaussier de lisle, » *ibid.,* 185; « Journal »
de Kerdisien de Trémais, *ibid.,* 63; *London Magazine* (avril 1758) : 215; *Mercure historique de La Haye,* 144 (mai 1758) : 620; *ibid.* (juin 1758) : 768.
  [65] Du Chaffault à Massiac, 29 juin 1758, AM, B 4, 80 : 211-212v; *id.* à *id.,* 12
août 1758, *ibid.,* 219; Turgot à Berryer, 1er novembre 1758, *ibid.,* 252-252v.
  [66] Des Gouttes à Moras, 6 mai 1758, AM, B 4, 80 : 67-67v; conseil de guerre,
9 juin 1758, *ibid.,* 134.
  [67] « 1758. Campagne d'Amerique. Breugnon (Cte de), » AM, B 4, 80 : 276-277;
du Chaffault à Massiac, 12 août 1758, *ibid.,* 219; « Journal » de Kerdisien de Trémais,
ibid., 63.

sauve Blénac. Le 6 juin, il tombe, dans les parages de l'île Royale, entre deux Anglais; là encore, la brume lui donne le loisir de s'échapper.
Trois semaines plus tard, il revient à Brest, « fort heureux », avoue-t-il,
d'avoir pu conserver au roi son vaisseau. [68]

L'effort de la France a été très remarquable. En faisant le compte
des grosses unités navales que le ministère de la Marine voulut envoyer au secours de Louisbourg, on arrive au nombre impressionnant
de 23 vaisseaux, dont 12, il est vrai, armés en flûte. De ce nombre,
sept vaisseaux sont entrés dans le port, dont deux seulement armés en
guerre, outre quatre frégates, dont une armée en flûte, sans compter
divers bâtiments de charge. [69] Parmi les navires qui n'ont pu jeter l'ancre en rade de la forteresse, quelques-uns, nous l'avons vu, ont quand
même rempli partiellement leur mission. Ainsi, la garnison a été convenablement approvisionnée. Elle a été également renforcée de deux
bataillons. Au moment de la capitulation, elle comptera un peu plus
de 2,000 soldats et officiers des troupes de terre et un millier de soldats de la marine, en plus de 2,600 matelots et de 400 miliciens. [70]

En résumé, devant les puissants moyens mis en œuvre par le gouvernement anglais pour conquérir l'Amérique, sous l'impulsion de Pitt,
aux yeux de qui la suprématie dans le Nouveau Monde est l'objectif
capital de la guerre, le Canada et la France ont organisé une défensive
à la fois audacieuse et ingénieuse, conçue de manière à tirer le meilleur parti des éléments dont ils pouvaient encore disposer. Le front
principal, on le reconnaît de part et d'autre, est celui du Cap-Breton.
Comme le déclare Montcalm : « C'est à la France à sauver l'isle Royale
par une escadre. » [71] Les forces navales qu'elle parvient à y jeter sont
beaucoup moins grandes que celles qu'elle tente d'y envoyer. Elles ne
suffiront pas à sauver Louisbourg. Elles réussiront, en revanche, à sauver Québec et, avec Québec, le Canada.

*

*   *

Les Anglais mirent en train les préparatifs de l'expédition de Louisbourg dans les dernières semaines de 1757. La flotte de guerre confiée

[68] « Isle Royale 1758. Blenac et le Cte de Rohan-Montbazon, » AM, B 4, 80 :
20; Blénac à Massiac, 28 juin 1758, ibid., 27-27v.
[69] « Bordereau General des depenses de L'Escadre Commandée par M. le Mls
Desgouttes, » AM, B 4, 80 : 95; « Journal » de Kerdisien de Trémais, ibid., 63; « A List
of the Different Squadrons... Under Commodores de Beaufremont, M. de la Clue, and
M. de Beaussier, » Beatson, éd., Naval and Military Memoirs, 3 : 202.
[70] Doughty, éd., Journal de Knox, 1 : 257; The Boston News-Letter, numéro
spécial du 31 août 1758.
[71] Montcalm au ministre de la Guerre, 9 mai 1758, AG, 3498 : no 80.

Boscawen comptait 41 unités, dont 21 de 60 canons et plus. Sa puissance de feu était formidable : les navires alignaient en tout plus de ,900 canons. Le corps expéditionnaire mis sous les ordres d'Amherst tait de son côté fort de 13,200 hommes et officiers. Ces effectifs joints à ceux de l'escadre — 14,968 matelots — donnent donc plus de 28,000 hommes. [72] Les assaillants seront à peu près cinq fois plus nombreux que les défenseurs.

Afin de devancer les Français sur le théâtre des opérations, Pitt fait partir l'escadre de bonne heure : Boscawen appareille à Plymouth le 23 février; de plus, pour s'assurer que les vaisseaux de guerre ne seront pas retardés en haute mer, le ministre prend le parti, moins téméraire qu'il ne semble à première vue, de dispenser l'amiral de convoyer les transports. Malgré cette mesure hardie, Boscawen n'aborde à Halifax que le 9 mai, trop tard pour empêcher tout navire français de le précéder à Louisbourg. Il est vrai que Hardy croisait dans ces parages depuis le 1er avril, avec les unités qui avaient hiverné en Nouvelle-Écosse. « Mais, observe un officier anglais, qu'il y a peu à compter Sur de Semblables blocus ! » [73] Wolfe n'en revenait pas : « Depuis le temps de Christophe Colomb jusqu'à nos jours, écrivait-il, il n'y a peut-être jamais eu voyage plus extraordinaire. L'opposition continuelle des vents contraires, des calmes et des courants a déjoué toute notre adresse et mis à bout toute notre patience. Une flotte de vaisseaux de guerre bien manœuvrée, point embarrassée de transports, commandée par un officier de la plus grande réputation, a mis onze semaines à effectuer la traversée. » [74] Le 20 mai, Wolfe ne s'en attend pas moins que l'expédition soit courte : l'armée, annonce-t-il à son père, se mettra en route dans quatre ou cinq jours; une fois le débarquement opéré, la besogne sera à moitié achevée, « et j'espère qu'elle le sera tout à fait avant que vous receviez cette lettre ». [75] En réalité, la descente ne se fera que le 8 juin. [76]

Wolfe avait raison : la réussite du débarquement scellait le sort de la forteresse. Et pourtant, elle tint bon durant sept semaines et ne capitula que le 26 juillet. A quoi attribuer cette résistance prolongée ?

[72] Lawrence à Pitt, 23 mai 1758, PRO, CO 5, 53 : 102; Entick, 3 : 221s; « A List of Admiral Boscawen's Fleet at the Siege of Louisbourg, » Beatson, éd., *Naval and Military Memoirs*, 3 : 177; « A Complete Return of the Strength of the Army Against Louisbourg, » *ibid.*, 176. Voir J. Barrow, *Lord Anson*, 305.

[73] « Extrait du London Chronicle du 24. Août 1758, » AE, Mémoires et documents, Amérique, 10 : 290-290v; Lawrence à Pitt, 9 mai 1758, BTNS, 16 : I-64; Corbett, *England in the Seven Years' War*, 1 : 312s.

[74] Wolfe à Sackville, 12 mai 1758, B. Willson, *Life and Letters of James Wolfe*, 363.

[75] *Ibid.*, 365.

[76] Amherst à Pitt, 11 juin 1758, Doughty, éd., *Journal* de Knox, 3 : 1-5.

Uniquement aux navires français qui avaient réussi à s'introduire dans le port. « Vous Savés, notait un assiégeant, que Louisbourg est Situé de maniere que cinq vaisseaux de guerre ennemis qui Seroient entrés dans le Havre de cette place avant que notre escadre y fût arrivée suffiroient pour empêcher qu'il ne fût pris. » [77]   En réalité, le cas était un peu moins simple que ne le croyait cet officier. Vu la disproportion des forces terrestres en présence, la chute de la ville était inévitable. La question n'était plus que de savoir quand elle tomberait. Mais cette question était d'un intérêt capital. Privée de ses défenses navales, elle eût été soumise en même temps à une double attaque par mer et par terre, et il y a peu de doute qu'elle n'eût succombé avant la fin de juin. Et après ? Après, Amherst et Boscawen auraient eu encore assez de temps pour faire subir à Québec le sort de Louisbourg.

Le temps devenait par là le facteur capital de la campagne. Drucourt eut le mérite de le comprendre : « Il s'agissait d'éloigner notre sort aussi longtemps qu'il eût été possible... Je disois donc : *Si les Vaisseaux {français} partent le 10 de Juin... l'Amiral entrera immédiatement après;* & nous eussions été enlevez avant la fin de ce mois; ce qui auroit procuré l'avantage aux Généraux assiégeans d'employer Juillet & août à faire passer du secours au *Canada* & d'entrer dans le fleuve en saison convenable. » [78] C'est ce que le marquis des Gouttes n'arrivait pas à saisir. A plusieurs reprises, il pressa Drucourt de laisser sortir la flotte pour la « sauver ». A sa demande, le gouverneur convoqua un conseil de guerre pour étudier cette grave question. A la majorité des voix, le conseil se rangea à l'avis de Drucourt et de Franquet : il fallait « allonger notre deffense », même au prix du sacrifice des vaisseaux, puisque « le Roy ne les avoit envoyés que pour la deffense de la Place ». [79]   Il est clair que les Anglais étaient pressés d'entrer à Louisbourg pour filer ensuite à Québec; il est non moins clair que le seul obstacle qui ait empêché Boscawen de venir prêter main forte à Amherst fut la présence des navires de des Gouttes. [80] « Les Vaisseaux de guerre [français], déclare le témoin que nous avons déjà entendu, nous ont fait beaucoup de mal et le feu terrible qu'ils

[77] « Extrait du London Chronicle du 24. Août 1758, » AE, Mémoires et documents, Amérique, 10 : 290v.
[78] Drucourt à ———, 1er octobre 1758, *Mercure historique de La Haye,* 145 (novembre 1758) : 519; Drucourt à Praslin, 5 février 1762, AC, C 11A, 105 : 354v.
[79] Conseil de guerre du 9 juin 1758, AM, B 4, 80 : 134-135v; ordre de des Gouttes à Beaussier, 12 juin 1758, *ibid.,* 76; Drucourt à des Gouttes, 13 juin 1758, *ibid.,* 135v; Drucourt à Massiac, 12 juin 1758, AC, C 11B, 38 : 27-28.
[80] Corbett, *England in the Seven Years' War,* 1 : 321-323, 329-332.

ont fait perpetuellement Sur nos ouvrages a beaucoup prolongé le Siege. »[81] L'escadre fut sacrifiée. L'*Aréthuse* de Vauquelin ayant été renvoyée en France avec des messages, la France perdit onze navires de guerre — 8 détruits, 3 capturés — en même temps que sa forteresse.[82]

Mais Québec était sauvé. Comme Amherst le confiait à Wolfe, il avait espéré poursuivre ses opérations contre la capitale canadienne tout de suite après la prise de Louisbourg : « C'est ce que nous pourrions faire de mieux si c'était praticable. » Mais le sanglant revers infligé à Abercromby devant Carillon ramena l'officier supérieur à des projets plus modestes : envoyer cinq ou six régiments dans le New-York, en expédier aussi à la rivière Saint-Jean où des Acadiens résistaient encore et faire ravager les établissements canadiens du bas du Saint-Laurent par deux ou trois bataillons.[83] Wolfe ne tenait pas en place. A l'entendre, l'évacuation de « cette maudite garnison française » de Louisbourg — elle avait mauvaise presse : on accusa un officier français de s'être livré à un attentat immoral contre un militaire écossais[84] — prenait un temps précieux; il aurait voulu voler au secours d'Abercromby, sûrement abandonné, disait-il, par les Américains; il aurait souhaité une « guerre de destruction » dans le golfe Saint-Laurent, car, avouait-il, « je ne peux regarder de sang-froid les incursions sanglantes de cette meute infernale, les Canadiens; et si nous ne pouvons accomplir rien de plus, je dois exprimer le désir de quitter l'armée ».[85] Impatience et colère de jeune homme. Amherst et Boscawen doivent précisément faire ce que leur collègue juge au-dessus de ses forces : garder l'usage de leur raison. Après avoir discuté ensemble « la présente situation des affaires en Amérique » et repassé les ordres qu'ils ont reçus d'Angleterre prévoyant les mouvements qu'il y aurait à combiner après la chute de Louisbourg, ils aboutissent à la conclusion que le mieux serait de conduire toute l'armée à Québec, « mais que ce plan n'est pas réalisable » et qu'il leur faut se contenter d'envoyer une escadre et trois bataillons détruire les petites agglomérations du Saint-Laurent inférieur et opérer en remontant le fleuve « aussi haut que la saison le permettra ».[86]

---

81 « Extrait du London Chronicle du 24. Août 1758, » AE, Mémoires et documents, Amérique, 10 : 291.
82 Boscawen à Pitt, 28 juillet 1758, G. S. Kimball, éd., *Correspondence of William Pitt,* 2 : 308.
83 Amherst à Wolfe, 8 août 1758, APC, Amherst Papers, liasse 8.
84 Numéro spécial du *Boston News-Letter,* 31 août 1758.
85 Wolfe à Amherst, 8 août 1758, APC, Amherst Papers, liasse 8.
86 « Resolution between Admiral Boscawen & M. General Amherst, » 8 août 1758, APC, Amherst Papers, liasse 22.

Ce mouvement était prévu. [87] Il fut confié à Wolfe. Les Anglais parurent en vue de la côte gaspésienne au commencement de septembre, avec 33 voiles, dont 9 navires de guerre. La destruction des établissements de pêche fut systématique. Les assaillants, rapporte Vaudreuil, devaient « emporter jusques aux vieilles ferrailles, bruler toutes les maisons, et generalement tout ce qu'ils n'auroient pu emporter ». Ils traitèrent « très bien » les prisonniers qu'ils firent et tâchèrent de persuader aux Canadiens qu'ils ne perdraient rien à changer d'allégeance : « ils seroient exempts étant avec eux d'être réduits à un quarteron de pain ». [88] Faute de trouver des adversaires en état de se battre, Wolfe regrettait dans son rapport de « n'avoir pu rien ajouter à la réputation des armes du roi »; il n'était tout de même pas mécontent d'avoir fait 140 prisonniers et d'avoir désorganisé les pêcheries canadiennes à tel point qu'il serait désormais impossible « de prendre un seul quintal de morue » de toute la durée de la guerre, ce qui priverait la colonie d'une importante source de subsistance. [89] Il y avait cependant loin de ces modestes prouesses à une campagne victorieuse contre Québec.

Outre la saison avancée, un autre facteur avait eu son effet sur les décisions d'Amherst et de Boscawen après le 26 juillet : c'était l'échec qu'Abercromby venait de subir, le 8, devant Carillon. Curieuse bataille que celle-là. D'abord, la grosse poussée britannique sur le front du lac Champlain était venue comme une surprise. Vaudreuil, toutefois, en avait eu vent assez tôt pour envoyer Lévis rallier Montcalm avec 400 soldats français, suivis d'un détachement canadien qui arriva pendant le combat. Ensuite, au lieu de tenir, en avant des lignes sur lesquelles il se rabattit, le poste du portage, relativement facile à défendre, Montcalm s'était accroché à une singulière position : mauvaise en ce qu'elle était susceptible d'être enveloppée, mais bonne pour résister à une attaque de front; et le commandant français, qui en aurait eu le temps, avait négligé de la garnir de canons. [90] Si les Anglais, remarque un officier de Montcalm, « eussent eu un général habile et entreprenant, nous eussions eu peine à nous tirer de ce pas ». [91] La situation du fort de Carillon et la supériorité numérique de l'armée attaquante, assez forte pour être divisée en plusieurs corps, auraient dû, selon Wolfe, mettre Abercromby à même « d'obliger le marquis de Montcalm à dé-

[87]   Massiac à Vaudreuil et à Bigot, 26 août 1758, AC, B 107 : 47 *bis.*
[88]   Vaudreuil à Berryer, 4 novembre 1758, AC, F 3, 15 : 215-215v.
[89]   Wolfe à Amherst, 1er novembre 1758, PRO, CO 5, 53 : 276s.
[90]   R. Waddington, *La Guerre de Sept ans*, 2 : 385; *The New-York Gazette*, 31 juillet 1758; Vaudreuil à Massiac, 4 août 1758, AC, C 11A, 103 : 148-148v; « Relation du 8 juillet 1758, » observations de Vaudreuil, *ibid.*, 332-333, 335v-336; Entick, 3 : 259.
[91]   La Pause, « Mémoire et réflexions politiques et militaires sur la guerre du Canada depuis 1746 jusqu'à 1760, » RAPQ (1933-34), 153.

ɔoser les armes ». Il était question, poursuit Wolfe, qu'après son échec, le vaincu du 8 juillet tentât une nouvelle offensive : « Je ne ɔeux me flatter qu'il y ait réussi, non que j'aie une haute idée du talent ɖu marquis de Montcalm, mais parce que j'ai une bien faible opinion de ɔelui de notre propre commandant. » [92]

Abercromby ne fut certes pas brillant. Son ineptie fut-elle aussi extraordinaire qu'on l'a cru ? En somme, on lui reproche deux choses : ɖe s'être fait repousser, bien qu'à la tête d'une grosse armée; d'avoir ɖancé ses hommes en avant sans réfléchir. — Pitt lui avait donné 7,000 réguliers et 20,000 provinciaux. Il faudra, prédisait Wolfe au prin-temps, réduire ce dernier nombre de moitié « et compter que les 10,000 ɋui resteront ne seront pas bons à grand-chose ». [93] Prévision double-ment juste : le général n'aura sous ses ordres que 9,024 provinciaux, en plus de ses 6,367 réguliers; [94] et, si l'on en juge par les pertes respec-tives de ces deux éléments, les provinciaux ne firent décidément pas « grand-chose » : ils eurent 86 tués, 240 blessés et 8 disparus, contre 464 tués, 1,115 blessés et 19 disparus chez les réguliers. [95] Il ne serait pas très inexact de dire que 7,000 Anglais se battirent contre les 3,500 hommes que Montcalm avait rangés derrière son abatis. [96] Quant aux pertes françaises, elles se chiffrèrent par 106 tués et 266 blessés. [97] — Il reste qu'Abercromby dut reculer parce qu'il ordonna une attaque de front contre les positions françaises. C'était le seul mouvement qui ne pouvait pas lui réussir. Il choisit cependant de l'effectuer. Pourquoi ? Il s'y crut forcé. Il avait appris par des prisonniers que son adversaire avait 6,000 hommes, — « 5,000 quelques cens », d'après Vaudreuil [98] — que, l'expédition de Lévis sur la Mohawk étant décommandée, ce dernier courait au secours de Montcalm avec 3,000 combattants et que les retranchements français s'amélioraient d'heure en heure : d'où sa précipitation à faire donner l'assaut. [99] C'était une lourde faute. Mont-calm en commettra une semblable le 13 septembre 1759.

92 Wolfe à Rickson, 1er décembre 1758, Doughty et Parmelee, éd., *The Siege of Quebec*, 6 : 27.
93 Wolfe à son père, 20 mai 1758, B. Willson, *Life and Letters of James Wolfe*, 365.
94 Abercromby à Pitt, 12 juillet 1758, PRO, CO 5, 50 : 257; Thomas Mante, *The History of the Late War in America* (Londres, 1772), 144s.
95 Abercromby à Pitt, 12 juillet 1758, PRO, CO 5, 50 : 258; *The New-York Gazette*, 24 juillet 1758; Entick, 3 : 257.
96 *Journal* de Montcalm, Casgrain, 7 : 398.
97 *Journal des campagnes du chevalier de Lévis* (Montréal, 1889), 138 [Casgrain, 1]; cf. « Relation de ce qui s'est passé sur la frontiere du Lac St Sacrement depuis le 30 Juin jusqu'au 10 Juillet inclu, » AG, 3499 : no 60.
98 Vaudreuil à Noailles, 6 août 1758, AG, 3499 : no 12.
99 Abercromby à Pitt, 12 juillet 1758, PRO, CO 5, 50 : 258; William Eyre à Napier, 10 juillet 1758, Pargellis, éd., *Military Affairs in North America*, 420; *The Boston News-Letter*, 27 juillet 1758; Entick, 3 : 255.

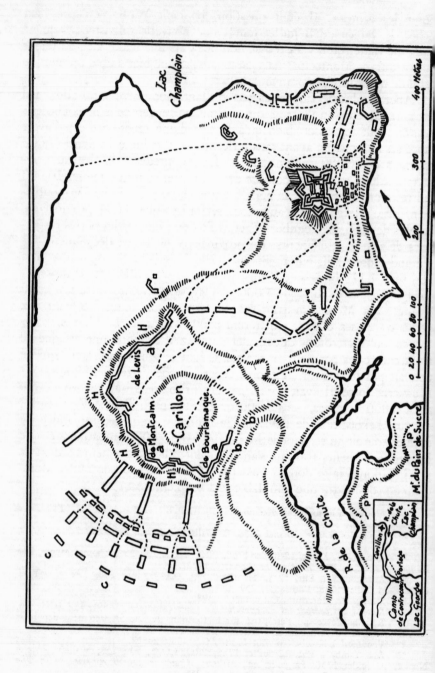

Contrairement à ce qu'on a cru à l'époque et répété depuis, la victoire de Carillon ne fut en aucune manière un « miracle ».[1] Cette croyance reposait sur les chiffres fantaisistes jetés dans le public par le général vainqueur et par ses amis : ils donnaient à l'ennemi 20, 25 et même 27,000 hommes; ils lui infligeaient dans leurs écrits des pertes proportionnées à ce que Doreil appelait « la Valeur Surnaturelle des troupes francoises » : 3,000 tués sans compter les blessés, ou encore « au moins » 5,000 tués et blessés.[2] Il ne leur était pourtant pas difficile de se détromper: Lévis savait que « les ennemis ont eu cinq cents hommes tués restés sur la place, et de mille à onze cents blessés ».[3] Et les Canadiens n'étaient pas si naïfs; Desandrouins se scandalise de ce que les officiers du pays « contestent le nombre des ennemis, le nombre des morts qu'ils prétendent n'être que de 400 »...[4] De 400 à 550 —nombre précis des morts anglo-américains— il y a tout de même moins de marge que de 550 à 3,000. La bataille du 8 juillet arrêta la marche d'Abercromby sur Montréal. Elle eut pour conséquence de rejeter les Anglais sur la défensive au lac George[5] et de les plonger dans la consternation.[6] Ils songèrent à se reprendre, mais, vers la mi-octobre, ils avaient abandonné ce projet.[7]

Pendant que Montcalm attendait un retour offensif d'Abercromby, celui-ci se rendait à la demande du lieutenant-colonel Bradstreet, désireux de conduire une expédition contre le fort Frontenac. Il s'agissait de faire à rebours une partie de la route que Lévis eût empruntée s'il avait pu suivre la première destination que Vaudreuil lui avait donnée. Le général mit 3,600 hommes à la disposition du lieutenant-colonel.[8] Mais, en raison des difficultés du déplacement —430 milles, dont 84 de portage—, la désertion fut si considérable que les effectifs tombèrent à 3,339 hommes au Grand Portage et à 3,092 quand les Anglo-Amé-

---

1 Doreil au ministre de la Guerre, 31 juillet 1758, RAPQ (1944-45), 150; *Journal de Montcalm*, Casgrain, 7 : 411; lettre de la Mère Marie-André Duplessis de Sainte-Hélène, 20 octobre 1758, *Nova Francia*, 4 (1929) : 115s.
2 Montcalm à Vaudreuil, 9 juillet 1758, AG, 3498 : no 140; Doreil à Massiac, 28 juillet 1758, AC, C 11A, 103 : 421; *Journal* de Montcalm, Casgrain, 7 : 402. Voir la lettre déjà citée, *Nova Francia*, 4 (1929) : 115.
3 Lévis à Mme de Mirepoix, 28 octobre 1758, *Lettres du chevalier de Lévis* (Montréal, 1889), 212 [Casgrain, 2].
4 Cité par Gabriel, *Le Maréchal de camp Desandrouins*, 193.
5 Sharpe à Baltimore, 27 août 1758, *Sharpe Correspondence*, 2 : 256.
6 William Eyre à Napier, 10 juillet 1758, Pargellis, éd., *Military Affairs in North America*, 421s; James Prevost à Cumberland, 21 août 1758, *ibid.*, 427.
7 Tulleken à Bouquet, 1er octobre 1758, BM, Add. Mss., 21643 : 233; *London Magazine* (novembre 1758), 596; *The Boston News-Letter*, 26 octobre 1758; Bougainville à Crémille, 8 novembre 1758, AG, 3499 : no 201.
8 Gipson, 7 : 238.

ricains parurent devant Frontenac. [9] C'était le 26 août, un mois jour pour jour après la chute de Louisbourg. Le fort capitula le lendemain. La surprise avait été complète. Personne n'attendait les Anglais de ce côté. En avril, Montcalm ne voyait « rien de bien intéressant » sur le front du lac Ontario : seulement de la diplomatie indigène. [10] A la mi-juillet, il savait qu'un corps de 3,000 ennemis défilait avec de l'artillerie vers la Mohawk : peut-être, pensait-il, en vue de s'opposer à la reprise de « la secrète expédition » que Vaudreuil avait voulu lancer contre eux, peut-être aussi dans l'intention de se rétablir à Oswego. [11] Ce qui ne l'empêchera pas, prophète à retardement, d'écrire à la Cour, le 1er septembre : « J'aprends dans le moment que [les Anglais] sont à Frontenac. Il y a longtemps que je le craignois. » [12]   Quant à Vaudreuil, il avait aussi ses « motifs de tranquillité » : il avait envoyé 300 hommes avec Longueuil chez les Iroquois, et du rapport de Longueuil, il résultait que l'adversaire tenterait de reconstruire le fort Bull ou même celui d'Oswego. Il n'en avait pas moins entretenu, à l'entrée du lac Ontario, des éclaireurs qui parvinrent à l'avertir de la marche de Bradstreet, mais trop tard, puisque ce renseignement ne parvint à Montréal que le 26 août. Tout de suite, le gouverneur dépêche des secours importants qui pourront sinon empêcher la perte de Frontenac, du moins prévenir celle de Niagara. [13]   Niagara était la clef des pays d'en haut. Bradstreet aurait pu s'y rendre. Au courant de la faiblesse réelle des Canadiens à cet endroit, les prisonniers britanniques échangés contre la garnison de Frontenac déclarèrent en arrivant au fort Edward que « c'était une extrême malchance » que Bradstreet ne s'y fût pas présenté. [14]

Le vainqueur, disait Wolfe, était « un homme très extraordinaire » et la prise du poste français, « un coup de maître ». [15]   Il vaudrait mieux dire un coup de main. Car le lieutenant-colonel s'empressa de battre en retraite après avoir brûlé le fort et les navires français auxquels il servait de port d'attache. Le pillage fut prodigieux. L'assaillant trouva pour 800,000 livres de fourrures et de marchandises de traite, une grosse provision de poudre et de vivres. Le tout fut divisé en parts égales entre les

---

[9]   The New-York Mercury, 4 septembre 1758; The New-York Gazette, 2 octobre 1758; Benjamin Bass, « A Journal of the Expedition against Fort Frontenac, » New-York History, 16 (1935) : 449s.; voir Entick, 3 : 260s.

[10]   Montcalm à Bourlamaque, 10 avril 1758, APC, Lettres de Bourlamaque, 1 : 269.

[11]   Journal de Montcalm, Casgrain, 7 : 410.

[12]   AC, F 3, 15 : 194v.

[13]   Vaudreuil à Massiac, 2 septembre 1758, AC, C 11A, 103 : 180-183; id. à id., 30 octobre 1758, ibid., 251.

[14]   The New-York Gazette, 4 décembre 1758.

[15]   Wolfe à Rickson, 1er décembre 1758, R. Wright, Life of Major General Wolfe, 465.

combattants britanniques, tandis que leur commandant eut l'élégance —très remarquée— de ne rien prendre pour lui-même.[16] Montcalm se désespérait : « La Colonie sera coupée en deux. »[17] Non, puisque Niagara subsistait toujours, quoique affaibli par la chute de Frontenac. Deux officiers canadiens qui en revinrent à la mi-octobre rapportèrent de nombreux indices du départ précipité de Bradstreet : plusieurs constructions restaient debout à l'intérieur du fort, qui serait « facile à réparer », on y avait même trouvé, intacts, six canons de moyen calibre.[18] Ce qui faisait la gravité de ce revers, ce n'était pas la perte d'une position —l'ennemi ne l'avait pas gardée— c'était celle des vivres et des munitions qu'on y avait entreposés pour les pays d'en haut; c'était aussi l'anéantissement de la marine canadienne des grands lacs. Si, après la victoire de Carillon, Vaudreuil avait repris, malgré les ricanements de Montcalm, son projet d'incursion sur la Mohawk, Bradstreet n'aurait jamais pu aller frapper sur le lac Ontario.[19]

Plus au sud, Forbes et une armée de près de 7,000 hommes, dont 2,000 Virginiens, s'approchaient patiemment, pouce par pouce, du fort Du Quesne.[20] Les perspectives de cette opération ne paraissaient pas bonnes. A la fin de juin, Montcalm ne croyait pas que les Anglais dussent « attaquer la Belle-Rivière ».[21] Ils l'attaquèrent pourtant, mais d'abord avec un insuccès notoire. Envoyé en avant avec un corps d'élite de 838 hommes, le major James Grant s'avança rapidement près de son objectif, mais il fut taillé en pièces le 14 septembre; il tomba lui-même aux mains de ses adversaires et son détachement s'enfuit en déroute après avoir perdu 300 combattants.[22] « Très jolie et brillante action », jugea Montcalm.[23] L'ennemi y apprit que les Canadiens de l'Ohio savaient encore se défendre.[24] Ils voulurent même prouver qu'ils pouvaient passer à l'offensive. Le 12 octobre, 440 blancs et 130 indigènes allèrent s'en prendre durant quatre heures au gros poste avancé de

---

16   Abercromby à Pitt, 25 novembre 1758, PRO, CO 5, 50 : 489; *The New-York Gazette*, 11 septembre 1758; *The New-York Mercury*, 25 septembre 1758; *The Boston News-Letter*, 28 septembre 1758.
17   Montcalm à Massiac, 1er septembre 1758, AC, F 3, 15 : 194v.
18   Malartic, *Journal*, 206; voir Lotbinière à Belle-Isle, 11 novembre 1758, AG, 3459 : no 205.
19   R. Waddington, *La Guerre de Sept ans*, 2 : 387.
20   Th. Mante, *The History of the Late War*, 155; Louis K. Koontz, *The Virginia Frontier, 1754-1763* (Baltimore, 1925), 89.
21   *Journal* de Montcalm, Casgrain, 7 : 381s.
22   *The New-York Gazette*, 2 octobre 1758; *The Boston News-Letter*, 12 octobre 1758; Forbes à Pitt, 20 octobre 1758, Irene Stewart, éd., *Letters of General John Forbes Relating to the Expedition against Fort Du Quesne in 1758* (Pittsburgh, 1927), 59.
23   Montcalm à Bourlamaque, 25 octobre 1758, APC, Lettres de Bourlamaque, 1 : 365.
24   *The Boston News-Letter*, 2 novembre 1758.

Loyalhanna à environ 40 milles à l'est du fort Du Quesne : le but de cette course était d'enlever à l'envahisseur ses bêtes de somme pour retarder sa marche et, si possible, l'arrêter. C'était une mesure désespérée. A bout de ressources, le commandant Ligneris calculait la semaine suivante qu'il n'avait plus que « pour 18 jours de vivres à 1,200 hommes ». Après s'être assuré que, malgré le raid du 12, les Anglo-Américains continuaient à se rassembler, il vit qu'il ne lui restait qu'un parti à prendre : disperser son monde à Détroit et aux Illinois, renvoyer les Canadiens dans leurs paroisses, garder une garnison de 200 soldats et attendre les événements. « Je suis, confiait-il à Vaudreuil le 23 octobre, dans la plus triste situation qu'on puisse imaginer. » [25]

De son côté, Forbes se jugeait « dans la plus grande détresse »; rien n'avançait. Il craignait, s'il ne pouvait bientôt atteindre le fort français, de se voir bloqué pour l'hiver dans les montagnes, sachant bien qu'avec tout son lourd matériel de siège, il ne pouvait être question de retraverser les Alleghanys. [26] Le 16 novembre, un conseil formé des colonels et des ingénieurs attachés à l'expédition arrivait à la même conclusion. [27] Et pourtant, le 25 novembre, les Anglais entraient, selon les termes du colonel Bouquet, dans « ce nid de Corsaires qui a couté tant de sang ». [28] Informé du terrible embarras de Ligneris, Forbes avait résolu de tenter une dernière poussée avec 2,500 hommes triés sur le volet et un train d'artillerie légère. [29] A son approche, le commandant canadien avait mis ses canons et ses munitions de guerre dans des bateaux qu'il dépêcha aux Illinois et s'était replié lui-même avec 100 hommes sur le fort Machault, après avoir fait sauter la fameuse forteresse de l'Ohio. [30] Ce dénouement, bien que très normal au fond, causa une sensation d'autant plus vive que le Canada croyait la Belle-Rivière sauvée. Le 25 novembre, le jour même où Forbes faisait déposer sa litière sur le sol du fort Du Quesne, un officier canadien revenait de l'Ohio en racontant « que tout est Tranquille sur ce Continent et que Les an-

---

[25] « Extrait de 3 Lettres écrites à M. le Mⁱˢ de Vaudreüil par M. de Ligneris Commandant au fort Duquesne, » 18, 20 et 23 octobre 1758, AC, F 3, 15 : 225-230v; Bigot à Massiac, 22 novembre 1758, *ibid.*, 221-223; Vaudreuil à Massiac, 20 novembre 1758, *ibid.*, 217-220; Forbes à Pitt, 20 octobre 1758, PRO, CO 5, 50 : 601-602; *The New-York Mercury*, 30 octobre 1758; *The Boston News-Letter*, 2 novembre 1758; *ibid.*, 24 novembre 1758.

[26] Forbes à Pitt, 20 octobre 1758, Irene Stewart, éd., *Letters of General John Forbes*, 61.

[27] BM, Add. Mss., 21643 : 247.

[28] A. P. James, « The Nest of Robbers, » *The Western Pennsylvania Historical Magazine*, 21 (1938) : 165.

[29] Bouquet à Allen, 25 novembre 1758, Irene Stewart, éd., *Letters of General John Forbes*, 67s.

[30] Vaudreuil à Berryer, 20 janvier 1759, AC, C 11A, 104 : 14-15v.

glois ne feront cette année aucune nouvelle Tentative sur nos forts ». [81] C'est aussi ce qu'on répète à Paris en janvier 1759. [32] Mais, le 28 novembre, un Anglais, écrivant à un correspondant de New-York, pouvait dater sa lettre de « Pittsburgh (autrefois Fort Duquesne) ». [33]

*

* *

Semblable aventure était arrivée aux Anglais quelques mois auparavant. En août, une lettre de Londres avait annoncé à une revue européenne « la Nouvelle que le Général *Abercrombie*... a eu le bonheur de battre l'Armée Françoise qui étoit venue à sa rencontre ». [34] Le mois suivant, les Londoniens devaient reconnaître qu'ils s'étaient « mécomptés » en ajoutant foi à cette rumeur : « Au lieu de battre, nos Troupes ont été battuës. » [35] L'opinion s'était retournée en bloc contre Abercromby : « Le général est très blâmé », rapporte le gouverneur Sharpe, qui énumère les fautes attribuées au vaincu; [36] et la presse ajoute encore à la liste de ses erreurs. [37] Naturellement, il se fait enlever son commandement; il va s'embarquer pour l'Angleterre, sans fanfare, à la mi-janvier 1759. [38] Pour être remplacé par qui ? Naturellement encore, par Amherst, le vainqueur de Louisbourg. [39]

Amherst est fêté, adulé. Des messages de félicitations, lui écrit le commandant en chef de l'armée anglaise, arrivent à son intention de toutes « les principales corporations » d'Angleterre. [40] Cette explosion de joie s'explique par l'extrême importance que le gouvernement anglais a toujours attachée à l'île Royale : « Le ministère anglais espère tout de cette expédition », révèle en février l'ambassadeur d'Espagne à Londres. [41] « Tous les espoirs reposent » sur elle, reprend en mai le même diplomate, qui ajoute : « Un ministre de S. M. Britannique a dit que selon le résultat de cette entreprise, les Anglais dicteront la paix ou la subiront. » [42] En recevant la nouvelle de la chute de la forteresse, Pitt dépêche un courrier à sa femme pour qu'elle soit la première à

[81] Daine à Belle-Isle, 2 décembre 1758, AG, 3499 : no 217.
[32] *Gazette de France*, 20 janvier 1759, p. 32; *ibid.*, 27 janvier 1759, p. 42s.
[33] The New-York *Mercury*, 23 décembre 1758.
[34] *Mercure historique de La Haye*, 145 (août 1758) : 240.
[35] *Ibid.*, 145 (septembre 1758) : 313.
[36] Horatio Sharpe à William Sharpe, 27 août 1758, *Sharpe Correspondence*, 2 :
[37] The New-York *Gazette*, 31 juillet 1758.
253.
[38] Pitt à Abercromby, 18 septembre 1758, APC, Amherst Papers, liasse 22; *The Boston News-Letter*, 1er février 1759.
[39] Pitt à Amherst, 18 septembre 1758, APC, Amherst Papers, liasse 22; Pitt aux gouverneurs de l'Amérique du Nord, 18 septembre 1758, *ibid.*, liasse 10.
[40] Ligonier à Amherst, 3 septembre 1758, APC, Amherst Papers, liasse 11.
[41] Lettre d'Abreu, 3 février 1758, RAPQ (1951-53), 432.
[42] Lettre d'Abreu, 26 mai 1758, *ibid.*, 433.

l'apprendre : « Il n'y a pas de mots pour vous remercier, mon ange, ré-
pond-elle, de m'avoir expédié ce messager, mais mille baisers exprimeront ma gratitude quand j'aurai le bonheur de vous recevoir dans cette
maison que vous rendez si joyeuse, mon glorieux amour. »[43] Un poète
de New-York célèbre la victoire au rythme du *God save the King* :

> *Amherst and Boscawen,*
> *And all their British men,*
> *Like Heroes shone :*
> *Thanks to Patriot Pitt,*
> *Whose penetrating Wit*
> *And Wisdom, judg'd it fit,*
> *To set them on.*[44]

Les cloches de Boston sonnent presque un jour entier.[45] La ville de
Newport, au Rhode-Island, illumine. Le peuple admire de « belles figu-
res qui représentent Britannia portant l'emblème de la paix et de la
guerre, piétinant l'étendard de France, pendant que Mercure descend et
s'approche d'elle avec l'heureux message de la capitulation de Louisbourg; et les armes de la Grande-Bretagne sous lesquelles la Renommée
se tourne vers l'illustre gardien de nos libertés américaines, l'honorable
William Pitt, Esq.; ... et un ministre français avec sa femme, regardant par-dessus son épaule, de l'air le plus abattu, l'état désespéré de
la France ».[46] Les réjouissances de Halifax sont puissamment arro-
sées : on n'y boit pas moins, paraît-il, à cette occasion, de 60,000 gallons
de rhum.[47] En Angleterre, le lord-maire et les échevins de Londres félicitent le roi.[48] Celui-ci décrète un jour d'action de grâces.[49] Le 6 août,
les drapeaux pris à l'île Royale sont déposés en grande pompe à la cathé-
drale Saint-Paul.[50] L'empire britannique a de quoi exulter. Il ne se lasse
pas de méditer sur « les prodigieuses conséquences » de l'acquisition
de Louisbourg « pour une nation commerçante et maritime comme la
nôtre».[51] Cette acquisition lui « redonne la possession ininterrompue
des eaux américaines », maintenant que la France ne détient plus un

---

[43] Hester Pitt à William Pitt, 18 août 1758, dans A. von Ruville, *William Pitt,*
2 : 214s.
[44] *The New-York Gazette,* 27 novembre 1758.
[45] *The Boston News-Letter,* 24 août 1758.
[46] *The New-York Gazette,* 28 août 1758.
[47] B. Tunstall, *William Pitt Earl of Chatham,* 212.
[48] *London Magazine* (août 1758), 384.
[49] *Ibid.,* 428.
[50] *Ibid.* (septembre 1758), 480.
[51] *London Magazine* (septembre 1758), 447.

seul point sur le littoral du Nouveau Monde. [52] De fait, la navigation et le commerce anglais ne tardent pas à recueillir les fruits de ce triomphe : le taux des assurances maritimes qui était, pour les cargaisons destinées à l'Amérique, de 30 pour cent avant la prise du Cap-Breton, tombe bientôt à 12 pour cent. [53]

Opération secondaire, la destruction du fort Frontenac inspire moins de joie. « Plus considérable sans doute, réfléchit-on à la cour de Londres, eût été la prise de Crown Point [le fort Saint-Frédéric] ou du poste de Ticonderoga [Carillon]. » [54] La Nouvelle-Angleterre semble mieux mesurer les répercussions éventuelles de ce succès : la réduction de la marine canadienne du lac Ontario, déclare le gouverneur du Massachusetts, promet à l'empire britannique « la maîtrise des Lacs, qui tôt ou tard doit entraîner celle de l'Amérique ». [55]

Il en va autrement de l'anéantissement du fort Du Quesne. L'ambassadeur espagnol en Angleterre annonce à sa cour: « Cette expédition est considérée ici comme de la plus grande importance. » [56] « Béni soit Dieu », s'écrie un journal de Boston; « le jour si longtemps attendu est venu où nous nous installons sur les bords de l'Ohio ! » C'est le plus beau pays de l'Amérique, « le plus heureux climat de l'univers ». Voici que s'ouvre maintenant aux Anglais « une mine qui, bien exploitée, peut se révéler plus riche que celles du Mexique : le commerce avec les nombreuses tribus des Indiens de l'ouest ». Gain pour l'empire, perte pour ses ennemis, à qui il sera interdit de souder leur « chaîne de communication entre le Canada et la Louisiane, chaîne qui a failli être celle de l'esclavage pour ce continent ». [57] C'est à peu près ce que déclare à son tour le gouverneur du Massachusetts. [58]

Le bilan de cette année de victoires est impressionnant, non seulement en Amérique, mais encore en Afrique, où le Sénégal et Gorée ont succombé, et en Europe, où le port de Cherbourg a été le théâtre d'un raid destructeur. Les Anglais récapitulent avec délices leurs conquêtes. [59] Mais ne peuvent-ils rien inscrire à leur passif? Sans doute, accorde le Dr Mayhew, de Boston, les ennemis ont-ils arrêté une grande armée à Carillon; sans doute, « avec l'aide de leurs bons amis et confrères, les sauva-

52 Discours de Pownall aux Chambres du Massachusetts, 30 septembre 1758, PRO, CO 5, 18 : 1015.
53 Nouvelle de Londres, 20 décembre 1758, *The Boston News-Letter*, 8 mars 1759.
54 Lettre d'Abreu, 31 octobre 1758, RAPQ (1951-53), 434.
55 PRO, CO 5, 18 : 1015.
56 Lettre d'Abreu, 19 janvier 1759, RAPQ (1951-53), 434.
57 *The Boston News-Letter*, 28 décembre 1758.
58 Discours du 30 décembre 1758, *ibid.*, 4 janvier 1759.
59 Wentworth à Pitt, 12 novembre 1758, PRO, CO 5, 18 : 1125s; « On the Present State of Affairs, » *The New-York Gazette*, 23 décembre 1758; message des Communes à George II, 25 novembre 1758, *The Pennsylvania Journal*, 22 février 1759.

ges, ont-ils coupé la gorge à quelques hommes et à beaucoup de femmes et d'enfants », mais « ils n'ont pris aucune de nos forteresses, n'ont fait aucune descente sur nos côtes, n'ont conquis aucune de nos places ». [60] Ce qui fait le prix des triomphes britanniques, c'est leur caractère décisif aussi bien sur le plan économique que sur le plan stratégique. La prise de Louisbourg ouvre le chemin de Québec en même temps qu'elle donne aux Anglais les pêcheries de l'Atlantique; et le drapeau britannique planté sur les ruines du fort Du Quesne y annonce l'épanouissement d'un nouveau commerce : c'est du moins ce que comprennent les marchands de Londres et ce qu'ils expriment dans les remerciements qu'ils présentent à Pitt. [61]

Heureux, l'empire britannique est également résolu à mener à bonne fin l'œuvre entreprise. Evoquant Carillon, le gouverneur Pownall reconnaît: « Nous avons reçu un échec qui a quelque peu retardé les choses, et il ne faut pas nous en étonner, puisque notre adversaire défendait les portes mêmes de son pays; mais nous allons remettre la main à la charrue et, si nous ne regardons pas en arrière, nous labourerons le territoire ennemi jusqu'en ses fondations. » [62] Ce ne sont pas là vaines paroles. La force de l'Angleterre, tournée vers la guerre coloniale, croît tous les jours : en décembre, on remarque que, bien qu'il n'ait jamais disposé d'une marine plus formidable, le gouvernement, soucieux d'augmenter son avance sur mer, fait construire dix vaisseaux dans les chantiers de divers particuliers outre ceux auxquels les ouvriers travaillent dans les chantiers de l'Etat. [63] Et Pitt est décidé à continuer le conflit « jusqu'à ce que les Français soient dépossédés de tout le Canada »; il cherche à faire partager au roi sa conviction « que c'est la guerre d'Amérique qui déciderait de tout ». S'il veut prendre le Canada, il entend bien que la Grande-Bretagne le garde à la paix « parce que c'est un pays qui augmentera sa puissance, son commerce, sa navigation et indemnisera la nation des dépenses considérables qu'elle a faites pour cette guerre ». [64]

*

* *

La puissance et l'élan de l'empire britannique ne prennent leurs vraies proportions qu'en regard de l'état désespéré du Canada et de l'attitude de la France à son égard.

---

[60]   Jonathan Mayhew, *Two Discourses*, 16.
[61]   Kate Hotblack, *Chatham's Colonial Policy*, 49s.
[62]   Discours du 4 octobre 1758, *The Boston News-Letter*, 5 octobre 1758.
[63]   Nouvelle du 20 décembre 1758, *ibid.*, 8 mars 1759.
[64]   Lettres d'Abreu, 1er et 8 septembre 1758, RAPQ (1951-53), 433.

La Nouvelle-France se disloque. « Voilà donc le Canada environné de tous les côtés, » écrit Montcalm. [65] « Je dois en effet m'attendre a être attaqué de tous les côtés, » enchaîne Vaudreuil. [66] « Nous voilà cernés de tous côtés, » répète Bigot. [67] « Donc la paix nécessaire ou le Canada perdu, » dit Montcalm, le 1er septembre 1758. [68] « La paix me paroit d'une necessité absolu, » déclare Vaudreuil le lendemain. [69] Les deux hommes ne se sont pas concertés : l'un est à Carillon et l'autre à Montréal. L'ennemi peut venir de partout : où trouver des armées pour l'arrêter ? « Vous connaissés, écrit Vaudreuil au ministre de la Marine, les forces Totales de la colonie, subdivisés les, Monseigneur »... [70] Ouvert aux invasions, le pays est encore affaibli par une famine qui « augmente de jour en jour ». [71] Et à cela, aucun remède. En apprenant la chute de Louisbourg, la Cour en a prévenu les administrateurs du Canada, ils doivent s'attendre à recevoir de France encore moins de vivres que l'été précédent : « Vous savés les pertes auxquelles on a été exposé cette année pour vous faire passer ce qui en est parvenu dans la Colonie quoique dans des circonstances moins critiques. » [72]

Dans cette situation, deux conceptions stratégiques s'opposent au Canada : celle de Montcalm et celle de Vaudreuil. Montcalm incarne la défensive. Dès le début de la campagne, il est convenu avec Bourlamaque que, pour éviter de contredire le gouverneur, « il pourroit parler de Siege et D'Expedition autant qu'il Jugeroit à propos mais que dans Le fond Il s'occuperoit de notre deffensive ». [73] En septembre, le ton est moins enjoué. Le général rédige un mémoire qui définit d'abord des principes. A l'entendre, « les petits moyens, les petites idées » sont devenus « dangereux »; les conceptions militaires jusqu'alors en honneur au Canada —« les principes du terroir »— sont devenues « des erreurs ». Que recommande-t-il ? « Des mesures qui tranchent, qui décident ». Et quelles mesures ? Faire marcher, durant toute la prochaine campagne, quinze miliciens canadiens avec chacune des compagnies des troupes de terre; mettre, dans chacune des compagnies des troupes de la marine, autant de miliciens que de soldats; rétablir une marine française sur le lac Ontario, en lancer une sur le lac Champlain, commencer tout

---

65 *Journal* de Montcalm, Casgrain, 7 : 468.
66 Vaudreuil à Massiac, 6 septembre 1758, *Collection de manuscrits,* 4 : 197.
67 Bigot à Lévis, 5 octobre 1758, Casgrain, 9 : 39s.
68 AC, F 3, 15 : 194v.
69 AC, C 11A, 103 : 183v.
70 *Ibid.,* 184.
71 Vaudreuil à Berryer, 28 novembre 1758, AC, C 11A, 104 : 130. Voir Daine à Belle-Isle, 2 décembre 1758, AG, 3499 : no 217.
72 Massiac à Vaudreuil et à Bigot, 26 août 1758, AC, B 107 : 47 *bis.*
73 Montcalm à Bourlamaque, 11 juin 1758, APC, Lettres de Bourlamaque, 5 : 195.

de suite à ériger des fortifications de campagne devant Québec. [74] Un autre principe que le commandant français exprime à plus d'une reprise dans son journal est l'abandon des postes éloignés : il aurait, par exemple, recommandé dès 1757 de « faire sauter le fort Duquesne, de regarder Niagara comme la barrière de cette partie et de rapprocher ainsi ma défense du centre ». [75] En somme Montcalm a deux idées : incorporer les Canadiens dans les troupes françaises, les faisant ainsi tomber directement sous son commandement; réduire le périmètre défensif du Canada. Vaudreuil ne peut admettre la première, dans laquelle il ne voit qu'un « désir... de Domination Sur les Colons ». [76]   Quant à la défense de l'ouest, son projet est assurément de « retablir la marine » du lac Ontario et de tenir Niagara, mais aussi de se fortifier de nouveau à Frontenac et d'empêcher l'ennemi de reprendre pied à Oswego; il s'agit de maintenir une communication entre Niagara et Montréal, car, isolé, « réduit à la défense de sa seule garnison », Niagara « ne pourroit... manquer d'être pris si les anglais en fesoient le siege ». [77] Le gouverneur définit nettement sa position : "Il Est... du vray et du plus solide Interrest de la Colonie que je m'attache essentiêlement à disputer pied à pied le terrain de nos frontieres à l'Ennemy au lieu que Mr de Montcalm ainsi que les troupes de Terre veulent Seulement conserver leur reputation et desireroient de retourner en france Sans avoir Essuyé un seul Echec. » [78]

Quelque système que l'on adopte, le Canada ne sauroit se passer de secours de la métropole. Afin d'en obtenir, Vaudreuil expédie à la Cour l'aide-major Péan et laisse aussi s'embarquer Bougainville et Doreil, dont Montcalm favorise le départ. En France, Péan n'aura aucune influence sur Berryer, qui lui fermera la bouche. Bougainville aura du succès : non que la liasse de mémoires qu'il laisse aux bureaux de la Marine et de la Guerre décide le gouvernement à envoyer de grands renforts au Canada, mais il sera accueilli avec bonté, Berryer prêtera une oreille sympathique à ce qu'il débite contre Vaudreuil, il obtiendra promotions et décorations pour lui-même, pour Montcalm et pour les protégés de celui-ci, surtout il arrivera à faire subordonner le gouverneur canadien au général français. [79] Il faut voir comment ce dernier se ren-

[74] « Réflexions générales sur les mesures à prendre pour la défense de cette colonie, » 10 septembre 1758, H.-R. Casgrain, éd., *Lettres et pièces militaires* (Québec, 1891), 45-51 [Casgrain, 4].

[75] *Journal* de Montcalm, Casgrain, 7 : 463; voir *ibid.*, 484.

[76] Vaudreuil à Berryer, 1er novembre 1758, AC, C 11A, 103 : 260v.

[77] « Projet sur le Lac Ontario à Communiquer à M. le M^{ls} de Montcalm, » juin 1758, AC, C 11A, 103 : 187v-196.

[78] Vaudreuil à Berryer, 1er novembre 1758, AC, C 11A, 103 : 261.

[79] *François Bigot, administrateur français*, 2 : 249s, 253-257.

;orge lorsqu'au printemps suivant Bougainville rentre au Canada les
mains pleines de faveurs, de lettres élogieuses et de félicitations. Montcalm est le favori de la Cour, sa victoire de Carillon est portée aux nues
— on répète dans les mandements publiés sur l'ordre du roi par les
archevêques et évêques de France qu'avec « quatre mille François », il
a « vaincu vingt-deux mille hommes »[80] — et surtout dans les nouvelles, il est « nommé seul » (c'est-à-dire qu'on passe sous silence le nom
de Vaudreuil) : il se sent célèbre et puissant : « Je puis n'avoir pas L'air
de L'homme du Jour En Canada, Mais J'En ai L'air à Paris. » Il est
devenu le dispensateur des grâces du roi : « Vous n'avés qu'a me dire,
Monsieur, ce que Vous Voulés que Je Demande. »   En somme, « les
ambassadeurs » — Doreil et Bougainville — « ont bien fait ».[81]

Ils ont bien fait pour Montcalm, mais n'ont rien obtenu pour le Canada. Quand Bougainville arrive à Paris, le 20 décembre 1758, le ministère de la Marine semble avoir déjà tracé la ligne de conduite qu'il
adoptera à l'égard de la lointaine colonie. Berryer va présenter ses vues
au Conseil du roi et les y faire adopter au cours d'une séance mémorable,
tenue le 28 décembre. Un document daté de ce jour en rapporte les
délibérations.[82] Le Conseil commence par observer que, pour apporter
au Canada les secours nécessaires, il faudrait disposer « pour ce seul
objet de toutes les forces reunies de la marine du Roy ». Ce serait, réfléchit-on, « risquer la marine entière de Sa Majesté, Sans certitude du succez » et laisser « les costes du Royaume » exposées aux raids des Anglais.

Que faire alors ? Ordonner à Vaudreuil de rester sur la défensive et,
en vue de prolonger la résistance le plus possible, « de se borner entierement dans la deffense, au cercle du pays qu'il jugera pouvoir conserver
avec les trouppes qui sont a sa disposition », ce qui signifie : évacuer les
forts de l'Ohio, du lac Ontario et même du lac Champlain, masser — si
l'on peut dire — ce qui reste d'éléments militaires sur le Saint-Laurent et y attendre l'envahisseur. — Jusqu'ici, la pression britannique
s'est exercée sur la périphérie de la Nouvelle-France, où se dressaient
devant elle non seulement des fortifications et des garnisons, mais des
distances semées d'obstacles et d'embuscades. Selon la nouvelle stratégie, l'adversaire pourrait s'avancer tout droit au cœur du pays :
beau progrès, à la vérité.

Cependant, poursuivent les conseillers du roi, il restera toujours
à craindre que, « ne trouvant plus de resistance soit sur l'Ohio, soit

80 *Mercure de France* (octobre 1758), 208.
81 Montcalm à Bourlamaque, 15 et 18 mai 1759, APC, Lettres de Bourlamaque,
1 : 467-69, 471-73.
82 « Canada, » 28 décembre 1758, AC, C 11A, 103 : 452-455.

sur le lac Ontario et sur le lac Champlain », les ennemis ne fassen
irruption au centre du Canada avec des armées trop supérieures pou
qu'il soit possible de leur résister. Dans cette éventualité, ne serait-il pa
prudent d'indiquer à Vaudreuil quand et comment capituler, après avoi
été « absolument reduit a l'extrême » ?   La réponse est catégorique
« Il ne paroit pas que l'on doive en aucune maniere parler a M. d
Vaudreuil de condition de capitulation qu'il auroit a demander dan
un cas forcé de derniere extremité, car alors la colonie ne pourra que
subir les loix du vainqueur. »

Ainsi, la consigne sera de se battre jusqu'au bout. Pourquoi ? Dans
l'espoir de vaincre les Anglais ? Evidemment non. Mais ici entrent en
jeu des considérations « de politique generale ». Un jour ou l'autre, la
France négociera la paix avec la Grande-Bretagne : il lui sera plus aisé
d'obtenir la rétrocession du Canada si elle y a conservé « un pied ». Par
ailleurs, si à la paix Louis XV se voit contraint de céder la colonie, il
obtiendra pour la France de meilleures conditions en abandonnant un
pays encore partiellement occupé qu'en renonçant à un territoire déjà
entièrement évacué; ce qui veut dire que, dans cette hypothèse, le Canada aurait souffert et combattu jusqu'à « la derniere extremité » en
vue de permettre à la France d'obtenir de l'Angleterre victorieuse un
meilleur sort pour elle-même : en d'autres termes, le Conseil du roi
tient à ce que le Canada prolonge une résistance désespérée pour mettre
dans le jeu des diplomates français, à la conférence de la paix, un
atout qui leur donne le moyen de sortir le moins mal qu'il se pourra
d'une partie perdue.

Ces décisions capitales vont se traduire dans les actes ou plutôt dans
l'inaction qu'elles impliquent. En février 1759, le ministre de la Marine
annonce au gouverneur général que la Cour n'enverra pas un seul
vaisseau de guerre à la colonie : aux Canadiens de suppléer par une
activité redoublée aux renforts qui ne viendront pas; Vaudreuil n'aura
qu'à « faire marcher tous les hommes en etat de porter les armes, en
laissant aux vieillards, aux femmes et aux Enfans le soin de continuer
les travaux de la terre ». [83] Le maréchal de Belle-Isle donne à Montcalm de bons conseils : « Il est necessaire que vous borniés votre plan
de defensive aux points les plus essentiels et les plus raprochés afin
que, rassemblés dans un plus petit espace de pays, vous soyés toujours à
portée de vous entresecourir, vous communiquer et vous soutenir. » [84]
Les chefs du Canada manqueront de moyens, les Anglais en profiteront
pour porter au pays « les coups les plus sensibles », le ministre de la

[83] *François Bigot, administrateur français*, 2 : 254s.
[84] Belle-Isle à Montcalm, [19 février] 1759, AG, 3540 : no 16.

Guerre ne se le cache pas, mais, écrit-il à Montcalm, « le souvenir de ce que vous avez fait l'année dernière fait esperer a Sa Ma^té que vous trouverez encore les moyens de deconcerter leurs projets ». [85] Le général n'a-t-il pas opéré un « miracle » à Carillon ?

Une telle attitude de détachement — ici, le mot prend tout son sens — ne s'expliquerait pas sans l'anticolonialisme qui règne en France. Et, de toutes les colonies, le Canada est peut-être celle qui a la plus mauvaise presse. Négligeons ce qu'en dit Voltaire : propos d'écrivain. Ce qui se répète dans les bureaux de la Marine — ministère chargé des colonies— a plus de portée immédiate. Voici, parmi d'autres, les réflexions contenues dans un mémoire « remis par M. de Beaucat » à Berryer : le Canada produit seulement pour un million et demi de fourrures par an; il donne « très peu de bois de construction et ils sont fort gras »; la métropole est réduite à y envoyer des vivres quand la récolte y manque; il « est enseveli pendant six mois sous la neige »; il est infiniment moins avantageux pour la marine que Saint-Domingue : « Voilà l'objet qui a couté tant d'hommes et d'argent à la France. » [86]

Un fonctionnaire supérieur de la Marine remet aussi vers le même temps son mémoire sur les colonies. L'auteur, le marquis de Capellis, se donne pour un homme qui a des lumières sur « les intérêts du commerce maritime ». Il émet des idées dont le défaut d'originalité constitue le grand intérêt et qu'on retrouvera sous la plume de maint publiciste anglais. Le territoire canadien est immense, reconnaît-il, « mais permettés moi de vous representer que le sol d'un païs ne fait pas la force des princes : c'est le nombre de leurs sujets »; une colonie « de contenance médiocre », mais productrice de denrées exotiques est préférable à « d'immenses deserts »; d'ailleurs, une colonie où il ne pousse que ce qui pousse dans la métropole ne vaut rien : dans ce cas, il serait plus avantageux « que le laboureur cultivât un champ dans le royaume que dans le nouveau monde ». C'est pourquoi, dans son esprit, les Antilles prennent le pas sur le Canada. L'Amérique, il est vrai, comporte des territoires de pêche, pépinières de matelots; c'est toutefois Terre-Neuve et non pas le Canada qui attire les pêcheurs : d'où il suit « que l'isle de Terre-Neuve, et la moitié de Saint-Domingue valent beaucoup mieux » que les grands espaces canadiens. En réalité, ceux-ci ont nui au développement de la Marine : depuis plus de dix ans, la plus grande partie des fonds de ce ministère ont servi au maintien du Canada. Qu'on l'abandonne donc à l'Angleterre ! « Ce sera une Cause de plus qui peut etre accélerera Sa ruine, en avançant la défection de Ses Colonies dans

85 AG, 3540 : no 15.
86 « Mémoire sur le Canada, » 27 décembre 1758, AC, C 11A, 103 : 626-628.

l'amerique Septentrionale; elles surpasseront bientost en richesse La
Vieille Angleterre, et Secoueront indubitablement le joug de leur
Métropole. » [87]

Un ancien collaborateur de La Galissonière, le marquis de Sil
houette, n'arrive pas à voir dans ces raisonnements compliqués autre
chose que « les motifs par lesquels on cherche a colorer l'abandon » du
Canada. Il dégage avec une rare lucidité les données du problème
qui se pose au gouvernement français : « Le débat, dit-il, est aujour-
d'hui entre la France et l'Angleterre pour la prépondérance en Amerique. » L'attention, l'activité, les efforts et les dépenses de la Grande-
Bretagne prouvent qu'aux yeux de celle-ci « le Sisteme de l'amerique »
l'emporte « Sur celui de l'Europe ». Ce n'est pas sans raison. Ce
« Sisteme » moderne est l'antithèse du « Sisteme gothique » selon lequel
« la France peut Se passer de Colonies, et... n'a besoin que de Laboureurs et de Soldats ». Mais, objecte Silhouette, regardez la Russie : « La
Russie ne manque point de Soldats; elle ne manque point de laboureurs,
puisqu'elle envoie des bleds en dehors; la Russie cependant reçoit des
Subsides des puissances etrangeres : Tant il est vrai que quelque chose
de plus est nécessaire pour la dignité, la grandeur, et la Puissance
d'un Etat. » Un grand Etat moderne a besoin de colonies parce qu'il
lui faut des richesses pour s'équiper, que les richesses lui sont apportées
par le commerce et que l'intensité de son commerce est en raison directe
des dimensions de sa base coloniale. Et, pour revenir au Canada, sa
grande valeur tient à ce qu'il est la clef de voûte de l'Amérique française : qu'il tombe, et avec lui vont choir les autres « Colonies françoises dont il aura été facile à l'Angleterre de s'emparer, dès que la
crainte ou la resistance du Canada aura cessé d'y faire obstacle ». [88]

Capellis représente la petite France et Silhouette, la grande. Le premier part d'une conception arriérée de l'Etat-nation; le second, de sa
conception moderne. Les deux écoles existent aussi en Angleterre.
Mais là, William Pitt, en qui s'incarne la grande Angleterre, est au
pouvoir, plus fort que jamais, soutenu par le prestige que lui apportent
les victoires dont il est l'artisan.

---

[87] « Mémoire Concernant les Colonies et relatif a La Paix » par le marquis de
Capellis, 11 décembre 1758, AC, C 11A, 103 : 497-498.
[88] Silhouette à ——— —, 8 février 1759, AC, C 11A, 104 : 457-460v.

CHAPITRE VIII

L'ANNÉE DE QUÉBEC

1 7 5 9

Telle a été la Suite des évenemens :... ceux qui n'en parcou-
reront que Superficiellement les details ne pourront s'empêcher
de compter nos malheurs au nombre de ceux que l'on ne peut
attribuer qu'à la Fortune; il n'en sera pas ainsi de ceux qui animés
par un zéle eclairé pour le bien de l'État ne négligeront point de
les approfondir pour en discerner les veritables causes... "Extrait
d'un Journal tenu à L'armée que Commandoit feu Mr de Montcalm Lieutenant General," 1759, AC, C 11A, 104 : 255.

À la fin de 1758, la politique coloniale de la France se décompose.
Si la métropole s'évertue à trouver des prétextes élégants à l'abandon virtuel du Canada, c'est qu'elle se sait déclassée sur mer.
Voilà l'explication fondamentale de son attitude. Depuis un certain
temps, constate-t-on en 1759, tous les vaisseaux qui rentrent dans un
port français s'y glissent à la dérobée; quand le gouvernement expédie
des renforts aux colonies qui lui restent, infailliblement il les fait partir de nuit, parce qu'il leur faut échapper à la vigilance des croiseurs
anglais; cependant, les escadres britanniques « insultent » à volonté
les côtes du royaume, brûlent villes et forts, enlèvent des unités navales sous les canons mêmes des places maritimes et en forcent d'autres
à se jeter, pour éviter la capture, sur les rochers du littoral. Il en résulte
que le commerce extérieur de la France n'est plus « troublé »; il est

« annihilé ». [1] Si le pays manque de navires, il manque encore plus de marins : à la mi-décembre 1758, pour ne citer qu'un cas, huit vaisseaux et plusieurs frégates mouillent en rade de Brest, incapables de mettre à la voile, faute d'équipages. [2]

Pour comble de malheur, la marine française manque aussi de tête. Le secrétaire d'Etat chargé de cet important ministère devrait être un organisateur et un politique. Nicolas Berryer n'est qu'un policier. La surveillance de ses subalternes et la chasse aux « abus » l'accaparent. Il s'applique « surtout » à procurer des fonds aux services qu'il dirige et à « empêcher qu'il n'en soit rien detourné, ainsi que cela s'est fait trop malheureusement ». Des Français se flattent que de telles préoccupations vont donner à leur marine « une nouvelle forme ». [3] Oui, une forme aux lignes écrasées. En attendant, le ministre a l'oeil aux taux de fret [4] et l'oreille aux dénonciations qu'il se dit « bien aise de... recevoir »; comme les intrigants ne manquent pas, qu'ils connaissent son point faible et qu'ils désirent des emplois, ils se poussent dans son estime en lui faisant tenir des mémoires. [5] En même temps, Berryer travaille de son côté à découvrir des scandales; il confie à un agent la besogne de parcourir toute la correspondance du Canada depuis 1751 afin, dit-il, de se mettre au courant de « quelques affaires relatives a l'administration » de cette colonie; [6] en réalité, il cherche un bouc émissaire en prévision de la perte de la Nouvelle-France et prépare à loisir le procès de l'intendant Bigot.

Ce n'est pas qu'il soit superflu d'exercer un contrôle rigoureux sur « l'administration » canadienne. Mais outre qu'il est un peu tard pour s'y mettre, la colonie a des besoins beaucoup plus urgents que celui-là. Il lui faudrait avant tout des soldats. Le ministre lui en destine exactement 356. Et quelles recrues ! Il en déserte trente avant que le contingent atteigne le port d'embarquement, et parmi celles qui restent, on compte « 42 galeux » et trois malheureux « tombant du haut mal ». [7] Tout autant que des défenseurs, le Canada demande à grands cris des vivres et des munitions. Sa situation « est parfaitement connue du

[1] « Journal of a French Officer, » Doughty et Parmelee, éd., The Siege of Quebec, 4 : 232s.

[2] A. von Ruville, William Pitt, 2 : 229.

[3] Mercure historique de La Haye, 146 (janvier 1759) : 43s. Voir ibid. (mai 1759) : 532.

[4] Berryer à Vaudreuil, 25 février 1759, AC, B 109 : 389.

[5] Dubois à ———, 22 février 1759, AC, C 11A, 104 : 446v; Berryer à Dubois, 23 mars 1759, AC, B 110 : 102. Voir Bernier à Accaron, 8 mai 1759, AC, C 11A, 104 : 351v.

[6] Berryer à Truguet, 13 juillet 1759, AC, B 110 : 212v.

[7] Bougainville à Belle-Isle, 14 mars 1759, AG, 3540 : no 34.

Roy », avoue Berryer. Malgré cela, il décide de réduire la flottille de transports dirigée sur Québec à deux frégates armées en flûte et à « quatre Navires particuliers » dont on remplira les cales de matériel de guerre et de marchandises de traite. L'Etat ne risquera que les cargaisons, car même les deux frégates navigueront aux frais d'un syndicat de cinq armateurs qui tenteront de se récupérer de leurs mises de fonds par la course. Ainsi préparé, il est naturel que cet armement n'aille pas loin : c'est ce qui arrive. Voilà pour les munitions. Quant aux vivres, c'est l'affaire du munitionnaire Cadet et de ses correspondants métropolitains : à eux de ravitailler la colonie, le ministre s'en lave les mains. Au gouverneur et à l'intendant, il explique que la continuation de la guerre, les risques de la traversée et « la nécessité de reunir les forces navales de Sa Majesté » l'empêchent « d'en hazarder une partie pour vous procurer des secours incertains qui seront employés plus utilement pour... des expeditions plus promptes et plus decisives ». [8] Auprès de Montcalm, il s'excuse de la modicité de ses envois sur ce que « les circonstances » ne l'ont pas mis à même de faire davantage « dans un moment ou l'on est occupé a reunir ses forces pour tacher de degager toutes les parties par quelque operation decisive ». [9]

C'est un fait très remarquable que la France, pourtant bien informée des intentions de Pitt contre Québec, [10] n'esquisse pas le moindre geste pour s'opposer à leur exécution, étant donné les difficultés et les risques que cette offensive implique pour les Anglais, de même que l'extrême importance de l'objectif. [11] Cette inaction sur le front américain tient précisément au plan « d'operation décisive » dont parle Berryer. Il s'agit d'un projet déjà caressé au début de la guerre, agité ensuite en vue d'effrayer l'ennemi et repris cette fois pour de bon : l'invasion de l'Angleterre. Combiné avec une campagne d'opinion auprès des puissances neutres, le mouvement prévu n'a pas pour fin, dans l'esprit de Choiseul, son promoteur, la conquête des Iles britanniques. Comme dit encore le ministre de la Marine, le but visé est de « degager toutes les parties » de l'empire français en frappant à la tête de l'empire rival. Ce qu'escomptent Choiseul et ses collègues, c'est de jeter la panique chez l'adversaire et de provoquer un effondrement de ses finances par une menace directe sur Londres et les gros

---

8   Berryer à Vaudreuil et à Bigot, 3 février 1759, AC, B 109 : 411-412; « 1759. campagne d'amerique (course), » AM, B 4, 91 : 20; Berryer à Vaudreuil et à Bigot, 19 février 1759, *ibid.*, 23; « Marine, » avril 1759, *ibid.*, 25; Juin à Berryer, 16 août 1759, *ibid.*, 30.
9   Lettre du 3 février 1759, AC, B 109 : 409.
10   Berryer à Vaudreuil, 16 février 1759, AC, B 109 : 45; AC, C 11A, 104 : 28.
11   Corbett, *England in the Seven Years' War*, 2 : 1.

ports de mer anglais; Louis XV profiterait de la crise pour dicter a
Royaume-Uni un traité de paix comportant la rétrocession des colonie
françaises. [12] En somme, incapable de mettre un frein aux progrès d
la Grande-Bretagne en Amérique, la France cherche à lui porter ui
coup d'arrêt en Europe. Pitt s'applique à saper les bases de la grandeu
française en jetant par terre son arc-boutant colonial — c'est-à-dir
économique — au Nouveau Monde. Choiseul laisse Pitt maître d
champ de bataille que celui-ci a choisi et calcule tout sauver en dé
ployant ses effectifs sur un autre terrain.

On reste confondu devant l'ignorance et l'irréflexion que suppos
l'élaboration de ce singulier projet. Ignorance de l'empire britanniqu
d'abord. Cet empire est un tout organique, aussi vivant à sa périphéri
qu'à son centre. La Grande-Bretagne, ce n'est pas seulement Londres
ce n'est pas seulement le pays anglais, c'est aussi l'Amérique britanni
que. Au début de 1759, cette dernière a déjà désarticulé la Nouvelle
France. La conquête du Canada, qui achèvera cette œuvre de désinté
gration, est au premier chef une idée américaine, et ce n'est pas parc
que l'avant-garde de l'opinion anglaise en a fait un programme poli
tique qu'elle reste moins américaine dans sa conception; idée, au sur
plus, que l'Amérique va en quelque sorte imposer à la mère-patri
anglaise, car, les faits l'indiqueront assez clairement, la conquête du
Canada comporte deux phases : la phase armée, qui prendra fin en
1760, et la phase diplomatique qui se prolongera jusqu'en 1763. Si,
sous l'inspiration de l'Amérique, d'ailleurs, la Grande-Bretagne joue
le rôle capital dans le conflit armé, ce sera la conception impériale,
d'origine américaine, qui se révélera déterminante pour marquer le
point culminant de la conquête : la cession de la Nouvelle-France. En
d'autres termes, Pitt peut vaincre la France en Amérique; Choiseul ne
peut pas vaincre l'Amérique britannique en Europe.

Ignorance doublée d'irréflexion, on s'en rend compte à l'examen
de la tactique que les ministres français entendent mettre au service
de leur stratégie fautive. Leur plan prévoit la concentration dans les
ports de Normandie et de Flandre de deux corps expéditionnaires
faisant en tout 50,000 hommes, le premier sous les ordres de Soubise,
le second sous le commandement de Chevert. Ils devraient filer droit
sur l'Angleterre, à bord d'une flotte de bateaux plats dont la construc
tion se poursuit avec diligence, pendant qu'un autre corps de 20,000
hommes, embarqué sur 90 navires convoyés par six vaisseaux de ligne,
irait opérer une diversion en Ecosse et qu'une division secondaire ferait
contre l'Irlande un raid destiné à distraire l'attention de l'offensive prin

---

[12] B. Tunstall, *William Pitt Earl of Chatham*, 221.

ipale. Aux armées Soubise et Chevert irait l'appui des escadres fran-
aises. Venant des ports de la Méditerranée et de l'Atlantique, elles
e rassembleraient à Brest, puis iraient nettoyer la Manche pour en
ssurer le passage aux bateaux chargés de troupes.[13] Ce projet ne met
as de temps à transpirer.[14] Il répand en Angleterre une nervosité
ompréhensible et affole Newcastle. Mais Pitt ne perd pas la tête et
e change rien aux plans d'attaque qu'il a mis en train contre les posi-
ions américaines de la France. Il sait que l'adversaire ne peut prendre
ied en Angleterre.[15] Ne suffit-il pas, pour l'en empêcher, de veiller
à ce que l'escadre de Toulon ne donne pas la main à la flotte de Brest
t à ce que cette dernière ne puisse se former dans la Manche ?[16] De
lus, l'idée qui est à la base des opérations projetées est fausse : elle
ssimile les vaisseaux de guerre aux éléments offensifs d'un armée de
erre et les transports à son train de bagages et d'artillerie; analogie
erronée, qui vicie toute l'orientation de l'entreprise. Enfin, comment
oncevoir que des flottes françaises, incapables de se mesurer aux
divisions ennemies alors qu'elles n'auraient qu'à se battre, puissent réduire à l'impuissance ces mêmes éléments lorsqu'elles seront encom-
brées d'une foule de petites unités de débarquement ?[17]

Quoi qu'il en soit, les rumeurs d'invasion trouvent crédit ailleurs
qu'en Angleterre. Des échos s'en répercutent jusque dans les forêts américaines. A l'automne de 1759, des Agniers, émissaires des Anglais
d'Albany, sont allés conseiller aux Iroquois de l'abbé Picquet, à la
Présentation, de se désolidariser de la cause franco-canadienne, leur
représentant que les Anglo-Américains vont « bientôt manger le reste
des Français du Canada » et tous les Indiens qui leur sont attachés.
— « Frères, on vous trompe », leur répondent les alliés du Canada, « les
Anglais ne peuvent pas manger les Français ». Vaudreuil, poursui-
vent-ils, leur a déclaré que, « comme un larron, l'Anglais a volé Louisbourg et Québec au Grand Roi pendant que celui-ci avait le dos tourné », mais voilà que les yeux du monarque se sont de nouveau posés
sur le pays, il s'aperçoit du dégât que ses ennemis ont commis et « il
s'en va chez eux avec mille grands canots et tous ses guerriers », bien
déterminé à rentrer en possession de ses biens « comme il a fait il y a
environ dix étés » [paix d'Aix-la-Chapelle].[18] Au moment où s'échangent ces propos, la tentative française d'invasion a subi son premier

13 Ibid., 221s; R. Waddington, La Guerre de Sept ans, 3 : 364s.
14 Gazette de France (21 avril 1759), 194s; ibid. (23 juin 1759), 303.
15 Corbett, England in the Seven Years' War, 2 : 14.
16 B. Tunstall, William Pitt Earl of Chatham, 222.
17 Corbett, 2 : 19.
18 Gentleman's Magazine (1759), 560, nouvelle du 23 octobre, reproduite dans
Doughty, éd., Journal de Knox, 2 : 29, note 1.

échec. La flotte de Toulon, commandée par le même La Clue qui, l'année précédente, a manqué son expédition de Louisbourg, a bien réussi à franchir le détroit de Gibraltar, mais pour se faire battre le 17 et 18 août par Brodrick et Boscawen en vue de Lagos, sur la côte portugaise. Quant à la flotte de Brest, Hawke la pulvérisera, le 25 novembre, au sud de Belle-Isle. Ce double revers aura coûté à la France une trentaine de vaisseaux et autant de frégates. Sa marine, dès lors, n'existe plus.

Cet effort désespéré n'a pas empêché, on le conçoit, la Grande-Bretagne de poursuivre méthodiquement son avance en Amérique. A la fin de décembre 1758, Pitt a expliqué ses intentions à Amherst. Il a décidé de faire attaquer Québec par 12,000 hommes et de confier cette opération à James Wolfe. Amherst lui-même prendra la direction d'une expédition qui le mènera, soit par la voie du lac Champlain et du Richelieu, soit par celle des rapides du Saint-Laurent, à Montréal et même à Québec, où l'idéal serait qu'il fît sa jonction avec Wolfe. Cet immense mouvement de pinces s'accompagnera d'une pointe sur le lac Ontario, où il faudra rétablir Oswego et enlever Niagara, afin de « couper toute communication entre le Canada et les établissements français du sud »; il se complétera de dispositions arrêtées en vue de consolider l'emprise britannique sur la vallée de l'Ohio. [19] Six semaines plus tard, le premier ministre ajoute à ses ordres une autre recommandation. Les attaques qu'il a combinées jusqu'ici n'affectent que le Canada et ses dépendances. Il ne faudrait pas laisser en repos la Louisiane : puisque les opérations devront nécessairement être suspendues sur les fronts du nord à la fin de l'automne, il serait bon que le commandant en chef concertât avec le contre-amiral Saunders, revêtu du commandement des forces navales, une offensive par terre et par mer contre les agglomérations françaises du Mississipi et de la Mobile. Elle pourrait se dérouler au cours de l'hiver. L'effet en serait d'abattre l'influence de l'ennemi sur les tribus indigènes du sud et « d'assurer la sécurité et la tranquillité futures des possessions de Sa Majesté dans cette direction ». [20] Pitt songe à l'avenir, au traité de paix dont l'avenir conserve le secret...

Des préoccupations urgentes ramènent bientôt l'homme d'Etat à des considérations plus immédiates. On est presque à la mi-mars. Soudain, il éprouve une inquiétude : si les Canadiens avaient lancé un raid d'hiver sur le fort Edward, où s'accumulent les vivres et le matériel

---

[19] Pitt à Amherst, 29 décembre 1758, APC, Amherst Papers, liasse 10. Cf. Pitt à de Lancey, 29 décembre 1758, *ibid.;* Amherst à Lawrence, 16 mars 1759, Doughty et Parmelee, éd., *The Siege of Quebec,* 6 : 125s.
[20] Pitt à Amherst, 10 février 1759, APC, Amherst Papers, liasse 23.

destinés à la campagne du Richelieu ? C'en serait assez, écrit-il à Amherst, « pour mettre fin aux opérations des troupes du roi dans ce secteur » avant qu'elles ne puissent se développer. Il faut donc veiller à la conservation du fort Edward. Le premier ministre tient à ce que le général « s'efforce avec la plus grande vigueur de réduire le Canada ». Que la colonie soit forcée par le Richelieu ou par les rapides du Saint-Laurent, ou mieux encore par ces deux avenues à la fois « en vue de diviser ses forces », il est sûr qu'une irruption en territoire canadien doit nécessairement amener sa chute, « et avec elle celle de la puissance française en Amérique du Nord ».[21] Tel est l'objectif de Pitt. Il est connu. Il soulève l'enthousiasme. Au début d'avril, un marchand de retour de Londres débarque à Charlestown, en Caroline du Sud. « Mr. Pitt, rapporte-t-il, est absolument l'idole du peuple » anglais. Il a toujours autant à cœur les intérêts de l'Amérique, et « tous s'attendent que les opérations de l'été qui vient mettront, avec l'aide de Dieu, nos ennemis hors d'état de nous troubler dans la possession du continent ».[22] C'est aussi ce que déclare Pownall aux Chambres du Massachusetts : le gouvernement métropolitain se dépense sans compter pour faire triompher la cause de ses colonies, et, en cela, toute la nation se range derrière son gouvernement. La campagne qui va s'ouvrir sera décisive.[23] « Aux armes ! » s'écrie un poète, l'heure n'est pas au plaisir, mais à l'effort.[24]

Le monde britannique s'attend à de grandes choses. Ses succès de 1758 n'autorisent-ils pas toutes les espérances ? Avant de clore le volume de sa revue, cette année-là, le directeur du *London Magazine* y insère un autre de ces dessins allégoriques qui exigent un paragraphe d'explications : « Le Temps fait tourner un globe terrestre et montre du doigt Louisbourg. Il y attire l'attention de l'Histoire... qui consigne les grands événements de l'année. De l'autre côté, apparaît Britannia, fort satisfaite des travaux de l'Histoire. Elle est guidée par la Concorde, qui élève ses regards vers la Victoire, pour signifier que Britannia triomphera toujours. »[25] L'auteur ajoute des commentaires sur les mois qui viennent de s'écouler : sur mer, « il n'est plus rien qui ose s'opposer à nous »; en Amérique, « nous avons en main la clef des principaux établissements français ». Il n'est donc pas déraisonnable de prévoir « qu'avant la fin de l'année prochaine nous aurons pu dé-

21 Pitt à Amherst, 10 mars 1759, APC, Amherst Papers, liasse 10.
22 *The New-York Mercury,* 23 avril 1759.
23 Discours du 2 mars 1759, *The Boston News-Letter,* 8 mars 1759.
24 « On the Present Expedition, » *The Boston News-Letter,* 29 mars 1759.
25 *London Magazine,* 1758, frontispice.

truire ce nid de vipères françaises du Canada ». [26] Une récapitulation des succès et des revers qui ont marqué la lutte engagée depuis vingt ans par son pays contre l'Espagne et la France ajoute encore à son optimisme. [27]

Pendant ce temps, l'Europe suit de près les expéditions navales qui se préparent dans les ports anglais contre la Nouvelle-France et les Antilles. [28] Au début, l'opinion française cherche à paraître rassurée; [29] elle change de ton lorsque la nouvelle se confirme que 20 navires de guerre et 60 transports viennent de lever l'ancre à destination de New-York et du Saint-Laurent. [30] L'activité n'est pas moindre dans les colonies américaines, où Amherst prend ses dispositions en vue d'entamer la campagne dès que la saison le permettra. Si réservé soit-il d'ordinaire, le commandant en chef se sent confiant : « Il me semble nous avons beau Jeu », écrit-il à Ligonier dans son français hésitant. [31] Il ne doute pas que Québec ne tombe. Il estime « plus imaginaires que réelles » les difficultés que présente la navigation du Saint-Laurent. Toutes les troupes et les milices du Canada rassemblées devant la capitale ne laisseraient pas que d'être « respectables »; mais, si les Canadiens se massent autour de Québec, ils laisseront Montréal à découvert, et la chute de l'une ou l'autre de ces deux villes provoquera l'effondrement de tout le pays. Ainsi, la conquête du Canada est inévitable, et le vainqueur peut être aussi bien Amherst que Wolfe. [32] Montcalm suppute fiévreusement les forces de l'adversaire déjà sur les lieux en février; il les porte à 23,600 réguliers, auxquels pourrait s'ajouter le même nombre de provinciaux que l'année précédente. [33] Les colonies britanniques, toutefois, se font quelque peu tirer l'oreille pour fournir à Amherst les troupes qu'il demande. Si le Massachusetts, province zélée entre toutes, consent à lever 6,500 hommes, c'est en soulignant qu'il prend beaucoup plus que sa part du fardeau commun, ce qu'il fait « patiemment » depuis bien des années. [34] Mal-

---

[26] *Ibid.*, préface, 2; voir *ibid.* (janvier 1759), 38.

[27] « Expeditions Since the Beginning of the Spanish War, 1739, to the 1st of January, 1759, » *London Magazine* (février 1759), 112.

[28] *Mercure historique de La Haye*, 145 (décembre 1758) : 661; *Gazette de France* (6 janvier 1759), 7.

[29] *Gazette de France* (24 février 1759), 89.

[30] *Ibid.* (10 mars 1759), 89. Voir *Mercure historique de La Haye*, 146 (avril 1759) : 446s, 459s; 146 (mai 1759) : 564.

[31] Lettre du 18 janvier 1754, APC, Amherst Papers, liasse 11; voir Amherst à Pitt, 4 février 1759, PRO, CO 5, 54 : 113.

[32] Amherst à Pitt, 18 janvier 1759, PRO, CO 5, 54 : 19-20.

[33] « Etat des troupes reglées que les Anglois avoient dans L'amerique Septentrionnalle En fevrier 1759, » AG, 3540 : no 43.

[34] *The Boston News-Letter*, 19 avril 1759; *The New-York Mercury*, 30 avril 1759.

gré la lassitude qu'ils commencent à manifester, les gouvernements américains n'en mettront pas moins 21,000 hommes en campagne. [35]

Abandonnés par la France qui, au lieu de les secourir directement, se lance dans une aventure d'où elle sortira dépouillée de sa marine, menacés par un adversaire qui peut maintenant, avantage énorme, prendre son élan de positions plus rapprochées du cœur du pays, les Canadiens doivent ramasser toutes leurs forces pour livrer à l'envahisseur un combat désespéré. Mais le moyen de lutter contre le nombre quand on est miné par l'épuisement ? La colonie est à sec. Montcalm assure : « La misère est excessive ici... La paix ou tout ira mal. 1759 sera pire que 1758. Je ne sais comment nous ferons. » [36] Malartic lui fait écho. [37] Le commissaire Bernier ne s'exprime pas autrement. [38] La famine immobilise la petite armée canadienne. Montcalm répète ce qu'il avait écrit un an plus tôt, dans une situation semblable : « On aura peine à pouvoir primer l'ennemi en campagne, faute de vivres. » [39]

En réalité, le tableau est beaucoup plus sombre que l'année précédente. En 1758, le gouvernement royal avait veillé au ravitaillement du Canada. En 1759, il se décharge de cette tâche sur l'entreprise privée. Va-t-elle marcher ? Elle court; ou plutôt elle vole. Les risques sont grands, les profits promettent de l'être plus encore. En raison de la « misère » de la colonie et de la nécessité de nourrir ses troupes, les négociants exigent et obtiennent des prix exorbitants des agents du munitionnaire Cadet. Diverses maisons de commerce se livrent à Bordeaux une guerre au couteau pour obtenir des contrats de fournitures du Canada. Voici l'ancien associé de Bigot, Abraham Gradis; l'insécurité de la mer lui avait fait cesser depuis quelque temps ses envois à Québec : prudent, il avait réussi à tirer son épingle du jeu; l'activité de ses concitoyens, qui sont aussi ses concurrents, rallume son ambition, et on le surprend à combiner des manœuvres compliquées pour se tailler de nouveau une grosse tranche du marché canadien. Les armateurs emboîtent le pas aux marchands. Ils réclament jusqu'à 800 et 1,000 livres le tonneau de fret. L'affaire, en somme, est juteuse. Qu'importe ? La colonie recevra de quoi manger. Dans la seconde quinzaine de mars, un convoi de 18 navires sous la conduite du fameux lieutenant de frégate Kanon — « un des meilleurs hommes

---

[35] Gipson, 7 : 290-328.
[36] Montcalm à Lévis, 4 janvier 1759, Casgrain, 6 : 143.
[37] Malartic à Belle-Isle, 9 avril 1759, AG, 3540 : no 39.
[38] Bernier à Berryer, 15 avril 1759, AC, C 11A, 104 : 349v.
[39] Journal, 9 février 1759, Casgrain, 7 : 494s; voir Vaudreuil à Lenormant, 11 avril 1759, AC, C 11A, 104 : 74-74v.

de mer que nous ayons » [40]— débouche de la Gironde et cingle vers le Saint-Laurent. Seize de ces bâtiments abordent à Québec le 18 mai, précédés de six jours par Bougainville, qui rentre à bord de la *Chézine*, et suivis de quelques autres unités qui arrivent successivement jusqu'au 23. [41] Ensuite, les Anglais paraîtront.

La flotte de Kanon tire certes la colonie d'une impasse. Elle ne saurait apporter l'abondance. Elle dépose dans la capitale l'équivalent de 80 jours de vivres pour l'armée régulière, « à raison de demie livre de farine et de demie livre de lard par tête », ce qui, fait observer Bigot, est fort inférieur à « la ration due ». En gros, les administrateurs reçoivent le tiers de ce qu'ils ont demandé. [42] Le munitionnaire serait peut-être parvenu à faire davantage, raconte Lévis, « mais il fut gêné par le peu de moyens que le ministre lui fournit, regardant d'ailleurs comme inutile tout ce qu'on envoyoit dans ce pays ». [43] De retour en France, Kanon fera rapport au ministère de la Marine que les chefs du Canada se plaignent « du peu de Secours » qu'ils ont reçu du gouvernement. [44] Il en résultera que Vaudreuil devra recourir à tous les expédients pour faire subsister l'armée. En juillet et en août il envoie La Naudière dans le gouvernement des Trois-Rivières pour en réquisitionner les bovins; la consigne est rigoureuse : enlever tous les boeufs, sauf ce qu'il en faut pour qu'une charrue fonctionne de deux en deux fermes; quant aux vaches, en réduire le nombre « à l'Indispensable ». Le gouvernement recommande à son émissaire « la douceur » et le prie d'expliquer aux paysans qu'il prend un tel parti « forcement », afin de maintenir une armée entre eux et les Anglais. « D'ailleurs, promet-il à La Naudière, je n'entends pas les priver des animaux que je leur demande, mais bien... les leur remplacer Exactement par ceux que nous ferons lever dans le gouvernement de Montréal. » [45] Les Montréalais sont riches...

De même qu'au printemps précédent, la misère va dicter un premier mouvement de troupes : l'expédition, à la fin d'avril et au début de mai, d'un peu plus de 2,500 hommes à Carillon. [46] Cette marche fait cependant partie du plan d'action adopté par Vaudreuil après de longues et acrimonieuses discussions avec Montcalm. On connaît le prin-

[40] *Mercure historique de La Haye*, 148 (janvier 1760) : 61.
[41] *François Bigot, administrateur français*, 2 : 279-282.
[42] Bigot à Berryer, 22 mai 1759, *Journal* de Malartic, 233, note 3.
[43] *Journal*, Casgrain, 1 : 179.
[44] « 1759. Campagne d'Amérique, Kanon (Jacques), » Doughty, éd., *Journal* de Knox, 3 : 359.
[45] Vaudreuil à La Naudière, 23 juillet et 13 août 1759, Université de Montréal, collection Baby, dossier Vaudreuil.
[46] *Journal* de Lévis, Casgrain, 1 : 175s.

cipe fondamental du général : réduire le périmètre défensif de la colonie.   C'est ce qu'il recommande au gouverneur à la fin de février.
Les ennemis, lui dit-il, disposent d'au moins 50,000 hommes et peuvent converger de tous côtés sur le Saint-Laurent. « Vous n'avez ny
forces ny moyens à leur opposer. » Il faudrait donc « retrecir votre deffensive », tenir les frontières les plus importantes « et abandonner le
reste à la bonne fortune avec peu de forces »; ce qui veut dire, concrètement : replier les éléments de l'Ohio jusqu'au fort Presqu'île, sur la
rive sud du lac Erié, puis jusqu'à Niagara; dans l'est, retirer tous les
partisans qui opèrent en Acadie; en somme, ne plus « nous occuper
qu'à conserver le corps principal de cette malheureuse Colonie » sans
se préoccuper de maintenir du monde dans ses dépendances avec l'intention de les garder à la paix. [47]

Tout aussi convaincu que Montcalm de l'imminence d'une attaque massive sur tous les fronts, Vaudreuil conçoit autrement que lui
la résistance. Ainsi, il se refuse à évacuer l'Ohio sans combat; il veut
« y maintenir une diversion qui avec peu de monde occupera beaucoup d'ennemis ». Il est résolu d'agir de même en Acadie. S'il est prêt à
conserver un caractère élastique à la défense de ces deux extrémités, il
en va différemment du lac Ontario, où il entend tenir jusqu'au bout; à
son avis, un poste solide devrait barrer la tête des rapides du Saint-
Laurent, vers la Présentation, tandis qu'à l'extrémité ouest du lac, il serait nécessaire de renforcer Niagara. « Il ne faut pas sacrifier une trop
forte garnison » à Niagara, réplique Montcalm. On doit, corrige Vaudreuil, faire de cette place le pivot de la résistance de l'ouest et y faire
refluer toutes les forces de la Belle-Rivière en cas d'une avance décisive
de la part des Anglais. Tout en regardant Carillon comme le point le
plus menacé, Montcalm désirerait y laisser « la moins forte garnison
qu'il fût possible » pour être en mesure de l'évacuer rapidement, adopter la même tactique à Saint-Frédéric et se rabattre sur « de bonnes positions » à l'entrée du Richelieu, au-dessus de Saint-Jean. Le gouverneur, au contraire, préférerait s'accrocher à Carillon, s'ancrer à Saint-
Frédéric : « A moins que les Anglois ne viennent à Québec je ne lais-
serai point assiéger St Frédéric sans m'y être opposé avec le plus de
forces qu'il me sera possible. » Pour Québec, « quoiqu'il faille donner
à la bonne fortune » de ce côté, le général voudrait d'avance « faire
quelques dispositions générales » : fermer la ville, établir des batteries,
dresser un ordre de bataille, préparer des brûlots. Voilà précisément ce
qui a lieu, répond Vaudreuil : il a chargé Pontleroy de « fermer la

---

47   Montcalm à Vaudreuil, 27 février 1759, AC, F 3, 15 : 255-257.

ville », les officiers d'artillerie « travailleront toujours aux batteries », une vigilance constante s'exerce sur le Saint-Laurent « depuis St Barnabé et la Malbay ». [48]

Le 1er avril, le gouverneur a arrêté ses dispositions. Du côté de l'Ohio, Ligneris reste au fort Machault pour garder l'ascendant du Canada sur les sauvages de la vallée, couvrir le lac Erié, inquiéter l'ennemi et le forcer « à ne marcher qu'avec une armée ». La défense de Niagara sera assurée par le corps du fort Machault qui se portera au secours de la place si les Anglais l'assiègent, par les tribus que le gouverneur fait rassembler à Toronto et surtout par Pouchot qui s'en va mettre la dernière main à la construction de deux corvettes à la Présentation et qui, de là, ralliera Niagara avec 500 combattants : « Sans la disette de vivres, j'aurois envoyé un plus grand nombre, mais de tous les Ennemis le plus redoutable est la famine »... A Carillon, Vaudreuil destine d'abord 2,500 hommes, dont deux bataillons des troupes de terre; dès qu'il saura les Anglais en mouvement ou qu'il apprendra qu'il y a des vivres en rivière, il fera suivre cette première division par les bataillons cantonnés dans les gouvernements de Montréal et des Trois-Rivières et par les compagnies de la marine. Ces mouvements laisseront Québec découvert ? Forcément. « Je ne presume pas, raisonne le gouverneur, que les anglais Entreprennent de Venir à Quebec, mais quand bien même j'en Serois convaincu je ne changerois pas ma destination. » Voici pourquoi. Si l'adversaire s'empare de Carillon et de Saint-Frédéric, la présence d'un « corps considérable » s'imposera au-dessus de Saint-Jean pour empêcher les Anglais de pénétrer par le Richelieu jusqu'à Montréal, au lieu que la conservation des deux forts du lac Champlain jusqu'à ce que l'ennemi paraisse dans le Saint-Laurent va permettre à la plus grande partie de l'armée du lac de descendre à Québec pendant que le reste arrêtera « successivement » l'envahisseur à Carillon et à Saint-Frédéric et « nous donnera le temps d'avoir une ou deux batailles » devant la capitale : une seule victoire culbute dans le fleuve l'armée anglaise du Saint-Laurent, « la flotte S'en va et nous retournons nous opposer aux progrès de L'Ennemy » à l'entrée du Richelieu. En un mot, les mêmes soldats de métier défendront Montréal et Québec; autour de la capitale, ils seront appuyés par toutes les milices du pays, que Vaudreuil y aura réunies, en attendant le choc déci-

---

48 « Memoire », AC, F 3, 15 : 259-264. Ce document est sur deux colonnes. Celle de gauche s'intitule « Reflections de M. le Marquis de Montcalm » et celle de droite, « Reponces de M. le Marquis de Vaudreuil ». Les « Reflections » sont du 20 mars 1759 et les « Reponces, » du lendemain. Pièce imprimée dans Casgrain, 4 : 144-152.

sif, à la première nouvelle qu'il aura de la flotte britannique.[49] Le gouverneur le répète au début de mai, il ne « perd pas de vue la deffense de Quebec »: toutes les paroisses échelonnées en bas de la capitale se tiennent prêtes à marcher au premier avis, des cajeux sont construits, tout est disposé « pour faire échoüer nos Ennemis ».[50] Il s'agit, pour lui, de sauver la capitale sans risquer de perdre Montréal.

Conscient d'être menacé de partout et soucieux de tirer parti des positions stratégiques déjà établies, Vaudreuil a élaboré les plans d'une défensive équilibrée, dont le mérite consiste à tenir compte en même temps des données militaires et des données politiques de la situation. Montcalm le critique, il le sait et s'en irrite.[51] Sans se contredire, on l'aura noté, sur tous les points — tous deux reconnaissent la nécessité « de donner à la bonne fortune » sur le front de Québec —, ils se heurtent sur le terrain des principes. Qui a raison ? Vaudreuil, avec sa théorie des lignes étendues, mais susceptibles d'être contractées le cas échéant, ou Montcalm, avec son idée d'un périmètre restreint au contour rigide ? A la lumière de l'expérience acquise les années précédentes et compte tenu des problèmes de transport qu'une offensive pose aux envahisseurs, il n'est déjà pas assuré que la méthode de Montcalm soit la meilleure.[52] Si, à ces considérations militaires, on ajoute le fait que coupé de ses dépendances de l'est et surtout de l'ouest, le Canada est arraché aux cadres économiques qui lui permettent de durer et perd, en outre, le plus clair de sa valeur, n'est-il pas normal qu'un politique canadien s'attache à préserver autant qu'il se peut son intégrité territoriale ? Montcalm, il est vrai, objecte qu'il est inutile de se cramponner à la Belle-Rivière pour la conserver à la paix parce que, selon lui, les diplomates métropolitains y traceront une zone neutre; quant à l'Acadie, ce n'est pas, assure-t-il, « parce que nous aurons un foible corps errant et vagabon dans cette partie » que les gouvernements métropolitains en régleront les limites conformément aux intérêts du Canada.[53] Mais, au fait, qu'en sait-il ? Il n'en reste pas moins vrai, en tout cas, que, privé de l'Acadie et surtout du Centre-Ouest, le Canada tombe de lui-même, la France sortît-elle victorieuse du conflit. Lévis n'était certes pas loin de saisir cette vérité quand, dès la fin de la campagne de 1757, il écrivait, au sujet de la frontière de l'Ohio :

49   Vaudreuil, « Précis du plan des operations Generales de la Campagne de 1759, » 1er avril 1759, AC, C 11A, 104 : 47-53. Imprimé dans Casgrain, 4 : 153-162.
50   Vaudreuil à Lenormant, 8 mai 1759, AC, C 11A, 104 : 82-82v.
51   Montcalm à Crémille, 12 avril 1759, AG, 3540 : no 40; « Canada, » 7 juin 1759, AC, C 11A, 104 : 432-432v.
52   Gipson, 7 : 382s.
53   Montcalm à Vaudreuil, 27 février 1759, AC, F 3, 15 : 256-256v.

« ... Il faut ... nous y maintenir à quel prix que cela puisse être. Au point où en sont les choses, le salut de la colonie et de la Louisiane en dépend. » [54]

Quoi qu'il en soit, Vaudreuil n'aura pas le loisir d'appliquer sa stratégie en 1759. A la Cour, Bougainville a fait triompher les conceptions de Montcalm, à qui le ministère remet le commandement suprême. Le général ne changera rien aux dispositions déjà prises sur le front occidental avant le retour de son « ambassadeur »; il organisera cependant selon ses vues la campagne du Richelieu et celle de Québec.

*

*   *

La prise de Louisbourg, nous l'avons observé, avait été, au premier chef, le résultat de grandes manœuvres navales. La longue bataille qui va se dérouler durant tout l'été de 1759 sous la capitale canadienne va assumer un caractère analogue. On ne saurait exagérer la part qu'y prend la marine britannique. Comme Hardy en 1758, le contre-amiral Philip Durell hiverne en Amérique avec la mission de bloquer l'estuaire du Saint-Laurent et d'intercepter les secours que la France pourrait y expédier. Malgré la puissance de son escadre, — quatorze navires de guerre — il ne parvient pas à arrêter les frégates et les transports du lieutenant Kanon. Il les suit pourtant de près. Dès le 22 mai, il jette l'ancre à la hauteur du Bic, d'où il se déploiera jusqu'à l'île aux Coudres, en attendant d'y être rallié par Saunders et Wolfe. Saunders, qui atteint à son tour le Bic le 18 juin, amène 22 autres navires de guerre et 119 transports. D'autres suivront. [55] Le 21 juin, Montcalm rapporte que la flotte ennemie « s'est augmentée de cent trente-deux voiles ». [56] Vers le même temps, un observateur en calcule la force à 164 unités. [57] Quand elle franchit la dangereuse « traverse » de l'île d'Orléans, le 23 juin, on en dénombre les divers éléments : 29 vaisseaux de ligne, 12 frégates et corvettes, 2 galiotes à bombes, 80 transports, 50 à 60 bateaux et goélettes. [58] Sur cette armada, prennent place un peu moins de 9,000 soldats et près de 30,000 marins. Ce que l'Angleterre jette sur Québec, c'est moins une armée qu'une formi-

---

[54] Lévis à Mirepoix, 4 septembre 1757, Casgrain, 2 : 143.
[55] Gipson, 7 : 376-378.
[56] *Journal*, Casgrain, 7 : 550.
[57] « Principaux Evenemens De la Campagne 1759. Jusqu'a La prise de Québec, » AG, 3540 : no 85.
[58] « Journal » de Foligné, AC, C 11A, 104 : 270v. Voir Vaudreuil à Bourlamaque, 25 juin 1759, APC, Lettres de Bourlamaque, 2 : 281.

lable flotte de guerre comportant un bon corps de débarquement.[59] Ainsi, contre la capitale du Canada, vont opérer quelque 37,000 hommes, disposant d'un énorme matériel. Cette terrible machine de guerre va cependant donner un rendement médiocre. Combien elle semble lourde, lente, gênée dans son fonctionnement aux mains de Wolfe ! Ce n'est pas que ce chef la ménage : il la pousse dans tous les sens, la violente, la brutalise; elle grince, se cabre, vient tout près de se détraquer — et l'obstacle qu'elle pourrait broyer se dresse de longs mois devant elle, jusqu'au jour où il s'écroulera de lui-même.

Wolfe est un violent. Il part d'Angleterre le feu à la bouche : « J'aurais plaisir, je l'avoue, à voir la vermine canadienne saccagée, pillée et justement rétribuée de ses cruautés inouïes. »[60] Dès le début du siège de Québec, il cherche à désarmer les Canadiens par la terreur. Il les prévient que, « si un entêtement déplacé et une valeur imprudente » leur inspirent de résister à ses troupes, ils devront s'attendre « à souffrir ce que la guerre offre de plus cruel, s'il leur est aise de se représenter à quel excès se porte la fureur d'un soldat effréné ».[61] Il tient parole au point qu'il semble avoir pour objectif principal la destruction des petites agglomérations rurales du gouvernement de Québec. Le feu court le long des deux rives du fleuve : « spectacle très lugubre », accorde le Révérend Entick.[62] « Si nous ne pouvons les battre, nous allons ruiner leur pays », écrit un officier anglais.[63] Wolfe emploie si bien ses hommes à ravager les campagnes et à faire main basse sur les fermes qu'après la capitulation de Québec, Murray, son successeur, reconnaîtra : « L'espèce de guerre de pillage que nous venons de livrer... a tellement débauché le soldat qu'il n'est plus possible de mettre un frein à son indiscipline sans des châtiments très rigoureux. »[64] Au fond, ces atrocités ne donnent pas grand-chose. Elles contribuent à exaspérer le courage des Canadiens. Vainqueurs, répète Vaudreuil, les ennemis « extermineroient entièrement tout ce qui est canadien » et transformeraient la vallée laurentienne en une nouvelle Acadie.[65] Comparaison plus juste qu'il n'y paraît.

---

[59] Voir Gerald S. Graham, *Empire of the North Atlantic*, 175, et A. T. Mahan, *The Influence of Sea Power upon History*, 294.

[60] Wolfe à Sackville [s.d.], Doughty et Parmelee, éd., *The Siege of Quebec*, 6 : 82.

[61] Proclamation du 27 juin 1759, Casgrain, 4 : 274.

[62] Entick, 4 : 105.

[63] « Extract of a Letter from an Officer in Major Genl Wolfe's Army, » 10 août 1759, Stanley M. Pargellis, éd., *Military Affairs in North America*, 434. Voir « Journal of Particular Transactions, » Doughty et Parmelee, éd., *The Siege of Quebec*, 5 : 184.

[64] Journal de Murray, 13 novembre 1759, dans Doughty, éd., *Journal* de Knox, 2 : 273, note 1.

[65] « Lettre écrite de la part des Anglois, » Casgrain, 4 : 277.

Sur les ordres lancés par Vaudreuil aux capitaines des côtes, le
habitants arrivent en masse à Québec. Le gouverneur a eu raison d
compter sur leur dévouement. Parmi eux, « l'émulation » est telle qu
des enfants de douze ans se présentent au camp de Beauport. Les off
ciers français ne les laissent pas chômer: toutes les « corvées » sont pou
eux; pour eux, « les travaux les plus pénibles ». [66] « La moitié de cett
milice sont des vieillards ou des enfants », observe Montcalm, ils n
peuvent pas être bien bons soldats, mais « ils font encore plus qu'il n
faudroit espérer ». [67] Wolfe s'en étonne : « Des vieillards de 70 an
et des garçons de 15 ans se postent à la lisière des bois, tirent sur no
détachements, tuent et blessent de nos hommes... Il se donne trè
peu de quartier de part et d'autre. » [68] Les Anglais éprouvent la plu
vive surprise à voir sortir du sol cette armée invraisemblable. Presqu
tout le Canada s'est rassemblé devant sa capitale, s'étonne le gouver
neur du Maryland, « et par conséquent beaucoup considèrent la réduc
tion entière de la ville au cours de cette campagne comme une éven
tualité qui n'est pas du tout certaine ». [69] Il se presse bientôt plus d
15,000 combattants sous les drapeaux autour de Québec; et, fait signi
ficatif autant qu'émouvant, cette légion populaire comprend un contin
gent de 150 Acadiens. [70]

Les Canadiens défendent leur pays. Entendons que, comme tous le
groupes humains organisés, ils risquent leur vie non pas, comme une
littérature banale a accoutumé de le déclamer, pour éviter que soit
violée une étendue de terre et d'eau, mais bien pour demeurer un grou
pe humain organisé, une société constituée en vue de favoriser une
certaine vie collective, condition de bien-être et d'accomplissement in
dividuels pour ses membres. Mobile raisonné chez les uns, sentiment
spontané chez la plupart des autres. Voici deux exemples extrêmes.
François Daine est un riche bourgeois, fonctionnaire et magistrat de
puis 44 ans. A l'automne, Québec tombé, il voit venir la défaite; il de
mande, si la colonie doit devenir anglaise, de passer en France et d'y
terminer sa carrière dans l'administration. [71] Son cas est simple : mem
bre de l'aristocratie de la politique et de l'argent, le personnage ne trou
verait littéralement plus où se mettre dans une société britannique; il

---

[66]   Voir les textes cités dans *François Bigot, administrateur français*, 2 : 283s;
« Mémoire Sur le Canada, » AC, C 11A, 104 : 470v; « Extrait d'un Journal tenu a
L'armée, » *ibid.*, 232v-233.
[67]   Montcalm à Bougainville, 15 juillet 1759, Doughty et Parmelee, éd., *The Siege
of Quebec*, 4 : 4.
[68]   Wolfe à Holderness, 9 septembre 1759, *ibid.*, 3 : 11-13.
[69]   Sharpe à Baltimore, 4 septembre 1759, *Sharpe Correspondence*, 2 : 357.
[70]   *Journal* de Malartic, 243; Bigot à Berryer, 15 octobre 1759, AC, F 3, 15 : 334v.
[71]   Daine au ministre de la Guerre, 9 octobre 1759, AG, 3540 : no 101.

n'irait tout de même pas se faire agriculteur ! — La Mère Marie-Agathe Le Clerc de Sainte-Marguerite est Ursuline depuis 40 ans. La maladie l'emporte avant l'entrée des Anglais à Québec. On lit dans le vieux « Récit » des religieuses : « Elle est morte avec joie, Notre-Seigneur *lui ayant fait la grâce d'exaucer sa constante prière et de la retirer du monde avant la perte de la colonie.* » [72] Notons combien ce mot paraît naturel non seulement à la personne qui l'a prononcé, mais encore à celle qui l'a recueilli. — L'attitude du magistrat procède d'un calcul : Daine n'est pas seul à réfléchir de la sorte car, lorsque tout sera fini, un grand nombre iront comme lui en France, pays où, après le Canada, ils peuvent le moins malaisément refaire leur vie. Le sentiment qu'expriment les religieuses tient à des motifs plus élevés, mais non à un patriotisme plus profond que celui du fonctionnaire. Ce dernier sait qu'il ne peut s'insérer dans le monde britannique : la terre s'ouvre sous ses pieds, il se raccroche à une autre terre, celle de la mère-patrie. Et les Ursulines ? Quand il sera acquis que, sous les Anglais, la vie religieuse reste possible, elles et leurs compagnes s'accommoderont du monde britannique : après tout, au contraire du grand bourgeois Daine, elles ne sont plus du monde. Reste le peuple, qui porte le fusil et accomplit les travaux; il évolue dans ses cadres tant qu'il en a, et dès que ses cadres se relâchent, il commence à se désintégrer.

Les adversaires se mesurent : d'un côté, un magnifique instrument de conquête; de l'autre, un peuple mobilisé (mobilisé autant qu'il peut l'être au milieu du XVIIIe siècle). L'infériorité des éléments franco-canadiens saute aux yeux, mais elle est compensée, dans une certaine mesure, par la nature du terrain où l'action se déroule. De part et d'autre de Québec, la rive gauche du Saint-Laurent est d'un accès extrêmement difficile. Elle se hérisse, depuis la dernière semaine de mai, d'une ligne de retranchements qui s'élèvent entre le saut de Montmorency et la ville, pour se prolonger ensuite sur près d'une lieue en remontant la rive droite de la rivière Saint-Charles. Comme Vaudreuil l'avait prévu, on a eu tout un mois pour y travailler avant l'arrivée des An-

---

[72] *Les Ursulines de Québec*, 2 : 320s. Souligné dans le texte. — Des écrivains ont monté en épingle un autre mot d'Ursuline, écrit par la Mère Daneau de Muy : « Le pays est à bas ! », *ibid.*, 317. Il faut faire attention au contexte. La Mère Daneau apprend par des prisonniers — la nouvelle est fausse — que les Anglais ont capturé les navires transportant en France Doreil et Bougainville; comme presque tout le monde, elle croit que les deux émissaires de Montcalm pourraient obtenir que la France expédie des secours au Canada, une fois le gouvernement métropolitain au courant de la situation désespérée de la colonie. C'est alors qu'elle ajoute ce commentaire : « Si la nouvelle est vraie, comme il y a tout lieu de le craindre, le pays est à bas. » Un fervent érudit explique : « Le pays est à bas. » — « Dans sa concision sublime, cette phrase veut dire que la religion et la langue sont perdues ! » (P.-G. Roy, *A travers l'histoire des Ursulines de Québec*, 129). Essor de l'imagination; que vient faire « la langue » dans ce couplet ?

glais, qui n'établissent une tête de pont que le 27 juin, sur le haut de l'île d'Orléans. [73] De ce point, Wolfe reconnaît le jour même les positions de Montcalm; il en constate la force naturelle et les efforts qui s'y déploient « pour les rendre impénétrables ». [74]

Trois jours plus tard, Monckton installe 3,000 hommes à la pointe de Lévis. Seuls s'opposent à son débarquement le seigneur de Beaumont, Charest, et une poignée de Canadiens et d'Indiens. Ce petit détachement rentre au camp de Beauport au bout de quelques heures, avec une trentaine de chevelures. Il ne s'est pas mal battu, mais n'a pu faire mieux que de harceler l'ennemi, qu'une résistance organisée sur une grande échelle eût pu rejeter dans ses bateaux. Montcalm n'a pas jugé bon de bouger. « On murmuroit cependant dans l'armée de cette inaction. » Il y avait de quoi. Les hauteurs de Lévis ne manquent pas d'importance : les Anglais, personne ne l'ignore, peuvent y asseoir des batteries capables de foudroyer Québec. Elles sont, au surplus, d'une défense relativement facile. On n'eût presque rien risqué à tenter d'y arrêter Monckton, puisqu'en cas d'insuccès, le corps qui l'aurait attaqué avait une retraite assurée dans les bois du voisinage, « où l'on Sçait que le Canadien et le Sauvage ont un Si grand avantage Sur les Troupes reglées ». Pourquoi Montcalm permet-il aux Anglais de s'établir tranquillement en face de la ville ? Parce que, dans son esprit, le seul point vraiment menacé est Beauport, en aval de la capitale. C'est l'axe de son système défensif. Dégarnir Beauport pour empêcher l'envahisseur de prendre pied à la pointe de Lévis, ce serait, craint-il, s'exposer à lui laisser un passage sur la rive gauche et, du même coup, à perdre Québec en une bataille. De plus, il est persuadé que Wolfe dispose de 20,000 soldats et, malgré « les démonstrations les plus sensibles », il mettra du temps à « se desabuser » là-dessus. [75]

Il ne l'est pas encore lorsque Wolfe exécute un autre débarquement dans la nuit du 8 au 9 juillet; cette fois, il descend à la gauche des lignes françaises, au-dessous de la Montmorency. Là non plus, le terrain ne lui est pas disputé. Ce nouveau camp, il est vrai, tire moins à conséquence que celui de la pointe de Lévis. Mais quelle belle occasion, si Montcalm le voulait, d'écharper une aile de l'armée d'invasion ! Wolfe commet une grave imprudence. Il conduit lui-même la pre-

---

[73] « Relation du siège de Québec, » Doughty et Parmelee, éd., *The Siege of Québec*, 5 : 307; « Principaux Evènemens De la Campagne 1759, » AG, 3540 : no 85.
[74] Doughty, éd., *Journal* de Knox, 1 : 378s.
[75] « Extrait d'un Journal tenu à L'armée, » AC, C 11A, 104 : 218v-219; « Journal of a French Officer, » Doughty et Parmelee, éd., *The Siege of Québec*, 4 : 244; « Relation du siège de Québec, » *ibid.*, 5 : 308s; « Jugement impartial sur les operations militaires de la campagne de 1759, au Canada, » AC, C 11A, 104 : 440-441; Doughty, éd., *Journal* de Knox, 1 : 391, 418, note 1.

mière division de son corps à l'Ange-Gardien, Townshend doit le rallier avec la seconde. Quand celui-ci met pied à terre, la nuit est noire comme de l'encre; personne ne se présente pour le guider vers le poste qu'occupe son chef; une grande partie des équipages gisent éparpillés le long de la rivière. Townshend frissonne : dans cette confusion, il suffirait d'une petite bande d'Indiens pour jeter la panique parmi son monde et détruire les bagages. [76] Ne conviendrait-il pas de culbuter les Anglais dans le fleuve avant qu'ils ne soient retranchés ? Les quelque 200 tirailleurs qui vont faire le coup de feu, dans la journée du 9, contre leurs postes avancés dérangent à peine leurs travaux. Il faudrait les faire suivre d'un gros détachement. C'est ce qu'on représente à Vaudreuil. Lié par les ordres de la Cour, le gouverneur ne peut rien décider. Il doit se contenter de convoquer un conseil de guerre, qui conclut à l'impossibilité d'une attaque. Ce conseil, on doit le reconnaître, est un modèle d'assemblée délibérante : « La Verité est que Mr de Montcalm n'etoit point de l'avis de donner [attaquer] et qu'ayant avant le Conseil entretenu en particulier Les chefs de Corps, on peut dire qu'il les avoit en quelque Sorte disposés à representer la chose comme impraticable. » [77]

Ces deux épisodes donnent le ton que la campagne de Québec va conserver jusqu'à la fin. Wolfe ne tient pas en place. Montcalm est vissé à Beauport. Il s'y « retranche jusqu'au cou ». [78] Dès le début, il a posé en principe : « Le salut de la colonie dépend principalement d'un combat. Toutes nos vues doivent donc se porter à ne pas diviser nos forces. » [79] Et cette bataille décisive, il l'esquivera aussi longtemps qu'il pourra. « Le marquis de Montcalm, constate Wolfe, est à la tête d'un grand nombre de mauvais soldats, et je suis à la tête d'un petit nombre de bons soldats,... mais le vieux bonhomme est rusé, il évite une action, incertain de la conduite qu'y tiendrait son armée. » [80] Au fond, le général français se sent perdu. Il faut convenir qu'il en a l'habitude : durant presque toute sa carrière européenne, le sort a voulu qu'il prît part, sans qu'il y eût de sa faute, à des événements qui ont mal tourné. [81] Comment ses appréhensions ne le suivraient-elles pas à Québec, où

---

[76] C. V. F. Townshend, *The Military Life of Field Marshall George First Marquess Townshend, 1724-1807* (Londres, 1901), 174.

[77] « Extrait d'un Journal tenu à L'armée, » AC, C 11A, 104 : 220-221v. Voir « Journal of a French Officer, » Doughty et Parmelee, éd., *The Siege of Quebec*, 4 : 245s; « Journal abrégé d'un aide-de-Camp, » *ibid.*, 5 : 287; Henri Têtu, éd., « Journal » de Récher, BRH, 9 (1903) : 335s.

[78] Leake à Gist, 5 août 1759, BM, Add. Mss., 21644 : 278.

[79] « Mémoire sur la défense de Québec, » 31 mai 1759, Casgrain, 4 : 168.

[80] Wolfe à sa mère, 31 août 1759, Doughty et Parmelee, éd., *The Siege of Quebec*, 6 : 37.

[81] Voir Th. Chapais, *Le Marquis de Montcalm*, chapitre I.

il a affaire à un adversaire formidable ? Qu'il s'attende à la défaite, on le voit dès les premiers jours du siège. Sur la recommandation de la Cour, [82] il ordonne, le 31 mai, d'accord avec ses collègues du haut commandement, de faire entreposer aux Trois-Rivières la plus grosse partie des vivres et d'en garder dans la capitale seulement ce qu'il faut pour nourrir le peuple et l'armée durant six semaines. Six semaines, c'est pour lui une éternité : convaincu qu'au bout de ce temps la ville serait tombée, il « vouloit dans le principe qu'on n'y en gardât que pour quinze jours », n'osant pas « se flatter de pouvoir arrêter le premier effort de l'ennemi ». Bien plus, dès ce moment il dresse un projet de capitulation dont il fait tirer une copie à Ramezay. [83] Ce qui est grave, c'est que, à ses yeux et à ceux de son entourage, le sort de la capitale doit décider immédiatement de celui de tout le pays. Son émissaire, Bougainville, l'a déclaré à Paris : « Québec pris, il faut en capitulant pour la ville capituler pour la colonie. » [84] Tout de suite après l'engagement du 13 septembre, on entendra « divers officiers des troupes de Terre » dire « tout haut en presence du Soldat » qu'il ne reste désormais « d'autre Ressource que celle de Capituler pour toute La Colonie ». Quand, à la même heure, Vaudreuil, comme il le doit, lui envoie demander son avis, il répond qu'il n'y a que « trois partis a prendre » : contre-attaquer, battre en retraite « et le Troisième de Capituler pour la Colonie ». [85] C'est encore sur les entrefaites qu'il adresse à Townshend une courte lettre qui commence par ces mots : « Obligé de Ceder Quebec a vos armes » ... [86] On sera tout de même alors à cinq jours d'une capitulation qui, encore le 18, sera prématurée et point du tout inévitable.

La prise de Québec pourrait effectivement provoquer l'effondrement de toute la colonie. Mais à une condition : que Wolfe manœuvrât de façon à prendre au piège l'armée alignée à l'est de la ville. Cette armée n'absorbe-t-elle pas la plus grande partie des forces du pays ? Assuré d'une écrasante supériorité navale, l'envahisseur peut manœuvrer en toute liberté dans le fleuve. Or la capitale n'est susceptible de défense que dans la mesure où elle maintient ses communications avec ses sources d'approvisionnement : le dépôt de vivres constitué aux

---

[82] Berryer à Vaudreuil, 16 février 1759, AC, C 11A, 104 : 28v. Voir *François Bigot, administrateur français*, 2 : 283.
[83] « Extrait d'un Journal tenu à L'armée, » AC, C 11A, 104 : 215; « Mémoire du Sieur de Ramezay, » 1763, AC, C 11A, 105 : 458v.
[84] « Réflexions sur la campagne prochaine, » 29 décembre 1758, RAPQ (1923-1924), 17.
[85] « Extrait d'un Journal tenu à L'armée, » AC, C 11A, 104 : 249v-250v.
[86] Reproduction photographique de l'original dans Doughty, éd., *Journal* de Knox, 2 : 108.

Trois-Rivières et les récoltes du gouvernement de Montréal. Quand les Anglais paraissent vers la fin de juin, ils trouvent les Canadiens en armes sous Québec. Pourquoi, après avoir esquissé une feinte contre la ville, l'assaillant n'a-t-il pas effectué un débarquement sur la rive gauche du fleuve, une vingtaine de milles en amont de la capitale, enfermant ainsi dans une souricière les éléments que Montcalm a ancrés à Beauport, en bas de Québec ? Pourquoi ? C'est, a-t-on dit justement, un « mystère ».[87] Un succès obtenu dans ces conditions eût livré au vainqueur non seulement une ville en ruines, mais une armée. Au lieu de cela, Wolfe commence par s'installer du côté sud du Saint-Laurent. Quand il se décide à passer de l'autre côté — la rive où s'élève la ville —, c'est en aval de cette dernière qu'il prend poste, au bout de la ligne franco-canadienne. C'est le même bout de cette ligne qu'il attaque le 31 juillet. Lévis le repousse et lui inflige des pertes cuisantes. A quoi le général va-t-il employer le mois d'août ? A rien.

Car ce n'est rien, d'un point de vue militaire, que la destruction des paroisses qu'il fait détrousser et incendier. L'affreux bombardement de Québec n'a pas beaucoup plus de sens. Il n'y a pas à douter que les Canadiens n'en souffrent. Lorsque les premiers projectiles anglais tombent sur la ville, le soir du 12 juillet, ils plongent la population « dans l'épouvante ». Un contemporain nous montre « les femmes avec leurs enfants, en grand nombre près de la citadelle, dans les pleurs, les lamentations et les prières », se groupant « par pelotons pour dire des chapelets ».[88] Boulets, bombes, carcasses, pots à feu foudroient l'agglomération durant plus de deux mois. Montcalm pourrait répéter ce qu'il écrivait vingt-cinq ans plus tôt de Philipsbourg pulvérisé par l'artillerie française : voici Québec « en cannelle ».[89] Dès le 10 août, une dépêche britannique mande que la capitale canadienne n'est plus que décombres : « Nous avons déjà dépensé trois fois plus de munitions que durant le siège de Louisbourg. »[90] Une autre nouvelle, envoyée à Boston après le siège, porte que 535 maisons québecoises ont brûlé et que celles qui ont échappé au feu ont eu le toit et les murs crevés par le canon. — « Il n'y en a pas une qui ne soit percée », confirme Malartic. —[91] Malgré tout, la capitale n'a pas à envier le sort des bourgs du voisinage. « Maîtres d'une grande partie du pays le long du fleuve », poursuit la chronique anglaise, « nous avons incendié plus de quatorze

---

87   C. V. F. Townshend, *The Military Life of... Townshend,* 172; Gerald S. Graham, *Canada. A Short History* (Londres, 1950), 62.
88   Henri Têtu, éd., « Journal » de Récher, BRH, 9 (1903) : 340.
89   Th. Chapais, *Le Marquis de Montcalm,* 15.
90   *The Boston News-Letter,* 13 septembre 1759.
91   *Journal* de Malartic, 267.

cents fermes; ... l'ennemi en a grandement souffert, et il s'écoulera bien du temps avant qu'il s'en remette: peut-être un demi-siècle. » [92] Ces campagnes sont anéanties, déclare Pontbriand : « le pauvre habitant » qui retourne sur sa concession avec sa famille est réduit à « se cabaner a la façon Des Sauvages ». [93] Laconique, Bigot coupe : « M. Wolfe est cruel. » [94] Cruauté inutile, un Anglais s'en rend compte : « Nous mettons souvent le feu à leur ville, ... mais je ne vois pas que nous ayons endommagé leurs batteries, et par conséquent des individus en souffrent plutôt que la cause commune; je crains fort que la campagne ne se termine ainsi. » [95]

Tout porte à le croire. Wolfe n'aboutit à rien. Sa santé est « très mauvaise », juge Townshend, et « sa tactique ... n'est pas du tout meilleure. Il ne nous a jamais consultés avant la fin d'août ». [96] Le brigadier fait ici allusion aux trois projets que le général lui a communiqués une semaine auparavant, ainsi qu'à ses collègues Monckton et Murray. Ces plans prévoyaient, chacun d'une façon différente, une attaque contre Beauport. Les officiers supérieurs les ont accueillis comme ils le méritaient en les rejetant tous les trois. Au lieu de cela, ils ont recommandé ce qui s'impose de toute évidence : « porter les opérations au-dessus de la ville ». Puis, ils ont développé un raisonnement aussi simple que juste : « Si nous pouvons nous établir sur la rive nord, nous imposons au marquis de Montcalm nos propres conditions de combat; nous nous plaçons entre lui et ses approvisionnements, entre lui et l'armée qui fait face au général Amherst [sur le Richelieu]. S'il nous livre une bataille et que nous la gagnions, Québec est à nous, et probablement tout le Canada, ce qui dépasse tous les avantages que nous pouvons espérer du côté de Beauport. » [97] Bien que la lassitude semble l'y incliner, Wolfe ne se rangera jamais à l'avis de ses subordonnés. Il caresse plutôt la chimère de se lancer tout droit à l'assaut de la basse-ville. Il faudra, pour le détourner de ce plan téméraire, le témoignage de Patrick Mackellar, le meilleur ingénieur attaché aux armées britanniques au cours de la guerre de la Conquête. [98] C'est seulement à la suite de cette autre discussion, intervenue dans les premiers jours de septembre, qu'il se

[92]   *The Boston News-Letter,* 6 décembre 1759.
[93]   Pontbriand à ———, 5 novembre 1759, AC, C 11A, 104 : 368-369v.
[94]   Bigot à Lévis, 1er septembre 1759, Casgrain, 9 : 53. Voir « Extrait d'un Journal tenu à L'armée, » AC, C 11A, 104 : 238v; « Journal of Montresor, » Doughty et Parmelee, éd., *The Siege of Quebec,* 4 : 329s, etc., etc.
[95]   Gipson à Lawrence, 1er août 1759, *ibid.,* 5 : 65.
[96]   Townshend à sa femme, 6 septembre 1759, C. V. F. Townshend, *The Military Life of ... Townshend,* 210.
[97]   Monckton, Townshend et Murray à Wolfe, 29 août 1759, Willson, *Life and Letters of James Wolfe,* 467s.; voir C. V. F. Townshend, *op. cit.,* 204-206.
[98]   Stanley M. Pargellis, éd., *Military Affairs in North America,* 187, note 1.

détermine à opérer en amont de la capitale. [99] Le 3, il évacue la position qu'il tient depuis près de deux mois à l'est de la Montmorency. Montcalm le laisse partir aussi tranquillement qu'il est venu. Un officier britannique parle avec humour de la « générosité » de Montcalm en ce moment « critique ». [1] Beaucoup en parlent avec « rigueur » dans le camp opposé; beaucoup, mais non pas tous, car le marquis a ses flatteurs qui vont répétant qu'il s'est « conduit en Général consommé ». « Le Lecteur peut juger », jette froidement un chroniqueur. [2]— Le 9, Wolfe annonce qu'il va se conformer à l'opinion « unanime » de ses brigadiers et il est clair qu'il n'en attend rien de bon; il écrit au secrétaire d'Etat pour le département du Nord : « Ma santé est complètement ruinée, sans que j'aie ni la consolation d'avoir rien fait d'important pour l'Etat ni l'espérance d'y réussir. » [3] Une fois connu à Londres, ce pessimisme fera croire à un échec imminent devant Québec. [4] Wolfe va-t-il donc ordonner une descente à la Pointe-aux-Trembles, comme ses seconds le lui conseillent ? Non; le 10 septembre, il est convenu de mettre à terre à l'anse au Foulon. [5] « Ce changement apporté au plan d'opérations ne fut pas approuvé, je crois, par beaucoup d'autres que [Wolfe] lui-même », écrit le vice-amiral Holmes, en pesant chacun de ses mots. [6]

Le 13 septembre devrait être connu sous le nom de la Journée des Fautes. Le demi-succès de Wolfe tient à ce que Montcalm commet encore plus d'erreurs que lui. « Le fait est, avouera Murray, que nous avons été amenés par surprise à une victoire qui, en réalité, coûta très peu cher au vaincu. » [7] Wolfe aurait très bien pu prendre pied ailleurs qu'à l'anse au Foulon. Que toute autre avenue que celle-là lui ait été fermée en amont de Québec est proprement une légende. [8] Murray ne lui pardonnera jamais d'avoir préféré à « l'entreprise sensée et bien concertée qui consistait à débarquer à la Pointe-aux-Trembles, où il aurait pu, sans opposition, avec toute son armée et toute son artillerie, ériger un poste et se retrancher entre les ennemis et leurs approvisionnements — la tentative presque irréalisable, bien que, grâce à la Providence, cou-

99 « Journal » de Townshend, Doughty et Parmelee, éd., *The Siege of Quebec,* 4 : 267s.
1 « Journal of Particular Transactions, » *ibid.,* 5 : 184.
2 « Extrait d'un Journal tenu à L'armée, » AC, C 11A, 104 : 242-242v.
3 Wolfe à Holderness, 9 septembre 1759, Doughty et Parmelee, éd., *The Siege of Quebec,* 3 : 13s.
4 C. V. F. Townshend, *The Military Life of ... Townshend,* 219, note 1.
5 Wolfe à Burton, 10 septembre 1759, Doughty et Parmelee, éd., *The Siege of Quebec,* 3 : 17.
6 Holmes à ———, 18 septembre 1759, *ibid.,* 4 : 296.
7 « The Fact is we were surprised into a Victory which cost the Conquered very little indeed, » Murray à Amherst, 19 mai 1760, Doughty, éd., *Journal* de Knox, 2 : 439, note.
8 Gipson, 7 : 413.

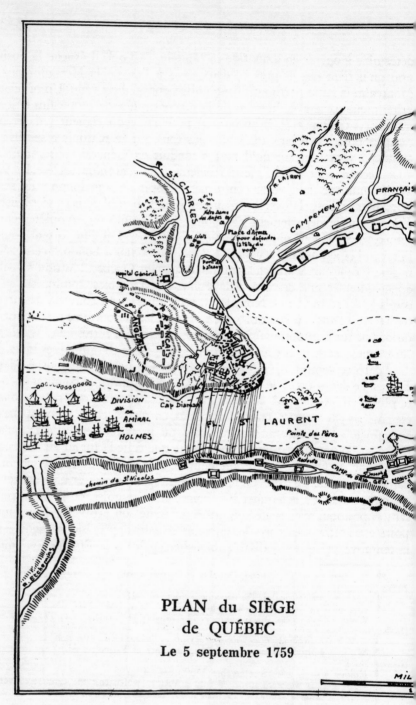

PLAN du SIÈGE
de QUÉBEC
Le 5 septembre 1759

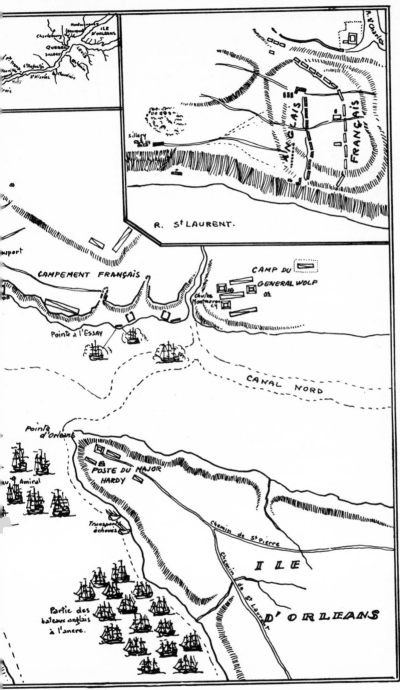

Archives publiques du Canada

ronnée de succès, qui consistait à aborder au Foulon ».[9] Il avait pris le risque insensé de se présenter à un adversaire plus nombreux sans pouvoir se ménager de retraite; si bien que, battu, il eût été anéanti. Et il jetait dans cette épouvantable aventure un peu plus de 4,800 hommes.[10] Le plus surprenant est qu'il en était parfaitement conscient. Que proclame-t-il à ses soldats avant le combat ? « Je vous ai menés au sommet de ces rochers escarpés et dangereux avec le seul désir de vous conduire à portée de l'ennemi. L'impossibilité d'une retraite ne fait aucune différence à des hommes résolus à vaincre ou à mourir. »[11] Vaudreuil n'avait pas tort de juger : « Quoique l'ennemi nous eût prévenus, sa position était très critique. »[12]

Par bonheur pour Wolfe, Montcalm joue le même jeu que lui. Il a une idée fixe : rendre Beauport inaccessible. Vaudreuil craint-il que les Anglais ne profitent d'une nuit noire pour débarquer à l'anse des Mères, — voisine du Foulon — il lui répond avec une noble insolence: « Il n'y a que Dieu qui sache, Monsieur, faire des choses impossibles ... et il ne faut pas croire que les ennemis ayent des ailes pour, la même nuit, traverser, debarquer, monter des rampes rompuës et escalader : d'autant que pour la derniere operation il faut des échelles. »[13] Le gouverneur insiste-t-il, il lui dit d'envoyer à l'anse des Mères 100 miliciens : « Je vous jure que 100 hommes postés nous donneroient le tems d'attendre le jour et d'y marcher par nôtre droite. »[14] Y mettre plus de monde ? Mais il y en a déjà « beaucoup trop ». Il suffit d'y maintenir une « simple observation ... : le jour on verra venir les ennemis, ... la nuit ils ne chemineront pas dans un chemin impraticable ». Le point dangereux se situe « entre Beauport et la rivière St Charles ». Il faut être « sûr que l'objet de Wolfe n'est que de nous donner de l'inquiétude pour notre droite et notre gauche a fin de nous deposter et fondre sur la partie de Beauport à la rivière St Charles, ainsi ne prenons pas le change en garnissant trôp ».[15] Le 2 septembre, Malartic doute fort que les Anglais ne viennent jamais à Beauport : « Il n'est pas apparent qu'ils en veuillent à cette partie, et l'on ne s'occupe pas assez des autres. »[16] Montcalm écrit pourtant le même jour : « ... Je crois que Wolfe fera

---

[9] Murray à Townshend, 5 novembre 1774, APC, Amherst Papers, liasse 15.
[10] *Ibid.*, 2 : 105, note; Beatson, éd., *Naval and Military Memoirs*, 3 : 232; *The Boston News-Letter*, 26 octobre 1759.
[11] Doughty, éd., *Journal* de Knox, 3 : 336.
[12] Vaudreuil à Lévis, 13 septembre 1759, Casgrain, 8 : 107.
[13] Montcalm à Vaudreuil, 29 juillet 1759, AC, F 3, 15 : 326-326v.
[14] *Id.* à *id.*, *ibid.*, 327.
[15] Montcalm à Bougainville, 20 juillet 1759, Doughty et Parmelee, éd., *The Siege of Quebec*, 4 : 9s.
[16] *Journal* de Malartic, 278.

comme un joueur de tope et tingue qui, après avoir topé à la gauche du tope [Montmorency], et à la droite [la Pointe-aux-Trembles], tope au milieu » [Beauport]. [17] Il est tout à fait désorienté: il avoue, le 5 septembre, « se perdre sur la manœuvre » ennemie. [18] Il n'en reste pas moins convaincu d'une chose : Vaudreuil ne devrait pas s'exciter. « M. de Vaudr., affirme-t-il le 10 septembre, a plus d'inquietude que moy pour la droite. » [19] Le Foulon est à la droite... Le 12, un déserteur français apprend aux envahisseurs que, dans l'esprit de Montcalm, l'élite de l'armée anglaise est toujours au-dessous de Québec et que le général « ne se laissera pas persuader de quitter sa position » à Beauport. [20] Il prend les feintes de la marine britannique pour le mouvement principal et le mouvement principal pour une feinte. [21]

Voici cependant, le matin du 13 septembre, les Anglais rangés en bataille à proximité de la capitale. Cinq mille soldats ne peuvent pas traverser le fleuve et débarquer sans bruit. De fait, à une heure après minuit, on a « entendu un grand bruit de berges ». Inutile de chercher où elles se dirigent : où, ailleurs qu'à Beauport ? Les régiments viennent donc border les retranchements de Beauport. Sur les trois heures, la ville lance « le signal convenu pour indiquer qu'il avoit passé quelque chose ». La peste de cet impertinent signal ! On hausse les épaules. Au jour, comme tout est « tranquille » dans le secteur de Beauport, il ne reste plus qu'à envoyer coucher les soldats. On s'y dispose lorsqu'arrive un Canadien à bout de souffle, « avec toutes les marques de la peur la plus décidée ». Que raconte ce fâcheux ? Les Anglais ont surpris le poste du Foulon et se sont déployés sur la hauteur. Voire ! « Nous connoissions si bien les difficultés de pénétrer par ce point, pour peu qu'il fût défendu, qu'on ne crut pas un mot du récit d'un homme à qui nous crûmes que la peur avoit tourné la tête. » [22] A la fin, il faut se rendre à l'évidence, mettre le nez hors des retranchements désormais inutiles et courir se mesurer aux assaillants en terrain découvert.

Montcalm fait défiler environ 3,500 hommes du camp et les distribue entre Québec et la « mince ligne rouge » [23] de l'armée britannique. La partie est-elle perdue ? Non, pourvu qu'on la joue bien.

---

17 Montcalm à Bourlamaque, 2 septembre 1759, Casgrain, 5 : 348.
18 Montcalm à Bougainville, 5 septembre 1759, Doughty et Parmelee, éd., *The Siege of Quebec*, 4 : 98.
19 *Id. à id.*, 10 septembre 1759, *ibid.*, 117.
20 Doughty, éd., *Journal* de Knox, 2°: 92.
21 Holmes à ————, 18 septembre 1759, Doughty et Parmelee, éd., *The Siege of Quebec*, 4 : 297.
22 *Journal* de Montcalm, Casgrain, 7 : 610s.
23 Doughty, éd., *Journal* de Knox, 2 : 99, note 1.

Bougainville est derrière l'envahisseur avec un corps d'élite. Vaudreuil s'en vient avec des renforts. Il y a dans la ville une garnison et des canons. Montcalm pourrait attendre deux ou trois heures et avoir sous la main près de 10,000 hommes appuyés par une redoutable artillerie. En coordonnant ses mouvements avec ceux de Bougainville, il aurait l'avantage de prendre Wolfe entre deux feux et de hacher sa ligne. — Vers dix heures, on voit le général caracoler devant ses troupes, l'épée au clair. « Croyant pouvoir vaincre tout seul », [24] il lance son monde tête baissée, dans une charge désordonnée sur les éléments anglais. Ceux-ci évoluent avec une précision mécanique. Un quart d'heure après, tout est fini. Les bataillons sont dans un « désordre » irrémédiable, dispersés par « une terreur sans égale ». [25] Mais la « deroute » n'est « totale que parmi les Troupes reglées »; habitués à reculer à la manière, dit-on, « des anciens parthes » et à se retourner brusquement contre l'avant-garde qui les poursuit, les Canadiens retardent considérablement l'avance britannique et empêchent les vainqueurs de pénétrer dans la capitale sur les talons des fuyards. Un groupe de miliciens s'arrêtent dans les bois à l'ouest de la porte Saint-Jean et criblent si bien les rangs des Highlanders qu'ils les font chanceler; Holmes attribue la plus grande partie des pertes anglaises à ce « canaille de feu ». [26]

Un triomphe possible s'est changé en revers. « C'est que », tente-t-on d'expliquer, « les dieux ont fait volte-face et ont décidé, après avoir, contre toute vraisemblance initiale, failli sauver la cause française, de la ruiner avec autant d'imprévu dans la fantaisie en un coup de partie foudroyant. » [27] Insanité de la littérature facile : quels dieux ? Ainsi engagée, la bataille n'avait rien d'imprévu dans son résultat. « Plût à Dieu, s'exclame Foligné, que [Montcalm] eut attendu l'arrivée de Mr Bougainville,... au jugement de tout le monde pas un anglois ne ce [se] fut rembarqué. » Il a raison, la plupart des contemporains pensent comme lui. « Jamais, résume l'un d'eux, situation plus favorable, jamais tant de fautes faites dans un même jour. » [28] N'y a-t-il pas jusqu'à un défenseur du général qui déclare : « Quoique je regar-

---

[24] « Relation du siège de Québec, » Doughty et Parmelee, éd., *The Siege of Quebec*, 5 : 322.

[25] « Journal abrégé d'un aide-de-camp, » *ibid.*, 5 : 298; Vaudreuil à Berryer, 21 septembre 1759, AC, C 11A, 104 : 313v.

[26] Holmes à ———, 18 septembre 1759, Doughty et Parmelee, éd., *The Siege of Quebec*, 4 : 298; « Extrait d'un Journal tenu à L'armée, » AC, C 11A, 104 : 248; Doughty, éd., *Journal* de Knox, 2 : 101.

[27] A. Lichtenberger, *Montcalm et la tragédie canadienne* (Paris [1934]), 215s.

[28] Voir les textes de Bigot, de Vaudreuil, de Foligné, de Malartic, de La Pause et « l'Extrait d'un Journal tenu à L'armée », dans *François Bigot, administrateur français*, 2 : 295-300.

dois M. le Mis de Montcalm trop Lumineux pour oser luy donner un
conseil, je prie [sic] cependant la liberté de luy dire, avant qu'il eut
donné l'ordre du Combat, qu'il n'etoit pas en etat d'attaquer les Ennemis vû le petit nombre de son armée. »[29] Cette précipitation évoque
celle qu'Abercromby avait manifestée à Carillon, quinze mois auparavant. A quoi l'attribuer ? A la crainte de donner à Wolfe « le tems
de se retrancher ».[30] Crainte, a-t-on immédiatement noté, qui n'avait
« nulle apparence de fondement ».[31] Lévis le constatera en mai 1760,
quand il ira mettre le siège devant Québec : le terrain occupé par l'armée anglaise n'était guère susceptible de retranchements.[32] Du reste,
une armée, surtout si elle est, comme celle de Wolfe, harcelée par le
feu de quinze cents tirailleurs et qu'elle doive se coucher pour en éviter
les effets, ne peut pas établir en deux ou trois heures des positions respectables.[33] Lévis est le meilleur soldat de l'armée française d'Amérique. Quelle est son opinion ? Il se contente, dans des termes très
mesurés, de se porter garant des bonnes « intentions » de son chef
et de « dire qu'il a cru ne pouvoir faire mieux »; cela, dans une lettre
officielle.[34] Dans une lettre privée, il avoue : « Comme touts les raisonnements qu'on tient sont en partie vrais je ne puis vous repondre
qu'en vous disant de tourner autant que vous le pourrois Les choses
du Bon côté. »[35] De toute évidence, c'est ce qu'il fait lui-même. L'histoire n'est pas tenue de l'imiter; aussi ses meilleurs ouvriers n'ont-ils
pu s'abstenir de souligner le caractère « étrange » des erreurs coûteuses du vaincu.[36]

Après la bataille, la liste des fautes n'est pas épuisée. La victoire
de Wolfe n'est qu'un demi-succès, en ce sens qu'elle ne livre aux Anglais ni les portes de Québec ni l'armée qui défendait la capitale.
Repoussés, les Franco-Canadiens ne sont pas défaits. La plus grande
partie de leur armée — y compris le corps d'élite de Bougainville —
n'a même pas pris part au combat. La dernière chose à laquelle on

29 Montreuil au ministre de la Guerre, 22 septembre 1759, AG, 3540 : no 98.
Voir « Journal of a French Officer, » Doughty et Parmelee, éd., *The Siege of Quebec*,
4 : 254-256.
30 Trois témoignages reproduits dans *François Bigot, administrateur français*, 2 :
299.
81 « Extrait d'un Journal tenu à L'armée, » AC, C 11A, 104 : 247v.
82 Bigot à Lévis, 9 mai 1760, Casgrain, 9 : 92.
83 Townshend à Pitt, 20 septembre 1759, G. Kimball, éd., *Correspondence of
William Pitt*, 2 : 166; Doughty, éd., *Journal* de Knox, 2 : 99; « Journal of Particular
Transactions, » Doughty et Parmelee, éd., *The Siege of Quebec*, 5 : 188; Joannès,
« Mémoire de la campagne de 1759, » *ibid.*, 4 : 226.
84 Lévis à Belle-Isle, 1er novembre 1759, Casgrain, 2 : 244s.
85 Lévis à Bourlamaque, 6 octobre 1759, APC, Lettres de Bourlamaque, 3 : 155.
86 R. Waddington, *La Guerre de Sept ans*, 3 : 311; A. von Ruville, *William Pitt*,
2 : 268s; surtout, Gipson, 7 : 418s. — Cf. T. Chapais, *Le Marquis de Montcalm*, 657s.

devrait s'attendre serait de voir ces troupes encore fraîches fuir comme des lapins devant les Anglais, qui resteront d'ailleurs immobiles jusqu'au 18. C'est pourtant ce qui se produit. Non pas que ce soit là le désir de Vaudreuil. Il convoque, dans l'après-midi du 13, un conseil de guerre auquel il propose d'attaquer Townshend le lendemain, à la pointe du jour. Mais aucun des colonels ne veut le suivre. Les officiers français n'aspirent qu'à se retirer derrière la rivière Jacques-Cartier, à trente-deux milles plus haut que la ville. [37] Le gouverneur n'a plus d'autorité. Il y a longtemps que, « par Ses propos, qu'il ne repandoit pas dans le fonds Sans intention », Montcalm lui a fait perdre « la confiance du Soldat, des habitans et des Sauvages-même ». [38] Devant l'opposition des colonels, Vaudreuil comprend qu'il ne peut les mener malgré eux au combat; ce serait « compromettre la Colonie ». [39] Il suit l'armée pour éviter de signer une capitulation générale. Mais il a rappelé Lévis de la frontière de Montréal. Lévis hérite des pouvoirs de Montcalm. Il ordonne aux troupes de revenir sur leurs pas dans une tentative de sauver Québec, et l'effort aboutirait si Ramezay n'allait conclure, le 18, une capitulation hâtive. [40] C'est une aubaine, Townshend est le premier à s'en rendre compte. Dans un ordre du jour, il attire l'attention de ses troupes sur toutes les peines que « la soumission rapide » de la capitale leur épargne. [41] Un mois plus tard, une dépêche de Londres reconnaît que la victoire du 13 septembre n'avait rien de « décisif »; lorsque, ajoute-t-elle, Ramesay, « contre notre attente », offrit de se rendre, « nous n'avions point encore de batterie établie, & les travaux de la tranchée étoient à peine commencés ». [42] A Paris, la version officielle de la capitulation tend à en diminuer la portée : « Il ne reste aux Anglois que la possession des ruines de la Ville de Quebec, dans laquelle il n'existe plus que quatre maisons. » [43]

*

*   *

---

[37] « Copie du Conseil de Guerre tenu le 13 Septembre [1759] chés M. le Marquis de Vaudreuil, » AC, F 3, 15 : 324-325; « Journal of a French Officer, » Doughty et Parmelee, éd., *The Siege of Quebec*, 4 : 257. Voir *François Bigot, administrateur français*, 2 : 300s.

[38] « Extrait d'un Journal tenu à L'armée, » AC, C 11A, 104 : 256-256v.

[39] Bigot à Berryer, 15 octobre 1759, AC, F 3, 15 : 339.

[40] Joannes, « Mémoire sur la campagne de 1759, » Doughty et Parmelee, éd., *The Siege of Quebec*, 4 : 227-229; Bernetz à Bougainville, 17 septembre 1759, *ibid.*, 131; La Rochebeaucourt à Bougainville, 17 septembre 1759, *ibid.*, 133.

[41] Doughty, éd., *Journal* de Knox, 2 : 123.

[42] *Mercure de France* (décembre, 1759), 202. Voir Casgrain, 7 : 617.

[43] *Gazette de France* (1er décembre 1759), 605; *ibid.* (8 décembre 1759), 613.

Cette version ne serait pas insoutenable si la chute de la capitale estait un fait isolé. Wolfe, nous le savons, aurait eu l'occasion de briser la résistance canadienne sur le Saint-Laurent; il l'a laissée passer. Montcalm eut, quant à lui, la chance inespérée de démolir la splendide machine de guerre britannique; il n'a pas su en profiter. Ce ne sont là, malgré tout, que des épisodes. Le drame de 1759 en comporte d'autres. Quelques-uns sont de nature militaire, les plus importants sont d'un ordre différent.

Pendant que se poursuit la campagne de Québec, se déroulent celles du lac Ontario et du lac Champlain. Celles-ci ne resteront pas, d'ailleurs, sans effet sur celle-là. Le front du lac Ontario se divise en deux secteurs, occidental et oriental. Peu s'en faut que le secteur occidental ne s'étende jusqu'à l'Ohio. Au printemps, Bouquet se montre inquiet au sujet du « nouveau fort de Pittsburgh » : il est trop petit, trop faible pour résister à l'artillerie que les Canadiens sont en mesure de faire descendre du fort Machault et entouré de tribus dont la diplomatie française entretient l'hostilité à l'égard des Anglais.[44] Un raid indigène effectué dans le voisinage de Loyalhanna donnera également à réfléchir.[45] Il faut pourtant défendre Pittsburgh, décide Amherst.[46] Car Ligneris se dispose à l'attaquer. Au début de juillet, l'officier canadien est au fort Machault avec 700 blancs et 400 Indiens. Cinq cents autres sauvages viennent se joindre à lui entre le 9 et le 11. Le 12, il s'estime prêt à descendre la rivière aux Boeufs le lendemain avec un corps expéditionnaire. Il réunit un grand conseil pour engager les indigènes à le suivre. Au beau milieu des délibérations arrivent des messages de Pouchot : Pouchot demande à Ligneris de venir le dégager à Niagara, assiégé depuis le 6 juillet.[47] En route donc à destination de Niagara ! L'offensive britannique du lac Ontario aura contribué à sauver Pittsburgh.[48]

Les Français n'en pourront pas dire autant de l'expédition de secours que dirige à Niagara le commandant de la Belle-Rivière. Le 24 juillet, Johnson taille en pièces ce détachement. Le 25, le fort change de mains.[49] Quand les 640 hommes de la garnison prisonnière sont

---

44 Bouquet à Amherst, 13 mars 1759, BM, Add. Mss., 21634 : 15.
45 *The Boston News-Letter*, 10 mai 1759.
46 Amherst à Bouquet, 16 mars 1759, BM, Add. Mss., 21634 : 20.
47 *The Boston News-Letter*, 16 août 1759.
48 Horatio Sharpe à William Sharpe, 24 septembre 1759, *Sharpe Correspondence*, 2 : 360.
49 Johnson à Amherst, 25 juillet 1759, *An Authentic Register of the British Successes* (Londres, 1760), 80; « Copie du détail de la défaite des Français près de Niagara et de la reddition du Fort, » 25 juillet 1759, Doughty et Parmelee, éd., *The Siege of Quebec*, 4 : 158s; *The New-York Mercury*, 6 août 1759; *The Boston News-Letter*, 16 août 1759.

amenés à New-York, un témoin s'étonne de leur trouver si bonne mine : « On ne dirait pas de gens qui se sont nourris de cheval. »[50] Les défenseurs du fort ne se sont cependant pas ménagés. Ils se sont battus « bravement », reconnaissent les Anglais.[51] Pouchot a tenu trois semaines sous un bombardement d'une extrême violence, qui a démoli un des bastions, ouvert une large brèche dans la muraille et exténué la garnison. La valeur de l'enjeu explique la vigueur de l'attaque et l'énergie de la résistance. Pour le Canada, perdre Niagara, c'est se faire amputer de tous les pays d'en haut, c'est aussi voir tomber un des boulevards de Montréal. Aussi conçoit-on la « sensation » que ce désastre crée dans la colonie.[52] Il faut tout de suite renforcer le haut du fleuve. Le grand quartier général décide d'y dépêcher Lévis et 800 hommes. Parti de Québec dans la nuit du 9 août, en toute hâte, — il « a passé comme un chat sur braise »[53] — le chevalier entre à Montréal le soir du 11.[54] La défense de la capitale n'aura plus désormais la même solidité : si, a-t-on conjecturé, Lévis avait été auprès de Montcalm au début de septembre, les choses auraient pris une tournure bien différente.[55] — D'autre part, pour le New-York, planter le drapeau britannique à Niagara, c'est mettre la main sur un immense commerce et sur de vastes alliances indigènes, deux éléments « inséparables ». Cette place, avait dit Johnson, est infiniment plus importante qu'Oswego : à Oswego, les Anglais s'assuraient la clientèle et la fidélité des Iroquois; à Niagara, les Français régnaient sur les grosses tribus de l'ouest, auprès desquelles les Six Nations ne représentent qu'une « poignée » de monde. On parle de la traite qui se faisait à Oswego; ce n'était rien en comparaison de celle qui se déroulait à Niagara. Qu'est-ce qui avait alimenté le premier de ces comptoirs ? En grande partie les échanges interlopes que venaient y effectuer les trafiquants canadiens. Or ceux-ci allaient négocier avec les Indiens qu'ils attiraient à Niagara les assortiments qu'ils s'étaient procurés à Oswego, et c'étaient eux qui réalisaient les grands profits. Ainsi s'exprimait à peu près William Johnson. C'est pourquoi il avait recommandé avec tant de chaleur de viser plutôt la conquête de Niagara que la reconstruction d'Oswego.[56]

---

[50]   *The Boston News-Letter,* 30 août 1759.
[51]   *The Boston News-Letter,* 16 août 1759.
[52]   *Journal* de Lévis, Casgrain, 1 : 191s; « Extrait d'un Journal tenu à L'armée, » AC, C 11A, 104 : 235-235v.
[53]   Lévis à Bourlamaque, 12 août 1759, APC, Lettres de Bourlamaque, 3 : 95.
[54]   *Journal* de Malartic, 368s.
[55]   Johnson au Board of Trade, 17 mai 1759, NYCD, 7 : 736.
[56]   De Blau à Bougainville, 10 août 1759, Doughty et Parmelee, éd., *The Siege of Quebec,* 4 : 29.

Il faut, pense Amherst, viser les deux objectifs. Si des motifs économiques et stratégiques commandent la prise de Niagara, des considérations militaires d'une portée immédiate dictent la reconstruction
l'Oswego. Pendant que Prideaux, tué au cours du siège, et Johnson
opèrent devant le fort français, Haldimand prend pied à l'ancien
Chouaguen. La Corne part des rapides pour tenter de le déloger; il
est lui-même repoussé. Maintenant, tout le lac Ontario est aux Anglais. [57] La Nouvelle-France a vraiment les reins cassés. Entre la sortie
du lac et Montréal, il ne reste à l'ennemi aucun obstacle à franchir
que le poste de la Présentation. La Corne, qui occupe cette position,
la juge mauvaise; il n'estime pas meilleures les forces qu'il y commande. Si, mande-t-il, l'adversaire marche à lui, il ne pourra « que
se retirer jusqu'au côteau du lac »; et comme ce dernier point « est à
l'entrée des premières habitations de la colonie, on la regarda comme
perdue si l'ennemi parvenoit jusque là ». [58] Voilà encore ce qui a
déterminé la mission de Lévis sur cette frontière. Fait qui empire cette
situation et en souligne la gravité, les Franco-Canadiens sont à peu
près réduits à leurs seules forces, lâchés par leurs meilleurs alliés depuis
les premiers jours de juillet : « Nos [Indiens] domiciliés, déplore Rigaud, semblent ne plus vouloir mordre à l'ameçon. » [59] Lévis a tôt
fait de le constater, la Présentation ne pourrait pas enrayer une forte
poussée britannique. Vers la fin d'août, il met en train l'érection du
fort qui porte son nom à l'île aux Galops au-dessous de la mission de
l'abbé Picquet. Cette précaution n'a rien de superflu. A trois reprises,
Amherst répète à Gage, chargé de la direction de la campagne à
Oswego depuis la mort de Prideaux, l'ordre d'aller culbuter les Canadiens des rapides et de s'installer à leur place. Gage objecte qu'il
n'a ni assez de monde ni assez de temps pour entreprendre une expédition aussi considérable. Le commandant en chef en éprouve un vif
ressentiment. [60]

Que fait-il lui-même ? Très prudent et aussi lent que prudent, il
cueille deux forts en ruines sur le lac Champlain. Devant lui, tout
près, mais insaisissable, Bourlamaque manœuvre avec des troupes que
l'indiscipline et la nécessité de battre en retraite rendent médiocres.

57   Journal de William Amherst, Doughty, éd., *Journal* de Knox, 3 : 38; *The
Pennsylvania Journal*, 26 juillet 1759; « Relation de la campagne de M. le chevalier de
La Corne à Chouaguen, en 1759, » H.-R. Casgrain, éd., *Relations et journaux de différentes expéditions* (Québec, 1895) : 215-218.
58   *Journal* de Lévis, Casgrain, 1 : 192.
59   Rigaud à Bourlamaque, 2 juillet 1759, APC, Lettres de Bourlamaque, 4 : 40.
60   John R. Alden, *General Gage in America* (Bâton-Rouge, 1948), 49-51; Gage
à Amherst, 11 septembre 1759, PRO, CO 5, 57 : 553; Amherst à Gage, 21 septembre
1759, *ibid.*, 56 : 363; journal de Johnson, Doughty, éd., *Journal* de Knox, 3 : 226.

Conserver intact son corps de 3,000 hommes, le maintenir entre
Amherst et Montréal, telle est la tâche que Montcalm lui confie. Sa
consigne est, en conséquence, de reculer avec lenteur sans se laisser
entamer,. d'abandonner successivement Carillon et Saint-Frédéric lorsqu'il s'y verra menacé d'encerclement et de se replier sur l'île aux
Noix où, retranché derrière des positions faciles à défendre, il devra
mettre en œuvre toutes ses ressources pour bloquer l'avance anglaise,
car, ce dernier poste dépassé, « il n'y auroit plus rien qui fût capable
de pouvoir arreter les ennemis et les empecher de penetrer dans l'intérieur du gouvernement de Montreal ». [61] En conformité avec ce plan,
le brigadier évacue Carillon lorsqu'Amherst s'y présente; l'arrière-
garde qu'il y a laissée s'en retire le soir du 27 juillet, après avoir mis
le feu aux mèches; le mouvement s'exécute « dans un desordre si
grand, qu'il y resta 20. Soldats auxquels L'yvresse ne permit pas de
suivre La Troupe ». [62] Le 31, Saint-Frédéric saute comme Carillon.
Ainsi ce fort, depuis 1731 « la terreur des colonies du nord », [63] croule
sans coup férir dans l'empire britannique. Amherst est un bâtisseur.
Il répare avec soin Carillon, ou plutôt Ticonderoga. A côté des murs
démantelés de Saint-Frédéric, il édifie Crown Point. Puisque les Canadiens ont une marine de guerre sur le lac, il en construit une supérieure à la leur. Pendant que se poursuivent ces travaux, le temps
avance. Quand le commandant anglais se sent prêt à enfoncer les
défenses de l'île aux Noix, l'arrière saison lui laisse à peine le loisir
de les sonder. Tout étonné d'avoir tenu en respect une armée trois
fois plus forte que la sienne, Bourlamaque se demande comment son
adversaire « mettra sa tête en sûreté; il a fait là une sotte campagne ». [64]

Non seulement Amherst sauve sa tête, mais il est promu et comblé
d'éloges. [65] Le gouverneur du Massachusetts lui exprime « la reconnaissance du pays » : le généralissime a assuré l'avenir des Américains,
il a « rivé l'empire britannique d'Amérique à une base solide et durable ». [66] De fait, à l'automne de 1759, l'histoire du Nouveau Monde
est lancée sur une voie dont elle ne déviera plus. L'avenir sera certes
plus compliqué qu'on ne le prévoit alors; l'essentiel n'en est pas moins

[61]   Vaudreuil à Bourlamaque, 1er juin 1759, APC, Lettres de Bourlamaque, 5 :
63-66; id. à id., 19 juin 1759, ibid., 2 : 272.
[62]   « Extrait d'un Journal tenu à L'armée, » AC, C 11A, 104 : 234; Gabriel, Le
Maréchal de camp Desandrouins, 297.
[63]   The Boston News-Letter, 16 août 1759.
[64]   Bourlamaque à Lévis, 25 octobre 1759, Casgrain, 5 : 68; Bourlamaque à Vaudreuil, 25 octobre 1759, ibid., 70.
[65]   Ligonier à Amherst, 28 septembre 1759, APC, Amherst Papers, liasse 11; Pitt
à Amherst, 29 septembre 1759, ibid., liasse 23.
[66]   Pownall à Amherst, 11 novembre 1759, PRO, CO 5, 57 : 89.

acquis. L'Amérique sera britannique — pas nécessairement anglaise, mais nécessairement pas française. Le Canada doit lâcher sa prise sur le continent. La campagne n'est pas encore terminée que déjà la colonisation britannique se déploie dans les territoires que ses armes lui ont ouverts. Quand Amherst érige un grand fort à Crown Point, il n'obéit pas à la seule nécessité militaire. Cette place, écrit-il au lieutenant-gouverneur du New-York, « couvrira toute la contrée avec la plus grande efficacité » et il invite le fonctionnaire à recommander aux colons qui avaient quitté leurs terres par crainte des Indiens d'y rentrer et même de fonder de nouveaux townships dans le prolongement de leurs anciens établissements. [67] Et s'il regrette avec tant d'amertume que Gage n'ait pas poussé jusqu'à la Présentation c'est que, tant que les Canadiens s'y maintiendront, ils menaceront de trop près le côté nord de la Mohawk pour que les New-Yorkais s'y transportent sans risque; en attendant de le pouvoir, ils affluent dans le pays qui s'étend depuis le fort Edward jusqu'au lac George. [68] Signes de vitalité.

Ce qui ajoute du prix aux succès ternes, mais importants d'Amherst, c'est qu'ils s'insèrent dans une série de triomphes. Un mot vient spontanément à la bouche des contemporains : le mot « merveilleux ». « Annus mirabilis », ainsi désignent-ils 1759. Les Anglais émettent des bulletins de victoire dans toutes les parties du monde. D'Amérique viennent tour à tour les nouvelles de la prise de la Guadeloupe, de Marie-Galante, de Carillon, de Niagara, de Québec; de l'Inde, celles de la défense de Madras et de la conquête de Surat; d'Europe, celle du « marathon de Minden », qui sauve le Hanovre. [69] « Voilà, s'écrie un orateur, l'œuvre du Seigneur, et elle devrait être merveilleuse à nos yeux. » [70] « Nous venons de terminer l'heureuse et merveilleuse année 1759 : — année aussi glorieuse que les plus glorieuses qui aient jamais marqué les annales de notre nation... Car la gloire de la Grande-Bretagne, nous avons maintenant le droit de le proclamer, s'étend du pôle sud au pôle nord, du soleil levant au soleil couchant. » [71] La Fortune « accompagne nos généraux », dit Washington. [72] Un ministre de Boston voit plus loin que ce soldat en qui le grand politique ne se révèle

---

[67] Amherst à de Lancey, 5 août 1759, PRO, CO 5, 56 : 493s.
[68] De Lancey à Amherst, 17 septembre 1759, *ibid.*, 563; Amherst à de Lancey, 25 septembre 1759, *ibid.*, 529.
[69] Max Savelle, *The Diplomatic History of the Canadian Boundary*, 91. Voir *Mercure historique de La Haye*, 147 (juillet 1759) : 45.
[70] William Adams, *A Discourse Delivered at New-London, October 23d. A. D. 1760*, 21s.
[71] *London Magazine*, 1759, préface, p. 1.
[72] George à Richard Washington, 20 septembre 1759, J. C. Fitzpatrick, éd., *Writings of Washington*, 2 : 337.

pas encore : ces victoires, pour lui, sont plus que des faits d'armes; elles promettent d'éliminer l'ennemi « de nos Libertés » et l'adversaire « de notre développement ». Il s'exclame : « Quelles scènes de bonheur nous est-il donné d'imaginer, fondés sur l'espoir de jouir, sur cette bonne terre, de tous les bienfaits d'une paix continue et durable ! sur l'espoir de voir nos villes grandir, notre commerce augmenter, nos établissements s'étendre en sécurité de tous côtés et transformer un désert en un champ fécond ! » [73] L'ecclésiastique a raison : ce grand triomphe est avant tout celui d'une colonisation.

Aussi, faut-il voir les fêtes qui se déroulent dans l'empire britannique. Si l'on se réjouit de la chute de Niagara, [74] c'est surtout celle de Québec que l'on célèbre. Et sur quels tons ! Le jeune officier écossais qui, en septembre, écrit à Bougainville le mot suivant est un isolé : « Mon cher confrère, » déclare-t-il au lieutenant de Montcalm, « Je suis du même opinion que Volontaire [sic], dans Candide que nous faisons la guerre pour quelques arpens de neige dans ce pays. » [75] La culture française l'a trop marqué. A Londres, la Cour et la ville manifestent des sentiments tout à fait étrangers aux siens. L'ambassadeur de la Russie auprès du gouvernement anglais renonce à « décrire la joie et l'enthousiasme général » que provoque la prise de la capitale canadienne. Il ajoute, et c'est sans doute ce qu'il entend dire autour de lui, qu'elle « décidera définitivement la question américaine qui a été la cause et l'origine de cette guerre sanglante ». [76] Les canons du Parc et de la Tour donnent, à Londres, le signal des feux de joie et des illuminations; tout le Royaume-Uni suit l'exemple de la Cité. [77] Georges II décrète que le 29 novembre sera un jour d'action de grâces. [78] Un journal londonien demande quelque temps pour se faire à l'idée « d'un aussi prodigieux bienfait de la Providence ». [79] Wolfe entre tout de suite dans la légende, et c'est Pitt, plus grandiloquent que jamais, qui l'y introduit. Le premier ministre, rapporte Walpole, prononce à cette occasion, « d'une voix basse et plaintive, une espèce d'oraison funèbre » du jeune vainqueur mort en pleine gloire. Il en ressort que « Mr. Pitt lui-même a fait plus pour la Grande-Bretagne que tout orateur a jamais

[73]   Samuel Cooper, *A Sermon Preached Before His Excellency Thomas Pownall, Esq.* (Boston, 1759), 46-48.
[74]   *The Boston News-Letter,* 16 août 1759.
[75]   James Abercrombie à Bougainville, 10 septembre 1759, Doughty et Parmelee, éd., *The Siege of Quebec,* 4 : 120.
[76]   Alexandre Galitzine à Catherine II, 8 octobre 1759, *ibid.,* 4 : 150.
[77]   *London Magazine* (octobre 1759), 569; *Mercure historique de La Haye,* 147 (novembre 1759) : 554, 585s.
[78]   *London Magazine* (octobre 1759), 570.
[79]   Reproduit dans le *Boston News-Letter,* 14 février 1760.

fait pour Rome ». En somme « la plus mauvaise harangue » qu'il ait faite. [80] Il n'importe : elle instaure le culte de Wolfe. L'opinion entre en transe. « Carthage, lance le *Monitor,* peut se vanter de son Annibal et Rome peut ordonner un triomphe pour son Scipion, mais le vrai courage n'est jamais apparu plus glorieux que dans la mort de l'Anglais Wolfe. » [81] « Qui, déclame un autre, comme César, écrivit de devant Québec ? Qui, comme Epaminondas, mourut dans la victoire ?... Qui nous légua le Canada en héritage triomphal ? Proclamons-le — c'est WOLFE ! » [82] Il sera, prophétise-t-on, « à jamais surnommé *le Conquérant du Canada* ». [83] Les réjouissances sont au moins aussi intenses dans les colonies que dans la métropole. A Boston se manifeste une « joie... aussi grande qu'on en ait jamais connue ». [84] A New-York, ce n'est plus de l'allégresse, c'est du délire, « car les conséquences d'une telle victoire... doivent être tout particulièrement heureuses pour nous ». [85] Encore une fois, un grave prédicateur frappe la note la plus juste : « Dieu a écouté nos prières et celles de nos pères. Nous contemplons le jour qu'ils ont désiré voir, mais n'ont pas vu. Nous avons reçu du Ciel un gage de salut plus grand peut-être que tout autre depuis la fondation du pays. La puissance du Canada est brisée. » [86]

A la fin de 1759, le Canada n'est plus que l'ombre de lui-même. Le cataclysme a passé; il n'en émerge qu'un tronçon de pays le long du Saint-Laurent, entre les rapides et la rivière Jacques-Cartier. Bien que, dans ce territoire isolé par une ceinture de ruines, subsiste un « résidu » de force militaire encore capable de causer une surprise, sur le plan de la stratégie impériale la France et l'Angleterre ont raison de considérer la colonie comme éliminée. [87] Son anéantissement ne peut être que l'affaire de quelques mois. C'est aussi ce que croit Amherst, après avoir rencontré à New-York le commandant Grant. Grant connaît mieux qu'aucun Anglais l'état du Canada. Fait prisonnier en 1758 près du fort Du Quesne, il a l'avantage d'une observation directe de l'adversaire et d'entretiens répétés avec des officiers de la Nouvelle-France. Sur la demande de son commandant en chef, il rédige un rapport de ce qu'il a appris. Les Canadiens, écrit-il, sont tous « cordialement fatigués » de la guerre. Ceux à qui le conflit a donné l'occasion

---

80   *Memoirs of the Reign of George II,* 3 : 229s.
81   Reproduit dans le *London Magazine* (octobre 1759), 517.
82   *Ibid.,* 568.
83   *Ibid.* (novembre 1759), 579.
84   *The Boston News-Letter,* 18 octobre 1759.
85   *The New-York Mercury,* 29 octobre 1759.
86   Samuel Cooper, *A Sermon Preached Before His Excellency Thomas Pownall, Esq.,* 39.
87   Corbett, *England in the Seven Years' War,* 2 : 72.

d'amasser des fortunes ont hâte d'aller mettre leur argent en sécurité dans la métropole. Le peuple est « harassé »; il trahit une extrême répugnance à toujours se battre sans solde et presque sans vivres. Ses chefs le font marcher en entretenant « l'espoir de la paix au printemps »; si la paix allait tarder la plupart des habitants « souhaiteraient de tomber aux mains des Anglais ». Le gouvernement est assez fort, toutefois, pour garder la population sous les armes, mais que s'évanouissent les espérances d'une paix prochaine et d'une flotte française, — alors, la résistance canadienne faiblira brusquement. [88] Etant donné, en conclut Amherst, les positions qu'occupe l'armée britannique aux deux bouts du Saint-Laurent, « même sans recevoir un autre coup, il faut que le Canada tombe ou que ses habitants meurent de faim ». [89]

Bonne analyse, mais qui ne va pas tout à fait assez loin : elle se limite trop étroitement aux données militaires de la situation du pays. Il est vrai que ces données sont effroyables. Lévis fait le compte des combattants qu'il aura sous ses ordres quand l'activité reprendra au printemps de 1760 : au plus 3,600 soldats réguliers, démunis de tout; les miliciens des gouvernements de Montréal et des Trois-Rivières, « et encore aurons-nous de la peine à les rassembler »; un millier d'Indiens, si la France envoie une escadre, « car sans cela nous serons fort heureux s'ils ne sont pas contre nous ». La métropole ne peut se dispenser d'expédier des secours : autrement, prévoit le général, « nous serons obligés de nous rendre par misère ». [90] Ce sombre pronostic rejoint celui d'Amherst. Avec seulement 3,600 troupiers, le haut commandement doit compter plus que jamais sur les miliciens. Ces derniers n'en peuvent plus. Rappelés sous les armes, ceux qui sont rentrés chez eux « après l'affaire de Québec » refusent de rallier leur compagnie, se disant « malades ». [91] Et ce n'est pas là, le plus souvent, un prétexte pour se dérober au service; Vaudreuil reconnaît : « Il y a maintenant dans toutes les paroisses plus d'infirmes que de gens en santé. » [92] Le commandant du fort Lévis, aux rapides, voit fondre sa garnison : bien qu'il ait la plus grande attention à ne donner congé qu'aux « véritablement malades », il doit laisser partir bien du monde : « peu de la troupe », mais « beaucoup » de Canadiens, parce qu'ils « sont plus sujets aux maladies » que les soldats, « soit par le peu de vêtements ou le peu de nourriture qu'ils ont ». [93]

[88] « Remarks upon the Present Situation of Canada By Major Grant, November 1759, » PRO, CO 5, 57 : 137s.

[89] Amherst à Pitt, 16 décembre 1759, Doughty, éd., *Journal* de Knox, 3 : 77.

[90] Lévis à Belle-Isle, 1er novembre 1759, Casgrain, 2 : 247s.

[91] *Journal* de Lévis, 27 octobre 1759, Casgrain, 1 : 229.

[92] Vaudreuil à Lévis, 16 octobre 1759, Casgrain, 8 : 127.

[93] Beauclair à Lévis, 23 octobre 1759, Casgrain, 10 : 190.

Si atteints soient-ils dans leur santé, les habitants le sont plus profondément encore dans leur moral. C'est là que se joue le grand drame de la conquête. Le premier coup porté à leur esprit de résistance l'a été par l'attitude de la France et des Français à leur égard. La métropole les a délaissés à l'heure du danger. La propagande britannique n'a pas manqué d'exploiter cette faute. La France, a proclamé Wolfe, « incapable de supporter [soutenir] ses peuples, abandonne leur cause dans le moment le plus critique ». [94] Le plus grave est que cette déclaration n'est que l'écho de propos qu'on tient depuis longtemps au Canada; dès 1752, quelqu'un soupirait : « Il paraît que le roi ne s'embarrasse pas de cette colonie. » [95] Au début de 1761, on remarquera encore : « La Cour est bien indisposée Contre le Canada. » [96] Cette amère déception n'empêche pas le peuple d'accourir de partout à la défense de Québec.

Cependant, quelque temps après la bataille du 13 septembre, une dépêche britannique mande que « les pitoyables débris de l'armée française (environ 10,000 Canadiens) » se sont retirés à la rivière Jacques Cartier, mais qu'il en déserte « un grand nombre tous les jours » pour faire leur soumission à Québec et prêter serment d'allégeance à Sa Majesté Britannique. [97] La formule de ce serment est explicite : « Je Promets et Jure devant Dieu Solennellement, que Je Serai fidele à Sa Majesté Brittanique le Roy George Second, que Je ne Prendrai Point les Armes contre lui, et que Je ne donnerai aucune Avertissement à Ses Ennemis, qui lui puisse en aucune maniere nuire. » [98] On dirait la conquête consommée; sans l'engagement de ne pas fournir de renseignements aux Français, on pourrait croire le Canada déjà cédé à la Grande-Bretagne. A Québec, les relations sont généralement bonnes entre vainqueurs et vaincus. Ce n'est certes pas une idylle. Il arrive que l'on trouve dans un fossé un soldat anglais assassiné et mutilé. [99] Murray aura recours à l'expédition punitive pour tenir au pas la population. [1] Incidents normaux dans une zone occupée, contiguë à un territoire qui ne l'est pas encore. Il reste que l'on pourrait s'étonner de voir avec quelle facilité les habitants du gouvernement de Québec paraissent « s'accommoder » des occupants. [2] Plusieurs particuliers rentrent derrière les

---

[94]   Manifeste du 27 juin 1759, Casgrain, 4 : 275s.
[95]   *Le Grand Marquis*, 432.
[96]   M. Perrault à son frère, 15 février 1761, Université de Montréal, Collection Baby, dossier Perrault.
[97]   *The Boston News-Letter*, 26 octobre 1759.
[98]   « Form of Oath Administered to the Canadiens, Subdued by His Britannick Majesty's Troops in the River St. Lawrence 1759, » PRO, CO 5, 57 : 533.
[99]   Doughty, éd., *Journal* de Knox, 2 : 248.
[1]   *Ibid.*, 279s.
[2]   *Journal* de Lévis, Casgrain, 1 : 225.

lignes françaises en « se louant des bons traitemens des Anglois ». [3] A l'occasion, des rapports cordiaux se nouent entre gens du peuple et soldats britanniques. [4] L'autorité nouvelle se montre correcte à l'égard des Canadiens; si ce n'est pas sans calcul, [5] ce n'est pas non plus sans effet.

Attribuer à cette seule cause la pacification aussi rapide et aussi aisée de toute une partie de la population qui, quatre ou cinq mois auparavant, se défendait encore farouchement serait néanmoins une erreur. Que s'est-il donc passé ? Il est arrivé que, le 13 septembre, les Canadiens ont vu deux fois les bataillons français tourner les talons. Si la première fuite, sur le champ de bataille, pouvait se réparer au moyen d'une contre-attaque menée avec énergie, la seconde déroute, commencée à dix heures du soir, après mûre réflexion de la part des commandants, était irréparable. A ce moment, on vit des unités détaler avec une telle hâte, un tel ensemble, une telle frayeur que les militaires, « en se retirant, n'osoient ni s'arrêter ni se moucher », [6] bien que l'adversaire ne les poursuivît pas. Cette panique allait avoir des répercussions inoubliables. A la mi-novembre, Murray demandera aux habitants : « ... Que pouvez-vous attendre d'une armée foible, battue et terrasssée sans espoir ? » [7] Le général se fait ici, à son insu, l'écho des Québecois. Dès le 15 septembre, le lieutenant général civil et criminel, François Daine, le procureur du roi, Jean-Claude Panet, le syndic des négociants, Jean Tachet et 22 autres « Bourgeois et Cytoyens » de la capitale présentent à Ramezay une requête le suppliant d'entamer sans retard des pourparlers de capitulation. Ils ont, représentent-ils, combattu de leur mieux « Jusqu'a ce fatal Jour » du 13, essuyé un bombardement de deux mois, supporté les privations, les veilles et « un service fatiguant ». L'espoir de la victoire les a soutenus. Une armée les couvrait. Elle a disparu. Il ne leur reste qu'à se rendre : « Les Trois Quarts de Leur Sang repandu n'empecheroit point Lautre quart de Tomber Sous le Joug de Lennemi » ... [8] A la suite de l'effondrement soudain de la résistance militaire, la résistance populaire s'écroule d'autant plus vite que deux facteurs l'ont déjà minée. Le premier est la nature de la défensive organisée par Montcalm : cette tactique passive qui a laissé à l'assiégeant toute la liberté et tout le temps qu'il a voulus pour monter ses batteries, manœuvrer comme sur un terrain d'exercice et asseoir ses divers camps; cette tactique

---

[3] *Journal* de Malartic, 292.
[4] Doughty, éd., *Journal* de Knox, 2 : 147.
[5] *Ibid.*, 120.
[6] La Pause, « Mémoire et réflexions politiques et militaires sur la guerre du Canada, » RAPQ (1933-1934) : 157.
[7] Manifeste du 14 novembre 1759, Casgrain, 4 : 281.
[8] Reproduction photographique de cette pétition dans RAPQ (1922-1923) : 272.

qui devait faire tourner la campagne à la guerre d'usure, alors précisément que le moral d'une population est plus susceptible d'être entamé
par ce genre de guerre que le moral d'une armée de métier comme
celle de Wolfe. Mais il y a plus.

Infiniment plus. Et ici, la crise de la défaite révèle sa complexité.
Un témoin de la fuite du 13 septembre a un mot révélateur : « La plus
grande partie des Canadiens de Québec profita du désordre et regagna
ses foyers, peu inquiète du maître auquel elle appartiendroit désormais. » [9] Trop de Français se regardent comme les « maîtres » des
Canadiens. Tomber sous le joug de l'étranger est effrayant; est-ce un
si grand malheur que de troquer une servitude pour une autre ? Ou
une occupation pour une autre ? Les habitants du gouvernement de Québec vivent maintenant en pays occupé par les Anglais; ils « se louent »
de la conduite de la garnison britannique à leur égard. Serait-ce que les
troupes ennemies éprouvent pour eux une sympathie naturelle ? Ne
confondons pas la carte du gouvernement de Québec et la carte du
Tendre. Souvenons-nous plutôt de l'attitude de l'armée française envers
la même population. Celle-ci a été témoin durant la campagne de ce
spectacle déconcertant et douloureux : indisciplinés, avinés, affamés de
pillage, les bataillons français se livraient « à la licence la plus effré-
née »; on les a vus faire main basse sur les biens des particuliers et « ravager » à plusieurs lieues à la ronde les endroits où ils étaient stationnés, sous l'œil paterne de Montcalm, que les « jérémiades » des « chers
Canadiens » n'arrivaient pas à émouvoir. [10] « Rien n'égale », avoue
un contemporain, « les dégats commis par les troupes dans toutes les
campagnes où l'armée a campé ». Un jour d'alerte quelqu'un aurait
même prévenu le général « qu'il auroit 500. Soldats de moins à
opposer aux efforts de l'ennemi » s'il ne se hâtait d'envoyer quérir ses
hommes « dans les profondeurs de Charlebourg... où Ils s'occupoient
à piller dans l'intérieur même des maisons ». [11] Cette inconduite s'exhi-
be sans pudeur, et si scandaleuse que les Anglais eux-mêmes la remar-
quent. Si, demande Wolfe dans une proclamation, la France a envoyé
aux Canadiens des soldats, « à quoi leur ont-ils servi » ? Il enchaîne :
« A leur faire sentir avec plus d'amertume le poids d'une main qui les
opprime au lieu de les secourir. » [12] Quel témoignage accablant !
Si encore c'était tout ! Sans en minimiser les effets psychologiques,
les sévices des soudards français peuvent être tenus pour un mal passa-

9 Suite du *Journal* de Montcalm, Casgrain, 7 : 615s.
10 Voir les témoignages cités dans *François Bigot, administrateur français*, 2 : 260s.
11 « Extrait d'un Journal tenu à L'armée, » AC, C 11A, 104 : 257.
12 Manifeste du 27 juin 1759, Casgrain, 4 : 276.

ger, destiné à disparaître avec le retour éventuel de conditions moin
exceptionnelles. Ce n'est pas seulement parce qu'ils s'abstiennent main
tenant de faire sentir au peuple le poids de leurs armes que les Anglai
exercent un véritable attrait sur l'esprit des Canadiens. Murray leu
déclare : « Nous vous exhortons avec empressement d'avoir recours
à un peuple libre, sage, généreux, prêt à vous tendre les bras, à vous
affranchir d'un despotisme rigoureux, et à vous faire partager avec eux
[sic] les douceurs d'un gouvernement juste, modéré et équitable. »[13]
Voilà qui porte. Le « despotisme » auquel le commandant militaire
de Québec fait allusion ne s'exprime pas par des institutions politiques;
il tient de plus près à ce qui constitue l'élément essentiel de toute colonisation : à une structure économique. Si, réfléchit Lévis au même moment, la France perd le Canada, il lui sera « bien difficile » de le reprendre dans une autre guerre : il y a à cela maintes raisons, mais la principale est que « les Canadiens, par ce que nous voyons de ceux de Québec, ne seront pas longtemps à s'accoutumer au gouvernement anglois,
à cause de la facilité qu'ils trouveront dans le commerce ».[14] Cet état
d'esprit n'est pas très nouveau. Il se trouve des gens aux yeux de qui
un régime anglais constituerait un moindre mal que l'oppression qui
s'identifie à la Grande Société. Le monopole de cette dernière s'étend
à tous les secteurs de l'économie. « Aussi », note Montcalm dès l'automne de 1758, « écrit-on de Québec qu'un grand nombre de familles se
sauvent en France. Je dis se sauvent, parce qu'il s'agit ici de fuir un
ennemi plus dangereux mille fois que les Anglois ».[15] Que l'on remarque la comparaison. Dans un mémoire rédigé au début de 1759, Bougainville rapporte des propos qui courent dans la colonie : on y « débite » que les Anglais laisseraient à la population « la Liberté de religion », qu'ils fourniraient aux commerçants des marchandises de traite
à meilleur compte que la Compagnie des Indes, qu'ils paieraient « largement » les ouvriers. Ces idées, souligne le jeune officier, font leur chemin. On les trouve dans la bouche de « quelques personnes au dessus du
peuple ». Bien des gens en sont séduits : « Les habitans des Villes le
Seront plus facilement. »[16]

Il faut voir combien la petite bourgeoisie commerçante se colle
au flanc de l'autorité occupante, dans l'ancienne capitale. Bigot enrage :
« Un chacun à Québec pense à raccommoder ses affaires et peu aux intérêts du Roi et à ceux de la colonie. » Le munitionnaire Cadet doit y
envoyer des personnes chargées d'une mission que d'autres viennent de

---

13 Manifeste du 14 novembre 1759, *ibid.*, 281.
14 Lévis à Belle-Isle, 1er novembre 1759, Casgrain, 2 : 248.
15 *Journal* de Montcalm, Casgrain, 7 : 465.
16 « Memoire Sur le Canada, » AC, C 11A, 104 : 470v-471.

manquer; l'intendant n'attend d'elles rien de bon : « Je crois que lorsqu'elles y seront, elles seront enchantées des Anglois comme les autres. » [17] Ce sont les petits marchands qui se trémoussent autour de Murray, non pas les grands négociants; ceux-ci restent avec le gouvernement canadien, sur lequel ils ont d'ailleurs d'énormes créances, dans la capitale provisoire de Montréal. Les commerçants évincés par la toute-puissante aristocratie de la finance franco-canadienne, les concurrents malheureux qui, depuis dix ans, ont dû se contenter d'un rang modeste dans la féodalité des affaires instaurée par Bigot et par son entourage, voilà ceux qui rendent foi et hommage au nouveau suzerain et qui rampent sous la table où les miettes sont maintenant susceptibles d'être ramassées. « Tous les François qui sont à Québec, constate encore l'intendant, cherchent à faire leur cour pour se procurer des aisances. Je le connois parce que ces négociants me le répètent eux-mêmes. » [18] La première classe sociale dont les ressorts se brisent, la première à se désintégrer, c'est donc la petite bourgeoisie.

Aurait-il eu raison, cet Américain qui, dès l'automne de 1759, juge la journée du 13 septembre malheureuse pour Montcalm et ses troupes, « quoique heureuse pour Québec et ses habitants », puisqu'elle peut permettre à ces derniers de « jouir de la Liberté à laquelle ils ont été jusqu'ici étrangers » ? [19] On touche ici l'équivoque la plus subtile de l'histoire du Canada. Les dernières années du régime français sont pénibles, et les dernières heures affreuses. La France, par son gouvernement et par beaucoup de ceux qui l'incarnent dans la colonie, montre un visage répulsif. C'est vrai. Malgré tout, tant que la métropole française n'est pas éliminée d'Amérique, la patrie canadienne subsiste, même si le gouvernement royal s'en détache, même si les agents de ce gouvernement la maltraitent. Ce n'est pas parce que la France joue mal son rôle que son rôle en devient inutile; ce n'est pas parce qu'elle accepte d'être remplacée qu'elle est remplaçable. Accordons que la politique de la France est désastreuse : ce n'est pas un désastre plus grand — la conquête — qui peut y remédier. Un empire, encore un coup, constitue un tout organique. A ce stade de son développement, la société canadienne est toujours un élément de l'empire français; introduite dans l'empire britannique, elle y deviendra un corps étranger, qui devra ou bien s'y dissoudre ou bien en être expulsé. L'évolution qui s'amorce dans les derniers mois de 1759 annonce qu'elle s'y dissoudra. Et, déjà, l'équivoque qui s'ébauche laisse prévoir que ce processus sera inconscient.

17 Bigot à Lévis, 10 octobre 1759, Casgrain, 9 : 68.
18 Id. à id., 13 octobre 1759, ibid., 69.
19 The Boston News-Letter, 26 octobre 1759.

CHAPITRE IX

LA CHUTE DU CANADA

1760

L A campagne de 1759 a jeté le Canada par terre. Toute vie en lui n'est cependant pas éteinte. Sa petite bourgeoisie peut se déraciner, sa structure économique être en danger de dislocation, sa base territoriale passer des dimensions d'un empire à celles d'une province, il forme toujours un corps : affaiblis, ébranlés, entamés, ses cadres subsistent; si violemment tiraillée soit-elle, sa société reste organisée; avant de s'émietter, il est capable de ramasser ses forces, de se relever, d'avoir un autre sursaut. Un dernier. Car il a une dernière espérance : que la France le sauve, soit en lui expédiant des secours, soit en lui procurant la paix. Encore en juillet 1760, alors que l'espoir des secours se sera évanoui, celui de la paix ne sera pas mort, et, chaque fois que le vent soufflera du nord-est, on comptera qu'il pousse dans le fleuve un navire porteur de la nouvelle libératrice. [1]

L'état de la colonie, son extrême gravité n'échappent pas aux Français. Un officier supérieur rentré chez lui après avoir participé en 1758 à la défense de Louisbourg, Marchant de La Houlière, en prévient le duc de Choiseul, à la mi-décembre 1759 : « N'y envoyer aucun secours, c'est... perdre certainement ce pays. » Il est vrai, reconnaît-il, que des envois d'hommes et de matériel risqueraient d'être interceptés par les escadres britanniques et qu'au point où la marine française est tombée, il ne se le cache pas, « il n'y a point de petites pertes » pour elle en vais-

---

1 Bernier à Crémille, 12 septembre 1760, AG, 3574 : no 102.

seaux, en matelots et en munitions. D'autre part, si la colonie tombait aux mains des Anglais, elle n'en sortirait sans doute jamais, et sa chute « entraineroit la ruine de notre Commerce, car aujourd'hui pretendre en avoir sans une Marine, C'est batir sans fondement et a cet Egard le Canada est le Pays le plus precieux que nous ayons ». C'est que sa possession assure celle des pêcheries de l'Atlantique-Nord et que celles-ci constituent « la meilleure Ecole de nos Gens de Mer ». Il est donc essentiel de « faire encore un Effort ». [2]

Faire un effort, rien de mieux, mais comment procéder ? Si la Cour ne le sait pas, ce n'est pas à défaut d'hommes qui le lui disent. Il se trouve à Versailles, au début de janvier 1760, un officier du régiment de Berry, Massé de Saint-Maurice, que les Anglais ont renvoyé en France avec la garnison qu'ils ont capturée en acceptant la capitulation de Québec. Massé connaît bien l'Amérique. Les forces britanniques, il le prédit, « se porteront indubitablement par le païs d'en hault » sur Montréal, qui se verra attaqué par trois armées, une venant du lac Ontario, une autre du lac Champlain et une dernière de Québec. La réduction du « restant » du Canada est inévitable, à moins « d'un prompt secours». L'officier ramène au minimum l'aide qu'il demande. Il voudrait en tout mille hommes. Une première division de cinq cents irait débarquer à la rivière Saint-Jean, d'où elle pousserait en direction de Québec, se grossissant en cours de route d'un millier de combattants acadiens. Le moyen de nourrir tout ce monde durant cette longue marche ? On a préparé, répond Massé, quantité de « poudre alimentaire » en vue de l'invasion de l'Angleterre en 1759; cette subsistance peu encombrante ne pourrait-elle pas servir à l'expédition qu'il projette ? Pendant ce temps, une seconde division d'égale force s'engagerait dans le Saint-Laurent avec des vivres, des munitions et une forte artillerie, pour aller prendre pied un peu au-dessus de Québec et donner la main à la première. Cet armement peu coûteux suffirait peut-être pour bloquer Murray dans la capitale canadienne. N'ayant plus rien à craindre de ce côté, Lévis aurait les mains libres pour arrêter les armées ennemies du lac Ontario et du lac Champlain. Sans occasionner de conquêtes, une campagne ainsi conçue et exécutée sauverait Montréal. Elle rendrait à la France la confiance des Canadiens, qu'elle a « aux trois quarts perdüe ». L'échéance serait au moins reculée d'un an. [3]

---

[2] « Affaires Presentes du Canada ——— avec la lettre de M. de la Houliere a M. le Duc de Choiseul du 13 Xbre 1759, » AE, Mémoires et Documents, Amérique, 10 : 326-326v.

[3] Massé de Saint-Maurice à Maurepas, 3 janvier 1760, AC, C 11A, 105 : 232-233; « Memoire de M. Massé de St Maurice pour contribuer a la deffense de la partie du Canada qui reste encore à la france, » *ibid.*, 234-237.

Au même moment, un autre personnage est aussi à la Cour. C'est
'rançois Le Mercier, que Vaudreuil et Lévis y ont expédié en novembre
.759. Porteur du courrier de la colonie, il est chargé de conférer avec
Berryer, de lui exposer l'état réel du Canada et d'amener le ministre
à prêter une oreille sympathique aux demandes du gouverneur.[4] Le
Mercier résume avec clarté une situation désespérée : maîtres de Québec, du lac Champlain et du lac Ontario, les Anglais, affirme-t-il,
« tiennent le Canada enclavé de toutes parts ». L'occupation de la capitale prive l'armée franco-canadienne des milices du gouvernement de
Québec. Les approvisionnements sont très insuffisants, et l'on aurait
tort de compter sur la prochaine récolte parce qu'il a fallu abattre tellement de bœufs et de chevaux que les habitants seront hors d'état « de
faire assés de labours pour une Semence ordinaire ». Trois fronts à défendre obligeront les chefs à une division de forces qui les « rendra
faibles partout ». En un mot, « il n'est point de position qui égale celle
de la Colonie ». Malgré tout, persuadée que le roi ne « l'abandonnera
pas », la population tourne ses regards vers la France.[5] Elle attend de
la mère-patrie une escadre qui en partirait en février, assez tôt pour
devancer l'adversaire dans le fleuve et opérer en liaison avec Lévis, qui
a dessein d'assiéger la capitale. Le temps sera rigoureusement mesuré au
général, à qui il faudra « necessairement faire le siege de Quebec, et
l'avoir pris dans le cours de may ». Mai sera le mois critique. Le Mercier
y insiste et explique pourquoi : avant ce mois, les envahisseurs ne sauraient rien entreprendre contre l'île aux Noix, au bout du Richelieu, à
cause des hautes eaux du printemps; à compter de juin, cependant, le
régime du Richelieu ne les embarrassera plus. Lévis devra donc, à ce
moment, s'être rétabli à Québec pour pouvoir se retourner contre eux et
leur porter un coup d'arrêt. Ainsi, la clef de toute la stratégie franco-
canadienne est la prise de la capitale. Tâche d'une extrême difficulté.
Les chefs du Canada ne la mèneront à bien qu'à condition de recevoir
des renforts et des moyens. Ils réclament 4,000 hommes, beaucoup de
vivres et beaucoup d'armes, surtout de la grosse artillerie. Des envois
médiocres, soulignent-ils, tomberaient en pure perte pour la France. Si la
Cour « n'envoye pas un Secours suffisant pour faire le siege de Quebec,
Il est inutile d'y envoyer et la Colonie sera certainement perdue ».[6]

---

4 Vaudreuil à Belle-Isle, 9 novembre 1759, AG, 3540 : no 107; Lévis à [Accaron],
12 novembre 1759, AC, C 11A, 104 : 122.
5 Le Mercier, « Précis de la situation de la france dans l'Amérique Septentrionale, »
7 janvier 1760, AC, C 11A, 105 : 257-258.
6 « Mémoire Relatif à la Situation du Canada, en se réduisant à l'indispensable
pour conserver au Roy cette Colonie jusqu'au Printems 1761, » AC, C 11A, 105 :
267-269.

Après avoir étudié les mémoires de Le Mercier et les dépêches chiffrées de Vaudreuil, les bureaux de la Marine effectuent un rapide calcul : il en coûterait au moins huit millions pour expédier au gouverneur toute l'aide qu'il sollicite. [7]   Quelle somme ! Berryer en est sidéré. Il répond froidement à Le Mercier et, quand ce dernier tente de lui peindre les hommes et les choses du Canada sous un jour différent de celui que lui a montré la coterie de Montcalm, il se gendarme contre de tels propos, et avec de si grands éclats de voix que Bougainville en entendra les échos par son oncle, le financier d'Arboulin, de qui il apprend que « l'ambassadeur » de Vaudreuil a eu « un pied de nés ». [8] Une autre cause explique l'humeur du secrétaire d'Etat. Dans ses mémoires, Le Mercier s'est étendu sur les « malheurs » des Canadiens, sans oublier la peine qu'ils éprouveront à « voir toute leur fortune en un papier qui n'a plus de cours », et il n'a pas manqué de représenter au gouvernement français son devoir de redonner confiance aux colons en leur faisant « espérer un avenir pour le papier, en quoi consiste toute leur fortune ». [9] Allusions en apparence discrètes, mais Berryer en saisit tout de suite le sens. Elles visent l'arrêt par lequel le Conseil d'Etat a décidé, le 15 octobre précédent, de supprimer le paiement des lettres de change des colonies. Les Canadiens n'en savent rien encore, la nouvelle ne leur en parviendra qu'au printemps. Le Mercier n'a pas tort de le prévoir, elle les plongera dans la consternation.

Ce fameux arrêt stipule que les traites enregistrées au bureau des Colonies, à Paris, au moment de sa publication ne seront honorées que trois mois après la paix, à raison d'un demi-million par mois suivant l'ordre des échéances; quant aux créances non encore enregistrées, le gouvernement les examinerait plus tard et, s'il y avait lieu, commencerait à les régler par tranches, dix-huit mois après le traité. En transmettant à Bigot cette décision, le ministre lui ordonnera de « calmer les allarmes » des Canadiens; il fera une recommandation semblable à Vaudreuil, à Lévis et même à l'évêque Pontbriand. [10]   Précautions insolites, mais non superflues; elles indiquent que Berryer a bien mesuré toute la portée du coup qu'il inflige à la population. Vaudreuil va faire de son mieux pour amortir le choc : les lettres de change de 1757 et de 1758, il le proclame, « seront Exactement payées » trois mois après la paix; celles de 1759 le seront ensuite; les billets et les ordonnances du trésor auront

[7] « Campagne d'Amerique. Kanon (Jacques) Lieut. de frégate, » décembre 1759, AM, B 4, 91; reproduit dans Doughty, éd., Journal de Knox, 3 : 359.
[8] Bougainville à Bourlamaque, 13 juin 1760, APC, Lettres de Bourlamaque, 3 : 301; Berryer à Le Mercier, 22 février 1760, AC, B 112 : 62.
[9] AC, C 11A, 105 : 257v, 268v.
[10] François Bigot, administrateur français, 2 : 318s.

ur tour « des que les circonstances le permettront ».[11] Murray s'es-
laffe : c'est tout simplement une « Banqueroute », à laquelle les « mal-
ersations » des fonctionnaires du Canada « ont bien contribué ». Et
e déclarer aux habitants que le gouverneur et l'intendant cherchent
naladroitement à dorer la pilule. Si, ajoute-t-il, le gouvernement royal
onore les lettres de change de 1757 et de 1758, ce ne sera qu'au rythme
e six millions par an; par conséquent, « il ne faut pas être grand
Arithmeticien pour supputer dans combien D'années, on payera cent
u cent vingt Millions ». Quant au reste du papier-monnaie, Vaudreuil
t Bigot disent plus vrai — son ironie mord à belles dents — lorsqu'ils
n promettent l'acquittement « des que Les circonstances Le permet-
ront — Par ce que Les Circonstances ne le Permettront Jamais ».[12]

Même si le commandant britannique s'abstenait de tout commen-
aire et de toute propagande, les Canadiens n'auraient aucun mal à
omprendre ce qui arrive. C'est l'effondrement de leurs finances publi-
ues et la ruine de leur épargne. Le crédit de la colonie repose entière-
nent sur les lettres de change que l'intendant reçoit tous les ans l'auto-
isation de tirer sur les trésoriers généraux de la Marine à Paris pour
léfrayer le coût de l'administration et des opérations militaires. Les
ros budgets de Bigot et les embarras croissants du trésor métropoli-
ain ont, depuis quelques années, contraint le gouvernement canadien
l'avoir recours à des expédients — celui, par exemple, de délivrer des
raites à des termes de plus en plus éloignés — qui ont encouragé une
péculation et une inflation également préjudiciables au pouvoir d'achat
le l'Etat. Le système grince, mais tient bon. Il y a longtemps qu'il ne
rircule plus que de la monnaie fiduciaire : des cartes, des ordonnances,
les billets. Tout ce papier tombe à rien, puisqu'il est gagé sur les lettres
le change et qu'elles n'ont elles-mêmes de valeur que dans la mesure
où la métropole les acquitte ou est disposée à le faire. Il n'est pas de
bourse qui n'en soit affectée, bien que les plus durement atteintes soient
les plus petites. Si quelques grands manieurs d'argent peuvent tenir le
coup parce qu'ils ont en portefeuille des créances privilégiées et sont à
même d'attendre les échéances pour encaisser leurs traites, la plupart des
détenteurs, forcés de les réaliser plus tôt, devront se résigner à des rabais
considérables — si toutefois ils trouvent à les négocier. Beaucoup, sans
doute, prennent connaissance en même temps et de l'arrêt du Conseil
d'Etat et de ses premiers effets sur les lettres de change qu'ils ont expédiées à leurs commissionnaires métropolitains l'automne précédent. Un

---

11 Circulaire de Vaudreuil et Bigot, 15 juin 1760, A. Shortt, éd., *Documents relatifs à la monnaie*, 2 : 940.
12 « Circular Letter to the Captains of Militia, » 27 juin 1760, *ibid.*, 942-944.

de ceux-ci écrit à son correspondant montréalais dès le mois de mar
que, depuis « la fatale nouvelle », le papier non enregistré au bureau de
colonies est coté si bas « qu'à 95% de perte on ne trouveroit pas à e
placer pour un sol »; les traites enregistrées — elles datent forcément d
1757 et de 1758 — trouvent preneur, mais « difficilement » et ave
une dépréciation de 35 à 50%, « selon les échéances ». [13]   Les lettre
de change du Canada, dit un autre commerçant, sont « entièremen
decredittées ». [14] Lorsque la presse londonienne connaît la teneur de
arrêts de la mi-octobre 1759, elle en fait des gorges chaudes et ell
ajoute à la liste des faillites qu'elle imprime régulièrement dans se
colonnes, celle du nommé « Louis le Petit, de la ville de Paris, fauteu
de guerre, marchand et colporteur ». [15]. Lévis prévient Berryer qu'il
beau répéter « que le papier sera payé », il ne réussit pas à rasséréner le
Canadiens et il exprime la crainte de ne plus trouver chez eux « la mêm
volonté » quand il voudra les conduire aux combats. Trop intelligen
pour se scandaliser de cette réaction, Lévis manifeste de la compréhen
sion : « Les habitants sont désespérés, s'étant sacrifiés pour la conserva
tion du pays, et se trouvent ruinés sans ressource. » [16] Le successeu
de Berryer jugera non sans sévérité cette étonnante décision, estiman
qu'elle a été prise « sans un examen assés réfléchi des suites » qu'ell
entraînerait et qu'elle a provoqué, en France même, un « desordre » e
un « discredit affreux ». [17]   Ses répercussions auront été encore infini
ment plus profondes au Canada, sans compter qu'elle se sera doublée
d'une gigantesque escroquerie de la part du gouvernement français. [18]
Si pénible soit-elle pour les individus, la banqueroute est encore plus
désastreuse pour la société canadienne. C'est son armature financière
qui s'abat, pour ne plus jamais se relever. La conquête achevée, des
moyens de production existeront toujours. Mais, comme ce qui subsiste
de la société ne possédera plus de finances — ni de financiers —, ces
moyens se rangeront naturellement au service de ceux qui auront assez
de ressources et assez de crédit pour en tirer parti. Ceux-là édifieront leur
propre économie sur les décombres de l'ancienne.

Ce serait trop attendre d'un gouvernement de banqueroutiers qu'il
organisât d'urgence une bonne politique coloniale. C'est un luxe qu'il ne
peut pas s'offrir. En décembre 1759, Berryer a réclamé 40 millions pour
les divers services de la Marine. Il en obtient trente. C'est-à-dire neuf, car

---

[13]   Mounier à Ducharme, 1er mars 1760, AC, C 11A, 105 : 126.
[14]   Perrault à son frère, 12 décembre 1760, Collection Baby, dossier Perrault.
[15]   H. Walpole, *Memoirs of the Reign of George II*, 3 : 224 .
[16]   Lévis à Berryer, 28 juin 1760, Casgrain, 2 : 362.
[17]   Lettre du 29 octobre 1761 au contrôleur général, AC, B 113 : 242.
[18]   *François Bigot, administrateur français*, 2 : 323.

21 millions sont absorbés d'avance par des obligations déjà contractées, des frais d'administration et des dépenses qui n'ont rien à voir avec la Marine. Comment s'étonner que la part du Canada soit réduite à 2,400,000 livres ? Et comment ne pas s'en effrayer lorsqu'au budget de la marine de Louis XV, on compare celui de la marine britannique ? Ce dernier s'élève à l'équivalent de 18 millions de livres françaises pour les dépenses ordinaires, outre 91 millions (monnaie de France) pour les opérations navales. [19]

Vaudreuil et Lévis comptent sur un grand effort de la métropole. Berryer se borne à ce qu'il appelle lui-même une « petite opération ». Il limite à 2,000 tonneaux le fret destiné par l'Etat au Canada. Or tout ce que les administrateurs coloniaux demandent est, à la réflexion, indispensable. Où pratiquer des retranchements ? Le ministre hésite, donne des ordres, les annule, ce qui occasionne, il l'avoue, « des variations sans fin ». Le temps passe. La mi-février arrive. Les vaisseaux devraient partir. Ils ne sont pas encore chargés. Les fonctionnaires qui doivent en préparer l'armement se plaignent qu'ils ne sauraient y procéder, n'ayant pas reçu les fonds que la Cour leur a promis. Le ministre répond qu'il n'y peut rien, ses propres bureaux, à Paris, éprouvent les mêmes « embarras ». [20] Cette indigence et ces retards font que le petit convoi du Canada n'appareille, de Bordeaux, que le 10 avril. Il est composé de cinq bâtiments marchands et d'une frégate de 28 canons, le *Machault*. Au lieu de 4,000 soldats, il en transporte 400. Les soutes sont pleines de munitions et de vivres, mais les aliments comportent une forte quantité de boeuf et de cheval « pourris ». [21]

Singulier secours, s'il parvenait au Canada. Car il ne s'y rend pas. Quand le *Machault* et deux des navires qui l'accompagnent atteignent l'entrée du Saint-Laurent, le 15 mai, la frégate s'empare d'un bâtiment britannique; le chef de l'expédition y trouve des lettres qui lui apprennent l'arrivée dans le fleuve d'une escadre anglaise qui vogue vers Québec. Ainsi devancé, il ne va pas se jeter devant les canons d'un adversaire incomparablement plus fort que lui. Il oblique vers la baie des Chaleurs, où il va mouiller après avoir fait cinq autres prises. De là, il dépêche à Vaudreuil un messager porteur des lettres de la Cour et des nouvelles de son convoi. Le gouverneur lui renvoie son courrier avec l'instruction de se maintenir sur la rivière Ristigouche et de faire avancer tous les postes acadiens le plus possible « a la première nouvelle de la paix ». Il s'agit de conserver à la France au moins un morceau

19 Richard Pares, « American versus Continental Warfare, 1739-63, » *The English Historical Review*, 51 (1936) : 451.
20 Berryer à Rostan, 15 février 1760, AC, B 112 : 53-53v.
21 Berryer à Rostan, 5 décembre 1760, *ibid.*, 283-283v.

de l'Acadie. Beau plan, mais destiné à échouer lamentablement. Mis au courant de l'apparition des navires français en Nouvelle-Ecosse, les Anglais les rattrapent et les détruisent. Le commandant du *Machault* réussit à leur échapper, saute dans une goélette acadienne, va débarquer au port espagnol de Santander au début de septembre et se présente finalement à Versailles avec les dépêches de Vaudreuil. L'aventure est jolie, mais la mission, manquée. Manquée, disent Lévis et Bigot, parce que la petite flotte a quitté la France « trop tard ». [22] Si, regrette Malartic, elle était partie en février, « nous aurions repris Québec et conservé le Canada ». [23]

*

*   *

Conserver le Canada n'était guère possible. Reprendre Québec, il s'en fallut de peu que Lévis n'accomplît ce tour de force. Au commencement de l'hiver, Vaudreuil et lui se tenaient prêts à profiter de la moindre circonstance favorable — une épidémie ou de la fermentation dans la garnison de Murray — pour enlever d'assaut la capitale. Ils virent en février que la position anglaise était solide lorsqu'ils tentèrent, sans succès, de tirer des vivres de certaines paroisses du gouvernement de Québec. Ils durent alors se résoudre à « éluder secrètement » leur projet d'offensive jusqu'à l'ouverture de la navigation. A la mi-avril, leurs préparatifs étaient terminés. Non pas que le succès fût assuré : rien ne paraissait plus « problématique », mais l'entreprise était nécessaire. Le gouverneur y voyait « l'unique parti à prendre » pour prolonger la résistance, se mettre à même de recevoir les secours attendus de Bordeaux et s'opposer ensuite à la poussée britannique qu'il prévoyait « par les lacs Champlain et Ontario ». [24] Au cours des mois précédents, Bigot avait fait de son mieux pour constituer une réserve de vivres et Lévis avait réorganisé les forces armées, les troupes régulières aussi bien que les milices. Montcalm avait laissé tomber la discipline. « La force de l'infanterie consiste dans la discipline et l'ordre, » déclare Lévis à ses colonels, de qui il exige la plus exacte attention sur « ces deux

---

[22] « Journal de la Campagne du S. Giraudais Sur le N[avi]re le Machault, » AM, B 4, 98 : 9-10; Vaudreuil à Berryer, 24 juin 1760, AC, C 11A, 105 : 71v-72v; *The Boston News-Letter,* 31 juillet 1760; Doughty, éd., *Journal* de Knox, 2 : 634s; Bigot à Berryer, 30 juin 1760, *Collection de manuscrits,* 4 : 271; *Journal* de Lévis, Casgrain, 1 : 288.

[23] *Journal* de Malartic, 335.

[24] « Relation de l'expédition de Québec aux ordres de M. le Chevalier de Lévis, » Casgrain, 11 : 221-223; instructions de Vaudreuil à Lévis, 16 avril 1760, Casgrain, 4 : 213-217; « Relation des affaires du Canada depuis Le 1er Xbre 1759, » AG, 3540 : no 122; Bernier, « Evenemens du Canada depuis Le Mois d'Octobre 1759 Jusqu'au mois de Septembre 1760, » AG, 3574 : no 112.

points, malheureusement trop négligés dans nos troupes ». Il interdit encore « de maltraiter les miliciens de parole ni autrement » et se réserve la connaissance de ce cas pour en ordonner lui-même « la punition ». Bien qu'il manque d'armes — il devra, faute de bayonnettes, prescrire aux miliciens de fixer « leurs couteaux au bout du canon » — il regroupe ses éléments de manière à les tenir aisément en main. Le 17 avril, il dispose de 7,260 hommes, dont 3,000 Canadiens, répartis en cinq brigades de deux bataillons outre le bataillon de la milice de Montréal, un corps de cavalerie et une bande d'un peu moins de 300 sauvages. Le 20 avril, il est prêt à se mettre en mouvement.[25]

Quatre jours plus tôt, Vaudreuil s'est adressé à ses compatriotes. Il envoie, proclame-t-il, « une tres puissante armée... assieger Quebec ». Lévis en a le commandement : « Il aime les Canadiens, il a leur confiance. » Dans ses manifestes, Murray a proféré des menaces contre les habitants, leur a infligé maintes « vexations », s'est montré « dur et cruel » à leur égard, « Sans aucun droit ny raison legitime » : l'heure est enfin venue de régler avec lui ces comptes très chargés. La triste situation des colons, leur « zéle » pour le service, « leur attachement à La patrie », voilà autant de motifs qui ont accentué, proclame le gouverneur, « le desir que J'ai toujours eu de reprendre Quebec et de delivrer par là les Canadiens des Tyrannies qu'ils n'ont que trop éprouvé ». Il a des paroles d'espérance : « Vous touchez au moment de triompher de cet ennemi... Nous touchons aussy au moment de recevoir de puissans Secours de france. » Il faut accomplir l'effort suprême : « Enfin, c'est à vous braves Canadiens a Vous Signaler, vous deves tout entreprendre, tout risquer pour conserver votre Religion et pour le Salut de vôtre patrie. » Afin d'obtenir le concours de la population de la zone occupée, le gouverneur demande au clergé, au nom de son « amour pour la patrie », d'employer le « crédit » et « l'ascendant » qu'il possède sur l'esprit des fidèles pour les convaincre « qu'il est de leur Religion, de leur honneur et de leur propre interêt de Se joindre tous avec armes & Bagages à L'armée ».[26] Cet appel ne restera pas sans écho. Dans la dernière semaine de mai, les habitants de Beauport seront les premiers de qui Murray exigera des corvées, pour les punir de « l'effronterie » qu'ils ont déployée à aider les Franco-Canadiens durant le siège : le commandant britannique publiera aussi un autre manifeste offrant son pardon aux colons qui auront pris les armes, à condition qu'ils « réparent leur

25 *Journal* de Lévis, Casgrain, 1 : 243-258; AG, 3540 : no 122; Casgrain, 11 : 224; « Relation de ce qui s'est passé en Canada depuis le 1er Xbre 1759 jusqu'au 1er Juin 1760, » APC, Lettres de Bourlamaque, 5 : 329.
26 Circulaire de Vaudreuil, 16 avril 1760, AC, C 11A, 105 : 8-9v; circulaire aux curés du gouvernement de Québec, 16 avril 1760, *ibid.*, 10-11v.

conduite passée ».[27] Mais qui Vaudreuil a-t-il atteint? De toute évidence, les classes populaires. La bourgeoisie, même celle de Montréal compte des membres qui prennent leurs précautions en vue de la défaite Un Français observait au début de mars qu'il se faisait « tous les jours » des encans dans la ville, ce qui, à son sentiment, indiquait « que bien des gens craignent pour la colonie ».[28] Ce ne sont pas, sans aucun doute, des ouvriers et des paysans qui s'inquiètent de réaliser ainsi leur avoir en prévision d'un départ éventuel.

Partie de Montréal le 20 avril, l'armée de Lévis s'avance par eau sur son objectif. Elle est mal équipée, mal nourrie, mais bien commandée. Le plan du général est d'opérer son débarquement à Sillery et de se jeter entre Québec et les 1,500 hommes que Murray a distribués dans ses postes avancés de Lorette et de Sainte-Foy.[29] Toutefois le commandant britannique ne se laisse pas surprendre. Il a eu vent du projet de Lévis au moment même où ce dernier s'embarquait.[30] Non seulement replie-t-il ses avant-postes, mais, dès le 21, il ordonne aux Québecois d'évacuer la ville; les hommes serrent les dents, les femmes protestent que c'est une infraction à la capitulation et « que les Anglois sont des gens sans foi ».[31] Le 24, l'expédition franco-canadienne atteint la Pointe-aux-Trembles. La deuxième bataille de Québec est commencée. Le général français commence par contourner le corps qui veut l'arrêter au Cap-Rouge. Ensuite, tout en s'approchant de la ville, il évite durant trois jours les pièges que Murray lui tend. Ce dernier pourrait s'enfermer dans sa place et attendre que son adversaire l'assiège. Ce n'est pas ce qu'il veut. Il vise à disperser tout de suite les assaillants : effrayé de leur supériorité, — il les croit 10,000 combattants — [32] il est déterminé à les battre en détail, avant qu'ils ne puissent lui tomber tous ensemble sur les bras. Sa situation est délicate. A la mi-octobre 1759, il avait sous son commandement tout près de 9,000 hommes, dont 3,000 hors d'état de se battre.[33] Le nombre des malades a augmenté avec le temps. Au début de janvier, les hôpitaux en étaient remplis, on en enterrait deux ou trois tous les jours.[34] Un mois plus tard, la rigueur de l'hiver avait encore éclairci les rangs. Au 1er mars, les fièvres, la dyssenterie, le scor-

[27] Journal de Murray, 23 et 26 mai 1760, dans Doughty, éd., *Journal* de Knox, 3 : 306.

[28] *Journal* de Malartic, 309.

[29] Casgrain, 11 : 225.

[30] *The Boston News-Letter*, 17 juillet 1760.

[31] Doughty, éd., *Journal* de Knox, 2 : 379, 382. Citation en français dans le texte.

[32] Murray à Pitt, 25 mai 1760, G. S. Kimball, éd., *Correspondence of William Pitt*, 2 : 292.

[33] Murray, « Monthly Return, » 24 octobre 1759, dans Doughty, éd., *Journal* de Knox, 2 : 247, note 3.

[34] *Ibid.*, 2 : 318.

 out surtout avaient réduit la garnison à 4,800 hommes aptes à servir. [35]
Un journal de New-York avait beau affirmer, à la mi-mars, que la santé
de l'armée de Québec était « bonne », [36] un rapport de Murray établis-
sait, quinze jours après, que, de ses 6,959 fantassins, 3,513 seulement
pouvaient porter les armes. [37] Le général affirmera que, le 24 avril,
ses régiments ont déjà perdu un millier d'hommes depuis l'automne précédent, outre qu'ils comptent plus de 2,000 soldats trop gravement
atteints pour marcher au feu. [38] Chiffres ronds et commodément arron-
dis; il reste qu'entre le 18 septembre 1759 et le 24 avril 1760, l'armée
de Québec aura eu près de 700 morts. [39] Le matin du 28 avril, Murray
ne jette dans l'action qu'un peu moins de 3,900 combattants, y compris
les officiers et 129 artilleurs. [40]

Tant d'artilleurs indiquent quelle sorte de bataille il a l'intention
de livrer. Disposant de 22 canons, il déploie ses troupes sur les hauteurs
de Sainte-Foy, le long d'une ligne oblique à la lisière des « bois clairs »
de Sillery, dans le dessein évident de compenser son infériorité numérique par la supériorité de son feu et de sa position; son canon devrait
foudroyer les colonnes franco-canadiennes et répandre la terreur chez
les miliciens. Lévis voit clair dans son jeu. Il retire sa gauche, puis sa
droite vers les bois. Est-ce une fuite ? Murray le croit, quitte ses hauteurs
avantageuses et se laisse attirer dans des marécages hors d'atteinte de
sa puissante artillerie. Au moment où il se croit sur le point d'écraser
la gauche de Lévis, une charge à la bayonnette l'arrête court, cependant
qu'à l'autre bout de la ligne, le général français contourne avec une
brigade la gauche britannique et la prend de flanc. Menacés d'enve-
loppement, ces éléments reculent, suivis de toute la ligne anglaise, qui se
défait. Peu auparavant, Lévis avait envoyé à une autre de ses brigades,
celle de la Reine, l'ordre de se porter, elle aussi, derrière la gauche ennemie, mais l'ordre a été « mal rendu », la Reine va se masser derrière la
gauche française à l'autre extrémité du front. Sans cette méprise, l'im-
pétueux Murray eût pu se trouver cerné et son armée, sans doute « détruite ». Dans ce cas, Québec fût tombé le jour même aux mains des
vainqueurs. Exténués par les marches et les contre-marches qui leur ont
fait gagner le combat, ces derniers poursuivent les fuyards, mais trop
lentement pour s'introduire avec eux dans la place. Ils n'en ont pas
moins réalisé un avantage important. Malgré leur situation périlleuse au

---

35   Ibid., 2 : 337, 352.
36   The New-York Mercury, 10 mars 1760.
37   Rôle du 24 mars 1760, dans Doughty, éd., Journal de Knox, 2 : 364, note 2.
38   Murray à Pitt, 25 mai 1760, Correspondence of William Pitt, 2 : 291s.
39   Doughty, éd., Journal de Knox, 2 : 451, note 1.
40   Ibid., 2 : 397, note 1.

début de la bataille, leurs pertes se réduisent à 193 officiers et soldats tués ou morts de leurs blessures et à 640 blessés, tandis que celles des vaincus se chiffrent par 259 morts et 829 blessés, la plupart victimes de « l'arme blanche ». [41] « M^r le Ch^{er} de Levis », écrit un témoin de l'action, « a Eté admiré de son armée ». Cette « Brillante Journée », renchérit Vaudreuil, « Est entierement Son ouvrage, Nôtre Victoire est düe a son Courage, Son Intrepidité et son coup d'oeil militaire ». [42] Eloges mérités. Il faut cependant aux Canadiens autre chose que ce succès. Ils ont besoin de Québec. Le général écrit au gouverneur qu'il en commence tout de suite le siège avec ses « foibles moyens », en attendant qu'il « en vienne d'autres ». [43]

L'échec de Murray éclate comme une bombe dans le monde britannique. L'officier qui en porte la nouvelle à Halifax ajoute que l'armée anglaise a subi de telles pertes, le 28 avril, et qu'elle a regagné ses quartiers si découragée que Lévis n'a pas dû tarder à se rendre maître de la place. [44] En même temps, le vaincu fait parvenir à son commandant en chef, Amherst, un message qui n'a rien de rassurant : il lui avoue « qu'il espère seulement n'être pas réduit à l'extrémité avant la venue de la flotte qu'il attend tous les jours ». Quand Pitt reçoit une copie de cette lettre, il appréhende « une catastrophe fatale ». Le ministre sait combien la navigation du golfe Saint-Laurent est « incertaine » et il réfléchit que le fleuve est déjà ouvert, assurant une communication entre Montréal et Québec, alors que le golfe est encore encombré de glaces flottantes qui rendent « très précaires » les rapports entre la capitale canadienne et Halifax; à ses yeux, l'Angleterre n'a plus sur le Canada qu'une prise fragile. [45] Et que n'arriverait-il pas, en cas de malheur ? Malgré ses triomphes, la Grande-Bretagne commence à trahir de la fatigue. On parle de paix, des négociations s'esquissent. Le premier ministre se voit presque seul à vouloir poursuivre les hostilités jusqu'à l'entière défaite de la France et il doit emprunter tous les détours pour échapper à l'accusation de bellicisme fanatique. Il sent son œuvre menacée. Si les Canadiens

---

[41] *Journal* de Lévis, Casgrain, 1 : 263-269; « Relation de l'expédition de Québec, » Casgrain, 11 : 230-234; Lettres de Bourlamaque, 5 : 335-338; Doughty, éd., *Journal* de Knox, 2 : 394, 397, note 1; AG, 3540, no 122; Vaudreuil à Berryer, 3 mai 1760, AC, C 11A, 105 : 13-15v; Henri Têtu, éd., « Journal » de Récher, BRH, 9 (1903) : 143; Bernier, « Evenemens du Canada, » AG, 3574 : no 105; Lévis à Vaudreuil, 28 avril 1760, Casgrain, 2 : 292s.

[42] AG, 3540 : no 122; Vaudreuil au ministre de la Guerre, 29 juin 1760, AG, 3574 : no 67.

[43] Lettre du 28 avril 1760, Casgrain, 2 : 294.

[44] Lawrence à Pitt, 11 mai 1760, G. S. Kimball, éd., *Correspondence of William Pitt*, 2 : 284.

[45] Pitt à Amherst, 20 juin 1760, APC, Amherst Papers, liasse 24.

reprenaient pied à Québec, il n'est pas sûr que les Anglais consen-
tiraient à monter contre la ville une autre offensive de grand style.
Le courant pacifiste risquerait de devenir irrésistible. Un traité signé
dans de telles circonstances n'effacerait pas le Canada de la carte de
l'Amérique. [46] Un jour ou l'autre, tout serait à recommencer, avec
cette différence que la France, désormais prévenue, parviendrait peut-
être, en attendant, à reconstituer son empire. — Rendue publique à
Londres, le 17 juin, la victoire de Lévis crée un malaise qui se traduit
par une chute immédiate des valeurs de l'Etat à la Bourse; [47] la Cité
aura eu peur. « Qui, diable, écrit Horace Walpole, pensait à Québec ?
L'Amérique était comme un livre que nous avions lu et rangé sur
nos rayons, mais voilà que nous nous reprenions à le parcourir en
commençant par la fin. » [48]

Les Anglais ne s'alarmaient pas sans raison. Pour une intelligence
convenable des faits que nous étudions maintenant, il faut laisser
jaunir tranquillement les fleurs de rhétorique des écrivains qui n'ont
su voir dans la victoire de Sainte-Foy qu'une « revanche » sans lendemain, émouvante, mais inutile — splendide parce que, précisément,
inutile, — destinée à reblanchir la cocarde française, ensanglantée par
la défaite et la mort de Montcalm. En préparant l'offensive de Québec, les chefs politiques et militaires de la colonie avaient froidement
calculé leurs chances de succès. Quand l'expédition était partie de
Montréal, c'était moins avec l'idée d'enlever d'assaut la capitale qu'avec
le projet d'y « resserrer » la garnison britannique, de l'empêcher d'ériger des fortifications supplémentaires autour de la place et d'attendre
« que les secours demandés en France fussent arrivez, pour Etre en
etat de continuer le Siege ». [49] Réaliste, Lévis ne comptait pas tant
sur ses « foibles moyens », nous le savons, que sur les « autres » qui
devaient venir. Ses opérations, il les avait conçues de façon à les syn-
chroniser avec l'arrivée des renforts et du matériel que Le Mercier
était allé demander à la Cour. Il n'avait qu'une médiocre artillerie,
peu de poudre et de mauvaise qualité. Les approches de la ville étaient
hérissées de « difficultés incroiables » : on « cheminoit sur le Roc; il
falloit porter la terre dans des sacs a une fort grande distance ». [50]
Pour éviter de trouver un beau matin tous ses canons crevés, le général
français dut limiter chaque pièce à 20 coups par 24 heures. S'il par-

---

46 A. von Ruville, *William Pitt*, 2 : 282, 298. Voir R. Pares, « American versus
Continental Warfare, 1739-63, » *The English Historical Review*, 51 (1936) : 462; *Gazette de France* (10 mai 1760), 225.
47 *Gazette de France* (28 juin 1760), 310, 312.
48 Cité par Corbett, *England in the Seven Years' War*, 2 : 108
49 « Relation de L'expedition de quebec, » AC, C 11A, 105 : 27v.
50 *Ibid.*, 25v.

vint, malgré tout, à faire des dommages considérables aux murailles, c'est qu'il concentra presque tout son feu sur le bastion de la Glacière, dont ses ingénieurs et lui-même connaissaient la faiblesse. [51] Il réussit par là à inquiéter gravement Murray. Quant à lui, il ne se faisait pas d'illusion. Il écrivait à Vaudreuil, le 15 mai, qu'il faisait tout ce qui était « moralement » possible. « Il est temps, soulignait-il, que ceci finisse d'une façon ou d'autre; je crois que cela ne tardera pas, attendu qu'il vente un gros nord-est... Si nous sommes assez heureux pour qu'il nous arrive du secours, nous prendrons bientôt Québec. » [52]

Le lendemain, à neuf heures du soir, il se voyait forcé de lever le siège : éventualité plus ou moins à prévoir depuis le 9 mai, alors qu'une frégate ennemie, la *Lowestoft,* était venue jeter l'ancre en rade de la place. Ce jour-là, le « contentement » de la garnison avait explosé, « inexprimable » : durant près d'une heure, debout sur les remparts, officiers et soldats avaient hurlé leur joie. [53] C'était la délivrance. Qu'était-ce qu'une frégate ? Une hirondelle ne fait pas le printemps, Lévis avait poursuivi son ingrate besogne. Il aurait peut-être battu tout de suite en retraite s'il avait connu les nouvelles que le commandant Deane, de la *Lowestoft,* apportait à Murray. La frégate appartenait à une division navale partie en mars d'Angleterre sous le commandement du capitaine Robert Swanton, avec la mission de renforcer l'escadre de lord Colville qui avait hiverné à Halifax. Colville avait quitté son port d'attache le 22 avril et, précédé de Swanton, arriverait sous peu à Québec. Swanton parut le 16 mai; « en un clin d'oeil », il réduisit à l'impuissance les deux frégates françaises qui avaient accompagné Lévis depuis Montréal, la *Pomone* et l'*Atalante.* Colville le rejoignit deux jours plus tard. Lévis ne l'avait pas attendu pour se retirer. Les Anglais étaient maîtres du fleuve. Le *Machault* entrait dans la baie des Chaleurs. Le Canada ne recevrait rien de la France. La partie était perdue. [54]

A Québec, tous les visages de la garnison s'épanouissaient. Ils en devenaient « à peine reconnaissables », au témoignage d'un officier qui soupirait : « Entre nous soit dit, nous sommes heureux d'en avoir été quittes pour la peur. » [55] Les Canadiens et les Français enrageaient.

[51] *Journal* de Lévis, Casgrain, 1 : 274, 276, 279; Casgrain, 11 : 240s; « Journal » de Murray, dans Doughty, éd., *Journal* de Knox, 2 : 421, note 2.
[52] Casgrain, 2 : 307.
[53] Doughty, éd., *Journal* de Knox, 2 : 415; *Journal* de Lévis, Casgrain, 1 : 277s.
[54] Colville à Pitt, 24 mai 1760, G. S. Kimball, éd., *Correspondence of William Pitt,* 2 : 290; « Relation de L'expedition de quebec, » AC, C 11A, 105 : 26v; J. Barrow, *The Life of George Lord Anson,* 369s.
[55] J. Desbruyères à Townshend, 19 mai 1760, dans C.V.F. Townshend, *The Military Life of... Townshend,* 282.

Au point où Lévis avait réduit Murray, la petite flotte envoyée de Bordeaux par Berryer — mais « trop tard » — « eût peut-estre suffi pour reprendre Quebec, ou au moins pour empecher les Anglois d'etendre plus loing leurs Conquêtes pour cette année ».[56] Desandrouins rapporte le bout de conversation qu'il eut plus tard avec l'ingénieur anglais Holland :

— Ah ! *Un seul vaisseau de ligne,* m'ecriay-je, *et la place étoit à nous.*

— Vous avez bien raison, me dit-il.[57]

Vaudreuil représente au ministre de la Guerre : « La Vüe d'un seul pavillon François Auroit operé la reddition de la ville de Quebec. »[58] C'est ce que répètent des contemporains.[59] Lévis est au Canada le seul officier supérieur qui puisse se permettre de ne pas mâcher les mots à Berryer. Il ne s'en prive pas : « Une seule frégate, lui écrit-il, arrivée avant la flotte angloise, eût décidé la reddition de Québec. » Plus tard, il lui répète : « C'est une suite des malheurs auxquels, depuis quelque temps, cette colonie etoit en butte par une fatalité inexplicable, que les secours envoyés cette année de France ne soient pas arrivés dans le moment critique... Je crois pouvoir assurer que Québec auroit été repris. »[60] Aux yeux de Bougainville, cette fatalité, c'est Berryer lui-même, qu'il accuse d'avoir « vendu une partie de ce qui nous restait de marine, sans doute pour en avoir plus tôt fait ».[61] En 1760, c'est en France que la campagne du Canada est manquée. A Londres, la levée du siège de Québec est saluée « par des décharges du Canon de la *Tour* et du *Parc* ».[62]

Les observateurs bien placés pour voir les choses pressentent la fin. « Si la paix ne se fait pas, juge Bourlamaque, voici le dernier moment. » La retraite de Lévis porte au moral de l'armée et du pays un coup encore plus dur que n'avait fait la fuite consécutive à la défaite du 13 septembre 1759. Un moment, il devient impossible de tenir les soldats, qui s'enivrent et se livrent à « la maraude ». Les miliciens ne songent qu'à s'en aller.[63] Ceux du gouvernement de Québec, reconnaît Vaudreuil, sont « excusables » de déserter : qui sait si Murray

---

[56] « Evenemens du Canada, » AC, C 11A, 104 : 262v.
[57] Gabriel, *Le Maréchal de camp Desandrouins*, 326.
[58] Lettre du 29 juin 1760, AG, 3574 : no 67.
[59] « Relation de L'expedition de quebec, » AC, C 11A, 105 : 27v; Casgrain, 11 : 261. Voir la lettre de Bigot à Bougainville, citée par Kerallain, *La Jeunesse de Bougainville*, 171, note 2.
[60] Lévis à Berryer, 28 juin et 25 novembre 1760, Casgrain, 2 : 362, 389.
[61] « Journal » de Bougainville, RAPQ (1923-1924), 392.
[62] *Mercure historique de La Haye*, 149 (juillet 1760) : 84.
[63] Bourlamaque à Bougainville, 23 mai 1760, dans Kerallain, *La Jeunesse de Bougainville*, 169s, 171.

n'usera pas de représailles envers eux ? « Ils sont bien à plaindre. » [64]
Le gouverneur sait avoir mis dans l'offensive de Québec tout ce qui
restait de force à la colonie; dans ce coup de partie, il a joué toutes
ses ressources, au point qu'il pouvait dire du Canada, vers la fin d'avril :
il « redevient naissant ». [65] Il ne s'apprête pourtant pas à capituler.
Dans les derniers jours de mai, il s'adresse une fois de plus à ses compatriotes, et c'est encore un message de confiance qu'il leur envoie.
Il est content d'eux : en ce début de campagne, ils ont su faire éclater
leur bravoure et « leur attachement à leur patrie ». Qu'ils ne perdent
pas courage ! Si les armes françaises ont subi des revers en Amérique,
elles ont battu, en Europe, les Anglais et les Prussiens, et Louis XV
est de sa personne, en Hollande, à la tête de 200,000 hommes. Les
garnisons britanniques de Saint-Frédéric, de Chouaguen et de Niagara
« sont affligées par une maladie qui dure encore ». Les troupes régulières laissées en Nouvelle-Angleterre sont, elles aussi, « tombées presque à rien ». Murray a beau tenter de discréditer les lettres de change
et la monnaie, « les négocians anglois sont avides d'en avoir ». En
somme, les Canadiens n'auraient pas grand-chose à envier à leurs adversaires. Et de meilleurs jours vont bientôt poindre. Leur pays « touche
à la fin de ses peines et de ses misères ». En août au plus tard, « nous
aurons la nouvelle de la paix, les vivres et généralement tous nos autres besoins ». [66]

Ces promesses veulent être une réponse aux avances que Murray
vient de faire aux Canadiens. Ils ont maintenant l'occasion, leur a dit
le général écossais, « de rentrer en Eux mêmes » et de réfléchir à la
« folie » dans laquelle des « apparences trompeuses » les ont attirés.
Il pourrait sévir, mais connaissant « les artifices » dont leurs chefs
ont usé pour les faire donner « dans le piège », il se proclame disposé
à « oublier Leurs fautes passées », pourvu qu'ils s'en rendent dignes.
« Enfin, le peuple le plus genereux du monde leur tend Les bras une
Seconde fois. » Il leur tend les bras en leur offrant des « Secours...
infaillibles », tandis que la France « ne veut leur fournir aucun Secours ». Pourquoi l'Angleterre les maltraiterait-elle ? Il ne serait pas
de l'intérêt de son roi de « regner Sur une Province depeuplée ». Ce
bon souverain entend bien traiter les habitants, leur conserver « la
Religion quils cherissent et les prestres qui l'exercent » (c'est là une
invite au clergé); il veut « maintenir les Communautés et les particuliers dans tous leurs Biens, dans leurs Loix et coutumes », à la seule

64   Vaudreuil à Lévis, 19 mai 1760, Casgrain, 8 : 195.
65   Vaudreuil à Berryer, 23 avril 1760, AC, F 3, 16 : 26v.
66   Circulaire du 30 mai 1760, AC, C 11A, 87 : 363-367 (copie aux APC).

condition que la population rende les armes, se soumette « de bonne
Grace » et ne donne aucun secours aux Français. [67] Bien que cette
propagande n'ait rien que d'habile, il faudra davantage pour réduire
tout le peuple à l'inaction : Murray lui-même devra recourir à la
terreur.

*

* *

Il peut parler haut, il est le plus fort. Au moment même où il
lance sa proclamation, un courrier part d'Albany porteur d'une lettre
d'Amherst au brigadier Whitmore, qui commande au Cap-Breton;
elle contient l'ordre de faire embarquer deux régiments de troupes
régulières à destination de Québec. [68] Pourvu de tels renforts, le vaincu
de Sainte-Foy va se trouver en mesure d'agir avec vigueur. De son
côté, le commandant en chef exprime depuis plus de deux mois l'intention de mener « une campagne active ». Ses préparatifs battent leur
plein au début de mars. « Les Armes sont Journaliers », écrit-il dans
son français pittoresque et il a bonne confiance d'emporter « ce qui
reste du Canada ». [69] Un moment décontenancé par la victoire de
Lévis, il se sent plus optimiste que jamais lorsque la rumeur se confirme que les Français ont levé le siège de Québec. Il se frotte les
mains : « Je ne peux m'empêcher de me flatter que la conquête de
tout le Canada est certaine. » [70]

Il a dès lors son plan, qui est bien à lui, puisque Pitt s'est borné
à lui prescrire de s'emparer de Montréal « comme il le jugera à propos ». [71] La stratégie d'Amherst consiste à cerner l'adversaire. Avec
sa supériorité décisive en hommes et en moyens, le seul risque qu'il
court serait de voir les troupes françaises se glisser dans l'intérieur
du continent, vers le Centre-Ouest, puis la Louisiane. La retraite en
Louisiane, il en est question depuis 1758 dans l'entourage de Montcalm. Bougainville la propose à la Cour en rappelant : « Les Français
sont dignes de faire ce que les Grecs ont fait et la retraite des 10,000
est un des traits qui a le plus immortalisé la Grèce. » Au moment même
(fin 1758), un fonctionnaire dépose aux bureaux de la Marine un mémoire recommandant la « transmigration » de la population canadienne
dans la vallée du Mississipi. [72] Si la seconde idée tient franchement du

---

67   « Manifeste du General Murray, » 20 mai 1760, AC, C 11A, 105 : 64-64v
68   Amherst à Whitmore, 19 mai 1760, PRO, CO 5, 58 : 277.
69   Amherst à Ligonier, 8 mars 1760, APC, Amherst Papers, liasse 11.
70   *Id.* à *id.*, 21 juin 1760, *ibid.*
71   Pitt à Amherst, 7 janvier 1760, *ibid.*, liasse 24.
72   Lionel Groulx, « D'une transmigration des Canadiens en Louisiane vers 1760, »
Revue d'histoire de l'Amérique française, 8 (1954-1955) : 97-125.

roman d'aventures, la première, quoique difficile à mettre en œuvre n'est pas absolument irréalisable. A la fin de 1760, la nouvelle circulera en Europe que le gouverneur de Montréal, Rigaud, et d'autres gentilshommes canadiens ont échappé à l'envahisseur : « On suppose qu'ils ont pris la route du *Mississipi* par la voye de la Rivière d'*Uttawawa* » [*sic*].[73] Quand paraît cette dépêche, Rigaud est déjà en France et aucun détachement militaire n'a pu se soustraire aux Anglais. Ceux-ci ont eu la précaution de garder les portes par lesquelles une armée aurait pu sortir. Maître de Québec, Murray l'est aussi du fleuve, grâce au soutien de la flotte de Colville. La trouée du Richelieu serait impraticable parce qu'elle s'ouvre sur le New-York; du reste, un corps expéditionnaire anglais va la remonter. Resterait la route du Saint-Laurent supérieur, qui aboutit aux Lacs et pourrait ainsi mener aux postes isolés du pays des Illinois, en Haute-Louisiane : tel est précisément le chemin que le commandant en chef britannique prend lui-même pour descendre à Montréal à la tête de la principale armée d'invasion. La principale, mais non la seule : car, pendant qu'il avancera sur son objectif, Murray devra en faire autant en remontant le cours du fleuve, et le brigadier William Haviland se portera lui aussi vers la ville canadienne, mais par le Richelieu. Si les opérations de la campagne précédente affectaient la forme de gigantesques tenailles, le caractère de celle-ci s'assimile à un étau. La science militaire qu'Amherst déploie dans la mise en œuvre de cette combinaison compliquée est indiscutable.[74] Il faut néanmoins convenir que l'épuisement, le dénuement et la démoralisation des forces franco-canadiennes ne seront pas sans lui faciliter la tâche.

A ce facteur, s'ajoutent les grandes ressources des assaillants. En tout, plus de 18,000 hommes vont envahir le Canada : l'armée Amherst en compte près de 11,000, dont 5,600 réguliers; l'armée Haviland, 3,400, dont 1,500 réguliers; l'armée Murray, 3,800, tous des réguliers, appuyés par « une artillerie prodigieuse » comportant au moins 105 canons. Comme le fait observer très justement un officier français, ces énormes moyens empêchent les chefs franco-canadiens d'adopter aucun plan déterminé.[75] Le principal mérite du généralissime anglais aura peut-être été de réunir tous ces effectifs sous ses drapeaux, ce qui n'a pas été facile. D'une façon générale, les gouvernements provin-

---

[73] *Mercure historique de La Haye,* 149 (décembre 1760) : 684s.
[74] Corbett, *England in the Seven Years' War,* 2 : 106, 117; B. Tunstall, *William Pitt Earl of Chatham,* 270; Stanley M. Pargellis, éd., *Military Affairs in North America,* xx. Voir Mante, 307s; *The New-York Mercury,* 25 août 1760.
[75] Beatson, éd., *Naval and Military Memoirs,* 3 : 263s; Doughty, éd., *Journal* de Knox, 3 : 91; Bernier à Crémille, 12 septembre 1760, AG, 3574 : no 102.

ciaux ne se pressent pas de recruter les contingents qu'il leur demande. Mauvaise volonté ? Non; prudence : comme les Canadiens, les Américains britanniques s'attendent à ce que la paix se fasse en Europe; ils n'aimeraient pas se livrer à des dépenses pour lever des régiments qu'un traité rendrait inutiles. Ce n'en est pas moins une cause de retards. [76] Ainsi s'explique que les armées Amherst et Haviland, composées de réguliers et de provinciaux entrent en campagne quand la saison est relativement avancée; dispensé d'attendre des coloniaux, Murray peut agir avec rapidité. Il y a cependant quelques colonies qui ne veulent plus rien faire. La Virginie en est une. A la fin de 1759, elle se déclare « incapable » de maintenir sous les armes plus de 400 hommes; au printemps suivant, elle autorise bien son gouverneur à former un régiment de 761 hommes, mais à condition que 300 d'entre eux ne sortent pas de la province. [77] En décembre 1759, la Pennsylvanie licencie toutes ses troupes à la réserve de 150 hommes; plus tard, elle accepte de payer la solde de 2,700 soldats, mais l'assemblée y procède de telle façon que le gouverneur Hamilton se demande s'il peut « en toute conscience d'honnête homme » approuver le projet de loi que les législateurs lui envoient à cet effet. [78] Ceux du Maryland ne courent même pas ce risque : ils votent des appropriations pour l'entretien d'un millier d'hommes; ils sont cependant assurés que le Conseil législatif rejettera la mesure, puisque la chambre haute en a déjà cinq fois repoussé une semblable. [79] Dans l'ensemble, le Sud se conduit comme si sa guerre était finie, au grand scandale de Pitt, qui envoie au Maryland, à la Virginie et aux deux Carolines une circulaire « particulièrement adaptée à leur manque de zèle ». [80] Les colonies du nord, en revanche, font excellente figure, surtout le Massachusetts, qui s'engage à mettre sous les armes 7,500 hommes, et le Connecticut, qui en lève 5,000. Le Rhode-Island fournit 1,000 combattants et le New-Hampshire, 800. [81] Quant au New-York, il en promet 2,680, enthousiasmé par le but que poursuit le haut commandement : « faire irruption au Canada pour réduire Montréal et tous les

---

[76] Amherst à Whitmore, 18 mai 1760, PRO, CO 5, 58 : 274; Pitt à Amherst, 14 juin 1760, APC, Amherst Papers, liasse 24.
[77] Fauquier à Amherst, 25 novembre 1759, PRO, CO 5, 57 : 211; *id.* à *id.*, 5 avril 1760, *ibid.*, 58 : 161.
[78] Hamilton à Amherst, 10 décembre 1759, *ibid.*, 57 : 195; *id.* à *id.*, 2 mars 1760, *ibid.*, 409.
[79] Sharpe à Amherst, 10 avril 1760, *ibid.*, 58 : 139s.
[80] Pitt à Amherst, 17 décembre 1760, APC, Amherst Papers, liasse 34.
[81] Pownall à Amherst, 22 janvier 1760, PRO, CO 5, 57 : 583; *The Boston News-Letter*, 31 janvier 1760; Fitch à Amherst, 20 décembre 1759, PRO, CO 5, 57 : 251s; Hopkins à Amherst, 7 janvier 1760, *ibid.*, 582; *id.* à *id.*, 11 mars 1760, *ibid.*, 58 : 81; Wentworth à Amherst, 18 janvier 1760, *ibid.*, 57 : 579.

autres postes appartenant aux Français ». [82] Voilà une colonie qui connaît la valeur de la Nouvelle-France; l'eût-elle oubliée, les splendides affaires réussies par ses traitants à Niagara, durant le printemps de 1760, la lui eussent rappelée agréablement. [83]

Ses dispositions prises, Amherst tient la victoire. Ce n'est pourtant pas lui qui va y prendre la plus grande part, mais bien Murray. Murray, dit le commandant en chef, a la partie belle, puisqu'il lui suffit d'aller de Québec à Montréal, en suivant « la plus facile » des trois routes d'invasion. [84] Il oublie d'ajouter que, si cette voie est effectivement celle qui comporte le moins d'obstacles naturels, elle traverse le pays habité — habité par une population qui n'a pas encore déposé les armes. Il y a plus. Au lendemain du siège, le gouverneur militaire de Québec est moins fort qu'il n'y paraît. Au 31 mai, il ne peut encore compter que sur 2,800 combattants — les renforts de Louisbourg ne lui arriveront que plus tard — et ce corps a été si maltraité par l'hiver qu'il doit en envoyer une partie se reposer à l'île d'Orléans. Conduire cette armée par terre, il ne faut pas y songer : la forêt s'approche beaucoup trop du chemin; les régiments se feraient tailler en pièces avant de pouvoir atteindre leur destination. Ils avanceront par eau, ce qui leur procurera, outre la sécurité, la plus grande liberté de manœuvres. A portée d'opérer des débarquements là où il lui plaira, Murray forcera les éléments franco-canadiens de se replier, de crainte d'être coupés, jusqu'au jour où ils se retrouveront à Montréal, coincés entre trois feux. Avec cette tactique en vue, il met en mouvement, le 14 juillet, sa flotte composée de quatre navires de guerre, de 9 galères, de 40 bâtiments de transport et de 26 bateaux. [85]

Il double, sans daigner s'y arrêter, les postes de Deschambault, de Jacques-Cartier et de la Pointe-aux-Trembles, où Lévis a mis en tout quinze cents hommes sous le commandement de Dumas. En passant, il essuie des volées de canons qui ne lui font guère de mal et il observe : les maisons sont vides; les habitants ont dû rallier leurs compagnies de milices et les familles, se réfugier dans les bois; sur la rive, un détachement le suit comme son ombre. Le 18, il fait halte à Lotbinière. [86] Il y débarque deux jours plus tard, après avoir donné à l'agglomération le loisir de prendre connaissance de la proclamation qu'il a fait afficher

---

[82] Résolution de l'assemblée du New-York, 14 mars 1760, PRO, CO 5, 58 : 99.
[83] The New-York Mercury, 19 mai 1760.
[84] Amherst à Ligonier, 26 août 1760, APC, Amherst Papers, liasse 11.
[85] « Journal » de Murray, dans Doughty, éd., Journal de Knox, 3 : 306-308; Beatson, éd., Military Memoirs, 3 : 263.
[86] « Journal » de Murray, Doughty, op. cit., 3 : 308-311; « Relation de la suite de la campagne de 1760, » Casgrain, 11 : 248s.

la porte des églises. Il va en profiter pour adopter une attitude spectaculaire. L'endroit est bien choisi. Une partie des habitants de deux paroisses — on compte 134 hommes — viennent prêter serment de « neutralité ». Le général les invite à réfléchir : est-il possible de se battre sans vaisseaux, sans artillerie, sans munitions, sans vivres ? Qui peut détruire les maisons, les moissons et tout ce que les habitants « possèdent en ce monde » ? Et qui viendrait les protéger de la destruction ? Que les Canadiens consultent donc leur propre intérêt ! A ce moment, l'orateur aperçoit un prêtre dans le groupe. Il se tourne vers lui : « Le clergé est la source de tous les malheurs qui se sont abattus sur les pauvres Canadiens; il les garde dans l'ignorance, les excite à la méchanceté et les mène à leur ruine... *Prêchez l'Evangile,* cela seul vous regarde; faites votre devoir et n'ayez pas la présomption de vous mêler, directement ou non, de choses militaires et de la querelle qui s'est élevée entre les deux *Couronnes.* » [87] Après cette mise au point, le conquérant poursuit son chemin.

Tous les habitants n'ont pas le naturel docile de ceux de Lotbinière. A la vue de la flotte anglaise, les hommes de Batiscan se jettent à l'eau le mousquet à la main, s'avancent jusqu'à portée de fusil et tirent sur les navires durant une demi-heure, en dépit d'un barrage de boulets. [88] Un peu plus haut que les Trois-Rivières, la même scène se répète, agrémentée d'un épisode pittoresque. Lord Rollo, qui est arrivé à Québec avec les régiments de Louisbourg, quinze jours après le départ de Murray, a suivi son chef en profitant des calmes et des vents contraires pour pacifier les paroisses de la rive gauche. Voici que, le 17 août, un prêtre apparaît sur le rivage et s'enquiert en anglais si Rollo est bien à bord de son navire. C'est un digne ecclésiastique qui, la veille, a dîné à la table de Sa Seigneurie. Sa Seigneurie est bien là, elle salue même fort civilement monsieur l'abbé. Celui-ci lève alors son chapeau. C'est un signal. Au même moment, une vive fusillade balaie le pont du vaisseau. Une « meute » de Canadiens et d'indigènes entrent dans l'eau jusqu'à la ceinture pour tirer de plus près. Cependant que le bâtiment s'éloigne à toute vitesse, les Anglais s'inquiètent de leurs blessés — une dizaine de matelots et de soldats — et restent stupéfiés de la « trahison inexplicable » du « Révérend Judas ». [89]

L'envahisseur traverse maintenant une jolie contrée que ses torches incendiaires n'ont pas encore noircie. Un officier britannique s'étonne d'y observer moins de misère qu'il n'avait prévu : n'a-t-il pas trouvé

---

[87] Doughty, éd., *Journal* de Knox, 2 : 474.
[88] *Ibid.,* 478s.
[89] *Ibid.,* 500.

« d'excellent pain de blé » dans les maisons où il est entré ? [90] De
maisons désertes, à la vérité, car l'approche de l'ennemi fait fuir. Le
progrès ininterrompu de Murray fait frissonner Lévis : non pas de peur
puisqu'il ne souhaiterait rien tant qu'un combat qui lui fournirai
l'occasion de retarder l'adversaire, mais parce qu'il a compris le jeu
du général écossais : l'acculer au mur sans se mesurer à lui, après
avoir désarmé la population par la peur. Le 23 juillet, Murray a lancé
une proclamation d'une violence sauvage. La fin approche, a-t-il crié
aux Canadiens : « Vous êtes encore, pour un instant, maîtres de votre
sort. Cet instant passé, une vengeance sanglante punira ceux qui oseront
avoir recours aux armes. Le ravage de leurs terres, l'incendie de leurs
maisons, seront les moindres de leurs malheurs. » [91]

Le 7 août, Lévis fait le point. L'avant-garde anglaise atteint maintenant les abords des Trois-Rivières. Le détachement de Dumas la
suit sur la rive et se prépare à défendre cette ville. Mais les régiments
britanniques ne s'y attarderont pas; le général français le prédit à coup
sûr : « Leur projet est de venir à Montréal ou à Sorel pour faciliter
leur jonction avec M. Amherst. » Et qu'y faire ? Lévis le reconnaît :
« Nous n'avons nuls moyens pour les arrêter. » Ils refuseront le combat tant que leurs trois corps ne se seront pas donné la main. En attendant, malgré certains coups d'éclat, les Canadiens fléchissent. La
flotte ennemie les épouvante, « ils craignent que leurs habitations
ne soient brûlées ». [92]

Ce n'est pas sans motif. Le 21 août, en face de Sorel, Murray envoie un autre message aux Canadiens. Le ton en est sinistre : « Votre
entêtement continue; vous me forcez, malgré mon humanité, à mettre
à exécution les menaces que je vous ai faites. Il est temps de commencer. Je vous avertis que dorénavant je traiterai à la rigueur les
Canadiens que je prendrai les armes à la main, et que je brûlerai tous
les villages que je trouverai abandonnés. » [93] Il est temps de commencer... Le commandant britannique ne le répète pas. Il ordonne à
Rollo de déposer, la même nuit, un régiment à un demi-mille plus
bas que Sorel et, à une lieue de là, un détachement d'infanterie légère;
les deux formations marcheront l'une vers l'autre, en brûlant « tout
devant elles ». Dans son rapport à Pitt, Murray s'apitoie sur « la
cruelle nécessité » qui l'oblige à faire souffrir « tant de malheureux ».
Ces beaux sentiments n'allègent en rien le sort des victimes. Le len-

---

[90] *Ibid.*, 496s.
[91] Casgrain, 4 : 284s.
[92] Lévis à Belle-Isle, 7 août 1760, Casgrain, 2 : 374s.
[93] Casgrain, 4 : 285.

lemain de cet exploit, le général note dans son journal qu'un groupe
le Sorelois accompagnés d'un prêtre viennent lui porter leurs armes;
l commente : « Effets de l'incendie ». [94] Le même jour, Bourlamaque
onfirme : « Il nous en coûte une centaine de miliciens désertés. » Ce
n'est qu'un commencement. [95]

Depuis la retraite de Québec, le moral de la population n'a jamais
été bon. Pendant que des miliciens faisaient bravement le coup de
feu et opposaient leurs fusils aux canons anglais, d'autres ne cherchaient
qu'à rentrer chez eux. Malgré tout ce que Vaudreuil pouvait raconter
les victoires que la cause française remportait en Europe, il était trop
facile de voir qu'elle était irrémédiablement perdue en Amérique. Les
Canadiens ne pouvaient plus croire à la France. Le non-paiement des
lettres de change avait indiqué qu'il ne restait plus rien à attendre
d'elle — rien que des ordres péremptoires de consentir à de nouveaux
sacrifices. L'extrême rigueur des réquisitions de vivres n'arrangeait pas
les choses. Le munitionnaire Cadet avouera qu'elles « acheverent de
depouiller » les habitants. A la mi-juillet, Lévis reconnaît : « Nous
avons été obligés d'exiger d'eux presque tous les animaux qui leur
restoient, ne leur ayant laissé que quelques vaches pour vivre. » [96] A
ces contributions s'ajoute celle du service militaire : contribution normale en temps normal, mais la démoralisation générale inspire aux
chefs des mesures extraordinaires qui en alourdissent encore le poids.
Le 15 août, Lévis recommande à Bourlamaque de punir de mort le
premier milicien coupable de désertion. [97] Huit jours plus tard, Bourlamaque court les paroisses pour en débusquer les hommes « à main
armée ». [98] Au lendemain du feu de Sorel, il prend le parti d'imiter
Murray et de faire brûler à son tour les maisons des Canadiens qui
auront remis leurs armes aux Anglais; il ajoute avec rage : « Mais je
pense ... qu'il faudroit tout détruire. » [99]

La dernière semaine d'août commence. En même temps, la résistance franco-canadienne croule de toutes parts. Des mauvaises nouvelles
arrivent à la fois de l'île aux Galops, dans le haut Saint-Laurent, et de
l'île aux Noix, au bout du Richelieu. Sur le premier front, Amherst,
parti d'Oswego le 10 août, atteint le fort Lévis après une dizaine de
jours de navigation. Ses batteries ouvrent le feu le 23 sur la position

94   Murray à Pitt, 24 août 1760, *Virginia Gazette*, 16 janvier 1761; « Journal »
de Murray, dans Doughty, éd., *Journal* de Knox, 3 : 324s; voir *ibid.*, 2 : 503s.
95   Lettre à Lévis, Casgrain, 5 : 101.
96   Lévis à Belle-Isle, 14 juillet 1760, Casgrain, 2 : 371. Voir *François Bigot, administrateur français*, 2 : 310s.
97   Lévis à Bourlamaque, 15 août 1760, APC, Lettres de Bourlamaque, 3 : 347.
98   Bourlamaque à Lévis, 22 août 1760, Casgrain, 5 : 102.
99   *Id.* à *id.*, 23 août 1760, *ibid.*, 105.

française. Le 25, écrasée de projectiles, elle capitule. [1] Le reste de la campagne du généralissime ne sera plus qu'une promenade sur des eaux tumultueuses, mais libres. Haviland prend aussi son temps pour forcer le passage du Richelieu. Il se présente le 14 août en vue de l'île aux Noix, avec cinq navires, deux batteries flottantes portant des pièces de calibre 24 et six carcassières armées de canons de 12. Le 16, il débarque sur la rive droite du cours d'eau et, durant trois jours, pendant qu'il y monte des batteries de siège, son artillerie navale ne cesse de pilonner les retranchements français. [2] Bougainville ne manque pas tant de monde que de matériel : au début, il n'avait que 450 hommes; des renforts successifs lui en donnent un millier d'autres. [3] Mais dans ce tas de gens, révèle le commandant, il n'y en a pas un « qui sache pointer », pas un seul « qui sache tirer une bombe »; d'autre part, il n'existe dans l'île « nul blindage, nul coin que le boulet ou la bombe ne laboure ». [4] Et quelle indigence de munitions ! Il faut se résigner à essuyer le feu de l'assaillant « presque sans y répondre » et réserver le peu qu'on a pour repousser « une attaque de vive force ». [5] Les Anglais ont cru qu'à l'approche de leur armée Bougainville évacuerait son poste, ferait sauter ses fortifications et se replierait sur Montréal. [6] Mais le jeune colonel tient bon, malgré la « sérénade » interminable de l'artillerie de Haviland et, en particulier, les notes lourdes d'une « grande diable de batterie qui est à portée de fusil de nous ». [7] Il ne se retire à Saint-Jean, le 27, qu'après s'être fait prendre sa « petite marine » et avoir risqué d'être enveloppé par un mouvement tournant. Les éléments britanniques entrent dans l'île le lendemain. [8] Dans la nuit du 29 au 30, ils s'avancent « en force » sur Saint-Jean, que les Français abandonnent en y mettant le feu. Le 31, Murray débarque à Varennes. Le même jour, Amherst laisse derrière lui le fort Lévis, auquel il a donné le nouveau nom de William-Augustus, et descend le cours du Saint-Laurent sur une distance de 24 milles pour s'arrêter à l'île au Chat. [9] L'étau se resserre.

---

[1] Doughty, éd., *Journal* de Knox, 2 : 539; Amherst à Pitt, 26 août 1760, *ibid.*, 3 : 89; « The Capitulation of Fort Lévis, » *ibid.*, 257; Bernier à Crémille, 12 septembre 1760, AG, 3574 : no 102.

[2] « Relation de la suite de la campagne de 1760, » Casgrain, 11 : 253.

[3] *Ibid.*, 248s; *Journal* de Lévis, Casgrain, 1 : 291; « Etat des troupes qui se trouvent à l'Ile-aux-Noix, » Casgrain, 10 : 147.

[4] Bougainville à Lévis, 21 août 1760, Casgrain, 10 : 144s.

[5] Casgrain, 11 : 253.

[6] *The Boston News-Letter*, 10 juillet 1760.

[7] Bougainville à Lévis, 22 et [24?] août 1760, Casgrain, 10 : 146, 142.

[8] *Journal* de Lévis, Casgrain, 1 : 299; Casgrain, 11 : 254; « The Campaign of Canada... 1760, » *Collection de manuscrits*, 4 : 258; *The Boston News-Letter*, 11 septembre 1760; Bernier à Crémille, 12 septembre 1760, AG, 3574 : no 102.

[9] *Journal* de Lévis, Casgrain, 1 : 300; « Journal » de Murray, dans Doughty, éd., *Journal* de Knox, 3 : 329; Amherst à Pitt, 8 septembre 1760, *ibid.*, 3 : 92.

A la fin de la première semaine de septembre, il se sera refermé.
De Varennes, où il établit un camp en attendant Amherst, Murray
envoie des détachements recueillir la soumission des paroisses environnantes, fait occuper Boucherville, puis Longueuil. Son activité et celle
de Haviland, qui enlève Chambly et Laprairie, font refluer les unités
françaises dans l'île de Montréal et dans l'île Sainte-Hélène, où Lévis
jette 500 hommes. Les miliciens ont presque tous quitté l'armée. Les
soldats les imitent de leur mieux. Le 1er septembre, Roquemaure écrit
de Laprairie que « la désertion est totalement » dans ses troupes. Un de
ses collègues ajoute que les officiers eux-mêmes tiennent des propos
défaitistes : « Capitulation est le cri public. »[10] Bourlamaque mande
de Longueuil que des soldats vont se cacher dans les bois quand ils
ne passent pas à l'ennemi. Il ironise : « Incessamment, les Canadiens
donneront l'exemple de la stabilité. » Trois jours plus tard, il constate
que le nombre des absents fait boule de neige et que « la maraude se
joint à la desertion ». La discipline n'existe plus : « Il faudroit bientôt
fouetter toute la troupe. »[11] Murray assure que Vaudreuil lui a fait
entendre qu'il entamerait volontiers avec lui des pourparlers, alors
qu'Amherst était encore à trois jours de Montréal.[12] Il semble bien
que Murray se vante. Mais le commandant en chef débarque à Lachine le 6 septembre. Le soir même à 8 heures, Vaudreuil convoque chez
lui les principaux officiers des troupes de terre et de la marine. Bigot
y donne lecture d'un projet de capitulation que tous approuvent, forcés
de convenir, « comme le marquis de Vaudreuil, que l'intérêt general
de la colonie exigeoit que les choses ne fussent pas poussées à la dernière
extrémité »; du reste, une dernière résistance « ne différeroit que de deux
jours la perte du pays ».[13]

Quand Murray, le 7, débarque à la Pointe-aux-Trembles, accueilli
par des paysans et des paysannes qui offrent à ses soldats de l'eau et du
lait en s'excusant de ne pas pouvoir leur donner mieux à boire,[14] Bougainville a déjà conféré avec Amherst. Celui-ci consent à presque tout
ce que Vaudreuil propose. Sur un point, il reste cependant intraitable.
Le gouverneur lui demande d'accorder « les honneurs de la guerre »
aux troupes françaises. Le général anglais veut qu'elles mettent tout
simplement « bas les armes ». Il explique à Pitt vouloir ainsi « déshono-

10   Roquemaure à Lévis, 1er septembre 1760, Casgrain, 10 : 133; De Laas à Lévis,
30 août 1760, *ibid.*, 166.
11   Bourlamaque à Lévis, 30 août 1760, Casgrain, 5 : 119; *id.* à *id.*, 2 septembre
1760, *ibid.*, 124. « Journal » de Murray, dans Doughty, éd., *Journal* de Knox, 3 : 330.
12   Murray à Pitt, 7 octobre 1760, *ibid.*, 3 : 255s.
13   *Ibid.*, 2 : 558, note 1; procès-verbal du conseil de guerre du 6 septembre 1760,
AC, F 3, 16 : 127-130; *Journal* de Lévis, Casgrain, 1 : 303s.
14   Doughty, éd., *Journal* de Knox, 2 : 521.

rer » ses ennemis en représaille de la « guerre cruelle et barbare » qu'ils ont livrée quand ils croyaient avoir le dessus. [15] Aux représentations réitérées du gouverneur, il répond d'un ton cassant qu'il ne fera « aucun changement » aux conditions qu'il a déjà arrêtées; il ajoute : « Votre Excellence... voudra bien se determiner tout de suitte, et me Faire s'avoir en reponçe Si elle veut les accepter oui ou non. » [16] Vaudreuil doit s'incliner. La discussion est close. Avec Amherst, mais non avec Lévis, qui se cabre, proteste qu'un tel article est contraire à « l'honneur des armes du Roi » et sollicite avec chaleur la rupture immédiate des pourparlers. Le gouverneur lui signifie par écrit l'ordre de se soumettre à la volonté du vainqueur, « attendu que l'intérêt de la colonie ne nous permet pas de refuser les conditions proposées par le général anglois, lesquelles sont avantageuses au pays » ... [17]

Capitulation « tres favorable aux colons et a tous ceux qui ont quelques fortunes dans le pays »; conditions « des plus favorables pour les Principaux de la Colonie, tous leurs Effets Sont mis à Couvert »: ainsi les contemporains jugent la convention signée par Vaudreuil et Amherst le 8 septembre 1760. [18] La Cour professe une noble indignation. Berryer s'en prend à Vaudreuil : même « en supposant la nécessité de se rendre, il eût fallu repousser « les Conditions peu honorables » imposées par Amherst et « tenter une attaque, ou une deffense » pour arracher aux Anglais des concessions. [19] Un fonctionnaire de la Marine va plus loin : il s'étonne que Montréal ait ouvert ses portes « Sans auparavant avoir tiré un Seul Coup de Fusil »; il met en doute « l'honneur des chefs de la Colonie »: après tout, l'armée Amherst devait être fatiguée, elle qui avait « passé les Sauts de Niagara » (!), et « la Moindre Resistance » l'aurait réduite « à la dernière extremité ». [20] L'opinion porte un tout autre jugement : la perte du Canada lui inspire « plus de déplaisir que d'étonnement »; il fallait s'y attendre : les troupes et les « braves Canadiens manquoient de tout, & l'on ne peut que les louer d'avoir Capitulé aux conditions qui leur ont été accordées ». [21] Vaudreuil se défend : la dureté des exigences d'Amherst à l'égard des troupes n'est-elle pas « en quelque sorte balancée par les

---

[15]   Amherst à Ligonier, 8 septembre 1760, APC, Amherst Papers, liasse 11.
[16]   Amherst à Vaudreuil, 7 septembre 1760, AC, C 11A, 105 : 155.
[17]   Lévis, « Mémoire à M. le marquis de Vaudreuil, » 8 septembre 1760, *Journal de Lévis*, Casgrain, 1 : 306s; « Réponse de M. le marquis de Vaudreuil, » *ibid.*, 307s. Voir Bernier à Crémille, 12 septembre 1760, AG, 3574 : no 102.
[18]   Bernier à Accaron, 25 septembre 1760, AC, C 11A, 105 : 202; « Reddition de Montréal et de tout le Canada aux anglois, » 16 octobre 1760, AM, B 4, 98 : 5.
[19]   Berryer à Vaudreuil, 5 décembre 1760, AC, B 112 : 280-280v.
[20]   « Reddition de Montreal et de tout le Canada aux anglois, » 16 octobre 1760, AM, B 4, 98 : 5.
[21]   *Mercure historique de La Haye*, 149 (novembre 1760) : 539s.

interets conservés de la colonie et des colons » ? [22] Lévis vient à la rescousse du ci-devant gouverneur : ce dernier, déclare-t-il, « a mis en
usage jusqu'au dernier moment toutes les ressources dont la prudence et
l'Experience humaines peuvent estre capables ». [23]

On a l'impression que le mécontentement et la déception du gouvernement français tiennent pour une bonne part à ce qu'il semble avoir
fini par croire aux fausses nouvelles que la *Gazette de France* avait
répandues au cours du mois de septembre. Le journal avait d'abord
publié une dépêche datée de Londres selon laquelle Lévis se disposait à
marcher avec quatre à cinq mille soldats et six mille miliciens à la rencontre d'Amherst, à qui l'on donnait 10,500 combattants. Plus tard, il
avait annoncé qu'une révolte de « Chiroquois » immobilisait le généralissime anglais au fort Saint-Frédéric, pendant que Murray, « qui s'etoit
avancé jusqu'au Richelieu, avoit été battu » par Repentigny, à la tête
d'un détachement de troupes de la marine et de Canadiens. Enfin, la
Gazette avait prétendu qu'un certain « Minville l'aîné », armateur de
Bayonne, avait pris dans le Saint-Laurent 14 vaisseaux ennemis « pleins
de munitions pour Québec », les avait déchargés et brûlés « un peu plus
haut que la Baie des Chaleurs » et en avait fait transporter les cargaisons
à Montréal; la même nouvelle ajoutait que la récolte canadienne était
abondante et que les Français d'Amérique étaient en état de se « soutenir longtemps contre les Anglois ». [24] — Après cela, il y avait de quoi
tomber de haut; c'est ce qui arrive quand on apprend ce qui s'est vraiment passé au Canada.

Pourtant, un facteur empêche de saisir toute la gravité de la capitulation conclue à Montréal. C'est son caractère officiellement provisoire.
Un article prévoit que « Toutes Choses rentreroient dans leur premier
Estat » si l'on apprenait que la paix est faite entre les deux métropoles
et que par le traité la France conserve la colonie. D'autres s'efforcent de
régler certaines dispositions au cas où la Grande-Bretagne sortirait de la
future conférence de la paix avec la possession du pays. [25] Mais le
contraire pourrait aussi se produire. Toute espérance n'est pas morte. En
1761, un négociant canadien passé en France se fait construire un navire
à Nantes en vue du commerce qu'il fera dans sa patrie, après la tourmen-
te. Il compte fort rentrer au Canada : « L'on parle beaucoup, écrit-il,

22   Vaudreuil à Berryer, 10 décembre 1760, AC, C 11A, 105 : 173-174.
23   Lévis à Berryer, 27 novembre 1760, *ibid.*, 183.
24   *Gazette de France* (6 septembre 1760), 430; (20 septembre), 456; (27 septembre), 465.
25   « Articles de la capitulation, Montréal, » Shortt et Doughty, éd., *Documents
relatifs à l'histoire constitutionnelle du Canada 1759-1791* (Ottawa, 1921), 5-22, articles
13, 30, 36, 48.

quil nous sera rendue, Les nouvelles publiques nous annoncent la paix prochaine, Dieu Le Veuil » ... [26] Dès septembre 1760, un officier français pense aux réformes qu'il conviendra d'introduire dans la colonie quand la France s'y rétablira; il faudra, croit-il, « que l'on y detruise Jusqu'a L'ombre même de L'interet qui est l'unique et antique cause de sa perte ». [27] En 1762, Bourlamaque écrit un remarquable mémoire où il est longuement question des modifications qu'il sera bon d'apporter à l'administration de la colonie, lorsque les Anglais l'auront rétrocédée; Choiseul le remercie de lui avoir communiqué cette pièce, « qui contient de bonnes réflexions ». [28] Une fois perdue cette espérance tenace, un fait éclate dans toute sa brutalité : quand la capitulation du Canada serait dix fois plus « honorable » pour les troupes françaises et cent fois plus « favorable » aux colons, elle n'en marquerait pas moins l'arrêt de mort d'une société : non pas par ce qu'elle stipule — ce quelle stipule est, en somme, très secondaire —, mais par la réalité qu'elle se trouve sanctionner. La terrible réalité de la défaite.

*

* *

Les vrais vainqueurs ont compris. Les vrais vainqueurs, ce sont les Américains britanniques. Ils saisissent tout de suite l'immense portée de ce qui vient de s'accomplir. Ils y voient sans hésiter l'anéantissement de la société américaine, elle aussi, mais ennemie, qui leur disputait depuis un siècle la suprématie dans le Nouveau Monde. — Dieu, déclare un pasteur du Massachusetts, a traité les Canadiens avec une sévérité « justifiée », et cependant « effroyable ». Leurs villes et leurs villages sont détruits, leur armée évacuée, leurs chefs partis. Comme ils perdent les postes et les emplois publics qui leur assuraient un haut niveau de vie, les dirigeants doivent s'en aller, quitter leurs habitations et se séparer de leurs amis. Quant au « reste du peuple », il se voit soustrait à son ancien roi et à son ancien gouvernement, pour tomber sous un nouveau roi, de nouvelles lois et un nouveau gouvernement. En un mot, les Canadiens « sont brisés en tant que peuple ». Sans doute, réfléchit cet Américain, un tel changement peut-il, « à la fin », tourner à l'avantage des Canadiens, mais, « pour le présent, nous pouvons conclure que ce qui arrive n'est pas joyeux, mais très douloureux pour beaucoup

---

[26] M. Perrault à son frère, 15 février 1761, Collection Baby, dossier Perrault.
[27] Bernier à Crémille, 12 septembre 1760, AG, 3574 : no 102.
[28] Choiseul à Bourlamaque, 18 août 1762, APC, Lettres de Bourlamaque, 5 : 123. Le texte de ce mémoire est imprimé dans le *Bulletin des recherches historiques,* 25 (1919) : 257-276, 289-305, et 26 (1920) : 193-209, 225-240.

d'entre eux ».[29] Malgré le vocabulaire de l'époque et le style oratoire, aussi peu propices l'un que l'autre à l'expression de faits sociaux extrêmement complexes, quelle admirable lucidité, quelle puissante pénétration dans cette analyse ! Tout l'essentiel y est : la dislocation de la société canadienne, provoquée par l'effondrement de ses cadres politiques et autres et par l'éloignement immédiat de la classe supérieure qui lui avait jusque là fourni une direction et un outillage; la prévision aussi d'une assimilation future au monde britannique, phénomène qui devrait s'achever au terme d'une « douloureuse » période de servitude et de dépaysement.

Les armes ont accompli leur tâche, reprend un second pasteur. Maintenant, l'occasion d'une « bonne et grande entreprise » se présente : « propager notre religion et notre Liberté, le gouvernement civil et l'ordre évangélique chez nos nouveaux compatriotes... Une telle conquête, faisant suite à celle que nous fêtons aujourd'hui, la rendra doublement glorieuse », bien que, glorieuse, elle le soit déjà autant que toute autre « qui se puisse trouver dans les annales britanniques ».[30] Cette conquête spirituelle, le meilleur penseur américain de l'époque, Benjamin Franklin, estime qu'elle sera l'affaire de cinquante ans et que son succès tiendra à celui d'une politique de peuplement qui ne comporte pas de difficultés particulières. Il ne compte pas sur une immigration en provenance des Iles Britanniques qui, d'ailleurs, à ses yeux, serait superflue. Il table sur la vitalité américaine. Il calcule que l'excédent habituel des naissances dans les colonies anglaises devrait suffire pour que se déverse rapidement au Canada une population deux fois plus nombreuse que celle qui y restera derrière la colonisation française. Peu nombreux et dispersés, ces éléments seront encore affaiblis, croit-il, par le départ d'un bon nombre d'habitants, qui préféreront passer en France s'il leur est permis de vendre leurs biens. « Pour les autres,... d'ici moins d'un demi-siècle, en raison de la masse d'Anglais qui s'installera autour d'eux et au milieu d'eux, ils sont destinés à se mêler et à s'incorporer à notre peuple à la fois quant à la langue et quant aux moeurs. »[31] En d'autres termes, les données démographiques les plus simples veulent que les moellons gisant épars sur l'emplacement

29   Nathaniel Appleton, *A Sermon Preached October 9. Being A Day of Public Thanksgiving, Occasioned by the Surrender of Montreal, and All Canada* (Boston, 1760), 29.

30   Thomas Foxcroft, *Grateful Reflexions on the Signal Appearances of Divine Providence for Great Britain and its Colonies in America, which Diffuse a General Joy. A Sermon Preached in the Old Church in Boston, October 9. 1760* (Boston, 1760), 30s.

31   *The Interest of Great Britain Considered, With Regard to Her Colonies, And the Acquisitions of Canada and Guadaloupe. To which are added, Observations concerning the Increase of Mankind, Peopling of Countries, &c.* (Londres, 1760), 45s.

du Canada démoli soient noyés dans le mortier d'une nouvelle construction qui sera britannique, assurément, mais non pas anglaise, puisque l'Amérique possède des ressources humaines assez abondantes pour s'engager dans une œuvre de colonisation.

Fait capital, ce ne sont pas seulement Franklin et une poignée d'esprits cultivés qui se montrent capables de mesurer les répercussions de la conquête du Canada sur la destinée — on éprouve la tentation de dire : « la destinée manifeste » — de l'Amérique britannique. Celle-ci paraît consciente d'avoir atteint un moment décisif de son histoire. Un journal de Philadelphie y trouve l'occasion de saluer « l'événement le plus important... qui se soit produit au bénéfice de la nation britannique »; cette guerre, il y insiste, donne lieu à « des avantages nationaux qui dépassent nos plus flatteuses espérances »; longtemps menacés de périr, s'écrie-t-il, enfin, « nous avons foulé aux pieds nos ennemis et nous nous sommes élevés sur leurs ruines ». [32] Assimiler un vaincu, c'est proprement s'accroître de sa substance, se grandir sur ses ruines. — « Le grand jour est arrivé ! » clame une feuille de Boston. C'est « la chute de la Carthage d'Amérique ». On se le répète comme pour mieux y croire : la réduction du Canada, voilà désormais « un fait acquis ». Accompagnant ces effusions, une nouvelle fausse, mais révélatrice des appétits de ceux qui la colportent, se donne pour un résumé des conditions auxquelles Montréal et toute la colonie viennent de capituler : « Les habitants de la ville prisonniers de guerre, à déporter en France; les paysans confinés à leurs terres avec le statut de neutres, défense pour eux de trafiquer avec les Indiens sous peine de mort. » [33]

Le vin de la victoire est capiteux. Même Philadelphie, la pacifique cité de l'amour fraternel, accueille au bruit des canons et au son des cloches « la glorieuse nouvelle de la prise de Montréal ». [34] Des souvenirs classiques, d'un classicisme guerrier, héroïque et triomphal, montent à la tête du patriciat de Boston; de grands tableaux allégoriques décorent tout à coup le balcon de la Court House : « Au milieu, Britannia assise; à sa gauche, le Courage; à sa droite, Minerve; derrière, Neptune et Mars; ... devant, la France figurée par une femme prosternée, son épée brisée, dépose la carte du Canada aux pieds de Britannia; ... au-dessus, Jupiter... tenant d'une main la balance de la Justice et de l'autre, son tonnerre. » [35] Albany est en fête durant trois jours, « sans interruption ». New-York manifeste une joie bruyante. [36] Transportés d'enthousiasme,

[32] *The Pennsylvania Gazette*, 25 septembre 1760.
[33] *The Boston News-Letter*, 18 septembre 1760.
[34] *The Pennsylvania Gazette*, 25 septembre 1760.
[35] *The Boston News-Letter*, 2 octobre 1760.
[36] *The New-York Mercury*, 22 septembre 1760.

le maire et les échevins de cette ville livrent le fond de leur pensée dans le message de reconnaissance qu'ils font tenir à Amherst. Ils félicitent le général non pas d'avoir ajouté un fleuron à la couronne britannique, mais d'avoir « annexé le grand territoire canadien aux possessions américaines de Sa Majesté ». Ils ne doutent nullement que les Américains ne soient les grands bénéficiaires de la victoire, eux et leur postérité. Il leur plaît de joindre leurs voix à celles de « millions d'êtres qui ne sont pas encore nés » et qui, un jour, « récolteront les heureux fruits » de cette conquête « inestimable en elle-même et grosse des conséquences les plus considérables ». [37]

Les manifestations que la capitulation du Canada provoque en Grande-Bretagne paraissent sobres, comparées à celles qui se déchaînent dans les provinces britanniques. Ce n'est pas à dire que la reddition de la colonie française y passe inaperçue. La nouvelle en est annoncée aux Londoniens, le 5 octobre, par des salves d'artillerie. C'est le signal de réjouissances qui vont se prolonger durant plusieurs jours. Des feux de joie s'allument dans la capitale et dans tout le royaume. Joie faite de soulagement autant que de fierté, l'opinion européenne le comprend: « L'*Empire britannique* dans cette partie du Monde nouveau, en acquérant une très vaste étendüe, joüira desormais d'une parfaite tranquilité. » [38] Dans son premier message au Parlement, George III souligne les avantages qui découlent du succès décisif de ses armes outre-mer; il en énumère les trois principaux : un « coup fatal porté à l'ennemi », la consécration de la suprématie maritime de l'Angleterre et une perspective d'accroissement pour son commerce, « cette grande source de nos Richesses ». [39] Il y a pourtant loin de ces expressions de satisfaction aux clameurs d'allégresse qui s'enflent en Amérique. Le révérend Foxcroft, de Boston, fait un retour sur le passé. « En vain, s'écrie-t-il, avions-nous maintes fois tenté d'accomplir ce qui est heureusement accompli aujourd'hui... Longtemps, [la conquête du Canada] avait été l'objet de nos soucis et de nos prières... Enfin, nous voyons maintenant le jour de sa réalisation ! » [40]

« Oui, Dieu a fait de grandes choses pour nous », reprend le révérend Appleton, de Cambridge. L'orateur parcourt d'un coup d'œil le littoral atlantique, de la Georgie à la Nouvelle-Ecosse. Il admire des provinces populeuses comptant un million d'âmes et peut-être davan-

---

37   « The Cordial Address of the Mayor Aldermen & Commonalty of the antient City of New York in Common Council Convened, » 1760, APC, Amherst Papers, liasse 17.
38   *Mercure historique de La Haye*, 149 (octobre 1760) : 458. Voir *ibid.*, 149 (novembre 1760) : 545.
89   *Ibid.*, 149 (décembre 1760) : 659-661.
40   *Grateful Reflexions*, 30.

tage, beaucoup de villes, des imposantes forteresses, des constructions magnifiques, de délicieux jardins, des campagnes fertiles... Il évoque lui aussi le passé et s'étonne de le trouver si court : « Considérez que tout cela s'est créé dans l'espace de cent trente ou cent quarante ans. » Ces accomplissements n'autorisent-ils pas les prévisions les plus ambitieuses ? Qui saurait dire les « grandes et glorieuses choses » que Dieu réserve pour l'avenir ? Ces sociétés sont appelées à former « un peuple beaucoup plus grand et plus puissant que celui d'aujourd'hui ». Le temps approche où cette partie du monde sera « la gloire et la joie de la terre tout entière ». [41] Appleton a la clairvoyance de l'enthousiasme prophétique, ou plutôt la lucidité de la réflexion lancée sur la bonne voie. A qui sait voir et raisonner, il ne saurait être très difficile d'imaginer la grandeur future de l'Amérique britannique, à cette heure unique où se fusionnent, dans une synergie victorieuse, les éléments de son épanouissement prochain : un développement déjà remarquable, les ressources fabuleuses d'un continent, l'élimination d'un concurrent jusque là présent partout.

Ce que des Américains entrevoient dans l'ivresse de leur triomphe, des Européens le discernent aussi à la froide lumière de leurs calculs, et certains ne tardent pas à s'inquiéter des énormes possibilités du Nouveau Monde, peut-être capable, à leurs yeux, d'arracher un jour à l'Europe son hégémonie — ou tout au moins de jeter à la face d'une puissance métropolitaine l'éventuelle affirmation de son indépendance. James Murray est un de ces Européens chez qui une telle appréhension se manifeste très tôt. Malartic transcrit un entretien qu'il aurait eu avec lui dès les premiers jours de juin 1760. Le gouverneur militaire l'aurait pris à part pour lui demander :

— Croyez-vous que nous vous rendions le Canada ?

— Je ne suis pas assez versé dans la politique pour voir les choses de si loin.

— Si nous sommes sages, nous ne le garderons pas. Il faut que la Nouvelle-Angleterre ait un frein à ronger et nous lui en donnerons un qui l'occupera en ne gardant pas ce pays-ci. [42]

Combien ce raisonnement se répand vite, mainte brochure passionnée en porte le témoignage au cours des deux ou trois années à venir. Qu'il soit déjà dans l'air, il n'est plus possible d'en douter après la lecture du message que l'assemblée législative du New-York présente à l'administrateur royal de la province, à la fin d'octobre 1760. Il ne faut

---

[41]　*A Sermon Preached October 9 {1760}*, 17s, 36.
[42]　*Journal* de Malartic, 331.

pas, proteste cette chambre, rétrocéder le Canada à la France : « La cession de cette importante conquête qui, possédée par la Couronne, ne peut manquer d'être pour la Grande-Bretagne la source de richesses immenses — sa cession à un peuple aussi perfide ne ferait que nous exposer à une plus ardente vengeance de la part d'un ennemi que nous aurions une fois vaincu. » Et les représentants du peuple d'évoquer des scènes de pillage et de sang. [43]

Les positions sont prises. Dans le monde britannique, s'amorce un grand débat.

[43] *The New-York Mercury*, 10 novembre 1760.

CINQUIÈME PARTIE

LE GRAND DÉBAT

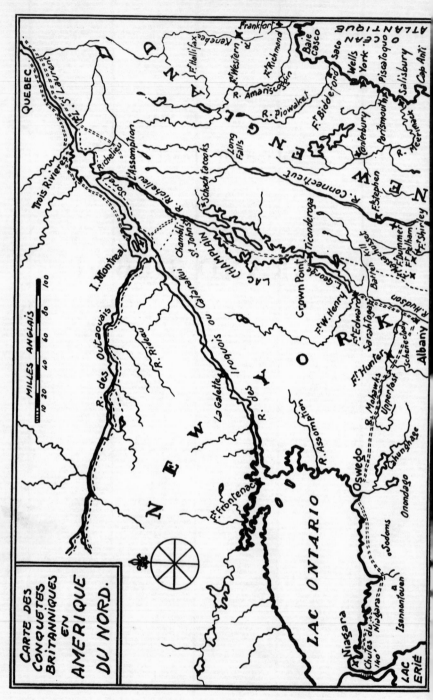

CHAPITRE X

CANADA OU GUADELOUPE?

A PRES avoir conquis le Canada, la Grande-Bretagne va-t-elle permettre à l'Amérique britannique de se l'annexer ? Voilà la question qui se pose au lendemain de la capitulation de Montréal, et voilà en quels termes elle se pose. Nous avons retenu l'aveu de l'assemblée du New-York, aux yeux de qui l'ancienne colonie française devient automatiquement une dépendance des provinces américaines, et sa protestation contre la rétrocession éventuelle du pays vaincu à son ancienne métropole; l'attitude new-yorkaise se fonde sur la crainte que la résurrection du Canada ne remette en danger la sécurité des collectivités coloniales et, par conséquent, peut-on ajouter, les énormes possibilités d'épanouissement que recèle l'avenir. Du côté anglais, une crainte parallèle commence à s'exprimer; on se demande si une excessive sécurité ne se révélerait pas fatale à l'empire : libérée de la menace française, l'Amérique ne cesserait-elle pas d'éprouver le besoin de la protection anglaise et ne profiterait-elle pas du don que la métropole lui aurait fait d'une énorme tranche du continent pour augmenter démesurément sa puissance et se hisser elle-même au rang des nations ?

Tels sont les grands thèmes du débat dans lequel le monde britannique s'engage dès qu'il prend conscience de l'extraordinaire répercussion de ses victoires. Cette longue discussion, parfois savante, parfois ingénieuse, toujours âprement intéressée, d'un matérialisme souvent brutal, mais aussi, à l'occasion, d'une largeur de vues et d'une pénétration saisissantes, ne tarde pas, comme il arrive d'ordinaire en pareil cas, à déborder le problème à l'occasion duquel elle se développe. Que ne mettra-t-elle pas en cause ? Tout y passe : les liens qui unissent les sociétés d'origine anglaise et les facteurs de division que comportent leurs aspirations particulières, les assises économiques de l'empire et ses fondements culturels, les buts de la guerre et la signification de la conquête du Canada. Dominant ces échanges de vues, interviennent deux conceptions de l'empire : la première, étroitement mercantiliste et de tendances autoritaires, représente une tradition dans laquelle il n'est sans doute pas interdit de voir une cause profonde du schisme qui déchirera le monde britannique avant que ne passe cette génération; la seconde, qui donne l'impression de chercher ses formules parce que, semble-t-il, nettement en avance sur son temps, procède non pas de la subordination des intérêts de la colonie à ceux de la métropole, mais de la subordination de la métropole comme des colonies à leur bien commun : elle distingue dans l'accroissement d'une partie composante de l'empire non pas un péril pour les autres parties, mais un gain pour l'ensemble. Les tenants de la première conception s'opposent à l'élimination totale du Canada. Les partisans de la seconde n'admettent pas la nécessité de le maintenir pour « freiner » l'expansionnisme américain.

Une comparaison entre le Canada et la Guadeloupe amorce la discussion. Les Anglais se sont rendus maîtres de cette île, une des petites Antilles françaises, au début de mai 1759. Une partie de l'opinion souhaite la voir entrer dans l'empire pour n'en plus sortir. Désir compréhensible : grande productrice de sucre, cette colonie, assure-t-on, en donne plus que tout autre établissement britannique des Indes Occidentales, à la réserve de la Jamaïque. Or, prédisent des économistes, le commerce changera littéralement ce sucre en or, du fait qu'il ira tout entier à l'exportation, les anciennes possessions antillaises de la Grande-Bretagne en fournissant assez pour suffire aux besoins du royaume. Les calculs les moins optimistes évaluent ce trafic éventuel à £300,000 par année. Mais la guerre n'est pas finie. Peut-être se révélera-t-il impossible de conclure la paix sans rendre la Guadeloupe à la France qui, toujours maîtresse de Minorque, refusera de s'en départir sans compensation. Par ailleurs, même avant la fin de la campagne de 1760, l'occupation totale du Canada n'est pas difficile à prévoir. Quand viendra pour de bon le moment de traiter avec l'adversaire, les inévitables concessions devront-elles sacrifier la Guadeloupe ou le Canada ?

Sur ce point, les esprits sont divisés. Que la petite île des Antilles soit d'un meilleur rapport que les vastes étendues du Nord, il n'est personne qui n'en soit convaincu. En pratique, le Canada ne possède qu'une grande ressource naturelle, la fourrure, et le commerce auquel elle donne lieu n'atteint jamais £140,000, même dans les meilleures années. A un esprit positif, imbu du mercantilisme qui a fait la puissance de l'Angleterre, « nation commerçante », le choix est facile : il s'agit d'opter entre £300,000 et £140,000. Raisonnement simpliste, réplique un publiciste, qui déclare : « Je dois me ranger sans réserve du parti de ceux qui préféreraient rendre la Guadeloupe, avec les autres acquisitions que nous avons faites ou que nous pouvons faire dans les Indes Occidentales, plutôt que de céder un seul pouce de territoire canadien.» [1]

Pour préférer ainsi l'improductive colonie du nord à cette délicieuse corbeille de denrées tropicales qu'est la Guadeloupe, il faut lui trouver des avantages singuliers. Il faut aussi que ces avantages ne soient pas de nature économique. Qu'est-ce donc qui pèse plus lourd dans la balance que le sucre antillais ? C'est toute l'Amérique du Nord. Ici reparaît, quoique sous une forme différente, l'argument que l'assemblée du New-York avait mis de l'avant : la sécurité des établissements continentaux de l'Angleterre. Rendre à la France le Canada, c'est s'exposer à une autre guerre impérialiste. Objectera-t-on que, dans un tel conflit, la France est battue d'avance ? Mais, destinée à être battue, la France l'était bien en 1754, puisque, les faits sont là, elle s'est fait écraser au Nouveau Monde. Elle a pourtant pris les armes parce que, quand même elle a eu tort d'espérer la victoire, elle n'en a pas moins cru avoir raison de l'escompter. Pense-t-on que, si elle avait su n'être pas de taille à s'opposer à sa rivale en Amérique, elle eût adopté une politique agressive en Acadie et sur l'Ohio ? [2] Ce qui s'est déjà produit peut arriver encore. Pour écarter un tel risque, suffirait-il, comme certains le conseillent, d'imposer au Canada des frontières excluant de sa part toute possibilité d'agression ? Personne, à la vérité, même parmi les partisans du retour de cette colonie à la France ne consentirait à une reconstitution de la Nouvelle-France, avec l'Acadie, le lac Champlain, les grands lacs et l'Ohio. « Il faut se demander, répond notre auteur, si, au cas où une telle solution serait praticable, les Français n'aimeraient pas autant se désister complètement du Canada que de le voir réduit aux limites dans lesquelles il nous est absolument nécessaire de le confiner. » [3] Cette

---

[1] *A Letter to the People of England on the Necessity of Putting an Immediate End to the War; and the Means of Obtaining an Advantageous Peace* (Londres, 1760), 45-47.
[2] *Ibid.,* 43.
[3] *Ibid.,* 48.

remarque dénote une conscience très nette des objectifs fondamentaux de la guerre de la Conquête.

Pareille solution, enchaîne un autre écrivain politique — peut-être ce John Douglas qui deviendra évêque de Salisbury [4] — a déjà été mise à l'essai et elle n'a pas réussi. Le traité d'Utrecht ne donnait-il pas déjà aux Anglais l'Acadie et tous les territoires en litige à l'ouest et au sud du Saint-Laurent ? Il réglait le sort de l'Amérique du Nord aussi définitivement qu'un traité pouvait y arriver. A côté de collectivités britanniques largement pourvues d'espace, de ressources et d'alliances indigènes — c'est-à-dire, au fond, de commerce continental et de sécurité —, il laissait subsister un Canada coupé de ses dépendances et réduit au seul rendement d'une agriculture de subsistance. Tel aurait été le résultat de la convention internationale de 1713, pour peu qu'elle eût été observée. La France la viola, et « c'est ce qui a causé la guerre présente ». Ce serait manquer de réalisme, poursuit l'auteur, que d'attribuer ces violations répétées à « la mauvaise foi proverbiale » de la France : lorsque les intérêts d'une nation entrent en conflit avec ses engagements, ce sont ces derniers qui cèdent, et il n'est pas permis, pour autant, « de supposer cette nation plus perfide que les autres »; c'est qu'un Etat ne se sent jamais lié par ses promesses que dans la mesure où les Etats voisins sont assez forts pour le contraindre de les respecter. A la lumière de ces observations, il est aisé de comprendre ce qui s'est passé en Amérique. Les Français ont éprouvé le besoin de s'y étendre derrière les provinces britanniques pour les empêcher d'accaparer les tribus indigènes et en vue de nouer eux-mêmes une communication entre le Saint-Laurent et le Mississipi, le Canada et la Louisiane. Les Français ne pouvaient pas davantage se priver d'une communication supplémentaire avec l'Atlantique, celle que leur assurait le Saint-Laurent étant bloquée par les glaces durant la moitié de l'année : ce qui explique leur politique acadienne, contraire aux stipulations du traité d'Utrecht. [5]

En 1755, la Grande-Bretagne a le sentiment qu'elle ne saurait tolérer plus longtemps de tels procédés. Consciente enfin de « l'importance infinie de ses colonies », elle entre en guerre pour elles. Evolution décisive de sa politique ! « Car ainsi l'Angleterre qui, depuis un demi-siècle, s'était mêlée des querelles de tout le monde sauf des siennes, qui avait gaspillé ses millions et prodigué son sang pour dresser dans les Flandres une barrière que ses alliés ne pouvaient pas défendre ou plutôt jugeaient inutile de tenir — l'Angleterre s'engagea dans la guerre actuelle, guerre

---

[4] G. L. Beer, *British Colonial Policy, 1754-1765*, 143.
[5] *A Letter Addressed to Two Great Men on the Prospect of Peace; and on the Terms Necessary to Be Insisted Upon in the Negociations* (Londres, 1760), 9, 12-16.

vraiment *NATIONALE.* » [6] Effort accepté dans l'intérêt des colonies :
effort, par conséquent, national; il convient de souligner cette façon
de raisonner, typique de toute une école britannique. Après cela, il serait
superflu que l'auteur, dont l'accord se révèle si profond avec le principal courant d'idées qui circule chez les Américains, précisât qu'il s'oppose à la rétrocession du Canada. Il le précise pourtant et il explique son
attitude. Il ne croit pas que le Canada ait en soi beaucoup de valeur et
il est convaincu — qui ne le serait pas ? — que la France n'est pas
attachée à ce pays pour lui-même. Mais qu'on le lui rende, et qui peut
assurer qu'elle ne s'en servira pas comme d'une base d'opérations pour
se tailler un autre grand domaine au détriment des provinces britanniques ? Si le traité d'Utrecht n'a pas empêché les Français d'empiéter
sur les territoires qu'il était censé leur fermer, pourquoi un autre traité
y réussirait-il mieux ? Rétablis sur leurs positions laurentiennes, tout
les invitera à faire un pas oblique vers le lac Champlain, puis un autre
vers le lac Ontario, puis un autre... « En un mot, il faut garder le
Canada; agir autrement, c'est préparer les voies à une nouvelle guerre. »
Si la France manifeste le désir de recouvrer sa colonie, ce ne peut
être qu'en vue d'autre chose : le climat en est inclément, l'accès
difficile, le commerce trop peu lucratif pour en défrayer le maintien; elle
l'aurait abandonnée depuis longtemps sans l'espoir de l'utiliser pour
prendre tout le centre du continent jusqu'à l'embouchure du Mississipi :
« Si nous ne l'en excluons pas *absolument* et *entièrement,* nous ne tar-
derons pas à nous apercevoir que nous n'aurons rien fait. » [7]

Ainsi, les Anglais se seraient battus et surchargés de dettes pour les
beaux yeux des Américains ? L'auteur prévoit cette objection. Quant
aux dettes, leur fardeau, il le reconnaît, est « immense »; elles s'élève-
ront, après le conflit, à beaucoup plus de cent millions, mais l'expérience
a déjà enseigné que le royaume ne court aucun danger de banqueroute :
« A mesure que nos dépenses ont augmenté, nous avons trouvé que,
contrairement aux prédictions de sombres politiciens, nos moyens d'y
pourvoir ont augmenté aussi. » [8] Et il s'agit bien des beaux yeux des
Américains ! Le fait est que les colonies continentales du Nouveau
Monde revêtent pour l'Angleterre, il le répète, « une importance
infinie ». Peuplées de plus d'un million d'habitants qui constituent autant de clients, non seulement assurent-elles un débouché aux produits manufacturés du vieux pays, mais elles lui donnent ainsi l'occasion d'employer « d'innombrables navires » au com-

---

6   *Ibid.,* 17.
7   *Ibid.,* 30s. Mots soulignés dans le texte.
8   *Ibid.,* 43.

merce colonial ainsi qu'au transport sur tous les marchés du monde des principales denrées américaines : riz, tabac, poisson... Parce qu'il entrave le progrès de ces grands établissements, le Canada, en définitive, empêche la marine, l'industrie et le commerce anglais de s'accroître comme ils le pourraient. Mettre le Canada à même de se relever, ce serait donc nuire à l'Angleterre tout autant qu'aux collectivités qu'elle a fondées outre-Atlantique. La conservation de cette conquête doit donc être la « condition *sine qua non* de la paix ». [9] Elle prend certainement le pas sur tous les avantages européens susceptibles d'être recueillis par la Grande-Bretagne. Ici, l'auteur conseille à son pays de ne pas imiter la France, « monarchie à son déclin, que dis-je ? monarchie qui a déjà sombré » à cause de la part excessive qu'elle a prise aux affaires d'Allemagne : « Et peut-être, souligne-t-il, serait-ce un sujet d'étude digne d'un autre *Montesquieu* que de chercher les *Causes de la grandeur et de la décadence* de la monarchie française. » [10] C'est que, pour lui, — il n'est visiblement pas seul — l'Angleterre devrait tirer son épingle du jeu en Europe, maintenant qu'elle est parvenue à ses fins au Nouveau Monde en s'emparant du Canada.

Les idées exprimées par Douglas — si elles sont bien de lui — ne vont pas rester sans réplique. Elles provoquent immédiatement la publication d'une brochure [11] dont l'auteur, a-t-on cru à l'époque, pouvait être Charles Towshend, [12] à moins que, comme il semble plus probable, William Burke n'ait tenu la plume. [13] Voici un partisan de l'abandon du Canada à la France. Il raisonne ainsi. Quand une puissance victorieuse négocie un traité de paix, elle poursuit une double fin : atteindre les objectifs qu'elle visait au moment de son entrée en guerre et recevoir une indemnité « raisonnable » des charges que le conflit lui a imposées; une nation ne peut revendiquer davantage sans être taxée d'ambition. Ces principes posés, le publiciste demande si, au moment où elle a décidé de prendre les armes, la Grande-Bretagne avait en vue « la possession du Canada proprement dit ». Il a beau jeu de répondre non. Dans l'hypothèse où, au commencement des troubles qui ont déchiré l'Amérique, la France, amenée à une attitude conciliante par une considération réaliste de la force de l'Angleterre, se fût rendue aux justes représentations de sa rivale — c'est-à-dire, si elle avait abandonné toute prétention à l'Acadie ou Nouvelle-Ecosse, qu'elle eût démoli les forts qu'elle avait

9 *Ibid.*, 34.
10 *Ibid.*, 38.
11 *Remarks on the Letter Addressed to Two Great Men. In a Letter to the Author of that Piece* (Londres, 1760).
12 *Sentiments Relating to the Late Negociations* (Londres, 1761), 12, note.
13 G. L. Beer, *British Colonial Policy, 1754-1765*, 143s.

érigés en territoire new-yorkais (sur le lac Champlain et sur le lac Ontario) et qu'enfin elle se fût retirée de l'Ohio —, la guerre eût automatiquement cessé, faute de causes, et le Canada n'eût pas changé de
mains. [14] En d'autres termes, l'Angleterre des années 1754-1756
n'a pas entrepris une guerre de conquête; elle s'est bornée à défendre
ses colonies lésées par un voisin agressif. Elle a maintenant accompli
cette tâche avec succès. Que voudrait-elle de plus ?

Mais ce n'est pas elle qui veut davantage, ce sont ses provinces
d'Amérique. Elles ont tort, affirme l'auteur : « Si nos colonies américaines sont assez absurdes et assez ingrates pour nous dire, après tout
le sang et tout l'argent que nous avons sacrifiés pour leur cause, que
nous ne faisons rien si nous n'effectuons pas de conquêtes pour elles,
elles méritent que nous leur donnions une leçon de modération. » Elles
prétextent la peur que le Canada leur inspire. Curieux prétexte ! Si,
jouissant d'une supériorité numérique de dix contre un, entourées d'une
large ceinture de dépendances qui forment une solide barrière à l'invasion, protégées par la marine anglaise et à même de se fortifier tant
qu'elles veulent, elles ne se sentent pas encore en sûreté, « elles ne doivent s'en prendre qu'à leur propre ignorance et à leur propre lâcheté, et
non pas à l'insuffisance des précautions prises par leur métropole; tenue
de leur procurer le bonheur et la sécurité, l'Angleterre ne l'est cependant pas de servir leurs vaines ambitions et de partager leurs craintes
injustifiées ». Toute société doit s'accommoder du voisinage de collectivités étrangères et hostiles. « L'idée qu'il ne se trouve de protection que
dans l'élimination des nations environnantes est, je le reconnais, une
idée d'origine américaine. C'est typiquement une politique de sauvages. » [15] La conquête du Canada, idée américaine; la politique de conquête, politique américaine : même sans cette violence de langage,
rien n'était plus facile à démontrer. Les gros mots ont toutefois un
mérite : celui de souligner que sur cette politique un profond désaccord
existe entre l'opinion américaine et une partie de l'opinion anglaise.

Ce serait pourtant une erreur que d'exagérer cette divergence de
vues. Ni en Angleterre ni en Amérique, il n'est question de restaurer la
Nouvelle-France. La discussion ne porte que sur le Canada. Les Américains veulent se l'annexer; des Anglais préfèrent, pour acquérir autre
chose, le rendre à son ancienne métropole. Notre auteur se range au
nombre de ces derniers. Ce qu'il conseille de rétrocéder à la France sous
le nom de Canada ne vaut rien. C'est ce qu'il dit : réduite de manière à
laisser entre des mains britanniques la région de l'Ohio, la communica-

14 *Remarks on the Letter Addressed to Two Great Men*, 11s.
15 *Ibid.*, 16.

tion des grands lacs et, en particulier, le poste qui en est la clef, Niagara, cette colonie n'a plus d'importance économique, puisqu'elle perd par le fait même le territoire de traite qu'elle exploitait dans l'ouest et qui est le meilleur de tout le continent. Ainsi, il n'est pas besoin de s'embarrasser de « la possession totale » de ce pays, il suffit de lui donner ses véritables limites pour drainer dans l'empire britannique une grande partie du trafic qui en fait tout l'intérêt « aux yeux d'une nation commerçante ». [16] — En d'autres termes, la politique américaine anéantirait d'un seul coup le pays vaincu; la politique qui a la faveur de certains Anglais le dépouillerait au point de ne lui laisser qu'une survivance sans horizon. Que l'un ou l'autre de ces plans triomphe, la collectivité du Saint-Laurent ne pourra jamais se développer à un rythme comparable à celui qui emportera les sociétés voisines.

Alors, pourquoi un débat qui menace de tourner à la querelle ? Parce que, dans l'esprit de ce publiciste et de ceux qui partagent son opinion, l'acquisition du Canada ne procurerait aucun gain immédiat à la métropole et profiterait seulement à l'Amérique britannique, qui peut s'en passer. L'Angleterre, pour qui ce conflit a été « principalement une guerre americaine », [17] a droit à une compensation. Où la trouver ? A la Guadeloupe. Le rendement actuel de cette île dépasse de beaucoup celui du Canada, et une bonne administration anglaise ne tarderait pas à en doubler la valeur. La France a exclu l'Angleterre des marchés européens du sucre. Que la Guadeloupe change de mains, et l'on verra un renversement de cette situation. Ce n'est pas tout. La position de la France est beaucoup plus forte dans les Antilles que sur le continent américain. Les Indes Occidentales britanniques sont beaucoup plus menacées par les Iles françaises que les provinces continentales ne le sont par le Canada : les pertes encourues par la marine anglaise dans la mer des Caraïbes en fournissent la preuve. Pour des motifs économiques comme pour des raisons stratégiques, l'Angleterre, si elle consulte ses intérêts, doit opter pour la Guadeloupe, contre le Canada. [18]

Une considération plus grave encore guidera son choix. Le planteur antillais n'est pas vraiment chez lui aux colonies; ses enfants, il les envoie étudier dans la métropole; lui-même, une fois sa fortune faite, y rentre pour en jouir et, s'il a de l'ambition, c'est au vieux pays qu'il cherche à la satisfaire : ainsi voit-on plusieurs d'entre eux siéger au Parlement. Ces établissements tropicaux ne sauraient se dispenser de conserver « des liens de dépendance » avec l'Angleterre. Au rebours, quand

16   *Ibid.*, 23s.
17   *Ibid.*, 34.
18   *Ibid.*, 17-25.

voit-on un colon du continent américain dépenser sa fortune et finir ses jours dans la mère-patrie ? Les provinces du nord se sont d'ores et déjà pourvues de nombreuses manufactures qui les mettront éventuellement à même de suffire à leurs propres besoins; la Nouvelle-Angleterre exporte des chapeaux. Ces collectivités ont établi leurs propres « collèges et académies » pour l'éducation de leur jeunesse. Du fait que leur population et leur outillage augmentent rapidement, la nécessité de leur union à l'Angleterre, « avec laquelle ils n'ont pas les rapports naturels que créent des besoins réciproques », est destinée à « diminuer continuellement ». Plus les peuplements américains essaimeront dans l'intérieur, plus leur centre de gravité s'éloignera de la mer, plus ils vivront de leur propre travail, — moins ils se préoccuperont de la mère-patrie, moins ils la connaîtront, moins ils se soucieront de la connaître. Tels seront les résultats de l'expansion britannique au Nouveau Monde si le Canada ne reste pas là pour y mettre un frein. Une telle évolution n'a rien d'imaginaire, elle est inscrite dans la géographie. « Quelle sera la conséquence d'avoir autorisé la formation d'un peuple nombreux, vigoureux et indépendant, maître d'un pays puissant, communiquant peu et même ne communiquant pas du tout avec l'Angleterre, à vous d'y réfléchir. » La nation anglaise aurait-elle consenti aux énormes dépenses que la guerre lui a occasionnées sans veiller maintenant à en assurer les fruits à la postérité ? Pour elle, prendre plus de territoire en Amérique du Nord, ce serait courir le risque de perdre celui qu'elle y possède déjà. « Un voisin qui nous tient quelque peu en respect n'est pas toujours le plus mauvais des voisins. » C'est si vrai que la Grande-Bretagne aurait tort de « désirer » le Canada, même si elle pouvait le garder sans y sacrifier la Guadeloupe. « Il existe un équilibre américain aussi bien qu'un équilibre européen, il convient de ne pas l'oublier. » Le rompre serait désastreux. [19]

Après la publication de ce remarquable écrit, deux écoles, peut-on dire, ont exprimé leur sentiment. Ce ne serait pas une simplification excessive que de désigner du nom d'école américaine cette partie de l'opinion britannique que séduit l'idée d'incorporer définitivement le Canada dans l'empire d'Amérique : d'abord parce que les Américains britanniques semblent unanimes à préconiser l'acquisition de la colonie française, ensuite parce que les Anglais qui partagent cette vue le font moins en qualité d'Anglais qu'en tant que membres d'un empire dont les possessions américaines constituent l'élément le plus important — le plus important après la métropole, cela va sans dire. Ce n'est que par opposition à la première école qu'il peut être commode de qualifier l'au-

---

[19] *Ibid.*, 28-31.

tre d'anglaise : non pas que l'opinion de la métropole paraisse à peu
près unanime, à l'exemple de celle des provinces d'outre-mer, mais
parce que les tenants de la rétrocession voient dans les intérêts évidents
des colonies des éléments qui contrecarrent les intérêts évidents de la
métropole et que, logiquement, ils combattent les premiers pour promouvoir les seconds; mais l'école anglaise n'est pas celle de toute
l'Angleterre. En tenant compte de ces précisions, il est assez légitime
de parler d'une école américaine et d'une école anglaise.

*

* *

A ce point de la controverse, il est naturel qu'un Américain prenne
la parole. Les circonstances veulent que ce rôle échoie à Benjamin
Franklin. Celui-ci est alors de passage en Angleterre. Il écrit avant la
capitulation de Montréal. Sa brochure ne porte pas de nom d'auteur,
mais la publicité qui l'entoure dans la presse américaine ne cache pas
que c'est lui qui l'a faite. [20] De la part du Dr Franklin, savant homme
et raisonneur subtil, patriote intensément américain et intensément
britannique, il faut s'attendre à une logique ingénieuse, étayée par
des faits qui donnent à réfléchir, et aussi à de brusques poussées d'éloquence. Le publiciste est trop adroit pour se faire, en Grande-Bretagne,
le porte-parole des seuls intérêts américains. Son opuscule porte un
titre qui commence par ces mots : *The Interest of Great Britain
Considered...* [21] Habileté? Sans aucun doute; mais aussi conviction.
Voici un homme doué au plus haut point du sens de l'empire. Il ne
se demande pas si l'intérêt de l'Angleterre est supérieur à celui de
l'Amérique; il sait qu'il s'agit d'intérêts indivisibles. Convaincu que
le bonheur de l'Amérique britannique ne peut que contribuer à la
prospérité et à la puissance de la métropole, il n'admet pas que le
bonheur de la métropole ait chance de reposer sur des restrictions
apportées à la puissance et à la prospérité de l'Amérique britannique.

Il existe, dit-il, une erreur « trop commune » en Grande-Bretagne.
C'est l'idée, répandue par l'école anglaise, que la mère-patrie sacri-
fierait son sang et ses richesses « pour la cause des colonies », qu'elle
ferait « des conquêtes pour elles ». Non, l'Angleterre combat pour
elle-même autant que pour ses possessions. Sans doute, les Américains
ont-ils à cœur la victoire, mais à quel titre ? A celui de « sujets de

20 *The Boston News-Letter*, 18 septembre 1760 .
21 *The Interest of Great Britain Considered, with Regard to her Colonies, and the
Acquisition of Canada and Guadaloupe. To Which Are Added, Observations Concerning
the Increase of Mankind, Peopling of Countries, &c.* (Londres, 1760).

la Grande-Bretagne, remplis de sollicitude pour la gloire de sa couronne, le développement de sa puissance et de son commerce, le bien-
être et la tranquillité future du peuple britannique tout entier ». [22] Il
en convient, l'addition du Canada à l'empire imprimerait aux peuplements américains un essor « fantastique ». Suivant ses calculs, l'Amérique britannique de 1860 devrait être plus populeuse que la métropole
anglaise de 1760. Celle-ci aurait-elle raison de s'en alarmer ? Au contraire, qu'elle s'en réjouisse ! Plus la population américaine augmentera, plus le commerce anglais fleurira et, avec lui, la puissance navale
du vieux pays. Et d'expliquer que le corps humain et le corps politique
n'obéissent pas aux mêmes lois de croissance. L'organisme humain
cesse de grandir lorsqu'il atteint une certaine stature; l'organisme politique, au contraire, est susceptible de longues périodes statiques, suivies
soudain, en raison d'un particulier concours de circonstances, d'élans
capables d'en décupler les dimensions. Dans la nature, la taille de la
mère est égalée un jour ou l'autre par celle de l'enfant qui grandit,
alors qu'elle-même reste au même point. Combien différent est le cas
d'une mère-patrie et de ses colonies ! Ici, « la croissance des enfants
contribue à celle de la mère, si bien que la différence entre les colonies
et la mère-patrie ainsi que la supériorité de celle-ci sur celles-là se con-
servent plus longtemps » qu'entre les membres d'une famille. [23]

L'auteur ne sait pas seulement en quoi consiste un empire. Il connaît aussi l'état d'esprit de l'Amérique britannique. L'école qu'il combat
craint que les provinces d'outre-mer ne se liguent contre la métropole.
Elles, se liguer ? Franklin éclate de rire. Il a travaillé en 1754 à leur
faire adopter un « projet d'union » qu'elles ont repoussé. Il n'a pas
oublié son échec. Si, demande-t-il, les colonies n'ont pas consenti à
s'unir contre un ennemi impitoyable, est-il raisonnable de supposer
qu'elles acceptent une union semblable, mais dirigée, cette fois, « contre
leur propre nation » ? Celle-ci les protège et les encourage; tout les
rapproche d'elle, « les liens du sang, de l'intérêt et de l'affection »; elles
aiment l'Angleterre « beaucoup plus qu'elles ne s'aiment entre elles ».
Non, un tel mouvement n'est pas simplement « improbable », il est
« impossible ». [24] Impossible à moins que — la menace se voile à
peine — la mère-patrie ne prenne une attitude hostile à l'égard de ses
enfants du Nouveau Monde, et ce serait leur manifester de l'hostilité
que de remettre à la France le Canada pour qu'il « freine » leurs
progrès.

---

22 *Ibid.*, 16.
23 *Ibid.*, 23-25.
24 *Ibid.*, 39.

Il importe de bien comprendre la pensée du publiciste. Grand colonial, il est convaincu, et à bon droit, que le peuplement constitue l'élément capital de toute colonisation : de son succès, dépendent la vitalité des collectivités coloniales et celle de l'empire dont elles sont issues. Le peuplement de l'Amérique britannique augmente à un rythme plus accéléré que celui de l'Angleterre parce que, dirait-on aujourd'hui, il représente, par rapport à celui-ci, un peuplement « libéré » vis-à-vis un peuplement « contraint ». [25] Libéré, il ne l'a pas été, toutefois, complètement, en raison de la présence du Canada, dont la projection territoriale connue sous le nom de Nouvelle-France lui a interdit de s'étendre vers l'intérieur du continent et de s'alimenter aux ressources de ce fabuleux hinterland. L'élimination du Canada lui apporterait cette libération qui le ferait monter en flèche, pour le plus grand avantage du monde britannique. Des Anglais réactionnaires recommandent de mettre un « frein » à la croissance des collectivités américaines « parce qu'autrement notre peuple aurait tous les éléments pour grandir infiniment ». Franklin enrage. Rage glacée de l'homme de réflexion. Il siffle : quel est ce fameux « frein » auquel pense l'école anglaise ? « Nous avons déjà vu de quelle manière les Français et leurs Indiens ‹ freinent la croissance de nos colonies ›. C'est un terme modeste que celui de frein pour signifier des massacres d'hommes, de femmes et d'enfants. » Il s'adresse à la conscience métropolitaine : « Mais si ce principe préside à la reconstitution du Canada, la Grande-Bretagne ne se rendra-t-elle pas coupable de tout le sang répandu, de tous les meurtres commis pour enrayer cette redoutable poussée vitale de notre propre peuple ? » — Quand ce beau raisonnement sera connu des Américains, ceux-ci sauront à quoi s'en tenir sur les sentiments de la métropole à leur égard. « Auront-ils raison de se regarder plus longtemps comme ses sujets et ses enfants quand ils verront la meute cruelle de leurs ennemis lancée contre eux par le taïaut du pays qui les a engendrés, du gouvernement qui leur doit protection comme il réclame leur obéissance ? » Ce serait là le meilleur moyen de détacher l'Amérique de l'Angleterre et même — quelle intuition ! — de la jeter dans les bras de la France. L'auteur ironise. La métropole ne devrait pas se donner tout ce mal pour contrecarrer la croissance de ses colonies : il suffirait, pour cela, au Parlement d'ordonner un second massacre des Innocents au Nouveau Monde. [26]

---

[25] Sur cette question des peuplements « contraints » et des peuplements « libérés », consulter Ch. Morazé, *Essai sur la civilisation d'Occident* (Paris, 1950), 72-97.
[26] *The Interest of Great Britain Considered*, 43s.

Ces gens pratiques contre qui s'élève Franklin sont les mêmes qui préfèrent la Guadeloupe au Canada. L'auteur a deux raisons à leur opposer. La première les rejoint sur leur propre terrain. Elle est d'ordre économique. La Guadeloupe, dit à peu près Franklin, a la valeur de la région où elle se situe. Autrefois, les colonies tropicales rapportaient aux puissances impériales beaucoup plus que les colonies de peuplement implantées dans des climats tempérés. C'était l'époque où l'importance d'un établissement colonial se mesurait à la masse des produits exotiques qu'il fournissait à la métropole. Mais, avec l'expansion des populations blanches d'outre-mer, un autre facteur a pris le dessus, c'est le commerce qu'une colonie occasionne avec la mère-patrie. Une colonie devient plus rémunératrice par les produits manufacturés qu'elle achète de la métropole que par les produits bruts qu'elle lui vend. Considéré sous cet angle, le marché antillais est devenu stationnaire, cependant que les marchés de l'Amérique septentrionale sont en pleine expansion. Évolution récente, et qui prend une tournure rapide. Encore en 1744, les provinces continentales importent d'Angleterre pour £640,000, alors que les Indes Occidentales accusent des entrées de près de £800,000. La période qui commence cette année-là pour se terminer à la fin de 1748 indique cependant qu'un retournement se dessine, puisque la somme des achats effectués par le continent dépasse de £123,000 les commandes remplies par l'Angleterre sur les marchés des Iles. L'écart entre les importations des Antilles et celles du continent va s'élargir constamment entre 1754 et 1758. En 1754, l'Amérique du Nord reçoit de Grande-Bretagne pour près d'un million et un quart; les Indes occidentales pour £685,675. En 1758, la différence entre les entrées d'Angleterre dans les deux groupes d'établissements se chiffre par près d'un million; pour toute la période 1754-1758, elle atteint presque £3,650,000. Deux autres courbes démontrent où est la clientèle de l'avenir. Entre 1748 et 1758 le volume des exportations anglaises dirigées sur les Iles a augmenté d'une valeur de £400,000; celui des cargaisons destinées aux ports nord-américains, d'une valeur de quatre millions de livres sterling. Après avoir considéré ces données, il est superflu de se demander si le royaume serait mieux inspiré de favoriser ses établissements continentaux plutôt que ses comptoirs insulaires. La presse américaine s'empare tout de suite de ces chiffres éloquents. [27]

Ce n'est là pourtant qu'une des deux raisons avancées par Franklin pour mettre en lumière la supériorité du Canada sur la Guadeloupe. La première colonie, souligne-t-il en revenant à son thème principal,

---

[27] Voir *The Boston News-Letter*, 7 août 1760.

le peuplement, n'a qu'une population minuscule; la seconde est déjà pleine de planteurs d'origine française; celle-ci est colonisée, l'autre, encore tout ouverte à la colonisation. Un pays bien établi par une nation ne constitue pas une possession avantageuse à un Etat de langue, de mœurs et de religion différentes. Le coût de son occupation risque d'excéder les profits de son exploitation. [28] Cette remarque d'un observateur intelligent donne une idée de ce qu'est le Canada de 1760 : une ruine, assurément; mais une ruine de petite colonisation. On ne saurait mieux faire le procès de l'insuffisance française en Amérique du Nord. Là où la France a échoué, faute d'avoir consacré à son œuvre assez de ressources humaines, ce sont des colonies — Franklin, on s'en souvient, ne demande à l'Angleterre aucune contribution démographique — qui se présentent pour mettre sur pied une entreprise de peuplement.

Cette célèbre brochure contient l'essentiel de la pensée américaine. En attendant que les docteurs de l'école anglaise soient prêts à y apporter leurs répliques, d'autres publicistes commentent la politique britannique. L'un d'eux fait l'éloge de Pitt, l'artisan des plus beaux triomphes nationaux, « les délices et l'ornement de sa patrie », dont les générations futures célébreront la mémoire avec « admiration et gratitude ». Il recommande de faire une place au Canada dans l'empire. [29] N'y voyons pas une manifestation de fidélité à un parti ou à un homme public. Voici un autre publiciste. C'est un adversaire de Pitt, ce Don Quichotte, dit-il, que le peuple anglais a suivi à l'exemple de Sancho. [30] Il n'en veut pas moins le Canada. Ce qu'il reproche à l'ancien chef du gouvernement — il écrit après sa chute —, c'est de s'être rallié à une politique de grandes interventions militaires en Europe, où, à son sentiment, la Grande-Bretagne « ne peut jamais se voir engagée dans des liaisons plus ruineuses que celles qui l'assujettissent à présent ». [31] Il lui en veut encore d'avoir « multiplié » les dettes du royaume au point que « tout le fruit que nous pourrions retirer de nos conquêtes n'est pas capable de nous indemniser de la sixième partie de l'intérêt annuel de l'argent qu'elles nous coutent ». [32] Il s'agit au moins de ne pas perdre la plus importante de ces conquêtes. L'An-

---

[28] *The Interest of Great Britain Considered,* 45s.
[29] *An Answer to the Letter to Two Great Men. Containing Remarks and Observations on that Piece; and Vindicating the Character of a Noble Lord from Inaction* (Londres, 1760), 12, 14s, 21.
[30] *Lettre au comte de Bute, à l'occasion de la retraite de M. Pitt, & sur ce qui peut en résulter par rapport à la Paix.* Traduction de l'Anglois sur la troisiéme édition (Londres, 1761), 80.
[31] *Ibid ,* 78.
[32] *Ibid.,* 28.

Conquête

gleterre a eu raison d'entrer en guerre : les Français avaient empiété sur ses établissements et érigé « une chaîne de Forts par lesquels ils nous menaçoient, ou de nous expulser de toutes nos possessions sur le Continent de l'Amérique Septentrionale, ou de nous les rendre tout-à-fait inutiles ».[33] La défense des colonies a été le « principe » des hostilités. Quant à la conquête du Canada, « objet plutôt accessoire que principal de la guerre actuelle », l'évolution du conflit en a fait « le meilleur moyen d'établir [la] sureté » des provinces américaines. Dans ces conditions, il devient impératif de garder le Canada.[34] Et la Guadeloupe ? Il faut en regarder l'acquisition « comme étrangère à l'objet principal & nécessaire, en vûe duquel la guerre a été commencée » et la remettre à la France. Ceux qui soutiennent l'opinion contraire appartiennent tout simplement à « une clique de gens intéressés par leur commerce avec cette Isle »...[35] Ayant acquis le Canada et rendu la Guadeloupe, il ne reste qu'à conclure la paix au plus vite, puisque les Anglais sont « en général... aussi las de la guerre qu'il soit possible ». Personne, en tout cas, ne soupire après la continuation du conflit, sauf ceux qui en profitent « & que je comparerois aux habitans des côtes de Cornouailles et des Isles Shetland, qui ne subsistent que des débris de naufrages, dont la mer leur fait le funeste présent ».[36] Pourquoi cet essai de polémique a-t-il eu tout de suite une traduction française ? Peut-être les fins politiques de Versailles étaient-ils enchantés d'entendre une voix anglaise réclamer la fin immédiate des hostilités, exprimer la fatigue du peuple anglais, offrir de rétrocéder la Guadeloupe et n'exiger que le Canada; ils voulurent que le public français l'écoutât avec eux.

*

*   *

Les contradicteurs de Franklin font quelque peu attendre leurs réfutations. Le premier à riposter le fait avec autant d'intelligence que de vigueur. Il se présente comme un Anglais de la Guadeloupe et donne à ses réflexions la forme de cinq lettres à un Londonien.[37] L'homme ne nourrit pas beaucoup d'illusions. Il sait ce qui donne à la Grande-Bretagne sa position prédominante en Europe et dans le

---

33 *Ibid.*, 10.
34 *Ibid.*, 42.
35 *Ibid.*, 44-46.
36 *Ibid.*, 88s.
37 *Reasons for Keeping Guadaloupe at a Peace, Preferable to Canada, Explained in Five Letters, from a Gentleman in Guadaloupe, to his Friend in London* (Londres, 1761).

monde. Alors que d'autres attribuent la grandeur de leur pays aux qualités innées de ses habitants, il ne s'arrête pas à cette vaniteuse explication qui n'explique rien; il le reconnaît franchement, l'Angleterre doit « une grande mesure de sa liberté, de sa richesse et de son bonheur à son insularité, qui la dégage des dangers et des querelles de ses voisins ». [38] Sa liberté : il faut entendre son régime politique et son indépendance; régime politique né d'expériences révolutionnaires que le besoin de sécurité d'une collectivité continentale ne lui eussent pas permis de s'offrir et de mettre au point; indépendance que renforce l'excellence du régime politique, mais qu'assure une ceinture maritime sillonnée de forteresses flottantes si nombreuses que seule une île pouvait se les donner, d'abord parce qu'elle en éprouvait le besoin, ensuite parce qu'elle pouvait engager dans la création d'armées navales les ressources que laissait disponibles la nécessité très limitée d'entretenir des armées de terre. — Le même auteur formule une autre remarque que, dépouillés d'outillage économique par suite de leur défaite, les Canadiens auraient eu profit à méditer; cette remarque souligne sáns presque en avoir l'air la relation qui existe entre la force d'un groupe humain et la vitalité de son économie : « Dépourvue d'affaires, de manufactures, de moyens de transport et de commerce, une nation ne peut jamais se faire craindre de ses voisins, quand même elle comprendrait la théorie et la pratique de l'agriculture mieux que tout autre peuple du monde. » [39] Vue dont la justesse contrastait avec celles de cet économiste français dont un journal américain, en 1758, analysait non sans un certain étonnement, semble-t-il, un récent ouvrage dans lequel on pouvait lire « qu'un Etat n'a de véritable puissance que celle qui naît de l'agriculture », que « les Etats appelés à devenir les plus redoutables sont ceux dont le sol est le plus fertile » et que « la grandeur des nations est un superbe édifice bâti sur des arpents crottés ». [40]

Le publiciste anglais a des idées bien arrêtées sur la valeur respective du Canada et de la Guadeloupe. Il ne veut pas du Canada, la Guadeloupe a ses suffrages. Il déplore que « des intérêts particuliers » influent trop sur la tournure du débat auquel il vient prendre part. Un de ses adversaires a déjà dénoncé la « clique » qui préconise l'acquisition de la colonie antillaise. A son tour, il montre d'un doigt accusateur le groupe de personnalités influentes dans lequel se recrutent, à son dire, ceux qui conseillent de rendre à la France son établissement des Iles : le croirait-on, il s'agit de grands planteurs des Indes

---

[38] *Ibid.*, 32.
[39] *Ibid.*, 46.
[40] *The New-York Gazette*, 18 septembre 1758.

Occidentales britanniques en liaison d'affaires avec des financiers et des armateurs de Londres, de Bristol, de Liverpool; tout ce monde craint que l'introduction d'une nouvelle île à sucre dans l'empire ne jette sur le marché anglais des stocks excessifs de cette denrée, ce qui se traduirait par une baisse considérable de prix. Outre que c'est là de « l'ignorance », il faudrait écarter ces appréhensions, même si elles se révélaient justifiées, au nom de l'intérêt national. [41]

La même considération commande de remettre le Canada à la France, en premier lieu parce que l'importance de cette colonie est nulle sur le plan économique : à peine en sort-il de quoi faire « quelques chapeaux »; en second lieu, parce qu'il n'est pas vrai que son acquisition soit indispensable à la sécurité de l'Amérique britannique : à ce compte, il faudrait aussi conquérir la Louisiane. [42] Ce ne sont pourtant pas ces deux arguments que l'auteur s'applique surtout à développer. Il s'efforce plutôt de démontrer que l'addition du Canada aux colonies américaines comporterait un danger d'une extrême gravité. Autant le sucre de la Guadeloupe tonifierait l'organisme commercial de l'empire, autant le territoire canadien compromettrait la solidité de son armature politique. L'Amérique britannique est un jeune géant. Dix fois plus vaste que sa métropole, elle est dotée, dans la majorité de ses régions, de sols plus riches que les territoires anglais. Et quelle profusion de ressources ! L'opulente diversité de ses produits correspond à la variété des climats qu'elle renferme. Une infinité de fleuves et de rivières mettent au service de son économie un excellent réseau de voies de communication. Elle dispose de tout le matériel utile à la construction d'une grande marine : des quantités inépuisables de bois, de fer, de textiles. « Un tel pays, à une telle distance, ne saurait demeurer longtemps assujetti à la Grande-Bretagne. » Les dernières années ont encore ajouté à sa force en donnant à ses habitants l'occasion d'apprendre l'art de la guerre. Aussi les Américains ne respirent-ils que l'indépendance. « ...Ils vont toujours grondant et se plaignant de l'Angleterre, alors même que la menace française se dresse à leurs portes; à quoi ne devons-nous pas nous attendre de leur part quand les Français ne seront plus là pour les tenir en respect ? » Le gouvernement impérial se verra réduit à l'expédient coûteux d'entretenir chez eux de grosses garnisons européennes pour les surveiller et les intimider. Cet expédient ne tardera pas à se révéler aussi inutile que coûteux. Qu'adviendra-t-il de ces garnisons ? Elles s'habitueront à l'Amérique, et, leur service terminé, les soldats y prendront femme,

---

[41] *Reasons for Keeping Guadaloupe at a Peace*, 3, 8, 13.
[42] *Ibid.*, 5.

y acquerront des propriétés, deviendront américains. Le peuple américain assimilera ses gardiens. Le remède accélérera le mal. Il n'est pas besoin d'être prophète pour faire toutes ces prédictions; il suffit de réfléchir aux conséquences logiques de « la folie populaire et de l'enthousiasme politique » qui poussent à l'acquisition du Canada. Laissons ce pays à la France. « ... La Grande-Bretagne n'a pas de meilleure garantie contre la révolte de l'Amérique du Nord que l'aménagement sur ce continent de positions françaises capables de contenir les Américains; ... si nous allions prendre le Canada, nous trouverions bientôt l'Amérique du Nord trop puissante et trop populeuse pour être gouvernable d'aussi loin. » [43]

L'auteur a parlé « d'enthousiasme politique ». Un article récent du *Gentleman's Magazine* lui en fournit un exemple. Voilà une revue tellement gagnée à l'idée américaine qu'elle vient de déclarer (mai 1761) que la population coloniale parvînt-elle à compter cent millions d'âmes, « il n'y aurait encore aucun danger », elle resterait soumise aux sept ou huit millions d'Anglais d'Europe. Quelle absurdité ! Le même article ajoute que le peuplement du Nouveau Monde n'entame pas celui de la mère-patrie. Il faudrait alors expliquer comment il se fait que la population métropolitaine augmente peu en regard de l'essor que prend celle des établissements d'outre-Atlantique. Cette dernière ne croît pas seulement en nombre, mais encore en qualité. Cette masse américaine, elle avance « à grands pas vers la maturité ». Elle se hausse à la pratique des arts et des sciences, envahit le domaine de l'industrie et du commerce. Comment en irait-il autrement ? Elle bénéficie du même régime politique et de la même culture que le peuple anglais. Or, « plus l'Amérique fera de progrès en ces matières, moins elle aura besoin de la Grande-Bretagne ». Réciproquement, « à mesure qu'elle dépassera un certain niveau, son utilité et son avantage décroîtront à proportion pour la Grande-Bretagne ». Le temps est peut-être moins éloigné qu'on ne pense où les Américains peuvent refuser d'expédier leur tabac dans les ports anglais et s'aviser qu'ils gagneraient plus à l'écouler eux-mêmes sur les marchés mondiaux. Comment, si un tel fait se produisait, le gouvernement de Londres s'y prendrait-il pour les mettre au pas ? [44]

Depuis le début du XVIe siècle, la découverte du Nouveau Monde a précipité une évolution qui a transformé l'Europe. A ce mouvement, est liée l'ampleur du commerce britannique, plus florissant que jamais, plus intense que celui d'aucune autre nation. Ce prodigieux trafic s'opè-

---

43 *Ibid.*, 6-8.
44 *Ibid.*, 9-12, 20.

re, pour les trois quarts, avec les Indes Occidentales et l'Amérique du
Nord. Il est juste d'y voir le fondement de l'expansion industrielle et
maritime de l'Angleterre. Attirée par les horizons nouveaux, l'activité
commerciale du royaume a décliné sur quelques points, au Levant,
notamment, et en Espagne, où des étrangers en ont recueilli sans bruit
la succession. Qu'est-il arrivé ? Parce que plus que d'autres les Anglais
ont tiré parti de l'Amérique, plus que d'autres ils ont tourné leur attention de ce côté. Quel réveil, le jour où ils se retrouveront dépouillés
de leurs marchés américains, privés aussi des débouchés traditionnels
qu'ils ont négligés ! Leur pays retombera au rang d'une puissance de
second plan. Une telle menace n'a rien d'imaginaire. La voici prête
à éclater. Rien ne l'écartera si le public persiste à se laisser envoûter
par le continent américain. Les possessions qu'y détient l'Angleterre
ont déjà trop proliféré pour être administrées avec profit. L'Amérique
britannique « sort à peine de l'enfance » et déjà elle a une productivité
supérieure à ce que peuvent absorber ses débouchés normaux. Sa population se double tous les vingt ans et progresse sur tous les plans à
mesure qu'elle augmente. Elle est actuellement trop nombreuse et trop
avancée pour s'adonner exclusivement à l'agriculture, qui connaît d'ailleurs une inévitable surproduction. Son développement ne peut entraîner qu'une conséquence naturelle : l'industrialisation. Pendant que
ces choses se préparaient, les Nord-Américains se sont ouvert un secteur
important des marchés antillais : le royaume se ressent dès maintenant
de la concurrence qu'ils lui portent aux Indes Occidentales. Conjuguée
avec la croissance de leur industrie, cette offensive commerciale en dé-
logera un jour les produits du vieux pays. Tout se passera alors comme
si la Grande-Bretagne se faisait éliminer du Nouveau Monde. Une
occasion s'offre d'enrayer ce danger, né du déséquilibre qui s'accentue
entre les éléments tropicaux et les éléments continentaux de l'empire
d'Amérique : prendre la Guadeloupe, c'est en renforcer les premiers;
rétrocéder le Canada, c'est maintenir les autres dans des bornes convenables. La Guadeloupe offrira un nouveau débouché à l'agriculture
du nord et détournera ainsi les grandes colonies de la tentation de se
créer une industrie, en même temps que la présence, à leurs côtés,
du rival canadien les contraindra de rechercher et de mériter la protection de la métropole. [45]

L'auteur se défend bien d'être un adversaire de la colonisation,
quoiqu'il s'oppose, on le voit, à une colonisation qui lui paraît réussir
trop bien. Il reconnaît tout comme un autre que les colonies ont du
bon. Elles contribuent, accorde-t-il, « à la richesse d'un Etat, à sa dignité

---

[45] *Ibid.*, 27-30.

et à son influence sur les autres nations », à condition toutefois d'être établies selon les données « de la raison, de la bonne politique et de l'expérience ». Fonder une colonie, ce n'est, à son sentiment, «rien de plus que de donner naissance à un nouveau peuple destiné à trafiquer avec la mère-patrie, aux conditions les plus avantageuses pour elle et les plus désavantageuses pour lui ». Il en résulte qu'une colonie sera d'autant plus utile que son peuplement requiert moins d'immigrants, que ses produits se différencient plus de ceux de la nation-mère et que celle-ci est plus attentive à maintenir une certaine marge entre ses propres dimensions et celles de ses établissements d'outre-mer, de façon que ce soit la tête qui mène l'empire, et non pas les membres. Pour qu'une nation colonise des territoires dix fois plus vastes que le sien, situés dans des climats semblables au sien et pourvus de terroirs si féconds qu'ils produisent tout ce qu'elle produit elle-même, mais en mieux, il faut qu'elle soit prise de démence, « à moins qu'elle n'ait en vue d'y transplanter sa propre puissance et de faire de ses dépendances les maîtresses du monde, cependant qu'elle-même, la pauvre vieille mère, devient leur esclave ». [46] Nous sommes ici, c'est clair, en présence d'une conception impériale qui a pour elle la logique, mais contre elle l'histoire; l'histoire qui avance, tandis que les raisonnements de l'auteur sont trop solides pour se modifier avec elle. Il peut y avoir l'Angleterre, maîtresse d'un empire, et l'Angleterre, mère de nations. L'auteur souhaiterait l'empire moins plein de vitalité, de crainte qu'une nation ne s'y forme. Il désirerait que l'heure s'arrêtât, car elle est si belle. Il ne songe pourtant pas à revenir en arrière. Pas plus que ses adversaires, il ne préconise la restauration de la Nouvelle-France. Le Canada qu'il rendrait à la France serait un petit pays si bien amputé de ses territoires de traite que la plus grande partie de son commerce tomberait aux mains des Américains. [47]

Il a jusqu'ici combattu les idées de Franklin. Il s'en prend maintenant à sa brochure. Le publiciste américain a recommandé l'acquisition de l'ancienne colonie française dans « l'intérêt de la Grande-Bretagne »; il a avancé que la possession de toute l'Amérique ferait du peuple anglais « le plus grand peuple du monde »; il s'est plu à peindre l'Angleterre gorgée de richesses lorsque les provinces américaines, libérées du voisinage gênant du Canada, offriront à leur métropole des millions de clients. Aux yeux de l'auteur, ces promesses évoquent la vieille tentation : « Vous serez semblables à des dieux. » Il proteste : « Nous serons, j'espère, trop sages pour saisir ce serpent doré dont la morsure

---

[46] *Ibid.*, 48s.
[47] *Ibid.*, 19s.

nous serait mortelle : voudra-t-on considérer que les brillants avantages que l'Amérique du Nord possède au delà de tout autre pays connu sont la chose même qui nous menace ? » S'il est vrai que, dans cent ans, les Américains sont destinés à être quatre fois plus nombreux que les Anglais, alors, il est impossible d'en disconvenir, ils seront devenus « dangereux ». L'Angleterre peut réussir à confiner dans l'agriculture les nègres de la Guadeloupe, elle ne parviendra jamais à maintenir au même niveau une masse d'Américains; quoi qu'en dise Franklin, ceux-ci s'adonneront fatalement à l'industrie et disputeront aux Anglais les marchés mondiaux. A ce propos, imaginer qu'ils éviteraient, dans leurs opérations commerciales, de déborder les cadres de l'empire serait le comble de la naïveté. Ne les a-t-on pas vus, en pleine guerre, trafiquer avec les Antilles françaises et faire ainsi des échanges nuisibles à la cause commune non seulement avec l'étranger, mais avec l'ennemi ? Au fait, se demande l'auteur, Franklin ne serait-il pas un apôtre de l'indépendance américaine ? [48] Vers la fin de sa brochure, il touche : si, jette-t-il à son adversaire, ce dernier est aussi jeune que ses raisonnements le laissent supposer, il vivra peut-être assez longtemps pour voir la réalisation de ses rêves d'indépendance... [49]

Presque en même temps, paraît une autre brochure dénonçant les « sophismes » et les « subterfuges » de Franklin. [50] Son auteur s'évertue à discréditer le Canada. Le terrible climat de ce pays, raconte-t-il, en a toujours empêché la colonisation. La France a tout fait pour y implanter un peuplement. Elle a eu beau combler d'avantages de toutes sortes les colons qu'elle désirait y établir, personne ne voulait risquer de s'y rendre; si bien que, pour l'occuper, elle dut se résigner à y expédier des déportés : femmes perdues, auteurs de crimes « atroces » condamnés aux galères (une note indique que le publiciste tire ses renseignements des livres de La Hontan). Ces « déchets » de la société française ont été, naturellement, à peu près stériles : ce qui explique que l'immense territoire canadien ne compte qu'une population très faible, moins de 100,000 habitants. Et quelles gens ! Leur « unique patrimoine se réduit aux qualités réunies de la prostituée et du voleur ». [51] C'est dire leur pauvreté, ou plutôt leur « extrême indigence ». Même les « principaux habitants » du Canada ont un niveau de vie fort inférieur à celui des classes populaires dans les colonies britanniques. Rien de plus compréhensible : en raison de son épouvantable

48   *Ibid.,* 51-53, 58.
49   *Ibid.,* 60.
50   *A Letter to a Great M* ———— *r, on the Prospect of Peace By an Unprejudiced Observer* (Londres, 1761), 2. Le « Grand Ministre » visé est William Pitt, *ibid.,* 148.
51   *Ibid.,* 16s, 21, 44.

dureté et de la déficience de son peuplement, ce pays est resté en friche. On n'y trouverait pas même une route. Veut-on y voyager, en été il faut pagayer « comme des sauvages » et, en hiver, aller en traîneau « comme des Lapons ». [52]

Il serait inconcevable que le vainqueur attachât le moindre prix à la possession d'une telle colonie. Elle a toujours coûté à sa métropole plus qu'elle ne lui a rapporté. La prendrait-on pour des motifs de sécurité ? Mais, seule, la négligence « sans exemple » des Anglais lui a permis de devenir une menace, à la suite des empiétements territoriaux qu'elle a commis aux dépens des provinces britanniques, ses voisines. Avant de se développer du côté des Lacs et d'y donner la main aux tribus de l'Ouest, elle était trop faible pour inspirer la moindre inquiétude. Ramenée à ses justes dimensions, elle ne comporte plus rien à prendre ni rien à craindre. Conserver l'Acadie et relier la frontière intérieure de l'Amérique britannique aux territoires de la Hudson's Bay Company, ce serait « encercler complètement le Canada » et, pour les Anglais, s'installer sur de telles positions qu'ils se verraient en mesure de pénétrer droit au cœur du pays si jamais il allait de nouveau s'agiter. En voilà suffisamment pour mettre en sûreté l'Amérique britannique sans que la métropole « s'embarrasse de cette terre froide, désolée, désagréable et inhospitalière ». Ce n'est pas le Canada, c'est la Louisiane que l'empire devrait acquérir. « La Louisiane n'est pas sans attraits. » Outre que son occupation ajouterait vraiment à la tranquillité des établissements américains, son exploitation enrichirait le monde britannique. Elle donne déjà du tabac, de l'indigo et du coton; le mûrier y vient en abondance, ce qui permet d'escompter, si l'on s'y met, une riche production de soie; on pourrait enfin y tenter la culture du thé, car elle est « à peu près sous la même latitude que Pékin, en Chine ». Sa position géographique a encore un autre mérite : celui de la mettre aisément en rapport avec les Antilles. A y bien réfléchir, la Louisiane a tous les avantages sur le Canada. Qui détient le Mississipi commande les vastes espaces qui s'étendent derrière les Apalaches. Le port de la Nouvelle-Orléans desservirait tout cet arrière-pays et procurerait aux colonies britanniques, destinées par la pression du surpeuplement de l'est à essaimer au cœur du continent, un accès à la mer des Caraïbes et à l'Atlantique, éliminant ainsi l'isolement économique auquel les pionniers de l'intérieur seraient autrement condamnés. Surtout, l'ouverture de ces immenses étendues à l'activité agricole retarderait l'évolution de l'Amérique britannique vers l'industrie, évolution qu'il importe de ralentir puisque, au Nouveau Monde, le

---

[52] *Ibid.*, 19s.

mouvement de l'indépendance ne pourra manquer de s'articuler à celui de l'industrie. Que l'Angleterre exige donc la Louisiane de la France ! Après cela, elle ne perdra rien, au contraire, à lui rendre le Canada après l'avoir amputé, comme il a été dit, de ses dépendances et l'avoir « réduit à l'état dans lequel le traité d'Utrecht l'avait mis ».[53]

Et qu'avec la Louisiane l'Angleterre s'empare de toutes les îles à sucre sur lesquelles elle pourra mettre la main. Serait-ce là exhiber un manque choquant de modération ? Qu'à cela ne tienne ! Se borner, comme le veut l'auteur d'une autre brochure, à atteindre dans la victoire les objectifs visés au moment de l'entrée en guerre et se contenter d'une indemnité proportionnée aux frais du conflit, c'est là une « doctrine moderne » que ni l'histoire ni la raison ne justifient, parce qu'elle ne rendrait la guerre payante que pour les Etats agresseurs et que, « chez les Anciens, la coutume était de mesurer les exigences du vainqueur à ses succès ».[54] Victorieuse, la Grande-Bretagne n'a qu'à conserver ce qui lui convient. Il lui convient d'avoir un empire bien équilibré, convenablement pourvu d'établissements septentrionaux et d'exploitations méridionales. Jusqu'ici, la grande ressource des colonies nord-américaines a été leur agriculture. Plus d'îles aux Indes Occidentales leur fourniront plus de débouchés. Elles ont déjà « l'esprit de manufacture ». Rétrocéder la Guadeloupe et leur annexer le Canada, ce serait favoriser le mouvement industriel qui est sur le point de démarrer chez elles. Pourvues d'industrie, elles se détacheront de la métropole. Il existe donc deux motifs d'accroître les possessions britanniques des Antilles : celui-là et l'occasion d'augmenter le commerce anglais du sucre, trafic dont il serait naturel d'escompter des profits considérables.[55]

Franklin avait mis en garde la métropole contre l'acquisition de la Guadeloupe en lui représentant l'impossibilité d'en assimiler la population française, vu sa densité. La même objection, rétorque notre auteur, s'applique au Canada, « où les habitants,... sous un gouvernement anglais, sont exposés à perdre toute espèce d'importance et à sombrer dans la plus rigoureuse pauvreté ».[56] Le publiciste anglais n'a pas compris l'Américain. Celui-ci avait prédit la disparition des Canadiens. L'autre prévoit leur appauvrissement et leur réduction à une quantité négligeable, ce qui revient sensiblement au même. Recueillons ces deux témoignages et observons qu'ils concordent. Et n'al-

---

[53] *Ibid.*, 37s, 72-78.
[54] *Ibid.*, 79, 104s.
[55] *Ibid.*, 82, 86.
[56] *Ibid.*, 122.

lons pas voir dans ces prévisions des prophéties. Il vaut mieux les prendre pour ce qu'elles sont : des réflexions nées de la connaissance de ce qui fait la structure des sociétés.

On saisit ce qui constitue la principale différence entre les deux courants d'opinion relatifs au Canada. Les adversaires de la rétrocession veulent éviter la répétition des faits qui ont marqué le demi-siècle consécutif au traité d'Utrecht. Que cherchait la France en 1755 ? demande l'auteur d'une autre brochure. Une guerre européenne ? Que non pas ! « Tout ce qu'elle désirait était la conquête d'une partie au moins des établissements britanniques de l'Amérique du Nord. » Le Canada lui servit de base d'opérations. Lui rendre cette colonie, c'est s'exposer à une autre guerre. Articuler cette colonie à l'empire américain de l'Angleterre, réplique-t-on, c'est courir le risque d'un conflit beaucoup plus grave, qui opposerait, cette fois, la Grande-Bretagne et ses possessions d'outre-Atlantique. Pour entretenir une telle appréhension, réplique l'école américaine, il faut méconnaître tout ce qu'implique la filiation anglaise de ces loyales provinces. Leurs habitants ne sont-ils pas anglais ou descendants d'Anglais ? Ne jouissent-ils pas, eux aussi, de « la Liberté anglaise » ? Leur commerce ne les lie-t-il pas à l'Angleterre ? Leurs places fortes ne sont-elles pas défendues par des troupes anglaises et leurs côtes, par la marine anglaise ? Dans ces conditions, rien n'est moins à craindre qu'une séparation. [57] Ainsi s'exprime une conception de l'empire. Conception qui, par delà le schisme prochain, sera celle de l'avenir.

Il existe aussi des observateurs qui font passer au second plan ces grandes considérations. Conservateurs, ils maintiennent des vues qui s'apparentent au mercantilisme traditionnel. A leurs yeux, l'Angleterre est une « nation commerçante » et l'empire, une affaire qu'il s'agit de faire prospérer. L'un d'eux est Henry McCulloh. Garder le Canada, rendre le Canada ? La décision, dit-il, dépend de l'importance économique de ce pays. Qu'est-ce qui en faisait la valeur pour la France ? D'abord, un trafic annuel évalué à £420,000, alimenté pour les deux tiers par la traite des fourrures et, pour le reste, par le rendement de la construction navale et la vente des denrées agricoles. Ensuite, la possession du Canada contribuait à consolider l'emprise de la France sur les pêcheries du Cap-Breton et de la Gaspésie, qui pouvaient donner £400,000. La navigation qui résultait de toute cette activité occasionnait peut-être un fret de £220,000. En gros, estime McCulloh, le

---

[57] *A Candid Answer, to a Pamphlet Called Reasons for Keeping Guadaloupe at a Peace, Preferable to Canada, Explained in Five Letters from a Gentleman in Guadaloupe, to His Friend in London. In a Letter to the Author* (Londres, 1761), 3-8.

Canada fournissait à l'économie française une contribution annuelle d'un million sterling. D'autre part, le gouvernement français affectait à l'entretien de sa colonie des sommes « immenses », si fortes en tout cas que les seuls bénéfices du commerce canadien n'en eussent pas justifié la dépense. Précisément, deux motifs engageaient la France à délier sa bourse. En premier lieu, elle songeait à sa marine : les pêcheries et le trafic nord-américain employaient 9,000 matelots et lui assuraient ainsi une grande école de navigation; en second lieu, elle préparait son expansion : le Canada la mettait à portée de s'installer sur le Mississipi et dans le Centre-Ouest, en attendant que la possibilité lui vînt d'aménager quelque port sur la mer de l'Ouest. [58] Mais le Centre-Ouest appartient à l'Angleterre et la marine britannique peut se passer de la navigation du Saint-Laurent. Par conséquent, la Grande-Bretagne ne trouverait pas dans la possession du Canada les avantages que la France en tirait. Son intérêt serait de conserver la plupart des conquêtes qu'elle a faites un peu partout et de ne pas les sacrifier toutes pour retenir cette seule colonie. En Amérique du Nord, il lui suffirait de rétablir l'équilibre stable prévu par le traité d'Utrecht, qui lui donnait toute l'Acadie et toutes les terres iroquoises, « comprenant les cinq Grands Lacs et leurs dépendances ». A la réserve des pêcheries, «le reste du Canada n'est pas un objet de grande importance pour le royaume » — McCulloh aurait pu ajouter : pour aucun royaume. Il prévoit une objection : loin de régler la question américaine, la paix d'Utrecht a créé une conjoncture d'où est sortie la dernière guerre. Il a une réfutation toute prête. Ce qui a provoqué le conflit, ce n'est pas l'insuffisance du traité de 1713, c'est le peu d'attention que les Anglais ont apporté à le faire respecter au moyen d'un bon « système » américain : qu'ils profitent de la leçon pour en mettre un sur pied ! [59]

Il est vrai, accorde le camp opposé, que le Canada est, en soi, peu de chose, dès qu'il se fait enlever les territoires occidentaux sur lesquels il avait élevé son armature économique. Un rapide coup d'œil sur la carte l'indique : qui commande le lac Ontario — attribué à la Grande-Bretagne par le traité d'Utrecht — met la main sur la plus grosse part de la fourrure américaine. La traite seule enrichissait les Canadiens ou, tout au moins, les mettait à même d'acheter de leur métropole des produits manufacturés. Privés de leur empire de traite, ils se verraient incapables de faire des retours en France : d'une part, leur vie économique tomberait à rien; de l'autre, la France resterait avec une colonie

---

[58] W. A. Shaw, éd., *Miscellaneous Representations Relative to Our Concerns in America Submitted to the Earl of Bute, by Henry McCulloh* [1761], (Londres, 1905), 1-3.
[59] *Ibid.*, 6, 9-11.

absolument improductive. En d'autres termes, ce qui permettait au Canada de subsister et à sa mère-patrie d'en tirer quelque chose, c'était l'exploitation de l'arrière-pays riche en pelleteries, dont le lac Ontario (qui ne lui appartenait pas) constitue la clef. Il ne resterait alors qu'à rendre à ses anciens maîtres cette colonie sans valeur ? Pas du tout, se récrie un porte-parole de l'école américaine. Si la France manifestait le désir de reprendre un Canada amputé du lac Ontario, elle ne le ferait pas sans dissimuler quelque noir dessein. Elle ne peut pas vouloir du Canada pour lui-même : si elle souhaite d'y rentrer, il est raisonnable de penser que c'est en vue de poursuivre une politique préjudiciable à l'Amérique britannique. Voici, au surplus, qu'intervient le facteur indigène. Durant la guerre, les Indiens ont massacré environ 4,000 Américains et ont désolé, sur les derrières des provinces britanniques, une zone de 600 milles de longueur sur 100 de profondeur. Ils n'auraient jamais été en mesure d'infliger de telles pertes si le Canada ne leur avait fourni du matériel de guerre en abondance. De ces considérations, une conclusion se tire d'elle-même : il n'est que d'avoir un peu d'impartialité et de bon sens pour convenir « qu'à moins de garder le Canada, nous ne gardons rien ». [60]

*

*   *

Cette discussion est révélatrice. Au point où nous sommes, elle n'est pas encore finie. Il convient pourtant de faire ici une halte brève parce que des événements vont survenir qui l'engageront dans une orientation décisive. Et un élément de la société française s'apprête à s'exprimer à son tour. Mais, ce qui compte le plus, c'est la décision du gouvernement anglais : quelles vues le ministère va-t-il adopter ?

Au cours de la dispute, les tenants de l'une et de l'autre école ont exprimé quelques idées justes. Entre elles, nous l'avons souligné à plus d'une occasion, le désaccord n'est pas si profond qu'il semblerait d'abord. Elles refusent toutes deux de laisser renaître la Nouvelle-France. En ce qui concerne l'avenir du Canada, ce point est capital. L'unanimité à ce sujet d'esprits par ailleurs si opposés signifie qu'une époque de l'histoire de l'Amérique est bien révolue.

Pour le reste, la vigueur du débat indique que l'empire britannique arrive à la croisée des chemins. Ils ont certes raison, ceux qui pensent avec Franklin que favoriser le développement des colonies américaines, c'est nécessairement servir les intérêts de l'Angleterre. Mais comment

---

[60] *The Importance of Canada Considered in Two Letters to a Noble Lord* (Londres, 1761), 1-19, *passim*.

donner tort à leurs contradicteurs qui annoncent le jour où ces mêmes colonies se dresseront contre la mère-patrie parce qu'elles auront cessé d'éprouver le besoin de sa tutelle et de sa protection ?

Ce que les premiers pressentent c'est que, quoi qu'il arrive, le monde britannique a trop de cohésion interne pour jamais cesser de faire bloc. Ce que les autres ne perçoivent pas, ayant la vue trop courte et l'orgueil trop étroit, c'est que l'empire, déjà, est confusément en quête d'une formule. Que Franklin, avec des idées coloniales plus valables que celles de ses contradicteurs, soit destiné à devenir l'un des artisans de la révolution américaine, ce n'est pas une « ironie de l'histoire ». L'histoire n'ironise jamais. C'est simplement un indice que l'empire trouvera trop tard sa formule et ne peut que la trouver trop tard.

Cet échange de vues montre enfin l'importance du Canada. Le monde britannique fut à peine moins embarrassé de ses ruines qu'il ne l'avait été de son ambitieux édifice. Sa chute provoque des vibrations qui accéléreront la dislocation des forces devant lesquelles il a succombé.

CHAPITRE XI

D'UN EMPIRE À L'AUTRE

A u printemps de 1761, la guerre maritime et coloniale entre dans sa huitième année, le conflit européen dans sa sixième. Un peu partout, une certaine fatigue se fait sentir. Il y a bien deux ans que l'on parle de réunir en congrès les puissances belligérantes; mais c'étaient là velléités de pourparlers plutôt que volonté de paix. Maintenant, les temps paraissent plus mûrs pour des négociations sérieuses. La France et l'Angleterre échangent des plénipotentiaires : François de Bussy passe à Londres et Hans Stanley, à Paris. Les véritables arbitres de l'Europe n'en restent pas moins Choiseul et Pitt. Le premier désire avec sincérité la fin de la guerre, tout en se préparant, au cas où les entretiens échoueraient, à jouer son gros atout, l'alliance espagnole. Avec sa raideur et son arrogance habituelles, le second se déclare d'avance opposé à tout traité qui n'assurerait pas à l'Angleterre à la fois le Canada et les pêcheries de Terre-Neuve.[1] Il serait facile de prédire tout de suite l'échec des conversations franco-anglaises si tout le cabinet britannique entretenait les mêmes vues que Pitt. Mais le gouvernement de George III est divisé. Des ministres estiment que, si l'ennemi peut consentir à céder le Canada, il n'abandonnera jamais ses droits aux pêcheries parce que ce serait du même coup sacrifier tout espoir de demeurer une puissance navale.[2] Le duc de Bedford et le comte de Hardwicke soutiennent même que la France devrait re-

---

[1] Lawrence H. Gipson, *The Great War for the Empire : The Culmination, 1760-1763* (New-York, 1954), 204-206, 208, 211, 218. — A l'avenir : Gipson, 8.
[2] *Ibid.*, 219s.

couvrer le Canada, l'un, parce qu'il y voit le meilleur moyen d'assurer
à l'Angleterre la soumission et la fidélité de l'Amérique britannique,
l'autre, parce qu'il craint que le royaume, à l'exemple de l'Espagne,
ne s'affaiblisse à force de se surcharger de colonies. [3] Choiseul ne pourra cependant pas tirer parti de ces divergences de vues. Pitt est encore
assez redoutable pour remporter sur ses collègues une dernière victoire : les triomphes militaires des dernières années ont fait de lui l'idole
de la foule, et il n'a qu'à menacer de rentrer sous sa tente pour museler
toute opposition à sa superbe intransigeance.

Si Pitt ne voulait que le Canada, le gouvernement de Louis XV
s'empresserait de le satisfaire. Stanley raconte une scène à la fois plaisante et significative. Elle se déroule sous ses yeux, le 17 juin, dans le
cabinet de Choiseul. Conduites avec une infinie circonspection, les
négociations n'avancent jusqu'ici qu'à pas de tortue. Cette savante es-
crime impatiente le ministre français. Il saisit sa plume et rédige en
deux minutes ses propositions : la France rétrocédera Minorque en
échange de la Guadeloupe, de Marie-Galante et de Gorée; elle livrera
aussi le Canada, mais conservera ses droits de pêche sur les côtes américaines, et comme ses morutiers auront besoin d'un abri aussi bien
que d'installations de séchage, elle reprendra l'île Royale, qu'elle s'engage néanmoins à démilitariser; enfin, elle rendra les places qu'elle
a conquises en Allemagne sur les alliés de l'Angleterre. Ces avances,
remarque l'envoyé britannique, couvraient à peine une douzaine de
lignes d'écriture sur « un petit papier » qui avait plutôt « la forme et
les dimensions d'un *billet doux* destiné à une dame — correspondance
dans laquelle [Choiseul] était fort versé — que l'aspect d'un mémoire
préparatoire à la conclusion d'un traité de paix entre deux grandes
nations ». [4]

Ces mêmes articles apparaissent plus longuement développés dans
un document d'un style lourdement diplomatique que le gouvernement
de Versailles expédie à la Cour britannique le 15 juillet 1761. Le
premier article confirme : « Le Roi cède & garantit au Roi d'Angleterre le Canada, tel qu'il a été possédé ou dû l'être par la France, sans
restriction » ... [5] La réponse anglaise est du 29 juillet. Le ton en est

---

[3] T.C. Pease, éd., *Anglo-French Boundary Disputes in the West*, introduction,
cxiii-cxiv. Voir *Thoughts on a Question of Importance Proposed to the Public, Whether
it is Probable that the Immense Extent of Territory Acquired by this Nation at the Late
Peace Will Operate towards the Prosperity or the Ruin of the Island of Great-Britain ?*
(Londres, 1765), 12.

[4] B. Tunstall, *William Pitt Earl of Chatham*, 292.

[5] *Mémoire historique Sur la négociation de la France & de l'Angleterre, depuis
le 26 Mars 1761 jusqu'au 20 Septembre de la même année, avec les Pièces justificatives*
(Paris, 1761), 83. — Publication officielle du gouvernement français.

péremptoire. La Grande-Bretagne exige tout le Canada, le Cap-Breton et toutes les îles du golfe et du fleuve Saint-Laurent, « avec ce droit de pêche qui est inséparablement attaché à la possession des susdites côtes & des canaux ou détroits qui y mènent ».[6] A cette pièce, qui a le ton d'une mise en demeure, la France réplique le 5 août par un « ultimatum » où elle réitère son consentement à donner le Canada; elle réclame en même temps « le droit immémorial » que possèdent ses sujets de pratiquer la pêche dans les eaux de Terre-Neuve. Ce droit, ajoute-t-elle, serait « illusoire » si ses pêcheurs ne disposaient d'un havre et de sécheries, et c'est pourquoi elle désire soit le Cap-Breton, soit l'île Saint-Jean, soit « tel autre port, sans fortification, dans le golfe ou à portée du golfe ».[7] Tout en répétant qu'il ne cesse d'insister sur « la cession entière & totale » du Canada et du Cap-Breton, le gouvernement anglais convient, le 1er septembre, de rouvrir le golfe Saint-Laurent aux morutiers français et de leur accorder le droit de faire sécher leur poisson « dans une partie spécifiée des côtes de Terre-Neuve » avec celui de s'abriter dans la petite île de Saint-Pierre. Mais aucune fortification ne pourra s'élever à Saint-Pierre, seuls des bateaux de pêche y aborderont, un commissaire anglais y résidera, et le commandant de l'escadre britannique de Terre-Neuve en fera de temps à autre l'inspection pour s'assurer que les Français ne violent pas le traité.[8] Cette île, répond Choiseul, est trop petite pour convenir à tous les besoins des pêcheurs français; il faudrait leur permettre aussi de s'abriter à Miquelon. La France accepte la résidence d'un commissaire britannique à Saint-Pierre. En fait, elle ne rejette qu'une des conditions que Pitt entend lui imposer : le droit de visite prévu pour l'amiral en service à Terre-Neuve; voilà, proteste-t-elle, une disposition « contraire à la dignité de la Nation » et insérée dans le projet d'accord dans l'unique vue « de marquer de la part des Anglois une supériorité déplacée ».[9] Ce léger différend pourrait être accommodé sans peine. Pitt en prend prétexte pour rompre brusquement les pourparlers.[10] Au fond, il a toujours voulu exclure la France de Terre-Neuve afin de frapper à mort sa marine. Et la France refuse — elle en a encore la force — de se plier à des exigences qui la forceraient à disparaître de la mer.

Depuis des mois, Choiseul répète sur tous les tons qu'il est disposé à céder le Canada. Sur ce point, il n'esquisse pas la moindre résistance.

---

6 *Ibid.*, 110.
7 *Ibid.*, 120-122.
8 *Ibid.*, 151-160.
9 *Ibid.*, 174, 182.
10 *Ibid.*, 184-187.

Mais il tient à sauver les pêcheries. Ce sont là les deux données capitales de sa politique américaine. Son attitude s'accorde assez bien avec celle qui prédomine, semble-t-il, chez les commerçants et les armateurs. Au début de juillet, la Chambre de commerce de Saint-Malo avait commencé à porter attention aux entretiens diplomatiques dont le séjour prolongé de Stanley à Paris indiquait le caractère sérieux. La guerre avait durement éprouvé les Malouins, la paix pourrait leur ménager quelque compensation. Ils résolurent d'intervenir auprès de la Cour pour lui soumettre leurs recommandations. Dans une lettre à Choiseul et à Berryer, ils représentèrent la nécessité de ne pas conclure de traité sans exiger d'abord des Anglais des dédommagements proportionnés aux pertes que leurs pirateries avaient infligées au commerce du royaume entre le mois de juin 1755 et le moment de la déclaration de la guerre. Ils firent cependant des instances encore plus vives auprès des deux ministres pour les amener à protéger les intérêts de la pêche, « cette branche de commerce plus précieuse pour l'État que tout l'or du Pérou, puisqu'il ne peut pas former un seul matelot et qu'elle en forme plusieurs milliers tous les ans ». Point de pêcheries, disait la Chambre, point de matelots; « point de matelots, point de marine, point de vraie puissance ». [11]

Quelques mois plus tard, le gouvernement français publie un mémoire, accompagné de pièces justificatives, sur les négociations auxquelles Pitt vient de mettre fin. [12] Il en ressort que, si ces entretiens avaient abouti, c'en serait fait du Canada et du trafic auquel il donne lieu. La Rochelle est un des principaux ports engagés dans ce trafic. La lecture du recueil provoque l'inquiétude de sa Chambre de commerce. Celle-ci décide d'associer les autres Chambres du royaume à un mouvement d'opinion en faveur du retour à la France de son ancienne possession américaine. La première compagnie avec laquelle elle se met en rapports à ce sujet est la Chambre de Marseille. Elle a vu, lui écrit-elle, avec « une sensibilité inexprimable », le « sacrifice » que le roi s'est apprêté à faire du Canada pour obtenir la paix à ses peuples. Quant à elle, elle se dispose à faire tenir aux deux Choiseul, le duc et le comte, un mémoire qui souligne « l'importance infinie » de cette colonie, le tort que sa cession causera à l'industrie, à l'agriculture et aux pêcheries françaises et le mal qu'elle ne peut manquer de faire à l'activité maritime : sans la navigation des colonies du nord, affirme-t-elle, « la marine s'anéantit, le commerce cesse, et toutes nos autres

---

[11]   Lettre du 8 juillet 1761, « Les Chambres de commerce de France et la cession du Canada, » RAPQ (1924-25), 201s.
[12]   Pour le titre de ce recueil officiel voir plus haut, note 5.

colonies tombent ». A ses yeux, il vaut mieux continuer la guerre que
de perdre le Canada. Elle invite les Marseillais à joindre leurs représentations aux siennes. [13] Un mois après, elle leur fait part de l'accueil
favorable que son mémoire a reçu à la Cour : le duc de Choiseul y a
répondu par des félicitations, mieux encore, par des « applaudisse-
ments ». [14]

Stimulés par cette agréable nouvelle, les Marseillais conviennent
à leur tour de présenter leurs observations au ministre. La prudence leur
dicte d'abord d'amples précautions oratoires. Puisqu'il semble que la
formule ait si bien réussi à leurs collègues, ils parlent du « sacrifice » que
le roi veut bien faire du Canada; qu'il s'y soit résigné montre combien
il en coûte « à son cœur » de voir gémir ses sujets sous le poids de la
guerre. Si, ajoutent-ils, ils prennent la liberté de soumettre leurs réflexions à Choiseul, c'est moins « pour instruire le ministère le plus
éclairé » que pour « s'exciter » eux-mêmes aux efforts qu'ils peuvent
encore faire pour conserver « une colonie aussi nécessaire et aussi utile »
que le Canada. Précisément, le ministre juge qu'ils s'excitent trop, ces
Marseillais. Il trouve inconvenant qu'ils se prêtent à une « espèce d'association avec d'autres Chambres sans y être préalablement autorisés ». Il
leur conseille sèchement d'observer à l'avenir « plus de réflexion et de
réserve ». Mais qu'ont-ils tant dit qui pût froisser le secrétaire d'Etat ?
Ils ont rappelé l'utilité du Canada « par rapport aux manufactures et
à la navigation », et noté que sa cession entraînerait celle des Canadiens, « bons sujets qui resteraient sous la domination des Anglais ».
Ils ont considéré rapidement le commerce d'importation et d'exportation qu'occasionnait la possession de cette colonie. Ils ont fait remarquer
qu'il sera « difficile » aux Français de continuer à pratiquer la pêche
à Terre-Neuve s'ils abandonnent leurs positions sur le Saint-Laurent.
Ils ont enfin mentionné — c'est peut-être là leur crime — les graves
embarras que la suspension des lettres de change cause aux armateurs,
aux fabricants, aux négociants et aux banquiers qui avaient des relations
d'affaires avec le Canada; une fois lancés, ils ont même demandé quand
elles seraient acquittées « entièrement ». [15]

La Chambre de commerce de Nantes ne va pas se fourvoyer de cette
manière. Elle se contente de reconnaître que l'abandon de la grande
colonie se révélera « sans doute » préjudiciable au commerce français. Dans sa réponse aux Rochelois, elle avoue qu'elle évite de faire

---

13 La Chambre de commerce d'Aunis à celle de Marseille, 10 novembre 1761,
RAPQ (1924-25), 202s.
14 La même à la même, 13 décembre 1761, *ibid.*, 204.
15 Lettre de la Chambre de commerce de Marseille, 21 décembre 1761, *ibid.*,
205s; Choiseul à la Chambre de Marseille, 4 janvier 1762, *ibid.*, 206s.

des représentations directes là-dessus de crainte « de déplaire et même de blesser le ministre ». Quand elle s'adresse à Choiseul, c'est pour le louer de n'avoir cessé, au cours des négociations, de revendiquer pour la France la traite des noirs, la liberté de la pêche à Terre-Neuve et des réparations pour les prises maritimes effectuées par les Anglais avant la déclaration de la guerre. Au sujet du Canada, que le duc a consenti à céder en échange de certains des avantages qu'elle vient d'énumérer, elle espère seulement que les succès futurs des armes du roi contraindront un jour les Anglais d'accepter la paix et de restituer « une colonie si utile à l'Etat ». [16]

Les Malouins vont encore moins loin que les Nantais. Ils s'excusent de ne pas emboîter le pas à leurs collègues de La Rochelle sur ce que, tout animés qu'ils sont « du même zèle patriotique », ils n'ont pas reçu en partage « les mêmes talents ». Au fond, ils l'avouent dans une autre lettre, ils ont surtout des intérêts différents. Ils ne sauraient parler avec pertinence du Canada « parce que nous en connaissons peu le commerce que nous ne faisons point ici ». Est-ce à dire qu'ils vont s'interdire toute intervention ? Ils ont déjà, nous le savons, pris les devants en recommandant les pêcheries à l'attention de la Cour, sans même attendre la fin des pourparlers franco-anglais. Ils poussent maintenant les Rochelois à représenter à la Cour « l'abus que font les habitants des colonies du privilège qu'ils ont de ne pouvoir être poursuivis, par saisies et ventes de leurs biens, pour le paiement de leurs dettes ». [17] Voilà qui les touche plus que le sort du Canada. O mânes de Jacques Cartier !

Les Havrais ont la même préoccupation. Ils aimeraient voir les villes maritimes « se concilier » et « demander toutes à peu près dans le même temps » que les débiteurs des colonies américaines pussent être poursuivis « comme en France » et sujets à la saisie de leurs exploitations. Le Canada ne les intéresse guère. Aux sollicitations de La Rochelle, ils répondent que, s'étant de tout temps limités aux questions commerciales, ils se sont « imposé silence pour toujours sur les affaires de politique ». Se décident-ils, beaucoup plus tard, à écrire à Choiseul, ils en profitent pour le féliciter de la « fermeté » qu'il a mise à réclamer la restitution des navires capturés par l'ennemi dans les mois qui ont précédé la déclaration de la guerre. S'ils font allusion au Canada, c'est pour dénoncer le commerce exclusif du castor, concédé à la Compagnie

---

[16] La Chambre de commerce de Nantes à celle d'Aunis, 16 novembre 1761, *ibid.*, 207; la Chambre de Nantes à Choiseul, 19 novembre 1761, *ibid.*, 213. Voir la Chambre de Nantes au maire de Granville, 26 novembre 1761, *ibid.*, 214.

[17] La Chambre de commerce de Saint-Malo à celle d'Aunis, 27 novembre et 27 décembre 1761, *ibid.*, 208s.

des Indes, et affirmer que, « sans le monopole qu'elle exerçait sur cette
précieuse pelleterie, il n'y eût jamais eu de guerre dans cette colonie ».
Ce n'est pas là, sans doute, une considération « de politique ». Glissez,
mortels... La Chambre du Havre souhaiterait que la même compagnie
fût dépouillée de « la traite exclusive » des noirs. Elle voudrait enfin
que les Antillais n'eussent pas le droit de raffiner eux-mêmes leur sucre,
mais fussent tenus de l'expédier en France à l'état brut. [18]

Granville, sur la côte ouest du Cotentin, envoie des flottes de pêche
à Terre-Neuve. Son maire et ses échevins déclarent n'être « pas fort
au fait de ce qui concerne le Canada ». Plutôt que d'en discourir « superficiellement », ils s'étendent sur l'industrie poissonnière : ils la connaissent si bien ! Ils répètent le refrain bien connu : c'est une « pépinière
de matelots ». Si le roi ne peut éviter de céder le Canada, ils lui sauraient gré de se faire donner en échange toute la côte sud de Terre-Neuve. Leur sollicitude s'étend aux Antilles : c'est qu'elles « consomment
beaucoup de morues »... [19]

La Chambre de Dunkerque ne refuse pas son concours à celle
de La Rochelle; pour « seconder » celle-ci, elle se propose de présenter
à la Cour un mémoire « sur les richesses immenses que produit la pêche
de la morue au Royaume ». Elle se documente soigneusement auprès de
quelques autres villes où cette activité a le plus d'intensité : Saint-Malo,
Honfleur, Pernef. Elle n'a cure de sauver le Canada. Son but est de
« faire connaître aux ministres toute l'importance de nos pêches, pour
leur procurer tout l'encouragement possible, afin qu'à la paix cette
branche étant bien connue, soit ménagée avec avantage ». [20]

Les Rochelois ont encore convié leurs collègues de Bayonne à les
appuyer. C'est, pensent les Bayonnais, un service qui ne se refuse pas.
Ils donnent donc instruction à leur député à Paris de dire à la Cour un
bon mot pour le Canada, colonie où La Rochelle « fait son principal
commerce ». Ils profitent de l'occasion pour prier leur représentant de
témoigner la même solidarité aux Nantais, qui désirent, de leur côté,
protester contre la permission que le gouvernement accorde à des
étrangers de vendre des nègres aux Antilles. Leur collaboration se limite à des expressions de sympathie. Si, écrivent-ils à leurs malheureux
confrères de La Rochelle, les ministres « se relâchent sur le Canada »,
ce n'est pas qu'ils méprisent cette colonie, c'est plutôt qu'ils sentent

18 La Chambre de commerce du Havre à celle de Saint-Malo, 14 février 1762,
ibid., 209s; la même à celle d'Aunis, [s.d.], *ibid.*, 222; la même à Choiseul, 14 novembre 1762, *ibid.*, 210s.
19 Le maire et les échevins de Granville à la Chambre de Nantes, 20 novembre
1761, *ibid.*, 212s.
20 *Ibid.*, 216s.

l'impossibilité de la reprendre : cette « impuissance » leur donne à craindre que des représentations supplémentaires ne soient « mal accueillies ». Quant à eux, attendu que « chaque place s'occupe des objets principaux de son commerce », ils réservent leur attention aux pêcheries et, de concert avec les armateurs de Saint-Jean-de-Luz, ils travaillent à un mémoire « sur cet article intéressant ». [21]

La Chambre de Montpellier évite, elle aussi, de se compromettre pour un objet qui la préoccupe peu. Elle remercie poliment les Rochelois de leur « zèle pour le bien du commerce » et leur fait part de ses dispositions à « concourir aux mêmes fins » par de « vives sollicitations » auprès des ministres. Elle n'ajoute qu'une considération : l'abandon du Canada risque de ruiner les « petits drapiers » du Languedoc. [22]

Bordeaux, patrie de l'intendant Bigot, est aussi celle des Gradis, de Lamaletie, de Latuilière, de Roussens, des Desclaux, armateurs, négociants et banquiers qui entretiennent de grandes relations d'affaires avec le Canada. Le « sacrifice » de la colonie touche les Bordelais au plus profond de leur cassette. Voltaire, cet intellectuel qui garnit autrement sa bourse, professe aimer mieux la paix que le Canada; eux, ils aiment mieux le Canada que la paix. C'est ce qu'ils proclament. Pour justifier, comme ils disent, leurs « regrets », ils mettent sous les yeux de Choiseul un tableau des avantages que la possession de ce lointain pays assurait au royaume. La France y envoyait tous les ans 60 vaisseaux chargés de vins, d'eau-de-vie, de draperies, de dorures, de soieries « et généralement de tous les objets de luxe » constituant un capital de dix millions et rapportant deux millions de profit. Les retours se faisaient en fourrures, en produits de la pêche et en lettres de change provenant des dépenses que comportait le service du roi dans la colonie. Une partie des navires employés au trafic du Canada profitaient du voyage pour faire escale aux Antilles, y prendre des sirops et des tafias destinés à Québec et y décharger des bois tirés de la vallée du Saint-Laurent; ce commerce triangulaire « lie l'intérêt des Iles à la conservation » des établissements septentrionaux. Voilà ce qui s'accomplissait avant la guerre. Une paix heureuse donnerait lieu de faire encore mieux, car on est loin d'avoir épuisé les possibilités de la colonie. A peine les a-t-on effleurées. Que ne gagnerait-on pas à mettre en train l'exploitation intensive du tabac, du bois et du chanvre canadiens ? Et il y a les pêcheries, dont les Bordelais, pas plus que leurs confrères des autres ports, ne minimisent l'importance : ils soulignent qu'elles se situent « dans les mers du Canada »,

---

21   *Ibid.*, 218-222.
22   « Chambre de commerce de Montpellier : assemblée du 18 décembre 1761, » *ibid.*, 227s.

que l'occupation de Saint-Pierre et de Miquelon ne saurait « suppléer », pour peu qu'on veuille considérer leur sécurité, à la possession du Saint-Laurent et qu'il ne faut pas en douter, « la cession du Canada entraînerait infailliblement [la perte de] la pêche de la morue ». Enfin, les Antilles sont chères aux Français. Qu'ils ne l'oublient pas, le recouvrement du Canada est un des meilleurs gages de leur « sûreté ». Quand la Nouvelle-Angleterre aura les mains libres sur le continent, qu'est-ce qui l'empêchera de tourner son ambition du côté de la mer des Caraïbes ? En un mot, le Canada est indispensable à la France. L'économie interne de la métropole en exige l'exploitation : « L'agriculture, les manufactures, toute la masse de l'industrie le réclament. » De plus, le maintien des autres intérêts qu'elle entend conserver au Nouveau Monde commande à la France de se rétablir au Canada : de là elle peut tenir en respect une puissance par ailleurs intraitable, « qui fait la guerre pour acquérir » et qui, « sûre de dominer quand elle possédera la richesse, . . . trouvera dans l'agrandissement de son commerce la source de ces richesses mêmes ». Autrement dit, s'affaiblir sur un point, c'est renforcer d'autant l'ennemi et se condamner à tout lui livrer un jour ou l'autre. C'est pourquoi il vaut mieux combattre encore que d'acheter à un tel prix une paix qui préparerait « une guerre plus funeste » que celle à laquelle elle aurait mis un terme provisoire. [23] La lettre des Bordelais à Choiseul reste l'un des meilleurs plaidoyers qu'on ait prononcés à l'époque pour le Canada. Elle contient la plus solide défense de la colonie qu'ait alors élaborée une Chambre de commerce française.

Ce sont les déclarations des négociants bordelais que l'on cite lorsqu'on veut établir que « la France » éprouva du regret à se séparer du Canada. Comme si les commerçants de Bordeaux étaient la France.— Récapitulons. Les Rochelais prennent connaissance des conversations franco-britanniques de 1761. Ils constatent que la Cour n'a pas laissé passer une occasion d'offrir aux Anglais de garder le Canada. Ils s'en émeuvent, protestent et, pour donner plus de poids à leurs représentations, cherchent à faire agir neuf Chambres de commerce. Deux les appuient à fond : celles de Marseille et de Bordeaux. Mais les autres, les sept autres ? Nantes se récuse, le Havre parle d'autre chose, Montpellier pense à ses draps. Tout en exprimant une solidarité platonique, Bayonne épouse la cause de ses morutiers, comme Saint-Malo, comme Dunkerque, comme Granville. Les Chambres de ces ports tombent automatiquement d'accord avec Choiseul, qui a trouvé, pour soutenir les intérêts français à Terre-Neuve, une détermination qu'il n'a jamais

---

23 La Chambre de commerce de Guyenne à Choiseul, 22 décembre 1761, *ibid.*, 223-225.

eue pour revendiquer la possession du Canada. Où l'on voit combien
il serait absurde de ranger d'un côté la Cour et de l'autre le monde des
affaires, puis de conclure que celui-ci tenait au Canada cependant que
celle-là le laissait tomber. [24]

*

* *

Après la publication des notes échangées entre la France et l'Angleterre en 1761, les adversaires britanniques de la rétrocession du
Canada pouvaient respirer. Leur gouvernement était avec eux. Au début
de septembre, une semaine avant la rupture des négociations, un journal anglais rappelait les objectifs que la nation s'était fixés en s'enga-
geant dans le conflit : soutenir les colonies et prévenir la ruine du
commerce américain. Elle n'avait pas désiré autre chose, mais la guerre,
en se développant, lui avait apporté davantage; un gros morceau de
l'Amérique était venu s'ajouter à l'empire de 1755. Ainsi, la métropole
se trouvait récompensée de ses sacrifices, et son expansion au Nouveau
Monde laissait entrevoir de nouveaux sommets de prestige et de prospérité, « à en juger par l'étonnant accroissement de puissance, de commerce et de richesse que l'Angleterre a Successivement reçu de ce Continent proportionnellement à l'étendue de sa culture ». [25] Dans tout
cela, reprenait la même feuille trois mois plus tard, il ne fallait pas
oublier la valeur du Canada. Le rendement de ce pays pouvait paraître
modeste, comparé à celui de la Guadeloupe et de la Martinique, mais
il fallait en voir la cause dans la négligence de la France à le faire
valoir : « le Canada, eu égard à son produit, est un champ à peine
défriché ». [26] Il est vrai que le temps était passé où l'on se contentait
d'établir sur cette base relativement étroite l'importance des colonies.
Précieuses, on s'en rendait compte, elles ne l'étaient pas seulement en
raison de ce qu'elles produisaient, mais aussi de ce qu'elles consom-
maient. Envisagé sous cet angle, l'élargissement du domaine américain
semblait encore plus prometteur que lorsqu'on l'examinait sous son
aspect traditionnel : il ne pouvait que provoquer une poussée du peuplement et, de la sorte, assurer à l'Angleterre un marché si considérable
que, dans deux ou trois générations, elle vendrait plus à l'Amérique
qu'à toutes les autres parties du monde réunies. [27]

---

[24] « Ces documents prouvent que si la Cour nous abandonna, il n'en fut pas de
même des Chambres de Commerce de France... Il semble que nos historiens et nos
écrivains ont cru trop facilement que la France s'était séparée sans regrets de sa colonie
du Canada, » *ibid.,* 200.

[25] Extrait du *St. James Chronicle,* 7 septembre 1761, AC, C 11A, 105 : 314-314v.

[26] Extrait du *St. James Chronicle.* 9 décembre 1761, *ibid.,* 326-327.

[27] William K. Boyd, éd., John Rutherford : « The Importance of the Colonies to
Great Britain, » *North Carolina Historical Review,* 2 (1925) : 371.

Les Anglais pouvaient se féliciter de leur fortune. Ce n'est pas à dire que tous aient également approuvé la politique américaine de Pitt. Dès 1761, un publiciste juge « absurdes, contradictoires, impolitiques », les pourparlers que le ministre vient de conduire avec la France par l'intermédiaire de Stanley. Au sentiment de cet auteur, l'homme d'Etat — qui se vantera pourtant, bientôt, de n'avoir toujours eu en vue qu'une guerre de conquête [28] — et avec lui tout le ministère ont trahi une timidité inconcevable. « Le tout premier article de cette négociation aurait dû nous livrer *toute* l'Amérique du Nord. » La seule cession du Canada ne suffit pas à garantir la sécurité des colonies américaines, puisqu'elle n'enlève pas à l'ennemi la Louisiane, d'où il est à même de lancer autant d'offensives qu'il pouvait naguère en préparer dans sa colonie du nord. Si la paix ne recule pas jusqu'au Mississipi les frontières occidentales des établissements britanniques, l'Angleterre se sera battue en vain, l'intégrité territoriale de ses possessions restera aussi menacée qu'en 1754. D'ailleurs, qu'est-ce qui faisait la valeur du Canada aux yeux des Français ? Le fait qu'il s'articulait à la Louisiane. Isolé, le Canada ne compte guère sur le plan stratégique. Sur le plan économique, il compte moins encore; et la Louisiane « le vaut quarante fois », avec son beau climat et ses sols bien arrosés, qui donnent du coton, du riz, de l'indigo, des bois de construction. La faute capitale du ministère a été de se laisser fasciner par le Canada et de fermer les yeux sur l'extrême importance de la Louisiane. [29]

Cela n'a pas été sa seule erreur. Il a fait preuve d'un égal aveuglement en abandonnant à la France une partie des pêcheries de Terre-Neuve et en lui réservant l'île Saint-Pierre. Mais cette dernière « est aussi bien située que le Cap-Breton », et si jamais il y prend pied, l'ennemi en fera une nouvelle île Royale. Avant la guerre, la pêche de la morue avait une valeur « immense ». Que l'Angleterre en exclue la France, et, tous les ans, deux millions de plus rouleront dans ses coffres. [30] Avec la pêche, le sucre est une des branches « principales » du trafic maritime de l'adversaire. Pourtant, avant le traité d'Utrecht, la Grande-Bretagne vendait du sucre à la France. Par la suite, celle-ci, grâce à l'exploitation de la Guadeloupe, a conquis un à un tous les marchés européens. C'est dire qu'elle en a délogé sa rivale, tout en tirant de cette activité un profit annuel équivalent à un million sterling. Voilà maintenant le ministère britannique prêt à rendre aux Français leur riche établissement des Antilles. Quelle aberration ! Il est en mesure de dicter

[28] Gipson, 8 : 308s, 312s.
[29] *Sentiments Relating to the Late Negociation* (Londres, 1761), 1-11.
[30] *Ibid.*, 15.

la paix. Que ne s'en autorise-t-il pour « ruiner le commerce français en tarissant ses sources » ? [31] Garder la Guadeloupe, rester seuls maîtres des pêcheries de Terre-Neuve, prendre toute l'Amérique du Nord, telle devrait être, au dire d'un extrémiste, la triple ambition des Anglais.

Au pôle opposé de l'opinion, voici un autre mécontent. Ses critiques jaillissent du sentiment que le gouvernement britannique, durant les entretiens qu'il a eus avec la Cour de France, s'est montré trop friand d'expansion territoriale et trop peu soucieux de s'assurer de solides avantages économiques. Imbu de vieilles idées mercantilistes, ce publiciste a tendance à mépriser les colonies non productrices de denrées tropicales. Pour lui, les établissements des Antilles sont supérieurs à ceux du continent et, sur le continent, les provinces du sud l'emportent sur celles du nord. L'Angleterre eût donc été mieux inspirée de viser la Floride et la Louisiane plutôt que le Canada, pays trop froid pour donner autre chose que des fourrures et trop mal situé pour jouer un rôle dans le trafic des Indes Occidentales, déjà accaparé, d'ailleurs, par la Nouvelle-Angleterre. [32]

Si, poursuit l'auteur, le négociateur britannique a préféré l'acquisition du Canada à celle de colonies plus profitables, c'est qu'il a fait passer au second plan des avantages économiques qui sautent aux yeux pour jeter son dévolu sur des gains d'une autre nature. Il existe une conception populaire selon laquelle les vastes espaces intérieurs qui se déploient autour de l'Ohio alimenteront un jour le commerce anglais en lui fournissant abondance de denrées utiles. C'est là, sans doute, le mirage qui a égaré le ministère. Car celui-ci s'est abusé sur la valeur de ce pays. Tenu à l'écart des grandes voies de trafic par les distances et par les montagnes qui s'interposent entre lui et le littoral atlantique, il n'a rien à offrir à l'économie métropolitaine que des articles d'un grand encombrement qui aggravent encore le problème du transport. Les bons fournisseurs et les bons clients de l'Angleterre ne sont pas les colons établis dans l'ouest, mais ceux qui forment les agglomérations sises sur la côte ou sur les cours d'eau qui tombent dans l'océan. Que produit l'Ohio ? Des fourrures. Quand les fourrures seront épuisées, ses habitants n'auront plus de quoi exporter en Grande-Bretagne en échange des objets manufacturés qu'ils devront toujours se procurer; alors, il faudra « ou bien qu'ils mettent eux-mêmes sur pied des manufactures ou bien qu'ils dégénèrent à l'état sauvage ». Or il n'est pas dans l'intérêt de la mère-patrie de posséder des colonies industrialisées. Mais ne racon-

---

[31] *Ibid.*, 18s.
[32] *An Examination of the Commercial Principles of the Late Negociation Between Great Britain and France in MDCCLXI. In which the System of that Negociation with Regard to Our Colonies and Commerce Is Considered* (Londres, 1762), 67.

te-t-on pas que, si l'Ohio ne donne rien actuellement, à la réserve de ses fourrures, un temps viendra où l'on en tirera toutes sortes de denrées ? Certains envisagent d'y faire un jour de la soie. Il se peut, bien que cela demeure assez invraisemblable : il n'en reste pas moins que négliger des établissements actuellement productifs pour acquérir l'Ohio, c'est sacrifier le réel au possible, le certain à l'incertain. Et puis, s'embarrasser du Canada pour mettre la main sur l'Ohio, quel illogisme ! « Ces pays de l'Ohio n'ont jamais fait partie du Canada. » [33]

De celui-ci, les Anglais n'ont que faire. En Amérique, leurs colonies s'étendent déjà le long de quinze cents milles de côtes et, à maints endroits, sur une profondeur de six cents milles. Cette surface peut contenir la France, l'Espagne et l'Allemagne et porter jusqu'à trente millions d'habitants. Voilà qui est suffisant : « il ne serait pas de la prudence d'en désirer plus parce que notre force ne nous permettra jamais d'en gouverner davantage ». Cette réflexion amène l'auteur à discuter avec Franklin. Franklin avance que, sans l'acquisition du Canada, l'Amérique britannique ne jouira jamais de la sécurité. Non seulement n'est-ce pas établi, mais l'Américain lui-même est venu tout près de démontrer le contraire. L'un de ses grands arguments veut que les destructions causées par les bandes indigènes soient l'expression la plus sensible de la menace canadienne. Mais le peuplement américain a connu un tel développement qu'il ne paraît pas avoir été gêné par les sauvages. De plus, toujours d'après Franklin, le commerce américain a réalisé, entre 1755 et 1758, des progrès plus considérables qu'en toute autre période de trois ans avant 1755 : c'était pourtant le moment des plus sanglantes incursions indiennes. [34]

En fait, ajoute le publiciste, la sécurité de l'Amérique britannique ne commande pas la possession du Canada. La guerre a cassé les reins aux Français. Elle a rendu aux Anglais toute l'Acadie et tout le pays de l'Ohio. Tandis que ceux-ci acquièrent de ce fait une « supériorité irrésistible », ceux-là deviennent impuissants parce que battus et « confinés dans les limites réelles du Canada ». [35] — En somme, dit à peu près cet observateur, le Canada n'a plus rien de redoutable après la dislocation de la Nouvelle-France. S'il s'arrêtait là, son raisonnement serait tout à fait défendable. Mais qui veut trop prouver ne prouve rien. Il poursuit que le Canada n'a jamais menacé l'Amérique britannique et que « ce ne fut pas le *danger* couru par nos colonies qui occasionna la guerre, mais bien la violation de nos droits; droits qu'il n'était pas de la dignité

---

[33] *Ibid.*, 68-71.
[34] *Ibid.*, 72-75.
[35] *Ibid.*, 85.

de notre couronne de laisser tranquillement défier, malgré... leur médiocre importance ». [36] C'est là, répond avec beaucoup de sens un contemporain, donner un motif bien futile à cette terrible guerre qui a en-
gouffré tant de vies et de ressources; la vérité est que les empiétements
systématiques des Français causaient de graves dommages aux possessions américaines et leur enlevaient une bonne mesure d'utilité pour la
Grande-Bretagne. [37]

Toute cette argumentation aboutit à la conclusion suivante : si, pour
des raisons impénétrables à un entendement moyen, l'Angleterre tient
à acquérir le Canada, il est bon qu'elle se rende compte du prix qu'elle
en va donner. Pour avoir cette colonie, elle semble prête à livrer à la
France l'exploitation de deux pêcheries — celle de Terre-Neuve et celle
du golfe Saint-Laurent — dont une seule est plus profitable que le Canada; il est clair que les Français n'ont rien à perdre et les Anglais rien
à gagner à un tel marché. Il y a plus étonnant encore : pour demeurer
au Canada, la Grande-Bretagne est disposée à laisser aussi l'ennemi
rentrer à la Guadeloupe. C'en est trop. Non seulement la Guadeloupe
vaut-elle mieux que les établissements laurentiens, elle est d'un meilleur
rapport que tout autre territoire du continent. S'il existe une province
riche, populeuse, ayant bonne presse dans la métropole, c'est la Pennsylvanie. Eh bien ! celle-ci est moins avantageuse que la Guadeloupe.
La Guadeloupe a importé d'Angleterre pour £ 238,000 durant la première année où elle a vécu sous l'occupation britannique; à quel niveau
ses achats ne se porteraient-ils pas en temps normal ? 1752 a été une
année normale : la Pennsylvanie n'a consommé que pour £ 201,666 de
produits anglais. [38] Troquerait-on cette dernière province contre le Canada ? — En faisant la paix, l'Angleterre devrait avoir d'abord en vue
de se récupérer de ses pertes. La guerre lui a coûté assez cher pour qu'il
ne soit pas excessif d'espérer qu'elle puisse trouver dans ses conquêtes de
quoi lui aider à porter l'écrasant fardeau de ses dettes. [39]

Ces divers raisonnements s'appuient sur une idée fondamentale, qui
est la suivante : le Canada ne constitue pour l'Amérique britannique
qu'un danger sans gravité. Que cette idée cède, et l'on verra s'effondrer
toute la doctrine échafaudée sur elle. C'est ce que comprend un publiciste qui s'en prend à la brochure que nous venons d'analyser. En Amérique, riposte-t-il, la France n'a jamais eu de puissance considérable en
dehors du Canada. Ses autres établissements ont tiré « leur existence,

---

[36]   *Ibid.*, 77.
[37]   *Thoughts on Trade in General, Our West-Indian in Particular, Our Continental
Colonies, Canada, Guadaloupe, and the Preliminary Articles of Peace. Addressed to the
Community* (Londres, 1763), 40, 43.
[38]   *An Examination of the Commercial Principles*, 86s, 98s.
[39]   *Ibid.*, 93s.

leurs approvisionnements, leur appui » du Canada. De ce pays, sont venus les vainqueurs de Braddock; de là encore les troupes qui ont attaqué Johnson en 1755; là, enfin, ont combattu Wolfe et Murray. Les menaces qui ont pesé sur les provinces britanniques « avaient toutes leur source au Canada ». Seule, en conséquence, la conquête définitive de cette colonie peut les enrayer. Ce n'est pas la Louisiane, presque dépourvue d'habitants et toujours négligée par sa métropole, qui a mis en danger les possessions anglaises. De plus, il est aisé d'exagérer l'improductivité du Canada et de tout le continent pour mettre en valeur le rendement des Antilles. Les statistiques apportées au débat par Franklin en 1760 ont une autorité irréfragable; elles établissent la tendance très nette du commerce britannique à faire des progrès rapides en Amérique du Nord et à demeurer presque stationnaire aux Indes Occidentales. [40] Conserver le Canada, c'est assurer l'avenir du principal groupe de colonies anglaises.

Alléguera-t-on que celles-ci ont déjà trop de puissance et qu'elles commencent à porter concurrence à la métropole sur les marchés européens ? C'est vrai, le commerce de l'Amérique augmente de jour en jour avec la Grande-Bretagne et avec les autres Etats. Il arrive que les Américains vendent à l'étranger des articles que les Anglais ne vendent pas eux-mêmes, soit qu'ils n'en produisent pas, soit qu'ils préfèrent les garder pour eux, soit enfin qu'ils trouvent plus de profit à les écouler dans d'autres parties du monde. Jusque là, rien de répréhensible. Mais s'il se trouve qu'un exportateur américain se présente à un centre de commerce que fréquente un exportateur anglais ? Ce dernier, s'il est sage, s'estimera heureux de trouver à ses côtés « un compatriote et non un rival étranger ». [41] En d'autres termes, les Américains ont autant que les métropolitains le droit de faire la fortune du monde britannique. Economiquement, l'empire est un tout. Il l'est aussi politiquement, en ce sens que les droits des colonies et ceux de la mère-patrie forment « une cause commune ». Ainsi s'exprime, au même moment, un autre auteur, qui se propose de développer cette proposition : « Que les colonies américaines de l'Angleterre font partie de la communauté britannique [Commonwealth] et ont tous les titres aux droits, aux libertés et aux bénéfices qui en dérivent. » [42] La pensée impériale s'engage ici dans une voie qui mène loin.

[40] *The Comparative Importance of Our Acquisitions from France in America, with Remarks on a Pamphlet, Intitled, An Examination of the Commercial Principles of the Late Negociation in 1761* (Londres, 1762), 22-28.
[41] *Ibid.*, 42.
[42] *Coloniae Anglicanae Illustratae : or, the Acquest of Dominion, and the Plantation of Colonies Made by the English in America, With Rights of the Colonists, Examined, Stated, and Illustrated* (Londres, 1762), 2, 4.

Si, grâce à son empire, l'Angleterre occupe une place de choix parmi les grandes nations, ce n'est pas seulement, ce n'est pas surtout parce que ses possessions lui apportent de quoi alimenter son commerce, c'est en réalité parce que, producteur d'hommes, le Nouveau Monde lui donne cette force du nombre qui lui manquait autrefois et sans laquelle elle ne serait toujours qu'un Etat de troisième ou de quatrième ordre en Europe. [43] Puisque l'acquisition du Canada promet un nouvel essor à l'Amérique britannique, il faut se décider à l'effectuer. Et, cela fait, conclure la paix. Le plus tôt sera le mieux. [44] Poursuivre les hostilités en vue d'accumuler les conquêtes et d'annihiler la France et l'Espagne serait céder à une ambition démesurée et, en définitive, ruineuse. Un certain équilibre est nécessaire à l'Europe. Ce qui fait le malheur des autres ne fait pas nécessairement le bonheur de l'Angleterre. Un appauvrissement excessif du continent réduirait de bons clients à l'indigence : il convient de réfléchir que « le monde est notre marché ». [45]

*

*   *

Pendant que cette discussion se déroulait, les événements allaient leur train. Des négociations s'étaient renouées entre la France et la Grande-Bretagne. A la fin de l'été de 1762, le duc de Bedford arrive à Paris dans un équipage éblouissant. Il appose sa signature aux préliminaires de la paix le 3 novembre. [46] Le même mois, une brochure paraît à Londres, consacrée à la « valeur » du traité projeté. [47] Elle déborde de commentaires élogieux. Entrée en guerre au nom de « la sécurité de ses colonies », l'Angleterre a gagné son point, puisque la cession du Canada délivre ces lointaines provinces de tout danger. En même temps qu'une assurance de tranquillité absolue, l'Amérique britannique gagne tout le territoire qui s'étend sur ses derrières jusqu'au Mississipi. Depuis des années, le royaume était réellement engagé dans deux guerres, « l'une maritime, l'autre continentale »; la première avait été «heureuse » et la seconde, « destructrice ». Les préliminaires de la paix mettent un terme fort acceptable au conflit européen et couronnent glorieusement le conflit colonial. En Amérique du Nord, les Anglais s'enrichissent du Canada, d'une partie de la Louisiane, des pêcheries de Terre-Neuve et de celles du golfe Saint-Laurent; la France ne conserve que l'île Saint-

---

[43] *The Comparative Importance of Our Acquisitions*, 42s.
[44] *Ibid.*, 17.
[45] *Ibid.*, 6, 9s.
[46] Gipson, 8 : 304-306.
[47] *An Inquiry into the Merits of the Supposed Preliminaries of Peace, Signed on the 3rd. inst.* (Londres, 1762), *passim.*

Pierre — à laquelle s'ajoutera Miquelon — trop petite pour être colonisée. L'auteur conclut : « Dans l'ensemble, le traité nous procure tous les avantages commerciaux que nous ayons jamais revendiqués et nous confirme dans la possession de tout le commerce dont nos ennemis ont cherché à nous dépouiller. Notre empire américain s'agrandit au delà de nos espérances les plus flatteuses » ... Et ce n'est là qu'un premier pas. Le triomphe de l'Angleterre tient moins à sa puissance militaire qu'à l'organisation de son économie, source de la force qui a fait plier ses ennemis. L'élan de son commerce, la vitalité de ses colonies, tels sont les éléments de « la supériorité » qu'elle s'était acquise dès avant le conflit et dont elle recueille aujourd'hui les fruits par ses conquêtes. La pratique des arts de la paix lui a valu de gagner la guerre. Dotée maintenant d'une plus large base coloniale, assurée d'un trafic plus intense et plus rémunérateur, elle ne peut que s'attendre à voir croître son importance à un rythme accéléré. Sa grandeur augmente sa richesse et sa richesse, sa grandeur. Les Anglais atteignent un sommet et ils entrevoient, derrière lui, plus impressionnantes encore, d'autres hauteurs.

Après la publication des préliminaires de la paix [48] et l'agrément qu'y donna le Parlement, il était clair que le Canada entrerait dans l'empire britannique. Il devenait inutile de chercher à émouvoir l'opinion en faveur de la Guadeloupe. Toute dispute sur les mérites respectifs des deux colonies porterait dorénavant un cachet académique. Ce n'est pas à dire que les articles convenus entre les puissances coloniales, le 3 novembre 1762, n'aient pas inspiré de commentaires. Plus d'un esprit politique consacra de studieuses réflexions à cet accord et au traité de Paris (10 février 1763) qui le ratifia en y apportant de légères modifications. Parmi tous les ouvrages qui parurent à cette occasion, il en est un qui exprime des vues tellement significatives sur le rôle de l'activité économique dans un grand Etat moderne et sur celui des colonies de peuplement dans l'épanouissement d'une nation de premier plan qu'il n'est pas sans intérêt d'en prendre connaissance, ne serait-ce que pour avoir quelque idée du caractère de l'empire auquel le Canada allait être intégré.

Le commerce, assure d'abord l'auteur — il faut entendre le commerce maritime — est le « principal soutien » de l'indépendance britannique. Voisine d'une nation puissante et populeuse, l'Angleterre aurait tôt fait de perdre ses cadres politiques et culturels (il dit: « notre religion et nos libertés ») si elle ne compensait pas son infériorité numéri-

---

[48] *Preliminary Articles of Peace, between His Britannick Majesty, the Most Christian King, and the Catholick King. Signed at Fontainebleau, the 3d Day of November, 1762. Published by Authority* (Londres, 1762).

que par sa supériorité navale. Pour accroître sa sécurité, elle doit s'appliquer à diminuer le plus possible la marge qui existe entre la masse de son peuplement et celle du peuplement français, tout en veillant à maintenir l'avance qu'elle a prise sur mer. Or le peuplement anglais ne se développera que dans la mesure où la nation organisera son économie de façon à fournir à un plus grand nombre les moyens de gagner leur vie. Ainsi, la valeur d'une activité économique ne doit pas se mesurer seulement en fonction des bénéfices qu'elle assure, mais encore en tenant compte du nombre de bras qu'elle emploie. Dans l'hypothèse où un groupe humain serait assez nombreux pour n'avoir rien à redouter de ses voisins, il pourrait à la rigueur se contenter d'un commerce intérieur suffisamment actif pour occuper tous ses membres. Un Etat qui, comme la Grande-Bretagne, a besoin d'une grande flotte pour se défendre éprouve un égal besoin de commerce extérieur pour l'entretenir. Ce trafic peut se pratiquer soit avec l'étranger, soit avec des colonies. [49] La seconde possibilité l'emporte de beaucoup sur la première, car la métropole et ses dépendances, « si divisées soient-elles par la distance, ne forment toujours qu'une seule et même nation, et l'océan qui s'interpose entre elles peut s'assimiler à un large cours d'eau séparant deux comtés ». [50]

Retenons cette idée que la métropole et les colonies forment bien un tout et que l'océan, loin d'apparaître comme un important facteur de division entre les éléments de l'empire, s'apparente plutôt à une ligne de démarcation entre des petites unités administratives d'un même pays. Elle naît d'un état d'esprit ouvert à l'évolution des réalités coloniales. On est tenté d'y reconnaître la conception impériale de l'avenir; c'est en réalité celle du présent, par opposition à la conception déjà dépassée par les événements qu'entretiennent ceux qui ne conçoivent les colonies que dans les cadres figés d'un mercantilisme retardataire. Comparée à cette vue large et compréhensive, combien elle se révèle bornée et arriérée, celle que Choiseul exprime en 1765 dans des instructions où il s'applique à définir le but de la colonisation pour en déduire trois conséquences pratiques : « La première est que ce serait se tromper que de considérer nos colonies comme des provinces de France séparées seulement par la mer du sol national. Elles diffèrent autant des provinces de France que le moyen diffère de la fin, elles ne sont absolument que des établissements de commerce. La seconde conséquence est que plus les colonies

---

[49] *Thoughts on Trade in General, Our West-Indian in Particular, Our Continental Colonies, Canada, Guadaloupe, and the Preliminary Articles of Peace. Addressed to the Community* (Londres, 1763), 4-7.
[50] *Ibid.,* 10.

diffèrent de leurs métropoles par leurs productions, plus elles sont parfaites. La troisième vérité qui suit de la destination des colonies est qu'elles doivent être tenues dans le plus grand état de richesse possible et sous la loi de la plus austère prohibition en faveur de la métropole. »[51] Ce résumé des convictions de l'homme d'Etat explique pourquoi il a livré le Canada. Et la grandeur de l'Angleterre tient à ce que, malgré les superstitions dont une partie de son opinion publique n'était pas exempte, elle a adopté, à ce moment, la ligne de conduite que lui traçaient ses esprits les plus audacieux; avec eux, elle a choisi d'aller de l'avant plutôt que de s'enchaîner à des positions solides, mais désuètes.

En France, par ailleurs, ces conceptions tronquées ne triomphent pas seulement à la Cour; elles prévalent aussi dans les milieux intellectuels. D'abord imbus de préjugés hostiles à la colonisation, ces derniers finissent par se rallier à l'oeuvre impériale, mais avec quelle étroitesse d'esprit ! Quelqu'un a fort justement souligné l'évolution qui s'accomplit entre « le Montesquieu des *Lettres Persanes* » (1721), selon qui « l'effet ordinaire des colonies est d'affaiblir les pays d'où l'on a tiré les colons sans peupler ceux où on les envoie » — et le « Montesquieu de *l'Esprit des Lois* » (1748), qui ne reconnaît aux colonies qu'une utilité, celle de mettre les métropoles à même « de faire le commerce à de meilleures conditions qu'on ne le fait avec les peuples voisins ».[52] Après sa lenteur à admettre le fait colonial, l'opinion éclairée manifeste son impuissance à y distinguer autre chose qu'une occasion de « commerce » à la fois très facile et très profitable. Aussi est-il révélateur de constater, même chez les doctrinaires de l'anticolonialisme, l'estime dans laquelle sont tenus les établissements productifs des Antilles. Les Indes Occidentales enrichissent les Etats qui y ont jeté des habitants et, avec l'opulence, elles leur apportent le bonheur. « Le bonheur, dit l'abbé Raynal, est en général le résultat des commodités et il doit être plus grand, à mesure qu'on peut les varier et les étendre. Les îles ont procuré cet avantage à leurs possesseurs. Ils ont tiré de ces régions fertiles des productions agréables dont la consommation a ajouté à leurs jouissances. » Il y a plus. Un tel bien-être, fruit de « commodités » accrues et d'un commerce plus intense, a ses répercussions sur le plan international : « Ces colonies ont élevé les nations qui les ont fondées à une supériorité d'influence dans le monde politique » ...[53] Les intellectuels les plus avan-

---

51 Cité par A. Duchêne, *La Politique coloniale de la France; le ministère des Colonies depuis Richelieu* (Paris, 1928), 101s.
52 Textes cités dans l'excellente introduction de Gabriel Esquer, éd., *L'Anticolonialisme au XVIIIe siècle : Histoire philosophique des établissements et du commerce des Européens dans les deux Indes par l'abbé Raynal* (Paris, 1951), 27s.
53 *Ibid.*, 265.

cés retardent sur ce point. A la différence des publicistes britanniques qui préfèrent le Canada à la Guadeloupe, ils ne comprennent pas qu'un peuple d'origine française sur le continent américain vaut beaucoup mieux pour la nation-mère que tout le sucre des Iles. Ils sont beaucoup moins clairvoyants et beaucoup moins réfléchis que ne l'avait été un politique comme La Galissonière; celui-ci avait vu, quinze ans avant le traité de Paris, que la valeur du Canada consistait en ce que ce pays produisait des hommes, « richesse bien plus estimable pour un grand Roy que le sucre et l'indigo, ou si l'on veut tout l'or des Indes ». [54] Choiseul pense comme eux : il ne signerait pas la paix sans recouvrer les plantations antillaises, mais il laisse tomber le peuplement canadien.

Revenons à notre Anglais. Que les colonies, poursuit-il, entrent dans le courant commercial qui porte la nation, rien n'est plus souhaitable, même lorsqu'elles se trouvent faire concurrence à la mère-patrie sur les marchés étrangers. Ce conflit d'intérêts particuliers ne nuit en rien à l'intérêt général. Sans doute, les négociants coloniaux contraignent-ils, dans de telles circonstances, les exportateurs métropolitains de se contenter de profits inférieurs, mais loin de gâter le marché, ils le rendent en réalité plus solide du fait qu'ils en excluent des étrangers capables de devenir des rivaux dangereux. De plus, les espèces que les marchands des colonies gagnent à ces opérations ne sont pas perdues pour la finance anglaise; elles entrent en circulation dans l'empire et aboutissent tôt ou tard dans le « giron » de la Grande-Bretagne. [55] Il n'y a pas plus de mal pour les colonies américaines à trafiquer avec les Antilles françaises qu'il n'y en a pour l'Angleterre à entretenir des relations d'affaires avec la France, et les avantages que les provinces d'Amérique se procurent par ce négoce les mettent à portée d'intensifier leurs échanges avec la métropole. [56]

On a souvent opposé les Antilles aux établissements de l'Amérique continentale. Ceux-ci sont infiniment plus profitables à la Grande-Bretagne que les Indes Occidentales, avec qui elle fait, après tout, un commerce nettement déficitaire. Ce déséquilibre finirait même par causer un tort considérable si la balance défavorable qui en résulte n'était redressée par les colonies continentales qui, elles, achètent de la mère-patrie beaucoup plus qu'elles ne lui vendent et travaillent à compenser cette différence par les profits qu'elles réalisent sur les marchés étrangers. Ceux qui s'émerveillent de voir les gros planteurs des Iles étaler leur faste à Londres et y dépenser des fortunes en éprouve-

---

[54] Cité dans *François Bigot, administrateur français*, 1 : 304.
[55] *Thoughts on Trade in General*, 13.
[56] *Ibid.*, 18.

raient moins d'enthousiasme s'ils réfléchissaient que cet argent qu'ils voient couler à flots, c'est, au fond, leur propre argent. Les Américains pourraient se permettre d'être aussi magnifiques si leurs exportations excédaient leurs importations. [57]

Loin de restreindre la croissance des collectivités nord-américaines, il faut la stimuler. Leur fonds ne saurait être meilleur. En premier lieu, elles se déploient sur une énorme surface qui s'étend du 31e au 46e parallèles. Ensuite, elles peuvent produire toutes les denrées européennes : le chanvre et le lin aussi bien que la Russie; les fruits, les huiles, les vins aussi bien que la France, l'Espagne, le Portugal, l'Italie et Madère; le coton vient en Georgie. Il ne s'agirait que de mettre à profit ces ressources multiples et, dans cette vue, d'encourager une productivité plus variée qu'on n'a fait jusqu'ici. Pourquoi ce mouvement ne se déclenche-t-il pas spontanément ? C'est qu'il suppose une transition qui ne peut s'effectuer sans malaises. Tel planteur qui fait du tabac pourrait également cultiver la vigne et les olives. S'il se cantonne dans une exploitation de moins en moins payante, sa persistance s'explique autrement que par la routine. Il est assuré de placer sa récolte en Angleterre, alors qu'il ne pourrait pas compter sur semblables débouchés pour son huile et son vin: il s'abstient donc d'en produire. C'est ici qu'on peut apprécier les heureux effets des primes que verse, pour stimuler les efforts tentés dans des directions nouvelles, la *Society for the Encouragement of Arts, Manufactures, and Commerce*. Ces récompenses stimulent l'originalité des colons en attendant que des marchés stables se constituent. Généralisée, une telle pratique permettra de mieux mettre en valeur le sol américain. [58] — Voilà des remarques qui soulignent le rôle que jouent des institutions métropolitaines dans la promotion d'une économie coloniale.

Enrichir l'Amérique, serait-ce là pure philanthropie ? Ne confondons pas cette brochure avec un sermon. Plus l'Amérique sera prospère, continue l'auteur, plus elle sera forte. Plus elle sera forte, plus décisif sera l'appui qu'elle se verra à même de donner au vieux pays. Au cours de la guerre qui s'achève, les colonies ne sont pas restées inactives. Elles ont collaboré à la réduction de Louisbourg et à celle de La Havane; surtout, elles ont participé à la conquête du Canada. Et voici que s'exprime une idée qui, reprise à la veille de la guerre de l'Indépendance, est destinée à se situer à l'origine de ce qu'un historien appelle « la tradition nationale de l'Amérique ». [59] Cette idée est la suivante :

57 *Ibid.*, 14, 19, 21. — Ce raisonnement est juste : voir Harold U. Faulkner, *American Economic History*, 79-84.
58 *Thoughts on Trade in General*, 22s.
59 Gipson, 6 : 3-19.

« Sans les *hommes* des colonies, qu'ils aient servi dans les régiments provinciaux ou dans les unités régulières, nous n'aurions pas pu faire dans cette guerre la bonne figure que nous y avons faite. » [60] Les provinces américaines, surtout celles du nord, abondent en hommes. « Il serait raisonnable de prévoir que, dans quinze ans, nous pourrions lever 20,000 combattants dans nos colonies continentales — surtout si elles n'ont pas d'adversaires à leurs portes — et, en cas de rupture avec la France, employer cette armée contre les établissements ennemis des Antilles. » [61] Dans quinze ans... L'auteur est mauvais prophète. Attention ! Bien qu'elle ne vaille pas pour le dix-huitième siècle, sa prédiction va se réaliser au vingtième, et sur une échelle énorme.

L'Amérique se révèle encore utile en ce qu'elle peut absorber le surplus de la population métropolitaine. N'allons pas voir de contradiction entre l'idée, déjà exprimée par l'auteur, que l'Angleterre doit augmenter ses effectifs pour résister à la pression d'une France plus peuplée qu'elle et l'inquiétude qu'il exprime maintenant au sujet de l'excédent du peuplement britannique. Cette époque en est une où les Européens se livrent à un examen scientifique des phénomènes démographiques, et les Anglais s'y adonnent encore plus que les autres. Ils vont prendre une avance marquée dans l'étude de ces questions. Et que vont révéler leurs recherches ? Que le volume du peuplement grossit trop vite par rapport aux moyens de subsistance qu'offre la terre. Notre auteur ne vas pas jusqu'au bout de ces considérations. Il limite ses observations à la Grande-Bretagne. Il constate que sa patrie a besoin de monde, mais qu'il lui en naît plus qu'elle n'en peut nourrir — plus qu'elle n'en peut faire vivre de leur travail. Il se réjouit de ce que ce surplus puisse prendre le chemin de l'Amérique du Nord plutôt que celui du continent européen, où il risquerait d'être d'un appoint considérable au peuplement français. Grâce à ses colonies, l'Angleterre peut disposer avec profit pour elle-même de l'excédent de sa natalité, puisque ces éléments vont au Nouveau Monde travailler à sa sécurité et à sa prospérité. Quelle aubaine, surtout au moment d'une démobilisation industrielle comme celle qui s'annonce toute prochaine — on est en 1763 —, alors que le retour à l'économie de paix enlèvera à des milliers d'hommes le gagne-pain que la guerre leur avait donné. [62]

Le meilleur moyen de mesurer l'importance de l'Amérique du Nord est de l'imaginer en possession des Français. Ce sont eux qui noueraient avec elle les fructueuses relations d'affaires que l'Angle-

---

[60] *Thoughts on Trade in General*, 24.
[61] *Ibid.*, 25.
[62] *Ibid.*, 35s.

terre entretient aujourd'hui avec ses établissements; eux encore qui, par son intermédiaire, domineraient la mer des Antilles. « Ils seraient en passe d'accéder à la monarchie universelle, et notre indépendance même s'en trouverait menacée. La conservation de nos colonies continentales, convenons-en, est, dans la conjoncture présente, un facteur essentiel du maintien de notre condition de peuple libre. » L'auteur n'est pas seul à entretenir ces vues. [63]

Il en découle que le gouvernement de George III a eu raison d'exiger la cession du Canada, colonie nécessaire à la tranquillité dont l'Amérique britannique a besoin. Certains croient que, « réduit à ses dimensions réelles », le Canada fût devenu inoffensif. Ils ont tort. Un tel découpage territorial eût, à la vérité, fait disparaître les empiétements dont les provinces ont souffert; il n'aurait pas éliminé les auteurs de ces violations de frontières, les Canadiens. Plus radical, le futur traité ne se borne pas à supprimer les effets. Il en efface aussi la cause. Les Canadiens cesseront d'être ce qu'ils étaient à compter du jour où ils seront transformés en sujets britanniques. [64] — Notons quelle définition rigoureuse la défaite canadienne trouve ici.

Devenus britanniques, il tombe sous le sens que les Canadiens contribueront par leur travail à la prospérité de l'empire dans lequel le sort des armes les aura introduits. Le commerce de leur pays a une valeur annuelle qui dépasse probablement £100,000. C'est encore, il est vrai, peu de choses. Il s'agit d'un « domaine » négligé et « susceptible d'un rendement amélioré », s'il bénéficie d'une administration attentive. Le Saint-Laurent et ses affluents forment un admirable réseau de communications intérieures (de fait, le fleuve sera le système nerveux du Canada britannique). Cependant l'économie de la nouvelle colonie ne sera viable qu'à condition de s'adapter à l'empire. C'est dire que de profondes transformations seront inévitables. Ainsi, les rapports cesseront tout à fait entre le port de Québec et les Antilles : plus avantageusement situées que le Canada et mieux outillées que lui pour faire fructifier de telles relations, les autres provinces continentales vont naturellement les accaparer. Les Canadiens devront donc « s'adonner à ces branches du commerce dans lesquelles les autres colonies ne leur porteront pas une concurrence insoutenable ». Il en reste plusieurs : les approvisionnements maritimes, le brai, le goudron, la térébenthine, le fer, le minerai de cuivre, le chanvre... Dans l'exploitation et la vente des produits de la forêt, du sous-sol et de l'agriculture industrielle, ils n'auront pas de rivaux à redouter. Autrefois, ils vendaient des vivres

[63] *Ibid.*, 37. Voir Th. Mante, 344s.
[64] *Thoughts on Trade in General*, 38, 43-45.

au Cap-Breton et aux Iles. Du fait qu'ils perdent ces débouchés, il ne leur restera que le marché intérieur, nécessairement médiocre : il en résultera qu'un secteur fort étroit de la population trouvera profit à produire des denrées alimentaires. « Ils n'auront pas le choix d'agir autrement. » [65] — En d'autres termes, la conquête ou, plus exactement, le passage de l'empire français à l'empire britannique s'accompagnera pour le Canada d'une véritable révolution économique. Défait, dépourvu de cadres, démuni de direction et privé de moyens, le résidu de la société canadienne n'est pas de taille à faire cette révolution. Il ne pourra que la subir. Et qu'advient-il de ceux qui subissent les révolutions ?

La paix qui s'annonce ouvre devant l'Angleterre une splendide perspective. La nation a joué une fameuse partie. Elle l'a gagnée. Elle aurait pu la perdre. Qu'elle remercie le Seigneur, s'écrie notre auteur, que son sort ne soit « ni celui qu'elle redoutait il y a quelques années, en 1757, ni celui qu'elle a mérité, ni celui de ses ennemis ». [66]

*

*   *

S'il était juste que l'Angleterre rendît grâce au Ciel de lui avoir épargné le destin de la France vaincue, combien n'eût-il pas été plus naturel encore que l'Amérique britannique se félicitât de ne pas éprouver celui du Canada défait. Car les vainqueurs, nous le savions déjà, se faisaient une idée très juste du cataclysme qui emportait l'ancienne colonie française. Les participants du grand débat que nous venons d'étudier ont compris la gravité du coup qui brisait cette collectivité lorsqu'ils se sont arrêtés à y réfléchir. Même ceux qui préconisaient la rétrocession du Canada à la France ne voulaient pas rendre autre chose qu'un pays amoindri, appauvri, aux horizons si rétrécis que la vie y aurait étouffé. Pour les autres, ceux dont l'idée triompha, il ne faisait aucun doute que la conquête, poussée à fond, ne provoquât, à plus ou moins brève échéance, la disparition des Canadiens en tant que groupe humain organisé. Prendre du territoire et en laisser — même en prendre beaucoup et en laisser peu —, c'était, déclare un écrivain politique, limiter les effets de la présence canadienne en Amérique; achever la conquête, c'était supprimer cette présence elle-même. Retenons ce raisonnement; il nous enseigne ce que fut la conquête et ce que l'on voulait qu'elle fût.

---

[65] *Ibid.*, 52-56.
[66] *Ibid.*, 85.

Le gouvernement français, le 28 décembre 1758, avait prévu ce qui arriverait aux Canadiens en cas de défaite : ils subiraient les lois du vainqueur. — Notons ici que lorsqu'elles intervinrent dans le débat, les Chambres de commerce françaises dont nous connaissons le sentiment ne parlèrent que de commerce, de pêche, de crédit et de navigation. Une seule, celle de Marseille, évoqua le sort des Canadiens qui tomberaient sous la domination anglaise. Elle fut aussi la seule que la Cour réprimanda. — Subir les lois du vainqueur, à quoi cela revenait-il? Dans le contexte du conflit, cela ne pouvait revenir qu'à ceci : laisser le champ libre aux Britanniques en Amérique du Nord; en un mot, et c'est toujours le même : disparaître. En prenant le Canada, le monde britannique ne pouvait pas, l'eût-il souhaité, s'empêcher de sacrifier l'intérêt de la collectivité canadienne à son propre intérêt, les deux étant inconciliables. S'il avait déchiré la robe sans couture de la Nouvelle-France, ce n'était pas pour en revêtir le Canada. Cela, les contemporains ne le mettaient pas en question, ainsi que le montrent les discussions que nous avons suivies.

Celles-ci montrent encore que l'Angleterre ne prit pas sans réflexion la décision de conserver le Canada. La nation ne pouvait pas ignorer ce qu'elle risquait en introduisant le Canada dans son empire. Si une seule voix s'était élevée pour la mettre en garde contre la violence du stimulant que cette conquête allait injecter dans les provinces américaines, on pourrait se contenter d'admirer l'inspiration du prophète et, comme à l'ordinaire, remarquer que ses prédictions se perdirent dans l'innombrable rumeur des considérations pratiques. Mais il s'est trouvé que de nombreux esprits ont prévu les suites de la désintégration du Canada et que ceux-ci furent précisément des esprits pratiques, calculateurs et formés au réalisme éprouvé de la tradition mercantiliste. Eliminer la collectivité canadienne, c'était préparer à l'Amérique britannique une place parmi les nations. C'était accélérer soit une transformation organique de l'empire, soit sa dislocation. L'Angleterre se l'est fait assez répéter pour l'apprendre. Elle est quand même allée de l'avant.

Pourquoi ne s'est-elle pas arrêtée? En partie, sans doute, parce qu'un élan trop puissant la poussait. Parce qu'elle se persuada que tout s'arrangerait. Parce qu'elle ne voulut pas reprendre l'expérience de 1713. Parce qu'elle estima qu'il était sage d'enlever à la France sa plus grande colonie de peuplement. Mais surtout, semble-t-il, parce qu'elle était entrée en guerre pour défendre son empire américain et que ses échecs répétés au cours de la première partie du conflit avaient mis en lumière la nécessité de réduire le Canada pour arriver à cette fin.

Et si, à prendre le Canada, elle risquait de rompre l'équilibre de l'empire en faveur des provinces d'outre-mer, à le laisser subsister, elle risquait de compromettre l'avenir de tout le monde britannique en permettant à un monde français de se développer à côté de lui. Même en accordant que le Canada, s'il était demeuré, ne fût jamais devenu assez fort pour extirper l'Amérique britannique, sa seule présence constituait une entrave à l'accomplissement de celle-ci. Le demi-siècle d'histoire consécutif au traité d'Utrecht avait démontré que l'Amérique du Nord ne pouvait pas être partagée par de réels étrangers.

Des Anglais se sont laissés fasciner par des perspectives de gains immédiats. Ce sont ceux qui préconisent l'acquisition d'une Guadeloupe aux richesses tout de suite monnayables de préférence à celle d'un Canada encore improductif. D'autres se sont laissés apeurer par une éventualité destinée à se réaliser bientôt. Ce sont ceux qui conseillèrent de limiter la croissance des colonies américaines et de laisser vivre à côté d'elles l'énergique concurrent canadien afin de les empêcher d'atteindre l'indépendance, terme logique de leur évolution trop rapide. L'Angleterre n'écouta ni les uns ni les autres. Elle misa plutôt sur un avenir à long terme. Politique d'intelligence et de grandeur qui ne devait pas rester sans récompense.

CONCLUSION

EN sortant de l'époque troublée que nous venons d'étudier, ce serait une erreur de croire qu'un chapitre se clôt et qu'il suffit de tourner la page pour que la suite reprenne. Il en va autrement. Au terme de la guerre de la Conquête, c'est un livre qui se ferme. L'histoire ne continue pas, elle recommence. Une évolution s'arrête. Sans doute repart-elle, mais pour épouser une telle courbe qu'elle constituera proprement une autre évolution. Ce retournement des choses n'est pas difficile à constater. Il s'accompagne de déclarations si explicites que l'on admire combien, tout en les retenant, on en a peu tenu compte. Ainsi, quinze ans après la capitulation de Montréal, le chef spirituel des Canadiens, Mgr Briand, écrit à un de ses administrés : « ... On dit de moi, comme on dit de vous, que je suis anglais... Je suis Anglais, en effet; vous devez l'être; ils [les Canadiens] le doivent être eux aussi, puisqu'ils en ont fait le serment, et que toutes les lois naturelles, divines et humaines le leur commandent. Mais ni moi, ni vous, ni eux ne doivent [sic] être de la religion anglaise. Voilà, les pauvres gens, ce qu'ils n'entendent pas; ils sont sous la domination anglaise, pour le civil » ... Trente ans après le traité de Paris, un chef politique de la province de Québec, Chartier de Lotbinière, trouve cet argument pour défendre le statut constitutionnel de la langue française : elle doit, raisonne-t-il, être « agréable » à George III, « puisqu'elle lui rappelle la gloire de son empire et qu'elle lui prouve d'une manière forte et puissante que les peuples de ce vaste continent sont attachés à leur prince, qu'ils lui sont fidèles, et qu'ils sont anglais par le coeur avant même d'en savoir prononcer un seul mot ». Ainsi s'expriment, parmi beaucoup d'autres, deux porte-paroles des Canadiens : l'un assimile ses

compatriotes à des Anglais catholiques; l'autre, à des Anglais franco-
phones.

Singulier réalisme, mêlé à une singulière illusion. Ces deux esprits
représentatifs ont compris qu'il s'est produit quelque chose d'infiniment grave chez les Canadiens. Ceux-ci ne sont plus les mêmes depuis
qu'ils sont passés sous une « domination » ou, autrement dit, sous un
« empire » anglais. Ils ont été transformés par la transfiguration du
pays dans lequel ils survivent. Ce changement, toutefois, les atteint
plus encore que leurs chefs ne croient. Deux ou trois coups de sonde
en révéleraient la profondeur. Peuple que le commerce avait formé,
qui avait vécu du négoce plus que de l'agriculture, qui avait trouvé à la
terre si peu de « charme » — le mot est de Talon — qu'il fallut, vers
1750, élaborer une législation rigoureuse pour enrayer l'exode rural,
voilà maintenant les Canadiens qui se replient sur le sol et qui, lorsqu'ils rentreront dans les villes, y reviendront comme des immigrants.
Après avoir vécu sous un gouvernement de type militaire, avoir fourni
des capitaines et des combattants à toute la Nouvelle-France et même
à la métropole et s'être fait une réputation de « belliqueux », on verra
ce groupe humain, et à plus d'une reprise, unanime sur un seul point,
lui toujours si divisé : le refus de porter les armes. Capable, durant un
siècle et demi, de donner naissance à de nombreuses équipes d'organi-
sateurs, à la fois explorateurs, diplomates, brasseurs de grandes affaires et soldats, aptes à mettre sur pied l'administration, l'exploitation et
la défense de territoires immenses autant que variés, la société canadienne montrera tout à coup un embarras extrêmement pénible à
pourvoir même à son organisation intérieure. En vérité, les Canadiens
ont changé.

Serait il vrai que « les lois naturelles, divines et humaines » ont
fait d'eux des Anglais ou qu'ils le sont devenus « par le cœur » ? Là
apparaît l'illusion. En fait, un monde anglais s'est refermé sur les
Canadiens, sans pourtant qu'ils se fondent en lui, car il s'est créé
contre eux et il se développe sans eux. Leurs générations se succèdent
désormais dans un empire, dans un continent et dans un Etat britanniques. Britanniques, les institutions politiques et les réalités économiques au milieu desquelles leur existence s'écoule. Fatalement
étrangères, les armatures sociales qui se forgent autour d'eux et au-
dessus d'eux. Et leur propre armature sociale ayant été tronquée en
même temps que secouée sur ses bases, ils ne forment plus qu'un
résidu humain, dépouillé de la direction et des moyens sans lesquels
ils ne sont pas à même de concevoir et de mettre en œuvre la politique et l'économie qu'il leur faut. Les consolations qu'ils cherchent

ne leur donnent pas ce qu'ils n'ont plus. Leur condition ne résulte pas d'un choix qu'ils auraient fait : ils n'ont guère eu de choix; elle est la conséquence directe de la conquête qui a disloqué leur société, supprimé leurs cadres et affaibli leur dynamisme interne, si bien qu'elle s'achève en eux.

Nous avons mis du temps à comprendre le véritable caractère du conflit qui entraîna, voici bientôt deux siècles, l'écroulement du Canada. Ce retard tient à deux causes principales. En premier lieu, nous nous sommes fait une image à la fois merveilleuse, édifiante et sommaire du régime français. C'était l'époque où la société canadienne avait un développement complet et, surtout, normal; nous nous sommes plu, la nostalgie, la vanité et la littérature aidant, à y voir un milieu historique créé par des hommes extraordinaires et dans des circonstances exceptionnelles. A nous entendre, cette société aurait été fondée à rendre grâces au Ciel de ce qu'elle n'était pas comme le reste des sociétés humaines, où l'esprit s'incarne dans la matière et où la qualité ne va pas toute seule, sans la quantité; nous nous la représentions volontiers toute spiritualiste et qualitative. Dans cette perspective, comment attacher de l'importance à l'effondrement, survenu dans les années 1760, des fondements matériels de la civilisation canadienne ? Des fondements matériels, elle s'en passerait ! En avait-elle jamais eus ? Le « miracle canadien » continuerait, comme toujours, à s'opérer régulièrement.

En second lieu, nous avons été lents à mesurer les répercussions de la défaite parce que, sans nous interdire de nous raconter les épisodes de la guerre qui l'amena, nous ne fûmes pas curieux d'en dégager les causes, de la replacer dans les cadres du conflit mondial où elle se déroula et, moins encore, de connaître les mobiles de ceux à qui le sort des armes donna la victoire. On eût dit qu'il nous suffisait de savoir qu'ils étaient méchants. Les historiens, il convient de l'avouer, ne nous aidaient guère. Canadiens ou français, ils dépouillaient les sources françaises; américains ou anglais, ils consultaient les collections britanniques; et les érudits chicanaient. Sans doute Parkman avait-il, admirable pionnier, réuni une documentation moins unilatérale que les autres; mais il s'en était servi, avec un talent inégalé, pour mettre de la couleur locale et brosser des tableaux tout en contrastes. Les historiens écrivaient donc du point de vue français ou du point de vue anglais. Pour nous, nous faisions comme s'il était possible de pénétrer le sens de la conquête sans nous enquérir des objectifs de ceux qui l'effectuèrent. Nous ne nous demandions pas s'ils avaient su ce qu'ils faisaient. Comme s'ils s'étaient battus pour rien, pour le plaisir. Ils avaient cependant vu plus clair dans notre avenir que nous dans leur pensée. Franklin a saisi mieux qu'aucun de nos docteurs les conséquences de l'effritement du Canada. Que dire aussi de cet Américain britannique qui donne les vaincus de 1760 pour un groupe humain « brisé en tant que peuple » ? Ce n'est pas un prophète; ce n'est qu'un homme assez intelligent pour noter correctement un fait d'observation.

Que l'on ne parle pas de pessimisme. Ce serait un signe trop manifeste d'inattention. Le sismographe qui enregistre un tremblement de terre est précis ou inexact; il ne viendrait à l'idée de personne de le dire optimiste ou pessimiste selon la violence de la secousse qu'il mesure. L'utilité d'une entreprise historique ne se juge ni aux émotions qu'elle donne ni aux soulagements qu'elle procure, mais à la valeur des éclaircissements qu'elle fournit. Puisque les enjolivements affadissent jusqu'aux fables, on devrait convenir qu'ils sont hors de saison dans les travaux scientifiques. Ceux qui abordent une œuvre d'histoire en vue d'y trouver des frissons de fierté montreraient autant de bon sens que de bon goût en allant chercher ailleurs les sensations qu'ils préfèrent. Au terme de cette étude, notre conclusion ne peut, en toute honnêteté, qu'être la suivante. Si, comme le dit un excellent méthodologiste anglais, l'histoire est une hypothèse permettant d'expliquer les situations actuelles par celles qui les ont précédées, un examen attentif de la façon systématique et décisive dont le peuple canadien fut « brisé » doit nous mettre à même de voir sous son vrai jour la crise, d'ailleurs évidente, de la société canadienne-française et de constater qu'il ne s'agit pas d'une crise de conjoncture, mais bien de structure, — de structure démolie et jamais convenablement relevée.

Il ne m'échappe pas que cette conclusion est troublante. J'avoue même que, si elle n'inquiétait pas, cela signifierait qu'elle n'est pas comprise. Ne serait-ce point, cependant, raisonner de façon fort singulière que de la juger mauvaise parce que dure et dangereuse parce que démontrée ? Ah ! si l'histoire n'était que jeu, que déploiement d'érudition sans rapport avec le présent ! Mais alors, il faudrait, sous un autre nom, trouver une discipline qui remplît le même office; il faudrait créer une science qui pût mesurer les pressions du passé sur le présent et en déterminer la nature; il faudrait inventer l'histoire. Et la pratiquer froidement. Marc Bloch rapporte le mot qui échappa, en juin 1940, à un officier français désemparé par la défaite : « Faut-il croire que l'histoire nous ait trompés ? » L'homme pouvait parler ainsi parce que la tradition historique du groupe dans lequel il se trouvait pris ne

l'avait pas préparé à l'éventualité de la catastrophe et que — considération plus pénible encore — elle ne l'avait pas mis à même, lui et la
société à laquelle il appartenait, de travailler avec efficacité à conjurer
le désastre. Ce qui l'avait trompé, ce n'était pas l'histoire, c'était la
tradition qui passait pour de l'histoire.

C'est justement une des fonctions de l'histoire — la principale, à
mon sens, — que de corriger systématiquement la tradition selon laquelle un groupe humain ordonne sa vie. A elle d'expliquer le présent
en montrant comment il s'est fait. Si elle refuse cette tâche, la société
laissera dériver son attention sur les faux problèmes parce que ce sont
les plus faciles ou, ce qui revient au même, elle cédera à la tentation
absurde de regarder les problèmes les plus graves comme de vieilles
questions depuis longtemps réglées. L'histoire, dit Lucien Febvre, « est
un moyen d'organiser le passé pour l'empêcher de trop peser sur les
épaules des hommes ». Les hommes ont besoin d'histoire parce que,
sans elle, le passé risquerait de les écraser. Mais il va de soi que, s'ils
ont un rigoureux besoin d'histoire, ils ont besoin d'une histoire rigoureusement vraie. Il faut d'abord ouvrir les yeux sur le réel, si inquiétant
soit-il, pour se mettre en état d'en écarter les périls.

SOURCES

I. — MANUSCRITS

NOTE. — Toute la documentation mentionnée dans cette section se trouve à la division des manuscrits de la Bibliothèque du Congrès, à Washington (D. C.), et aux Archives publiques du Canada, à Ottawa (Ontario), à la réserve de deux collections indiquées plus bas («Dépôts divers»), que nous avons consultées dans des institutions privées.

A. *Archives des Colonies* [AC]

Série B. — Dépêches expédiées par le ministère de la Marine aux fonctionnaires des ports de France et des colonies. Nous en avons dépouillé les volumes suivants : 101, 102, 103, 104, 105, 106, 107, 108, 109, 110, 111, 112, 113, 115, 117, qui correspondent aux années 1755-1763. Copies aux Archives publiques du Canada; pagination originale.

Série C 11A. — *Correspondance générale, Canada*. Les registres 100, 101, 102, 103, 104 et 105 contiennent les lettres envoyées au ministère de la Marine par les fonctionnaires militaires, civils et religieux du Canada entre 1755 et 1763. Quelques pièces du carton 105 furent écrites entre 1765 et 1769. Plusieurs documents importants ont été soustraits de cette série; ils prennent place maintenant dans la Collection Moreau de Saint-Méry (voir plus bas). Le vol. 104 comprend néanmoins trois documents d'un intérêt fondamental : « Extrait d'un Journal tenu a L'armée que Commandoit feu mr de Montcalm Lieutenant General » (folios 213-

259v); « Journal Des faits arrivés à l'armée De quebec Capital dans l'amerique Septentrional pendant la Campagne de l'année 1759. par M. de foligné » (265-294v); « Jugement Impartial Sur les operations Militaires De la campagne en Canada 1759 » (301-304v). Photostats à la Bibliothèque du Congrès.

Série C 11B. — *Correspondance générale, île Royale.* Cette série est à l'histoire du Cap-Breton ce que la précédente est à l'histoire du Canada. Nous en avons consulté les volumes 35 à 38, qui correspondent aux années 1755-1758.

Série C 11E. — Le registre 10 (1689-1764) porte sur les « rivalités des colonies anglaises et des colonies françaises ». Il contient le journal de la mission de Washington sur l'Ohio en 1753, un récit de la prise du fort Bull et plusieurs autres pièces intéressantes.

Série D 2. — Le registre 2, intitulé « Officiers civils et militaires. Registre des Formules. 1731-1761 », contient des pièces officielles sur Vaudreuil, Montcalm, Rigaud, Dumas, Le Mercier, Jacau, Vergor, Pontleroy, Lotbinière, etc. Le registre 4, « Officiers militaires. Colonies. 1747-1763 », renferme les états de services de Vaudreuil, de Rigaud et de Du Quesne.

Collection F 3. — *Collection Moreau de Saint-Méry.* Rassemblée par les soins de Médéric-Louis-Elie Moreau de Saint-Méry (1750-1819), cette collection comprend une masse de documents, dont un grand nombre relatifs à l'histoire du Canada. Beaucoup de ces pièces sont des copies dont les originaux se retrouvent dans les séries B et C 11A; beaucoup aussi, et singulièrement pour l'époque étudiée dans le présent ouvrage, ont été détachées des séries auxquelles elles devraient appartenir. Nous avons consulté les registres 13 (1741-1749), 14 (1750-1756), 15 (1757-1759) et 16 (1760-1791) ainsi que les « Suppléments » aux registres 14 et 15. Copies à Ottawa; pagination originale.

B.   *Ministère des Affaires Etrangères* [AE]

Mémoires et documents, Amérique. — Bien qu'elle intéresse essentiellement l'aspect diplomatique de la guerre de la Conquête, cette série renferme un bon nombre de documents qui se rapportent aux hostilités elles-mêmes, à la politique coloniale de la France et de l'Angleterre ainsi qu'à la situation de la Nouvelle-France et de l'Amérique britannique. Le registre 9 comporte plusieurs pièces relatives aux revendications de la France et de l'Angleterre dans la région acadienne (1749-1752). Plus important pour notre étude, le vol. 10 (1753-1771) fournit des renseignements copieux sur la politique franco-canadienne dans la vallée de l'Ohio, sur la guerre maritime, sur les événements qui se déroulent en Nouvelle-Ecosse, de même que sur les projets et les campagnes militaires entre 1754 et 1760. Le vol. 11 (1713-1771) inclut un tableau des « Dépenses faites en Canada depuis 1750. jusques et compris l'année 1760 ». Dans le vol. 21, apparaît un projet de « transmigration » d'éléments canadiens en Louisiane. Des mémoires de La Galissonière sur les colonies françaises de l'Amérique du Nord sont conservés dans le registre 24 (1497-1759).

Correspondance politique, Angleterre. — Les registres 101 et 438, en particulier, contiennent des documents qui se rapportent aux questions abordées dans la présente étude.

C. *Ministère de la Guerre* [AG]

Archives anciennes. — Le dépouillement des archives historiques du ministère de la Guerre est indispensable à qui veut suivre les événements militaires et politiques qui prennent place en Nouvelle-France entre 1755 et 1760. On y trouve les dépêches et les ordres que les bureaux de la Guerre expédièrent aux « troupes de terre » en service au Canada de même que les lettres et les rapports que les commandants de l'infanterie française écrivirent à l'intention de leurs chefs métropolitains. Alors que la série AC, C 11A exprime, en gros, le point de vue canadien sur la politique militaire de la colonie, les Archives de la guerre représentent le point de vue français sur le même sujet. Nous avons utilisé les registres suivants : 3404 (1755), 3405 (1755), 3417 (1756), 3457 (1757), 3498 (1758), 3499 (1758), 3540 (1759), 3574 (1760). Nous aurions aimé voir le vol. 3628 qui renferme, selon J.-E. Roy, des mémoires sur la marine et sur les colonies et, en particulier, une pièce sur le gouvernement des colonies « avec annotations en marge par le duc de Choiseul »; les Archives publiques du Canada n'ayant pas fait copier ce registre, il nous a été impossible de le consulter.

D. *Archives de la Marine* [AM]

Série B 2. — Beaucoup de documents concernant les armements et les troupes à destination de l'Amérique. Les registres à consulter sont : 349, 350, 352, 353, 356, 358, 359, 362; ils correspondent aux années 1755-1760. Il est regrettable que les Archives publiques du

Canada n'en aient fait copier à peu près rien. Heureusement, les pièces accessibles aux travailleurs dans la série suivante comblent partiellement cette lacune.

Série B 4. — Cette série contient les documents relatifs aux campagnes maritimes; les éléments les plus intéressants en sont les lettres, les rapports et les journaux des officiers affectés à ces expéditions. Nous avons pu utiliser les registres suivants : 67, 68, 73, 76, 80, 91, 95, 96, 98, essentiels dès qu'on s'attache à suivre les mouvements des escadres françaises entre 1754 et 1760; on y trouve aussi des renseignements d'une valeur capitale sur la stratégie navale de la France à cette époque.

Série C 7. — Dossiers d'officiers attachés à la marine ou au service des colonies. Chaque carton comporte un *curriculum vitae* auquel sont jointes, le plus souvent, des pièces qui ont trait aux faits saillants de la carrière du personnage. Il faut déplorer que les Archives publiques du Canada n'aient pas fait copier un plus grand nombre de ces dossiers. Nous avons relevé des indications utiles dans les cartons 89 (Drucourt), 161 (La Jonquière de Taffanel) et 216 (Montcalm).

Série G. — Il serait commode de pouvoir consulter le registre 38, qui inclut un « état alphabétique pour servir à la liste générale des officiers de la Marine, 1755 », selon J.-E. Roy, *Rapport sur les archives de France relatives à l'histoire du Canada* (Ottawa, 1911), 246. Ce registre n'est pas à Ottawa.

E. *Archives Nationales* [AN]

Série K. — *Monuments historiques*. Le carton 1232 contient, au no 50, une liasse (102 pages de copies) intitulée « Lettres interressantes de M. le M^{ls} de Vaudreuil au Ministre Pendant le Cours de 1759 ». Utile pour l'étude détaillée des rapports qu'entretinrent Vaudreuil et Montcalm, ce groupe de dépêches fut rassemblé en 1762 par la commission du Châtelet nommée pour instruire l'Affaire du Canada.

F. *Archives publiques du Canada* [APC]

Série A. — *Nova Scotia Correspondence 1603-1840*. Cette collection contient des documents originairement marqués des cotes A&WI (America and West Indies), BTNS (Board of Trade, Nova Scotia), Col. Corr. N. S. (Colonial Correspondence, Nova Scotia), etc. Nous avons conservé les indications primitives dans nos renvois. Les registres qui intéressent directement les questions abordées dans notre étude portent les numéros 55, 56, 57, 58, 59, 60, 61, 62, 63, 64, 65, 67, 68. Ils couvrent la période 1754-1762 et correspondent à A&WI, vol. 597; BTNS, vol. 15, 16, 17, 18, 36; Col. Corr. N. S., vol. 1.

Amherst Papers. — Cette intéressante collection rassemble les dépêches écrites et reçues par le général Jeffrey Amherst avec beaucoup d'autres documents conservés par cet officier supérieur. Nous avons dépouillé les liasses 8, 10, 11, 12, 13, 15, 17, 19, 22, 24, 25, 26, 27, 28. La liasse 15 comporte quelques lettres très curieuses que Murray écrivit à Townshend et à Amherst au sujet de James Wolfe, dont il jugeait la réputation surfaite.

Lettres de Bourlamaque. — Envoyé au Canada avec les « troupes de terre » en 1756, François-Charles de Bourlamaque occupa dans leur état-major le troisième rang, après Montcalm et Lévis, puis commanda en second sous Lévis. Les lettres qu'il reçut et les mémoires qu'il rédigea forment cette collection de documents originaux. Ceux-ci comptent un peu plus de 900 pages et composent six registres. Un excellent inventaire analytico-descriptif s'en trouve dans le *Rapport des Archives publiques pour l'année 1923* (Ottawa, 1926), appendice C.

G. *Bibliothèque Nationale* [BN]

Mss. fr. — *Fonds français.* Il y a beaucoup à glaner dans cette grande collection. Les registres 10764, 11248, 11340 et surtout 11342 renferment des lettres, des relations et des mémoires qui fournissent des indications utiles sur la Nouvelle-France, la marine et les finances coloniales à l'époque de la guerre de la Conquête.

H. *Public Record Office* [PRO]

Série CO 5. — *Colonial Office, America and West Indies.* Les registres 16, 17 et 18 renferment des dépêches des gouverneurs des colonies britanniques au secrétaire d'Etat (1755-1760); l'intérêt de ces documents s'accroît du fait qu'ils sont souvent accompagnés de pièces justificatives. Il convient d'en dire autant des vol. 46 à 59, qui contiennent les lettres des commandants en chef — Braddock, Shirley, Loudoun, Abercromby et Amherst — et des autres officiers supérieurs attachés aux unités militaires et navales servant en Amérique; avec ces pièces, se trouvent des éléments importants de la correspondance échangée entre leurs auteurs et les administrateurs provinciaux, des lettres interceptées, des missives reçues du

Canada et d'Europe, des messages en provenance des assemblées législatives et d'autres corps publics. Série essentielle. La pagination est celle des copies conservées à la Bibliothèque du Congrès.

I. *Dépôts divers*

Massachusetts Historical Society (Boston, Mass.). — Beaucoup de manuscrits conservés dans les archives de cette institution datent de la période étudiée dans le présent ouvrage. La collection la plus utile a été celle des « Israel Williams Papers », deux forts registres de documents originaux (1728-1780).

Université de Montréal. — La collection Baby se trouve à la bibliothèque de cette institution. Il s'agit de documents originaux classés en partie selon leur nature et en partie dans des dossiers portant le nom des familles qu'intéressaient les pièces conservées. Un inventaire analytico-descriptif en faciliterait la consultation.

II. — PÉRIODIQUES : 1754-1763

Il importe de compléter les sources manuscrites par des périodiques de l'époque. En plus de reproduire des « relations » officielles et des rapports rédigés par les commandants de diverses expéditions, ces journaux et revues publient des nouvelles qui leur viennent de toutes les parties du monde, des dépêches de leurs correspondants, des extraits tirés d'autres périodiques et des commentaires sur la politique et sur la guerre. Un dépouillement des journaux britanniques d'Amérique est essentiel non seulement pour suivre les mouvements de l'opinion américaine, mais aussi pour se mettre au courant des idées qui s'expriment dans la presse d'Angleterre, car les hebdomadaires coloniaux citent et discutent les périodiques européens dès que ceux-ci parlent du Nouveau Monde; en outre, ils rapportent une foule d'incidents auxquels les documents d'archives ne font souvent que des allusions rapides, lorsqu'ils ne les passent pas sous silence. Sans doute, y trouve-t-on beaucoup de propagande, mais cette propagande même est significative. Nous avons consulté les journaux suivants à la Bibliothèque du Congrès, à la bibliothèque publique de New-York et à celle de Boston, dont les collections se complètent :

The Boston Gazette or Country Journal
The Boston Weekly News-Letter
The Maryland Gazette
The New-York Gazette or Weekly Post-Boy
The New-York Mercury

The Pennsylvania Gazette
The Pennsylvania Journal and Weekly Advertiser
The Virginia Gazette
Outre ces feuilles coloniales, nous avons dépouillé quatre périodiques européens dont la Bibliothèque du Congrès conserve les collections :
Gazette de France
Mercure de France
Mercure historique et politique de La Haye
London Magazine or Gentleman's Monthly Intelligencer

III. — BROCHURES

Aux périodiques, il faut ajouter des chroniques, des observations, des brochures de propagande et des pamphlets écrits à propos de la guerre de la Conquête. Comme une bonne partie de ces ouvrages sont anonymes, il est préférable de disposer par ordre chronologique ceux que nous avons vus :

A Scheme to Drive the French Out of All the Continent of America. [Londres], 1754.

The Conduct of the French With Regard to Nova Scotia, Virginia and other Parts of the Continent of North America. From its First Settlement to the present Time... In a Letter to a Member of Parliament. Londres et Dublin, 1754.

Lettres d'un François à un Hollandois, au sujet des Differends survenus entre la France & la Grande-Bretagne Touchant leurs Possessions respectives dans l'Amérique Septentrionale. [s. l.], 1755.

A Miscellaneous Essay Concerning the Courses pursued by Great Britain In the Affairs of her Colonies : with some Observations on the Great Importance of our Settlements in America, and The Trade thereof. Londres, 1755.

State of the British and French Colonies in North America, With Respect to Number of People, Forces, Forts, Indians, Trade and other Advantages. Londres, 1755.

The Wisdom and Policy of the French in the Construction of their Great Offices, So as best to answer the Purposes of extending their Trade and Commerce, and enlarging their Foreign Settlements. Londres, 1755.

Barton, Thomas. *Unanimity and Public Spirit. A Sermon Preached at Carlisle, And some other Episcopal Churches in the Counties of* YORK *and* CUMBERLAND, *soon after General* BRADDOCK's *Defeat.* Philadelphie, 1755.

Burr, Aaron. *A Discourse Delivered At New-Ark, in New-Jersey, January 1, 1755. Being a Day set apart for solemn Fasting and Prayer, on account of the late encroachments of the French, and their Designs against the British Colonies in America.* New-York, 1755.

Checkley, Samuel. *The Duty of God's People when engaged in War. A Sermon Preached at the North-Church of Christ in Boston, Sept. 21. To Captain Thomas Stoddard, and his Company; On Occasion of their going against the Enemy.* Boston, 1755.

Dwight, Nathaniel. *The Journal of Captain Nathaniel Dwight of Belchertown, Mass., during the Crown Point Expedition, 1755.* New-York, 1902.

Malartic, Anne de Maurès de. *Journal des campagnes au Canada de 1755 à 1760.* Publié par G. Gaffarel, Dijon, 1890.

The Importance of God's Presence with an Army going against the Enemy and the Grounds on which it may be expected. Boston, 1756.

Observations sur le Mémoire de la France... Envoyées dans les cours de l'Europe, par le ministère Britannique, pour justifier la réponse faite à la réquisition de S. M. T. C. du 21 décembre 1755. Paris, 1756. Photostat à la bibliothèque de l'Université Harvard.

Remarks on the French Memorials concerning the Limits of Acadia, Printed at the Royal Printing-house at Paris, and distributed by the French Ministers at all the Foreign Courts of Europe. Londres, 1756.

« A Review of Military Operations in North America, from the Commencement of the French hostilities on the frontiers of Virginia in 1753, to the Surrender of Oswego, on the 14th of August, 1756; in a Letter to a Nobleman. » *Collections* of the Massachusetts Historical Society, série 1, vol. 7 (1846) : 67-163.

[Smith, William.] *Etat présent de la Pensilvanie, où l'on trouve le détail de ce qui s'y est passé depuis la défaite du Général Braddock jusqu'à la prise d'Oswego, avec une Carte particuliére de cette Colonie.* [s. l., 1756].

Proposals for Uniting the English Colonies on the Continent of America so as to enable them to act with Force and Vigour against their Enemies. Londres, 1757.

Hays, I. M. *A journal Kept during the Siege of Fort William Henry, August, 1757* (Reprinted from the *Proceedings* of the American Philosophical Society, vol. 37 (no 167) : 143-150).

Bass, Benjamin. « A Journal of the Expedition against Fort Frontenac in 1758 ». *New York History*, 16 (1935) : 449-452.

[Loudoun, John Campbell, Earl of.] *The Conduct of a Noble Commander in America Impartially Reviewed with The genuine Causes of the Discontents at New York and Hallifax and The True Occasion of the Delays in that Important Expedition including A regular Account of all the Proceedings and Incidents in the Order of Time wherein they happened*. Londres, 1758.

Mayhew, Jonathan. *Two Discourses Delivered November 23d. 1758. Being the Day appointed by Authority to be Observed as a Day of public Thanksgiving : Relating, more Especially, to the Success of His Majesty's Arms, And those of the King of Prussia, the last Year*. Boston, [1758].

Rea, Caleb. *The Journal of Dr. Caleb Rea, written during the Expedition against Ticonderoga in 1758*. F.M. Ray, éd. Salem (Mass.), 1881.

Y[oung], A. *The Theatre of the Present War in America : with Candid Reflections on the great Importance of the War in that Part of the World*. Londres, 1758.

Cooper, Samuel. *A Sermon Preached before His Excellency Thomas Pownall, Esq., Captain-General and Governor in Chief, The Honourable His Majesty's Council and House of Representatives Of the Province of the Massachusetts-Bay in New-England, October 16th, 1759. Upon Occasion of the Success of His Majesty's Arms in the Reduction of Quebec*. Boston, [1759].

An Authentic Register of the British Successes; being a Collection of all the Extraordinary And somme of the Ordinary Gazettes from the Taking of Louisbourgh, July 26, 1758, by the Honourable Admiral Boscawen and Gen. Amhurst, to the Defeat of the French Fleet under M. Conflans, Nov. 21, 1759, By Sir Edward Hawke. To which is added, A Particular Account of M. Thurot's Defeat, By Captain John Elliott. Londres, 1760.

A Refutation of the Letter to an Honble *Brigadier-General, Commander of His Majesty's Forces in Canada.* Londres, 1760.

Eloge historique de Monsieur le Marquis de Montcalm. Extrait du *Mercure de France* de 1760. Québec, 1855.

A Letter Addressed to Two Great Men, on the Prospect of Peace; And on the Terms necessary to be insisted upon in the Negociation. Londres, 1760.

An Answer to the Letter to two great Men. Containing remarks and observations on that piece, and vindicating the character of a Noble Lord from Inactivity. Londres, 1760.

A Letter to the People of England, on the Necessity of putting an Immediate End to the War; and the Means of obtaining an Advantageous Peace. Londres, 1760.

Remarks on the Letter Addressed to Two Great Men. In a Letter to the Author of that Piece. Londres, 1760.

Adams, William. *A Discourse Delivered at New-London, October 23d. A.D. 1760. On the Thanksgiving (Ordered by Authority) For the Success of the British Arms in the Reduction of MONTREAL, and the Conquest of all CANADA.* [s. l.], 1761.

Appleton, Nathaniel. *A Sermon Preached October 9. Being A Day of public Thanksgiving, Occasioned by the Surrender of Montreal, and All Canada, September 8th 1760. To His Britannic Majesty. Effected by the British and Provincial Troops under the Command of General Amherst.* Boston, 1760.

Foxcroft, Thomas. *Grateful Reflexions on the signal Appearances of Divine Providence for Great Britain and its Colonies in America, which diffuse a general Joy. A Sermon Preached in the Old Church in Boston, October 9. 1760.* Boston, 1760.

[Franklin, Benjamin]. *The Interest of Great Britain considered With Regard to her Colonies, And the Acquisitions of Canada and Guadaloupe. To which are Added, Observations concerning the Increase of Mankind, Peopling of Countries, &c.* Londres, 1760.

A Candid Answer, To a Pamphlet called Reasons for Keeping Guadaloupe at a Peace, preferable to Canada, explained in Five Letters from a Gentleman in Guadaloupe, to his Friend in London. In a Letter to the Author. Londres, 1761.

The Importance of Canada Considered in Two Letters to a Noble Lord. Londres, 1761.

A Letter to a Great M - - - - - - r, on the Prospect of Peace; Wherein the Demolition of the Fortifications of Louisbourg Is shewn to be absurd; The Importance of Canada fully refuted; . . . Containing REMARKS on some preceding Pamphlets that have treated the Subject, and a succinct View of the Whole Terms that ought to be insisted on from France at a Future Negociation. By an unprejudiced Observer. Londres, 1761.

Lettre au comte de Bute, A l'occasion de la retraite de M. Pitt, & sur ce qui peut en résulter par rapport à la Paix. Traduction de l'Anglois sur la troisiéme Édition. Londres, 1761.

Mémoire historique Sur la négociation de la France & de l'Angleterre, depuis le 26 Mars 1761 jusqu'au 20 Septembre de la même année, avec les Pièces justificatives. Paris, 1761. L'exemplaire conservé aux APC comporte la copie de notes manuscrites du duc de « Brunsvic ».

Reasons for Keeping Guadaloupe at a Peace, Preferable to CANADA, explained in five Letters, from a Gentleman in Guadaloupe to his Friend in London. Londres, 1761.

Remarks Upon the Historical Memorial published by the Court of France, in a Letter to the Earl Temple. By a Member of Parliament. Londres, 1761.

Sentiments Relating to the Late Negociation. Londres, 1761.

McCulloh, Henry. *Miscellaneous Representations relative to Our Concerns in America.* 1761. William A. Shaw, éd. Londres, [1905]. — Aussi : William K. Boyd, éd., « Henry McCulloh's 'Miscellaneous Representations Relative to Our Concerns in America' 1761. » *The North Carolina Historical Review*, 2 (1925) : 475-488.

Rutherford, John. « The Importance of the Colonies to Great Britain, Etc., 1761. » *The North Carolina Historical Review*, 2 (1925) : 351-376.

Coloniae Anglicanae Illustratae : or the Acquest of Dominion, and the Plantation of Colonies Made by the English in America, With Rights of the Colonists, Examined, stated, and illustrated. Londres, 1762.

The Comparative Importance of our acquisitions from France in America. With remarks on a pamphlet entitled An Examination of the Commercial Principles of the Late Negociations in 1761. Londres, 1762.

An Enquiry into the Merits of the Supposed Preliminaries of Peace, signed on the 3rd. inst. Londres, 1762.

An Examination of the Commercial Principles of the Late Negociation between Great Britain and France in MDCCLXI. In which the System of that Negociation with Regard to our Colonies and Commerce is considered. Londres, 1762.

Preliminary Articles of Peace, Between His Britannick Majesty, the Most Christian King, and the Catholick King. Signed at Fontaine-bleau, the 3d Day of November, 1762. Published by Authority. Londres, 1762.

Bourlamaque, François-Charles de. « Un Mémoire sur le Canada. » *Bulletin des recherches historiques,* 25 (1919) : 257-276, 289-305; 26 (1920) : 193-209, 225-240.

Thoughts on Trade in GENERAL, Our West-Indian in Particular, Our Continental Colonies, Canada, Guadaloupe, and the Preliminary Articles of Peace. Addressed to the Community. Londres, 1763.

Entick, John. *The General History of the Late War : Containing it's Rise, Progress, and Event, in Europe, Asia, Africa, and America.* 5 vol., Londres, 1763-1764.

Thoughts on a Question of Importance proposed to the Public, Whether it is probable that the Immense Extent of Territory acquired by this Nation at the late Peace, will operate towards the PROSPERITY OR THE RUIN OF THE ISLAND OF GREAT BRITAIN ? Londres, 1765.

An Impartial History of the Late Glorious War, from it's Commencement to it's Conclusion; Containing an Exact Account of the Battles and Sea Engagements, Together with Other Remarkable Transactions, in Europe, Asia, Africa, and America. Londres, 1769.

Mante, Thomas. *The History of the Late War in America, and the Islands of the West Indies, including the Campaigns of MDCCLXIII and MDCCLXIV Against His Majesty's Indian Enemies.* Londres, 1772.

Pouchot, Pierre. *Mémoires sur la dernière guerre de l'Amérique septentrionale, entre la France et l'Angleterre. Suivis d'Observations, dont plusieurs sont relatives au théâtre actuel de la guerre, & de nouveaux détails sur les mœurs & les usages des Sauvages, avec des cartes topographiques.* 3 vol., Yverdon, 1781.

IV. — RECUEILS DE DOCUMENTS

Akins, Thomas B., éd. *Selections from the Public Documents of the Province of Nova Scotia.* Halifax, 1869.

Bates, Albert C., éd. *The Fitch Papers; Correspondence and Documents During Thomas Fitch's Governorship of the Colony of Connecticut, 1754-1766.* Hartford (Connecticut), 1918. Vol. 17 des *Collections* de la Connecticut Historical Society.

Beatson, Robert, éd. *Naval and Military Memoirs of Great Britain, from 1727 to 1783.* 6 vol., Londres, 1804.

Brock, R. A., éd. *The Official Records of Robert Dinwiddie, Lieutenant-Governor of Virginia, 1751-1758.* 2 vol., Richmond, 1883-1884. Vol. 3 et 4 des *Collections* (nouvelle série) de la Virginia Historical Society.

Browne, William Hand, éd. *Correspondence of Governor Horatio Sharpe.* 3 vol., Baltimore, 1888-1911. Vol. 6, 9 et 11 des *Maryland Archives.*

Casgrain, Henri-Raymond, éd. *Collection des manuscrits du maréchal de Lévis.* 12 vol., Montréal et Québec, 1889-1895.

1. *Journal des campagnes du chevalier de Lévis en Canada de 1756 à 1760.* Montréal, 1889.
2. *Lettres du chevalier de Lévis concernant la guerre du Canada (1756-1760).* Montréal, 1889.
3. *Lettres de la cour de Versailles au baron de Dieskau, au marquis de Montcalm et au chevalier de Lévis.* Québec, 1890.
4. *Lettres et pièces militaires, instructions, ordres, mémoires, plans de campagne et de défense 1756-1760.* Québec, 1891.
5. *Lettres de Bourlamaque au chevalier de Lévis.* Québec, 1891.
6. *Lettres du marquis de Montcalm au chevalier de Lévis.* Québec, 1894.
7. *Journal du marquis de Montcalm durant ses campagnes au Canada de 1756 à 1760.* Québec, 1895.

8. *Lettres du marquis de Vaudreuil au chevalier de Lévis.* Québec, 1895.

9. *Lettres de l'intendant Bigot au chevalier de Lévis.* Québec, 1895.

10. *Lettres de divers particuliers au chevalier de Lévis.* Québec, 1895.

11. *Relations et journaux de différentes expéditions faites durant les années 1755-56-57-58-59-60.* Québec, 1895.

12. *Table analytique de la collection des manuscrits du maréchal de Lévis.* Québec, 1895.

Casgrain, Henri-Raymond, éd. *Extraits des archives des ministères de la Marine et de la Guerre à Paris. Canada, Correspondance générale : MM. Duquesne et Vaudreuil gouverneurs-généraux. 1755-1760.* Vol. 1, Québec, 1890. Seul, ce 1er tome a été publié; il contient les textes conservés dans le registre 100 de la série AC, C 11A.

[Cimon, Adèle]. *Les Ursulines de Québec depuis leur établissement jusqu'à nos jours.* 4 vol., Québec, 1863-1866. Important à cause des nombreuses citations du « vieux récit » des Ursulines.

Collection de manuscrits contenant lettres, mémoires et autres documents historiques relatifs à l'histoire de la Nouvelle-France, recueillis aux archives de la province de Québec ou copiés à l'étranger. 4 vol., Québec, 1883-1885.

[Courville]. *Mémoires sur le Canada, depuis 1749 jusqu'à 1760. En trois parties; avec cartes et plans lithographiés.* Québec, 1873. Sur ces textes, lire A. Fauteux, « Le S... de C... enfin démasqué, » *Les Cahiers des Dix* (Montréal, 1940), 231-292.

Doughty, Arthur G., éd. *An Historical Journal of the Campaigns in North America for the Years 1757, 1758, 1759, and 1760, by Captain John Knox.* 3 vol., Toronto, 1914-1916.

Doughty, Arthur G. et Parmelee, G. W., éd. *The Siege of Quebec and the Battle of the Plains of Abraham.* 6 vol., Québec, 1901.

Dussieux, L. *Le Canada sous la domination française d'après les archives de la Marine et de la Guerre.* Paris, 1883. Pièces justificatives, p. 197-345.

Esquer, Gabriel, éd. *L'Anticolonialisme au XVIIIe siècle : Histoire philosophique et politique des établissements et du commerce des Européens dans les deux Indes,* par l'abbé Raynal. Paris, 1951.

Fitzpatrick, John C., éd. *The Writings of George Washington from the Original Manuscript Sources*. 39 vol., Washington (D.C.), 1931-1944. Vol. 1 et 2.

Franquet, Louis. *Voyages et mémoires sur le Canada*. Québec, 1889.

Frégault, Brunet et Trudel, éd. *Histoire du Canada par les textes*. Montréal, 1952.

Gabriel, abbé. *Le Maréchal de camp Desandrouins 1729-1792. Guerre du Canada 1756-1760. Guerre de l'Indépendance américaine 1780-1782*. Verdun, 1887. Nombreuses citations des écrits de Desandrouins (Jean-Nicolas), inaccessibles ailleurs.

Gipson, Lawrence Henry, éd. *Lewis Evans To which Is Added Evans' A Brief Account of Pennsylvania Together with Facsimiles of His Geographical, Historical, Political, Philosophical, and Mechanical Essays, Number I and II*. Philadelphie, 1939.

Grenier, Fernand, éd. *Papiers Contrecoeur et autres documents concernant le conflit anglo-français sur l'Ohio de 1745 à 1756*. Québec, 1952.

Hoyt, Albert H. *Pepperrell Papers, with Sketches of Lieut.-Gen. the Honorable James St. Clair and Admiral Sir Charles Knowles, Bart*. Boston, 1874.

Kimball, Gertrude S., éd. *Correspondence of William Pitt When Secretary of State with Colonial Governors and Military and Naval Commanders in America*. 2 vol., New-York, 1906.

Northcliffe Collection, The. Ottawa, 1926.

O'Callaghan, E.B., éd. *Documents Relative to the Colonial History of the State of New-York*. 11 vol., Albany, 1853-1887.

Pargellis, Stanley M., éd. *Military Affairs in North America 1748-1765. Selected Documents from the Cumberland Papers in Windsor Castle*. New-York et Londres, [c. 1936].

Pease, Theodore Calvin, éd. *Anglo-French Boundary Disputes in the West*. Springfield (Ill.), 1936. Collections of the Illinois State Historical Library, t. 27.

Pennsylvania Colonial Records. Minutes of the Provincial Council of Pennsylvania, from the Organization to the Termination of the Proprietary Government {1583-1775}. Philadelphie, 1851-1852. Vol. 6, 7 et 8.

Rapport concernant les archives canadiennes pour l'année 1904. Ottawa, 1905. L'appendice G s'intitule « Bigot, Vergor et Villeray ».

Rapport concernant les archives canadiennes pour l'année 1905. 2 vol., Ottawa, 1906-1909. L'appendice N (t. 2) reproduit des lettres de Bigot, de La Jonquière, de Boishébert, etc., sur les affaires acadiennes.

Rapport sur les archives publiques pour l'année 1929. Ottawa, 1930. Appendice A : « La Correspondance de Montcalm. »

Rapport de l'Archiviste de la province de Québec [RAPQ] pour 1920-1921. Québec, 1921. « Mémoire de M. Dupuy, intendant de la Nouvelle-France, sur les troubles arrivés à Québec en 1727 et en 1728, après la mort de Mgr de Saint-Vallier, évêque de Québec », p. 78-105. — A. Fauteux, éd. « Journal du siège de Québec du 10 mai au 18 septembre 1759 », p. 137-241.

RAPQ pour 1922-1923. Québec, 1923. Reproduction photographique de plusieurs documents relatifs à la capitulation de Québec.

RAPQ pour 1923-1924. Québec, 1924. « La Mission de M. de Bougainville en France en 1758-1759 », p. 1-70. Mémoires rédigés par Bougainville. — Amédée Gosselin, éd. « Le Journal de M. de Bougainville », p. 202-393.

RAPQ pour 1924-1925. Québec, 1925. « Mémoire du Canada », p. 96-198. — Claude de Bonnault, éd. « Les Chambres de commerce de France et la cession du Canada », p. 199-228. 30 lettres et autres documents écrits entre le 8 juillet 1761 et le 9 novembre 1762.

RAPQ pour 1931-1932. Québec, 1932. La Pause, « Mémoire et observations sur mon voyage en Canada » et autres documents, p. 1-125.

RAPQ pour 1933-1934. Québec, 1934. « Les Papiers La Pause », p. 65-231.

RAPQ pour 1935-1936. Québec, 1936. « Lettres et mémoires de l'abbé de L'Isle-Dieu », p. 275-410. La suite se trouve dans les *Rapports* de 1936-37 (p. 331-459) et de 1937-1938 (p. 147-253).

RAPQ pour 1937-1938. Québec, 1938. A. Fauteux, éd. « Relation du siège de Québec (1759) », p. 1-20.

RAPQ pour 1938-1939. Québec, 1939. « Evénements de la guerre en Canada depuis le 13 7bre 1759 jusqu'au 14 juillet 1760 » par Joseph Fournerie de Vezon, p. 1-9.

RAPQ pour 1945-1946. Québec, 1946. « Les Lettres de Doreil », p. 1-171.

RAPQ pour 1951-1953. Québec, 1953. Claude de Bonnault, éd. « Les Archives d'Espagne et le Canada », p. 415-446.

Roy, P.-G., éd. *Inventaire des papiers de Léry conservés aux archives de la province de Québec*. 3 vol., Québec, 1939-1940. Il s'agit moins d'un inventaire que d'une transcription des documents eux-mêmes.

Sargent, Winthrop. *The History of an Expedition Against Fort Du Quesne in 1755 Under Major-General Edward Braddock, Generalissimo of H. B. M. Forces in America*. Philadelphie, 1855.

Shortt, Adam, éd. *Documents relatifs à la monnaie, au change et aux finances du Canada sous le régime français*. 2 vol., Ottawa, 1925-1926.

Shortt, Adam et Doughty, Arthur G., éd. *Documents relatifs à l'histoire constitutionnelle du Canada 1759-1791*. Ottawa, 1921.

Stevens, S.K., Kent, D.H. et Leonard, A.L., éd. *The Papers of Henry Bouquet. The Forbes Expedition*. Vol. 2, Harrisburg, 1951.

Stewart, Irene, éd. *Letters of General John Forbes relating to the Expedition against Fort Duquesne in 1758*. Pittsburgh, 1927.

Sullivan, James, éd. *The Papers of Sir William Johnson*. 3 vol., Albany, 1921-1922.

Têtu, Henri, éd. « M. Jean-Félix Récher, curé de Québec, et son journal, 1757-1760 ». *Bulletin des recherches historiques*, 9 (1903) : 97-122, 129-147, 161-174, 289-307, 321-346, 353-373.

BIBLIOGRAPHIE

NOTE. Une bibliographie complète de la guerre de la Conquête prendrait aisément les proportions d'un fort volume. Afin de conserver à cette section des dimensions convenables, nous en avons éliminé tous les ouvrages généraux, à l'exception de quelques-uns, cités au cours de cette étude. Dans l'ensemble, on n'y trouvera donc que des travaux spécialisés.

TRAVAUX SPÉCIALISÉS

Adair, E. R. « The Military Reputation of Major-General James Wolfe. » The Canadian Historical Association *Report* 1936 (Toronto, 1936), 7-31.

Alden, John Richard. *General Gage in America.* Bâton Rouge (Louisiane), 1948.

Arles, Henri d'. *Acadie : reconstitution d'un chapitre perdu de l'histoire d'Amérique, par Edouard Richard.* 3 vol., Québec et Boston, 1916-1921.

Baker-Crothers, Hayes. *Virginia and the French and Indian War.* Chicago, [1928].

Barnes, Viola. *The Dominion of New England : A Study in British Colonial Policy.* New Haven, 1923.

Barrow, John. *The Life of George Lord Anson, Admiral of the Fleet; Vice-Admiral of Great Britain; and First Lord Commissioner of the Admiralty, previous to, and during, the Seven Years' War.* Londres, 1839.

Baxter, W.T. *The House of Hancock.* Cambridge (Mass.), 1945.

Beer, George Louis. *British Colonial Policy, 1754-1765.* New-York, 1922.

Bonnault, Claude de. *Histoire du Canada français.* Paris, 1950.

Brebner, John B. *New England's Outpost : Acadia before the Conquest of Canada.* New-York, 1927.

Burt, Alfred L. *A Short History of Canada for Americans.* Minneapolis, 1944.

Butterfield, Herbert, *The Origins of Modern Science.* Londres, 1950. Sur la formation de l'Europe moderne.

Casgrain, Henri-Raymond. *Montcalm et Lévis.* Tours, 1898.

Chapman, T. J. *The French in the Allegheny Valley.* Cleveland, 1887.

Chapais, Thomas. *Le Marquis de Montcalm (1712-1759).* Québec, 1911.

Charteris, Evan. *William Augustus Duke of Cumberland and the Seven Years' War.* Londres, [1925].

Corbett, Julian S. *England in the Seven Years' War. A Study in Combined Strategy.* 2 vol., Londres, 1907.

Dorfman, Joseph. *The Economic Mind in American Civilization, 1606-1865.* 2 vol., New-York, 1946.

Duchêne, A. *La Politique coloniale de la France; le ministère de la Marine depuis Richelieu.* Paris, 1928.

Earle, E.M., Craig, G.A. et Gilbert, F., éd. *Makers of Modern Strategy. Military Thought from Machiavelli to Hitler.* Princeton, 1943. Chapitre III, section 1 (p. 49-74) : « Frederick the Great, Guibert, Bülow; from Dynastic to National War », par R. R. Palmer.

Faulkner, Harold U. *American Economic History.* New-York et Londres, [1943].

Fauteux Aegidius. *Les Chevaliers de Saint-Louis en Canada.* Montréal, 1940.

Frégault, Guy. *La Civilisation de la Nouvelle-France.* Montréal, [1944].
— — — — *François Bigot, administrateur français.* 2 vol., Montréal, 1948.
— — — — *Le Grand Marquis : Pierre de Rigaud de Vaudreuil et la Louisiane.* Montréal, 1952.
— — — — *La Société canadienne sous le régime français.* Ottawa, 1954.

Gérin, Léon. *Aux sources de notre histoire.* Montréal, 1946.

Gipson, Lawrence Henry. *The British Empire before the American Revolution.*

Vol. 4.   *Zones of International Friction : North America, South of the Great Lakes Region, 1748-1754.* New-York, 1939.
Vol. 5.   *Zones of International Friction : The Great Lakes Frontier, Canada, the West Indies, India, 1748-1754.* New-York, 1942.
Vol. 6.   *The Great War for the Empire : The Years of Defeat, 1754-1757.* New-York, 1946.
Vol. 7.   *The Great War for the Empire : The Victorious Years, 1758-1760.* New-York, 1949.
Vol. 8.   *The Great War for the Empire : The Culmination, 1760-1763.* New-York, 1954.

Graham, Gerald S. *Empire of the North Atlantic. The Maritime Struggle for North America.* Toronto, 1950.
— — — — *Canada : A Short History.* Londres, 1950.

Harrington, Virginia. *The New York Merchant on the Eve of the Revolution.* New-York, 1935.

Harvey, D.C. *The French Régime in Prince Edward Island.* New Haven, 1926.

Hazard, Paul. *La Crise de la conscience européenne : 1680-1715.* Paris, [c. 1935]. Sur la formation de l'Europe moderne.

Hotblack, Kate. *Chatham's Colonial Policy.* Londres, 1917.

[Kerallain, René de.] *La Jeunesse de Bougainville et la guerre de Sept ans.* Paris, 1896.

Koontz, Louis K. *The Virginia Frontier, 1754-1763.* Baltimore, 1925.

Lacour-Gayet, G. *La Marine militaire de la France sous le règne de Louis XV*. Paris, 1910.

Lauvrière, Emile. *La Tragédie d'un peuple : Histoire du peuple acadien de ses origines à nos jours*. 2 vol., Paris, 1924.

Lichtenberger, André. *Montcalm et la tragédie canadienne*. Paris, [1934].

Lunn, Jean. « The Illegal Fur Trade out of New France, 1713-1760. » Canadian Historical Association *Report* 1939 (Toronto, 1939), 61-76.

Mahan, A. T. *The Influence of Sea Power upon History 1660-1783*. Boston, 1894.

Martin, Félix. *Le Marquis de Montcalm et les dernières années de la colonie française au Canada*. Paris, 1888.

McCormac, Eugene I. *Colonial Opposition to Imperial Authority during the French and Indian War*. Berkeley, 1911.

McLennan, J.S. *Louisbourg from its Foundation to its Fall*. Londres, 1918.

Miller, John C. *Origins of the American Revolution*. Boston, 1943.

Muret, Pierre. *La Prépondérance anglaise 1715-1763*. Paris, 1942.

Osgood, Herbert L. *The American Colonies in the Eighteenth Century*. 4 vol., New-York, 1924.

Pargellis, Stanley M. *Lord Loudoun in North America*. New Haven et Londres, 1933.

Parkman, Francis. *The Old Régime in Canada*. Boston, 1889.
— — — — *Montcalm and Wolfe*. 2 vol., Boston, 1888.

Pound A. et Day, R. E. *Johnson of the Mohawks. A Biography of Sir William Johnson, Irish Immigrant, Mohawk War Chief, American Soldier, Empire Builder*. New-York, 1930.

Robitaille, Georges. *Washington et Jumonville, étude critique*. Montréal, 1933.
— — — — *Montcalm et ses historiens, étude critique*. Montréal, 1936.

Roy, J.-J.-E. *Bougainville*. Tours, 1883.

Roy, Pierre-Georges. *La Ville de Québec sous le régime français.* 2 vol., Québec, 1930.

— — — — *Bigot et sa bande et l'Affaire du Canada.* Lévis, 1950. Voir *Revue d'histoire de l'Amérique française,* 3 (1949-1950) : 609-613.

Ruville, Albert von. *William Pitt, Earl of Chatham.* 3 vol., Londres, 1907.

Savelle, Max. *The Diplomatic History of the Canadian Boundary 1749-1763.* New Haven, 1940.

Selley, W. T. *England in the Eighteenth Century.* Londres, 1949.

Severance, Frank H. *An Old Frontier of France. The Niagara Region and Adjacent Lakes under French Control.* 2 vol., New-York, 1917.

Seymour, F. W. *Lords of the Valley. Sir William Johnson and His Mohawk Brothers.* New-York et Londres, 1930.

Stanley, George F. G. *Canada's Soldiers 1604-1954.* Toronto, 1954.

Townshend, C.V.F. *The Military Life of Field-Marshall George First Marquess Townshend, 1724-1807.* Londres, 1901.

Tocqueville, Alexis de. *Histoire philosophique du règne de Louis XV.* 2 vol., Paris, [s.d.]

Trudel, Marcel. *Le Séminaire de Québec sous le régime militaire, 1759-1764.* Québec, 1954.

Tunstall, Brian. *William Pitt Earl of Chatham.* Londres, [1938].

Waddington, Richard. *La Guerre de Sept ans. Histoire diplomatique et militaire.* 5 vol., Paris, [1899-1914].

Warburton, George. *The Conquest of Canada.* Londres, 1857.

Webster, J. C. *The Forts of Chignecto. A Study of the Eighteenth Century Conflict between France and Great Britain in Acadia.* [s. 1.], 1930.

Williamson, James A. *A Short History of British Expansion.* 2 vol., Londres, 1951. Vol. 1 : *The Old Colonial Empire.*

Willson, Beckles. *The Life and Letters of James Wolfe.* New-York, 1909.

Wood, George A. *William Shirley, Governor of Massachusetts, 1741-1756.* New-York, 1920.

Wrong, George M. *The Fall of Canada. A Chapter in the History of the Seven Years' War.* Oxford, 1914.

II. — PÉRIODIQUES

Andrews, C.M. « Anglo-French Commercial Rivalry, 1700-1750. The Western Phase. » *American Historical Review,* 20 (1914-1915) : 539-556, 761-780.

[Anonyme] « A propos de M. Rigaud de Vaudreuil. » *Bulletin des recherches historiques,* 45 (1939) : 53-60.

— — — — « Les Victimes du *Léopard.* » *Ibid.,* 35 (1929) : 615-620.

Bonnault, Claude de. « Les Français de l'Ohio. Un drame dans la Prairie : l'affaire Jumonville. » *Revue d'histoire de l'Amérique française,* 1 (1947-1948) : 501-518.

— — — — « Le Canada et la conclusion du pacte de famille de 1761. » *ibid.,* 7 (1953-1954) : 341-355.

Clark, Dan E. « News and Opinions Concerning America in English Newspapers, 1754-1763. » *The Pacific Historical Review,* 10 (1941) : 75-82.

Clarke, Mary P. « The Board of Trade at Work. » *American Historical Review,* 17 (1911-1912) : 15-43.

Dailey, W.N.P. « Sir William Johnson, Baronet. » *The Chronicles of Oklahoma,* 22 (1944) : 164-176.

Frégault, Guy. « La Guerre de Sept ans et la civilisation canadienne. » *Revue d'histoire de l'Amérique française,* 7 (1953-1954) : 183-206.

Gipson, Lawrence Henry. « Connecticut Taxation and Parliamentary Aid. » *American Historical Review,* 36 (1931) : 721-739.

— — — — « A French Project for Victory Short of a Declaration of War, 1755. » *Canadian Historical Review,* 26 (1945) : 361-371.

Giddens, Paul H. « The French and Indian War in Maryland 1753 to 1756. » *Maryland Historical Magazine,* 30 (1935) : 281-310.

Grant, W. L. « Canada versus Guadeloupe. An Episode of the Seven Years' War. » *American Historical Review,* 17 (1912) : 735-743.

Greene, E. B. « New York and the Old Empire. » *The Quarterly Journal of the New York State Historical Association*, 8 (1926) : 121-132.

Groulx, Lionel. « D'une transmigration des Canadiens en Louisiane vers 1760. » *Revue d'histoire de l'Amérique française*, 8 (1954-1955) : 97-125.

Hall, Hubert. « Chatham's Colonial Policy. » *American Historical Review*, 5 (1900) : 659-675.

Hitsman, J. Mackay. « The Assault Landing at Louisbourg, 1758. » *Canadian Historical Review*, 35 (1954) : 314-330.

James, Alfred P. « Fort Ligonier. Additional Light from Unpublished Documents. » *Western Pennsylvania Historical Magazine*, 17 (1934) : 259-285.
— — — — « The Nest of Robbers. » *Ibid.*, 21 (1938) : 165-178.

Léonard, Emile-G. « La Question sociale dans l'armée française. » *Annales : Economies, Sociétés, Civilisations*, 3 (1948) : 135-149.

Pares, Richard. « American versus Continental Warfare, 1739-1763. » *The English Historical Review*, 51 (1936) : 429-465.

Pargellis, Stanley M. « Braddock's Defeat. » *American Historical Review*, 41 (1936) : 253-269.

Sachs, William S. « Agricultural Conditions in the Northern Colonies before the Revolution. » *The Journal of Economic History*, 13 (1953) : 274-290.

Schlebecker, John. « Braddock's Defeat. » *The Ohio State Archaeological and Historical Quarterly*, 58 (1949) : 171-184.

Trudel, Marcel. « L'Affaire Jumonville. » *Revue d'histoire de l'Amérique française*, 6 (1952-1953) : 331-373.

INDEX

A

ABERCROMBIE, James, officier écossais, sur les « arpents de neige », 356

ABERCROMBY, major-général James, 291; commandant général intérimaire (1756), 182; ne peut secourir Oswego, 182; succède à Loudoun, 289; bataille de Carillon, 304-307; rumeur de victoire à Carillon, 311; révoqué, 311

ABREU Y BERTONADO, Félix, ambassadeur d'Espagne en Angleterre, sur la chute du fort Du Quesne, 313

Acadie, 9, 335, 372, 403, 406; situation, 1713-44, 234; politique canadienne (1749-1758), 94; cause de guerre (1755), 113; sa valeur pour la France et l'Angleterre, 235s; population, 254, 260; composition ethnique, 43; l'action américaine passée sous silence en Angleterre (1755), 85; coup de mort en 1755, 260; atrocités anglaises, 19; sens de sa défaite, 229, 233s; politique adoptée par l'Angleterre, 239s; difficile à repeupler de Britanniques, 261-263; Vaudreuil veut y agir (1759), 331; voir aussi Nouvelle-Ecosse

Acadiens, 221; projet de déportation, 30; refusent le serment anglais, 238; en faire des scieurs de bois et des porteurs d'eau, 243; travaillent pour les Français, 244; mémoire de Belcher sur leur déportation, 252-254; causes de leur déportation, 254s, 271s, 277; déportation ordonnée par le conseil de la Nouvelle-Ecosse, 255; déportation, 22; victimes d'atrocités, 141; combien furent déportés en 1755, 260, note 84; sort des déportés dans les colonies anglaises et en France, 257, 270; s'efforcent de rentrer chez eux, 257s; l'opinion anglo-américaine et anglaise sur leur déportation, 258-260; réfugiés à l'île Royale, 263; raids de partisans, 261-263, 265; réparent les aboiteaux de leurs successeurs, 268; leur bétail, objet de prévarications, 276; exclus de la capitulation de Montréal, 265; émigrent à St-Pierre et aux Antilles (1764), 270

ADAMS, William, pasteur britannique, sur les Canadiens, 35

Affaire du Canada, 58

Agriculture, importance discutée, 416; l'Angleterre ne peut y confiner les Américains, 421; témoignage de Talon, 456

Aix-la-Chapelle, traité d', 325; dispositions sur l'Acadie et l'île Royale, 235

Albany, fortifications (1754), 108; fête la défaite du Canada, 394

TABLE DES CARTES

Les inscriptions et les légendes ont été traduites en français.

TABLE DES MATIÈRES

*Achevé d'imprimer sur les presses des Editions Fides,
à Montréal, le dix-septième jour du mois de novembre
de l'an mil neuf cent soixante-six.*